Philip Zaleski/Paul Kaufman

Bewußter leben
Tag für Tag

Die Praxis der großen
spirituellen Traditionen

Aus dem Amerikanischen
von Malte Heim

For Gary

In anticipation
of spiritual &
creativity or ThirdAge.
See page 141 for a
synthesis

Best Wishes!
Paul

January 1999

Delphi bei Droemer

An diesem Buch haben beratend
mitgewirkt:
Joseph Bruchac
Joan Halifax
Kabir Helminski
Jon Kabat-Zinn
Rabbi Jonathan Omer-Man
Dean Ornish
Ram Dass
Sharon Salzberg
Therese Schroeder-Sheker
Bruder David Steindl-Rast, O.S.B.
Robert Thurman
Mutter Mary Clare Vincent, O.S.B.

Meiner Mutter, Jean Busuttil Zaleski, zugeeignet, und im Gedenken an meinen Vater, Thaddeus Peter Zaleski (1918–1991)

Für Libby, Karen, Jennifer und den Colman-Kaufman-Clan

Inhalt

Vorwort
von Daniel Goleman

Im Kern der meisten spirituellen Traditionen finden wir Methoden, Stille und Kontemplation in unser Leben hincinzubringen. Denn in Augenblicken der Ruhe und des Friedens sind wir eher bereit, uns dem Geist zu öffnen. Die Kontemplation ist so etwas wie der große Pfad in unser inneres Leben. Für Christen gehören das Jesus-Gebet und die Übung der Göttlichen Gegenwart zu diesen Techniken; für chassidische Juden sind es Segenssprüche, die in kurzen Momenten des Lebens die Gegenwart Gottes erkennen lassen und offenbaren; im Buddhismus ist es die Achtsamkeit – eine wache, meditative Aufmerksamkeit für die Vorgänge des Lebens.

In der modernen Zeit sind solche kontemplativen Praktiken besonders wertvoll, da sie dem Streß und der Hektik des Alltags entgegenwirken. Sie gemahnen uns an die tiefere Bedeutung unseres Lebens und unserer Aktivitäten. Denn ein kontemplatives Leben ist ein Gegengewicht von unschätzbarem Nutzen gegen die Oberflächlichkeit des modernen Lebens; aber viele Menschen haben diese Wegspur verloren und wissen nicht mehr, wie sie Stille in ihr Leben bringen können.

Bei manchen Menschen – und das gilt insbesondere für Christen und Juden – rührt diese Schwierigkeit zum Teil daher, daß sie die Verbindung zu den alten, kontemplativen Pfaden ihrer eigenen spirituellen Tradition aus den Augen verloren haben. Anderen wiederum fällt es schwer, einen kontemplativen Pfad zu finden, der eine Bedeutung für sie hat und den sie mit ihrer persönlichen Weltanschauung vereinbaren können. Die meisten Menschen – gleich welchen Glaubens – finden es schwierig, einen Weg zu kontemplativen

11

Praktiken zu finden, der sowohl authentisch als auch von Erfolg gekrönt ist.

Kontemplation in tieferem Sinne ist ein Bewußtsein, das direkt auf ein geheiligtes Ziel ausgerichtet ist. Die lateinischen Wortteile *con* und *templum* deuten an, daß die besinnliche Betrachtung dazu beiträgt, Grund und Boden für einen Tempel, ein Gotteshaus, abzustecken. Denn Kontemplation heiligt das Gewöhnliche und spürt seinen tiefsten Bedeutungen nach. Kontemplation reicht vom besinnlichen Nachdenken bis hin zu meditativen Zuständen, die alles Denken transzendieren. Dazu gehören Gebete in all ihren Formen: Anbetung, Dankgebete, Bittgebete, Unterwerfung unter ein höheres Wesen oder die Vereinigung mit Gott. Kontemplation umfaßt auch die vielen Formen der Meditation: z. B. erhöhte Achtsamkeit für den Fluß der Erfahrung; gespannte Aufmerksamkeit und scharfe Konzentration; und ein Eintauchen in das innere Schweigen, die innere Stille. Heute suchen viele Menschen nach Möglichkeiten, diese Formen der Kontemplation in ihren Alltag einfließen zu lassen und die höchsten Aspekte des Geistigen in ihr Alltagsleben einzubringen.

»Bewußter leben – Tag für Tag« spricht unmittelbar diese Bedürfnisse an. Es präsentiert die Weisheit der großen spirituellen Traditionen und zeigt, wie diese Weisheit uns helfen kann, gesünder und fruchtbarer zu leben.

Anmerkung
der Autoren

Das spirituelle Leben ist sowohl persönlich als auch gemeinschaftlich geprägt. Weil es persönlich ist, haben wir dieses Buch gewissermaßen mit unserer eigenen Stimme geschrieben und durchgehend die erste Person Singular benutzt. Und weil es gemeinschaftlich ist, haben wir das Buch als Team geschrieben.

Philip Zaleski ist für den größten Teil des Textes verantwortlich, darin verstreut finden sich Paul Kaufmans Essays, Interviews und Porträts.

Die Fotos wurden von Paul Kaufman ausgewählt.

Anmerkung
des Übersetzers zu den
Bibelübersetzungen

Die meisten biblischen Zitate wurden der Jerusalemer Bibel entnommen. Aber in manchen Fällen – wo die Autoren auf andere Bibelausgaben als die King-James-Bibel zurückgriffen, um die ursprüngliche Bedeutung der Lehre oder einer Praxis deutlicher zu machen –, habe ich mich enger an den Text des Originals gehalten oder meine eigenen Worte benutzt. Bei solcher Gelegenheit habe ich auch feststellen müssen, daß die Jerusalemer Bibel aus mir unbekannten Gründen eine Aussage unter auffälligen stilistischen und textlogischen Einbußen abzuschwächen scheint, so daß ich schärfer in den Text eingreifen mußte. Als Beispiel möge ein Text über die Handwerker dienen (Jesus Sirach, 38, 33–34): … *Sondern sie stützen das Werk der Welt, und ihr Gebet richtet sich auf die Dinge ihres Gewerbes.* Das ist viel schwächer als der Text, den die Autoren zitiert haben und den ich wie folgt übersetzt habe: *Aber sie erhalten das Gewebe der Welt, und ihr Gebet sind die Arbeiten ihres Gewerbes* (Kapitel 4).

Koptisches Kloster in Ägypten   Linda Connor

Einleitung

Anfang des 14. Jahrhunderts veränderte der große venezianische Kaufmann Marco Polo gcmeinsam mit anderen
Mitgliedern seiner Familie die kulturelle Landkarte der Welt, indem er auf seinen Reisen die ersten Handelsrouten zwischen Europa
und dem Fernen Osten begründete. Plötzlich gelangten die unermeßlichen Reichtümer Chinas – Gewürze, Seidenstoffe, Porzellan,
Papierwährung, Tuschzeichnungen und kostbare Salbenbereitun-
gen – über den Jangtsekiang und den Amur, über den Himalaja und
den Kaukasus, durch die Wüste Gobi und die persischen Wüsten
in die begierigen Hände der Europäer. Und China hatte seine Freude
an den Stoffen, den Werkzeugen und den industriellen Fertigungs-
methoden des Westens und lauschte den Berichten über fremdarti-
ges Leben und exotisch anmutende Sitten, die die Polos ihrerseits
auf ihren Kamelkarawanen von zu Hause mitbrachten. Repräsen-
tanten der beiden mächtigsten Zivilisationen der Welt schüttelten
einander die Hände, und nichts sollte jemand wieder so wie zuvor
sein.
Heute, 700 Jahre nach den Expeditionen Marco Polos, werden neue
Handelsrouten erschlossen, und Sie ahnen vielleicht, daß über sie
etwas ähnlich Bedeutendes, wenn nicht etwas noch Dramatischeres
transportiert wird: Die kulturelle Transformation findet statt. Die
Produkte dieses modernen interkulturellen Austauschs sind nicht
materieller, sondern spiritueller Art: die Lehren der großen Weis-
heitstraditionen der Welt. Alle großen Religionen – Judaismus,
Christentum, Islam, Hinduismus, Buddhismus, die Religionen der
Ureinwohner Amerikas und Afrikas sowie weitere mit ihren unaus-

17

lotbaren kulturellen Überlieferungen und Lehren – sind an diesem Austausch beteiligt – in den meisten Fällen mit Begeisterung und gutem Willen.

Man kann niemals mit Gewißheit sagen, warum spirituelle Revolutionen stattfinden, denn sie können natürlichen oder übernatürlichen Kräften entspringen. Aber wir können drei Quellen des gegenwärtigen Umbruchs namhaft machen. Da ist zum einen die Ausbreitung asiatischer Religionen im Westen. Sie wurde begründet durch die Arbeit Sri Vivekanandas anläßlich »Chicago's World Parliament of Religions« im Jahre 1895 und beschleunigt durch die Schriften des Zen-Lehrers D. T. Suzuki Mitte des 20. Jahrhunderts. Noch weiter vorangetrieben wurde sie durch die Diaspora von Meditationsmeistern, Lehrbüchern und Methoden aus der buddhistischen Schatztruhe Tibet im Himalaja nach der Vertreibung durch die Chinesen im Jahre 1959. Die zweite Quelle besteht darin, daß der Westen sein eigenes, reiches kontemplatives und mystisches Erbe – das viele Jahrhunderte lang nur Mönchen und Gelehrten zugänglich war – durch populäre Schriften von Autoren wie Thomas Merton und Abraham Heschel wiederentdeckt hat. Die dritte Quelle, die ihrer gründlichen Erschließung noch harrt, war die Aufmerksamkeit, die unsere industrialisierte Welt – der Westen ebenso wie der Osten – den Praktiken der Eingeborenentraditionen insbesondere in Afrika und Amerika entgegenbringt.

Diese Troika von Entwicklungen hat das religiöse Antlitz der Welt für immer verändert. Ob wir in Kalifornien leben oder in Kalkutta – wir sehen uns als Erben eines unermeßlichen Schatzes von neuen (in Wirklichkeit oft sehr alten) spirituellen Lehren, die von esoterischen Kosmologien über Gebete zum Lob Gottes bis hin zu Techniken eines achtsamen Gehens alles umfassen. Dieses unerwartete Geschenk hatte beachtliche Folgen. In den Buchhandlungen biegen sich die Regale mit religiöser Literatur, in den Städten schießen Gebets- und Meditationsgruppen förmlich aus dem Boden, gregorianische Gesänge führen die Hitparaden an, und Engel flattern durch die Bestsellerlisten. Diese erstaunliche Entwicklung, wie sie noch vor einer Generation undenkbar gewesen wäre, zeugt von einem intensiven Hunger nach dem Spirituellen, der von Jahr zu Jahr noch stärker zu werden scheint.

Ein Aspekt der spirituellen Revolution fällt uns bei diesem ganzen Aufruhr vor allem ins Auge – oder sollte ich besser sagen, *hinter* allem. Denn diese Dimension, die höchste von allen, erfüllt zugleich eine Rolle als stabilisierender Trommelrhythmus, der alle menschlichen Begegnungen mit dem Heiligen untermalt. Mein Co-Autor Paul Kaufman und ich nennen sie die kontemplative Dimension oder einfach *Kontemplation*. In unserer Definition umfaßt Kontemplation unterschiedliche Praktiken, zu denen Gebet, Meditation und Achtsamkeit gehören sowie auch die wortlose Vereinigung mit dem Göttlichen, so wie sie in den Traditionen des Westens verstanden wird. Aber in allen Traditionen, östlich oder westlich, dient die Kontemplation als Königsweg zum Göttlichen. Sie bildet den Kern all jener Praktiken, die in jedem Kapitel dieses Buchs beschrieben werden.

Allen kontemplativen Schulen ist die Liebe zur Stille, zum Schweigen und zur Aufmerksamkeit gemeinsam. Sie führen uns aus destruktiven Emotionen wie Neid, Eifersucht und Haß heraus zu klarem Denken und liebevoller Aufgeschlossenheit. Sie führen uns aus der Phantasie in die Wirklichkeit hinaus und verleihen uns auf diese Art Weisheit. Der christliche Philosoph Josef Pieper schreibt:»Ein Mann ist weise, wenn ihm alles so erscheint, wie es wirklich ist.«[1] Kontemplative Techniken sprechen uns an, weil sie uns praktische Methoden in die Hand geben, unsere verstreuten Energien zu sammeln, uns an die tiefere Bedeutung unseres Lebens zu erinnern, dem Heiligen zu begegnen. Oft können wir sie in den alltäglichsten Situationen des Lebens anwenden: beim Geschirrspülen, beim Trockenlegen des Babys, beim Abwickeln eines Geschäfts oder beim Autofahren. In unserem verwirrenden Leben inmitten von Bits und Megabytes, von Hast und

Wettbewerb benötigen wir diese kontemplative Dimension mehr denn je.

Marco Polo nannte die Aufzeichnungen seiner Entdeckungen »Die Wunder der Welt«. »Bewußter leben – Tag für Tag« soll als neues »Buch der Wunder der Welt« dienen; ein Sesam-öffne-dich und zugleich ein Führer in dieses Schatzgewölbe, in diese Fülle von Wegen zur Stille und Gelassenheit, zu Friede und Dankbarkeit.

Vor vielen Jahren tauchte in meinem College-Wohnheim ein junger Mann namens Raoul auf. Er gab keinerlei Erklärung ab – Ende der 1960er Jahre, als die Leute wie Flugsamen durch Amerika schwärmten und überall Rast machten, wo sie ein Dach über dem Kopf fanden, wo man ihnen Gras anbot oder wo sie Rock 'n' Roll-Musik hörten, durchaus nichts Ungewöhnliches. Raoul streifte etwa einen Monat lang durch unsere College-Hallen und erfreute uns durch seinen Charme. Er sprach mit einem marokkanischen Akzent und spielte göttlich Gitarre. Er reagierte auf jedes Ereignis, groß oder klein, gut oder schlecht, mit einem Schulterzucken und der lakonischen Feststellung: »Alles ist alles.« Wenn sein Frühstücks-Toast anbrannte, spielte das keine Rolle, denn »alles ist alles«. Traf er ein schönes Mädchen, dann war ihm heute das Glück mal hold, aber letztlich war »alles alles«. Raoul – in seinem Herzen ein Tramp – zeigte eine bemerkenswerte Selbsteinsicht und sagte voraus, daß er eines Tages in der Gosse landen würde. Aber was sollte es? Es machte ihm wirklich nichts aus, denn »alles ist alles«.

Dieser fröhliche Gleichmut dem Schicksal gegenüber wies Raoul als einen jener heiligen Narren aus, die in vielen Religionen hoch angesehen sind. Es überraschte uns weder, daß er sich für spirituelle Praktiken zu interessieren begann, noch, daß er mir und meinen Zimmergenossen anbot, uns beizubringen, wie man meditiert. Wir hätten es besser wissen müssen. Ich erinnere mich daran, daß Raouls erster Unterricht eines Freitags um Schlag zwölf Uhr Mitternacht

20

stattfand. Wir saßen in einem Halbkreis im Schneidersitz auf dem Boden, so daß wir einander ins Gesicht schauten. Er begann, rasend schnell zu hyperventilieren, seine Atemzüge immer mehr zu beschleunigen. Wir taten es ihm gleich. Als der Raum anfing, sich um uns zu drehen, begann er, mit lauter, auf- und abschwellender Stimme zu stöhnen. Wir taten es ihm gleich. Eine Zeitlang wechselten Anfälle von schwerem Atmen und Seufzen, gemischt mit Stöhnen, einander ab. Nach fünf Minuten drohte sich bei uns der Magen umzudrehen; nach zehn Minuten wollten unsere aufgebrachten Nachbarn die Polizei rufen.

So endete Raouls erster und einziger Abend als Guru. Als meine Zimmergenossen den Raum verließen, ging ich zu ihm, um meine Verwunderung zum Ausdruck zu bringen. »Raoul«, sagte ich, »ich habe über Zen-Sitzungen gelesen und über das Jesus-Gebet. Ich habe mit Priestern und Lamas gesprochen, mit Rabbis und Mönchen. Aber niemals ist mir Keuchen und Stöhnen als spirituelle Praxis untergekommen. Weißt du wirklich, was du tust?«

»Nun«, erwiderte Raoul, »vielleicht weiß ich's, vielleicht nicht.«

»Aber du bist sicher, daß das hier Meditation ist?«

»Natürlich ist es das«, gab er zur Antwort. »Alles ist alles.«

Heute, ein Vierteljahrhundert später, denke ich oft an Raoul und bete darum, daß er auf einer silbergesäumten Wolke dahinschweben möge, statt in der Gosse zu landen. Er hatte viel Gutes getan; vor allem brachte er ein paar College-Schülern bei, dem Leben ein wenig mutiger und sorgloser gegenüberzustehen. Und ich glaube in seinem ungeschickten Versuch als Guru Anzeichen für eine echte spirituelle Suche entdeckt zu haben. Das ist der Grund dafür, weshalb Raoul uns derart anzog: Er verachtete das Geld und spottete über das Schicksal. Er hatte die Versuchungen durchschaut, mit denen das Leben uns zu korrumpieren versucht und die Thoreau als »stumme Verzweiflung« beschreibt. Selbst Raouls Stöhnen und Seufzen, so unartikuliert es auch gewesen sein mag, gab beredte Kunde von seiner Sehnsucht nach etwas Höherem. Es ruft uns die

Mahnung des Apostels Paulus ins Gedächtnis, der gesagt hat: »Wir wissen ja, daß die gesamte Schöpfung bis zur Stunde seufzt und in Wehen liegt … Auch wir seufzen in uns selbst in der Erwartung der Erlösung unseres Leibes. Denn durch die Hoffnung sind wir gerettet.« (Römer 8, 22–24)

Aber ich habe erkannt, daß Raoul nicht gerade der verläßlichste Lehrer war, wenn es um die Grundbegriffe der spirituellen Praxis ging. Alles ist eben nicht alles – nicht einmal im spirituellen Leben. Man muß Unterscheidungen treffen. Als bei den ersten Polarexpeditionen die gesamte Ausrüstung noch von den Männern oder Hunden transportiert wurde, war es für viele Expeditionen recht mühsam, ausreichende Mengen an Nahrungsmitteln mitzuführen. Als Lösung bot sich Pemmikan an, ein wenig appetitanregendes, schmutzfarbenes, gepreßtes Gemisch aus Walroßfleisch, Fett und Kohlenhydraten. Jahr und Jahr kauten die Polarforscher dreimal täglich ihre Pemmikan-Ration und fielen dann in tiefen Schlaf, um von gebratenem Truthahn, heißem Plumpudding und randvollen Whiskeygläsern zu träumen. Raouls spiritueller Pemmikan stellte keinen von uns zufrieden; wir sehnten uns nach glaubwürdiger spiritueller Kost.

Und genau die finden wir in den großen Religionen der Welt. Jede von ihnen hat im Verlauf der Jahrhunderte oder Jahrtausende einen reichen Schatz an Grundlehren und Praktiken entwickelt – gute Nahrung für den Geist –, die geeignet sind, den Menschen einer authentischen Begegnung mit dem Heiligen näher zu bringen. Mit anderen Worten, jede dieser Religionen hat eine lebendige Tradition entwickelt.

Überliefertes Wissen bildet auch den Kern des vorliegenden Buchs. Sämtliches Material, mit dem Sie auf diesen Seiten bekannt gemacht werden, entstammt der Tradition, der gesammelten Weisheit der Menschheit, gehortet von Männern und Frauen, die in intimer Nähe zum Heiligen lebten. Der Schatz wurde dann von Generation zu Generation gesichtet, verbessert und bereinigt. Der Ausdruck

»Tradition« leitet sich von lateinisch *tradere,* »übergeben, überliefern« ab. Jede Generation gibt ihr Wissen und ihr Verständnis der Dinge an die folgende Generation weiter. In den westlichen Traditionen von Judentum, Christentum und Islam lassen sich viele der Praktiken, die Paul und ich vorstellen, bis auf Abraham und seine Nachfolger, die ersten hebräischen Propheten, zurückverfolgen. Das den östlichen Traditionen entlehnte Material kann auf eine zumindest ebenso ehrwürdige Geschichte zurückblicken. Alles, was Sie in »Bewußter leben – Tag für Tag« finden, ist erprobt und wahr.

Zudem haben Paul und ich viele zeitgemäße Anpassungen traditioneller Praktiken in dieses Buch mit aufgenommen. Wir haben nicht die Absicht, Sie durch ein Museum mumifizierter Wunderdinge zu führen – unser Wunsch ist es, Material zu präsentieren, das normale Menschen mit normalen Lebensläufen anspricht (hier paßt vielleicht Gilbert Keith Chestertons Beobachtung: »Alle Menschen sind normale Menschen; die ungewöhnlichen Menschen sind jene, die dies wissen«). Wie wir glauben, werden Sie bemerken, daß das hier dargebotene zeitgenössische Material – wie modern es sich auch in der Sprache und der Methode geben mag – ein tiefes Gespür für spirituelle Realitäten in sich birgt. Wir erblicken darin die äußere Anpassungsfähigkeit verbunden mit der inneren Unbeugsamkeit, die typisch für die großen religiösen Traditionen der Welt gewesen sind.

Um sicherzustellen, daß »Bewußter leben – Tag für Tag« das beste verfügbare zeitgenössische Material bietet, haben Paul und ich ein spezielles Beraterteam für unser Buch gewonnen. Zu den Beratern gehören hervorragende Vertreter der meisten großen religiösen Traditionen der Welt. Ihre Namen sind auf Seite 5 aufgeführt. Sie alle haben durch ihre Beratung und ihr lebendes Beispiel die Auswahl der in diesem Buch angeführten Ideen und Übungen beeinflußt.

Der Reichtum an kontemplativen Praktiken in den Religionen der Welt kann uns verwirren. Viele Leser werden mit dem Jesus-Gebet des Christentums, mit den buddhistischen Geh-Meditationen, mit der Visions-Suche der amerikanischen Indianer oder mit dem islamischen *Dhikr* vertraut sein; aber es gibt noch Tausende anderer Praktiken. Wir können durch Meditation, Achtsamkeit, Rituale oder durch Gebete in die kontemplative Dimension eintreten; im Tanz oder im stilisierten Kampf; durch eine Serie von Niederwerfungen oder Verbeugungen; mit Hilfe von Sitzkissen oder Weihrauch, Glocken oder Trommeln; auf einem einsamen Berg oder in einer Kirche voller Gläubiger; bei der Geburt, bei der Heirat oder einer Totenmesse. Wir finden Kontemplation in jedem Volk und in jedem Milieu. Da ist eine Perlenhändlerin, die auf dem Markt in Lhasa ihre Waren anbietet; ein Fischer, der einen spirituellen Gesang anstimmt, während er vor den Komoren seine Netze einholt; eine Nonne, die in einem brasilianischen Kloster die Messe liest – alle diese Menschen tragen eine Facette zum kontemplativen Leben bei. Es ist genau diese wunderbare Vielfalt, die wir mit dem Titel »Bewußter leben – Tag für Tag« andeuten möchten.

Während wir recherchierten und dieses Buch schrieben, haben Paul und ich eine Handvoll zentraler kontemplativer Prinzipien entdeckt, die allen Traditionen gemeinsam sind. In jenem College-Wohnheim vor so langer Zeit haben Raoul und seine Schüler sich vergeblich bemüht, ohne einen Plan, ohne Werkzeuge eine Arche zu bauen. Die oben erwähnten Grundregeln stellen so etwas wie den Bauplan und die Werkzeuge dar: Regeln, die für alle kontemplativen Übungen verbindlich sind. Wir nennen sie die drei fundamentalen Wahrheiten des besinnlichen Lebens:

1. Kontemplation wird durch Aufmerksamkeit, Stille und Schweigen vertieft.

Wer sich in Tagträumen verliert, kennt nur seine eigenen Phantasien. Aber in der Kontemplation wünschen wir uns, die Welt so kennenzulernen, wie sie wirklich ist. Es ist unsere Aufgabe, für die Wirklichkeit aufmerksam zu sein; das heißt, die Aufmerksamkeit zu kultivieren.

Irgendwie wissen wir alle, was Aufmerksamkeit bedeutet, meist nur durch ihr Gegenteil. Wie oft haben wir es versäumt, Aufmerksamkeit zu zollen, und als Folge davon gelitten! Aber allein diese merkwürdige Redensart »Aufmerksamkeit zollen« kann uns etwas Wichtiges lehren: nämlich, daß Aufmerksamkeit ihren Preis hat. Wir bezahlen für sie durch unsere Bemühung. Das hat etwas mit Streß oder Anstrengung zu tun. Ob wir unserer Atmung, unserem Gehen oder der Gegenwart Gottes Aufmerksamkeit entgegenbringen – es kostet uns Mühe, unser Denken zu entspannen und es vom Lärm der Gedanken und von Ablenkungen zu entleeren. Es handelt sich im Prinzip um einen Akt des Loslassens. Die christliche Philosophin Simone Weil beschreibt diesen Prozeß folgendermaßen: »Wir setzen unser Denken aus, machen es unberührt und leer und sind bereit, vom Gegenstand selbst durchdrungen zu werden.«[2] Wenn wir es durch Aufmerksamkeit »polieren«, wird unser Denken zu einem Spiegel; bereit einzufangen und wiederzugeben, was auch immer uns begegnet. Aufmerksamkeit ist demnach ein Akt der Liebe. Wenn ich meinem Sohn Aufmerksamkeit entgegenbringe, sehe ich ihn, wie er wirklich ist, und nicht so, wie ich ihn mir wünsche. Ich werde wach für seine wahren Bedürfnisse und nicht für die Wünsche, die ich ihm aus meiner eigenen Lasterhöhle aufdrängen will.

Bei dieser Suche nach Aufmerksamkeit erweisen sich Stille und Schweigen als Verbündete von unermeßlichem Wert. Diese Wahrheit wird auf eindringliche Weise durch die biblische

Darstellung der Suche Elijas nach Gott auf dem Berg Horeb vermittelt:

Ein gewaltiger, heftiger Sturm, der Berge zersprengte und Felsen
spaltete, ging vor Jahwe her; aber Jahwe war nicht in dem Sturm.
Nach dem Sturm kam ein Erdbeben; aber Jahwe war nicht im
Erdbeben. Nach dem Erdbeben kam ein Feuer; aber Jahwe war
nicht im Feuer. Nach dem Feuer erklang ein Laut reiner Stille. Da,
als Elija das vernahm, verhüllte er sein Antlitz mit seinem Mantel,
ging hinaus und trat in den Eingang der Höhle. Nun drang eine
Stimme zu ihm ...

1. Könige 19, 11–13

Weder im Sturm noch im Erdbeben oder im Feuer konnte Elija
Gottes Stimme vernehmen, sondern in einem »Laut reiner Stille«.
Ich möchte aber hinzufügen, daß diese »reine Stille« nicht von
äußeren Umständen abhängen muß. Während viele Anfänger eine
Atmosphäre äußerlicher Ruhe benötigen – zum Beispiel die Ruhe
in einer Eremitage, einem *Zendo,* oder auf einem abgelegenen
Feldweg –, berichten fortgeschrittene Kontemplative, daß Ruhe
überall zu finden ist. Sie sagen, es gibt einen weltabgeschiedenen
Raum im Zentrum des Herzens, in den man sich auch mitten auf
dem Times Square oder auf dem Piccadilly Circus zurückziehen
kann. Nicht wenige Heilige haben ihre Heiligkeit inmitten des
Großstadtlärms erfahren.

2. Kontemplation gedeiht
inmitten des Alltagslebens.

Wie sich jeder vom Chemie-Unterricht her erin-
nern kann, gehen im Wasser Wasserstoff und Sauerstoff eine »heilige Ehe« ein. Ähnlich verhält es sich mit dem Heiligen und dem
Profanen im flüssigen Medium des alltäglichen Lebens. Kontemplation ist kein besonderer Zustand, der für besondere Gelegenhei-

26

ten wie Geburt und Tod oder für besondere Orte wie Kirchen und Synagogen reserviert ist. Kontemplation gehört in den Staub und Schmutz des Alltagslebens.

Vielleicht klingt das ein wenig großmäulig in den Ohren jener Leser, die in der Plackerei ums tägliche Brot unterzugehen drohen – die Babys wickeln, im Supermarkt arbeiten oder den ganzen Tag über, vor den bösartig-blauen Bildschirm eines Bürocomputers gezwängt, ausharren müssen. Was haben diese Tätigkeiten mit Kontemplation oder dem inneren Leben zu tun? Paul und ich haben »Bewußter leben – Tag für Tag« geschrieben, um diese Frage zu beantworten. Unsere Arbeit hat nur einen einzigen Zweck: Wir wollen aufzeigen, daß jede menschliche Tätigkeit – vom Essen übers Arbeiten bis hin zum Zubettgehen, vom Kinder-in-die-Welt-Setzen bis hin zum Trösten von Sterbenden – Gelegenheiten für kontemplative Übungen bietet, daß wir immer und überall ein waches inneres Leben führen können.

Denken Sie zum Beispiel an die jüdische Praxis der *Berakoth,* was soviel wie Segen heißt. Diese Segen bringen Gottes Güte und Herrlichkeit in die Welt, wie wir in einer alten Quelle lesen können:

Wer die Vergnügen dieser Welt ohne einen Segen genießt, wird ein Dieb genannt, weil der Segen die Beständigkeit des göttlichen Flusses in die Welt bewirkt.[3]

Die *Berakoth* sind eine Brücke zwischen Erde und Himmel; sie vereinigen uns mit der Quelle allen Seins und tragen auf diese Weise zu einem zutiefst besinnlichen Akt bei. Das Erstaunliche ist nun, daß diese Segen nicht »heiligen« Gelegenheiten vorbehalten sind; für Sabbat-Mahle oder Bar-Mizwahs. Fast jedes nur denkbare Ereignis bietet einen Anlaß zu einem Segen. Es gibt Segenssprüche, die man aufsagt, wenn jemand ein neues Kleidungsstück trägt:

Gelobt seiest du, o Gott, unser Herr! König des Alls, der du die Nackten kleidest.

Oder wenn es blitzt:

Gesegnet seiest du, o Gott, unser Herr! König des Alls, dessen Macht das All erfüllen möge.

Oder wenn man lieblich duftende Kräuter riecht:

Gesegnet seiest du, o Gott, unser Herr! König des Alls, der du würzige Kräuter erschaffst.

Oder wenn man erfährt, daß jemand von heftiger Krankheit genesen ist:

Gesegnet seiest du, o Gott, unser Herr! König des Alls, der du dich uns wiedergeschenkt und nicht dem Staub überantwortet hast.

Die Welt ist getränkt von der Gegenwart Gottes, und die aufmerksame Seele trägt dem Rechnung, indem sie Segen spricht – mit dem Eifer eines Bettlers und der Großmut eines Königs.

3. Kontemplation schließt eine moralische Dimension mit ein.

Bei einer nationalen Konferenz über Kontemplation, die vor kurzem stattfand, erwähnte ein Teilnehmer den »Froschmann der Navy«. Er bezug sich auf die beunruhigende Praxis [die zumindest bei der Miliz im Mittleren Osten üblich war], Navy-Kommandos beizubringen, wie man meditiert, um sie schlagkräftiger zu machen. Man kann dieser Praxis schlecht absprechen, daß sie durchdacht ist: Wer meditiert, wird ruhiger; und wenn er ein Messer oder ein Gewehr hält, ist seine Hand ruhiger.

Die Geschichte von dem Navy-Froschmann kann einen Kontemplativen glatt von seinem *Zafu* reißen (jenem Sitzkissen, auf dem
Zazen, eine japanische Meditationsform, praktiziert wird). Sie wirft
schwierige, vielleicht unbeantwortbare Fragen über den Mißbrauch
religiöser Praktiken in der säkularen Welt auf. Sie zeigt auch auf
recht eindringliche Weise, daß eine Besinnung, die diesen Namen
verdient, eine moralische Dimension aufweisen muß.

Black Elk, der große heilige Mann der Sioux, sprach gegen Ende
seines Lebens, als er blind und arm war, sehr beredt über die
grundlegende Verbindung zwischen Moral und Kontemplation:

*Ich bin blind und sehe die Dinge dieser Welt nicht, aber wenn das
Licht von oben kommt, erhellt es mein Herz, und ich kann sehen,
denn das Auge meines Herzens sieht alle Dinge. Das Herz ist ein
Heiligtum, in dessen Mitte es eine kleine Kammer gibt, in der der
Große Geist wohnt, und sie ist das Auge. Es ist das Auge des Großen
Geistes, durch das er alle Dinge sieht und durch das wir ihn sehen
können. Wenn das Herz nicht rein ist, können wir den Großen Geist
nicht sehen ... Um die Mitte des Herzens kennenzulernen, in der der
Große Geist wohnt, müssen wir rein und gut sein und so leben, wie
der Große Geist es uns gelehrt hat. Der Mann, der rein ist, enthält
das All in der Tasche seines Herzens.*[4]

Wie können wir unser Herz reinigen, wie Black Elk es von uns
verlangt? Sie werden dazu auf den folgenden Seiten zahllose Vorschläge finden, hier möchte ich nur auf die Möglichkeit hinweisen,
daß man sein Gewissen prüfen kann, etwa so, wie es der berühmte
Schritt vier der Anonymen Alkoholiker verlangt: »Wir machen eine
gründliche und furchtlose Inventur in unserem Inneren.« Eine solche Selbstprüfung kann sich als außerordentlich und auf Dauer
hilfreich erweisen, ganz gleich, wo wir auf dem Pfad der Besinnung
stehen. Ich könnte zum Beispiel entdecken, daß ich mein Verhalten
ändern muß, um spirituell weiterzukommen. Ernste Probleme wie

zum Beispiel Drogenabhängigkeit zwingen zu umgehender Aufmerksamkeit. Aber eine Menge anderer Laster – darunter viele, die wir als harmlose Schwächen zu verniedlichen geneigt sind – müssen vielleicht ebenfalls beachtet werden: So können zum Beispiel Völlerei, das Aufschieben von Problemen, Trägheit und ähnliche Gewohnheiten die besten Absichten untergraben. Das Erkennen meiner Fehler spornt mich zu größeren Anstrengungen an. Außerdem lehrt es mich Toleranz angesichts der Schwächen anderer Menschen.

Wie wir die Gaben des Geistes ernten können

Unser inneres Leben zu kultivieren; mit Aufmerksamkeit und Liebe aufzustehen, in diesem Bewußtsein zu arbeiten und damit schlafen zu gehen; »das All in der Tasche unseres Herzens zu halten«, wie Black Elk es ausdrückt – das alles sind hochgesteckte und in manchen Fällen weit entfernt liegende Ziele. Auf dem Weg dorthin werden mit Sicherheit viele Hindernisse auftauchen, von denen einige für die Lebensbedingungen an der Schwelle zum dritten Jahrtausend typisch sind. Unsere schnellebige Terminkalender-Fastfood-Kultur läßt kaum Raum für den Weg der Besinnlichkeit. Das moderne hektische Leben zieht uns alle in seinen Bann. Wir stehen mitten im Leben, und oft verdichtet sich das Leben zu einem Dickicht – zu einem dornigen Gestrüpp aus Plänen, Verabredungen, Notfällen und Verpflichtungen, durch das wir uns wohl oder übel unseren Weg bahnen müssen. In Anbetracht dieser Umstände ist es vielleicht hilfreich, wenn man sich ein paar fundamentale Richtlinien merkt:

Wir brauchen Geduld. Auf spirituellem Gebiet geschieht sehr wenig über Nacht. Wir brauchen Zeit, um uns der Zeitlosigkeit des Lebens bewußt zu werden. An dieser Stelle könnte es nützlich sein, wenn wir uns der Idee einer Lehrzeit zuwenden, in der unser Wissen und unser Kenntnisstand allmählich, aber stetig anwachsen, bis sie in der Meisterschaft in einem beliebigen Handwerk münden (in Kapitel 4, »Arbeiten«, finden Sie eine ausführlichere Besprechung der Lehrzeit). Kein spiritueller Meister ist auf die Schnelle zur Weisheit gelangt. Jedem Satori – der plötzlichen Erleuchtung – gehen Jahre des Leidens, des Studiums und des Gebets voraus. Der Weg der Kontemplation ist ein Weg mit Lehrzeit; er ist, wenn man so will, der Weg der Schildkröten, wie sie in japanischen Klöstern oft als Haustiere gehalten werden. Eine Schildkröte schreit nicht und läuft nicht. Eine Schildkröte betrachtet die Welt mit Gleichmut und geht mit Klugheit und Gelassenheit ihren bescheidenen Schildkröten-Bedürfnissen nach. Und die Schildkröte gewinnt – wie Sie sich erinnern werden – stets den Wettlauf. Die Schildkröte ist es, die das Angesicht Gottes schaut.

Wir brauchen Mut. Wie bereits gesagt, nimmt die moderne Gesellschaft das Vorhandensein eines inneren Lebens nur sehr am Rande zur Kenntnis. Das hat unter anderem zur Folge, daß einige kontemplative Praktiken uns in Verlegenheit bringen – zumindest am Anfang. Ein Beispiel dafür ist das Gebet vor dem Essen. Ein Tischgebet eint die Familie und verbindet sie mit dem Heiligen. Es stillt das fundamentale menschliche Bedürfnis, unserem Dank für unsere Existenz Ausdruck zu verleihen. Vielleicht ist das der Grund dafür, daß das Tischgebet heute wieder nach einer Periode der Vernachlässigung in vielen Familien nicht mehr fortzudenken ist. Allerdings kann es anfangs zu einer gewissen Verlegenheit führen, wenn man ein Tischgebet spricht. Onkel Willi und Tante Frieda glotzen Sie vielleicht erbarmungslos an, wenn Sie am Tisch beten – so als hätten Sie den Verstand verloren. Ihre Kinder können ein Kichern kaum unterdrücken. Sie werden sich genieren – so, als hätte man Sie mit offenem Reißverschluß an der Hose erwischt. Sie werden sich wie ein Narr vorkommen.

Aber trösten Sie sich – auch ein Erröten geht vorüber. Wenn Sie beharrlich sind, wird man sich daran gewöhnen, und letztlich wird man begeistert mitmachen. Nach einer gewissen Zeit wird Ihre ganze Familie das Tischgebet als wichtigen Teil der Mahlzeit betrachten – als das spirituelle Salz, das dem Essen erst Geschmack verleiht. So ist es mit allen kontemplativen Übungen.

Wir müssen wissen, daß wir nicht versagen können. Ein altes Sprichwort lautet, daß Gott tausend Schritte tut, wenn wir einen Schritt machen. Alle Religionen stimmen darin überein, daß selbst unsere geringsten Bemühungen eine immense göttliche Unterstützung erfahren. Wir müssen nur den ersten Schritt tun. Und selbst wenn sich dieser erste Schritt bereits als zu schwer erweist, fassen Sie Mut, denn die Traditionen lehren, daß allein schon der reine Wunsch ausreicht, den ersten Schritt zu tun. Ein einziger Impuls des Herzens, so schwach er auch sein mag, hat eine Resonanz zur Folge, so generös ist die Liebe Gottes. Wie Julian von Norwich, ein Kontemplativer des Mittelalters, es ausdrückte: »Alles wird gut, und alle werden gut sein, und alle Dinge werden gut sein.«

Dieser großen Wahrheit ist eine weitere verwandt, nämlich, daß alle unsere Handlungen, so zaghaft sie auch sein mögen, Wirkungen hervorbringen. Nichts ist vergebens, nichts wird vergessen. Wie Simone Weil es ausdrückt:

Ein aufrichtiges Bemühen um Aufmerksamkeit ist niemals vergebens. Es hat stets seine Auswirkung auf der spirituellen Ebene und in der Folge auf die unterste Ebene der Intelligenz, denn alles spirituelle Licht erhellt den Geist.[5]

Selbst unser geringstes Bemühen um Aufmerksamkeit oder Achtsamkeit, um Mitleid oder Liebe verändert das Gleichgewicht der Kräfte in der Welt (das gleiche gilt im umgekehrten Sinn für unsere Sünden). Wir können dies anhand der japanischen Bonsai-Kunst ersehen, wo ein wenig Draht hier und ein wenig Beschneiden dort zu dramatischen Veränderungen in der Art führen kann, wie der

Baum wächst. Oder wir können es am empfindlichen Gleichgewicht der Natur erleben, wo das Auftreten einer winzigen Insektenart in einem Wald das gesamte ökologische Gleichgewicht von den Mikroben bis in zu den Berglöwen stören kann. In der Harmonie eines besinnlichen Lebens kann ein Augenblick der Achtsamkeit die Welt verändern – oder zumindest uns selbst.

Wie Sie dieses Buch lesen sollten

»Bewußter leben – Tag für Tag« ist so geschrieben, daß man es wie eine durchgehende Erzählung lesen kann, von der ersten bis zur letzten Seite. Man kann das Buch aber auch an einer beliebigen Stelle aufschlagen, etwa so, wie man sich von einem üppigen Büfett bedient. Vielleicht interessieren Sie sich auch nur für ein bestimmtes Thema. Ein Paar, das übers Heiraten nachdenkt, könnte sich zum Beispiel dem Kapitel über die Ehe zuwenden, um nachzulesen, wie dieser geheiligte Stand in den unterschiedlichen Traditionen auf der ganzen Welt gefeiert wird. Wer nach einer Methode Ausschau hält, wie er seiner routinemäßigen Büroarbeit mehr Bedeutung abgewinnen kann, wird reichlich Anregung im Kapitel übers Arbeiten finden. Und wenn Ihre Kinder Ihnen über den Kopf wachsen, wird Ihnen vielleicht das Kapitel über die Kindheit weiterhelfen.

Wir haben jedes Kapitel in drei Abschnitte unterteilt. Der erste Teil ist der Einführung in das Thema gewidmet und macht Sie mit dem Hintergrundmaterial vertraut. Der zweite Teil – die kontemplative Nahaufnahme – bietet Ihnen einen genaueren Einblick in den Gegenstand oder befaßt sich mit seinem Platz in einer bestimmten Tradition. Der dritte Teil bildet einen »kontemplativen Regenbogen« – eine bunte Mischung aus Übungen, Reflexionen, Interviews und Profilen, die den Gegenstand aus verschiedenen Blickwinkeln beleuchten. Zum Beispiel beginnt Kapitel 3, »Essen«, mit einer

Besprechung der spirituellen Rolle der Nahrung. Es folgt eine kontemplative Nahaufnahme, die im einzelnen zeigt, wie Zen-Mönche ihre Mahlzeiten vorbereiten, kochen und zu sich nehmen. Das Kapitel schließt mit einer Fülle von Material, unter anderem: Belehrungen von Dean Ornish über andächtiges Essen; ein Profil des buddhistischen Kochs Ed Brown; eine Auswahl an jüdischen, hinduistischen und indianischen Tischgebeten; ein Blick auf die japanische Tee-Zeremonie.

Vieles von dem, was Sie lesen, wird ohne weiteres Ihr Interesse finden; anderes mag Ihnen fremdartig erscheinen. Nehmen Sie sich das, was Sie brauchen, und legen Sie das übrige beiseite, um vielleicht später einmal darauf zurückzukommen. Denken Sie daran, daß das Buch, das Sie in Händen halten, nur ein Anfang sein kann. Die Gebete, Übungen, Rituale und Reflexionen auf den folgenden Seiten werden nur durch regelmäßiges Üben ihr volles Gewicht und ihre ganze Bedeutung offenbaren.

Teil I:
Tag

Morgenlicht

Lawrence Hudetz

Kapitel 1
Einführung:
Leben an einem Tag

Ich bin einmal über eine gefällte Eiche geklettert, als mir ein feiner Geruch in die Nase stieg. Vielleicht sind es vermodernde Pilze, dachte ich. Ich hatte in dieser Gegend vor ein paar Wochen, bevor der späte Frühjahrsregen einsetzte, große Ansammlungen brauner Pilze gesehen. Als ich meinen Abendspaziergang über einen Fußpfad, der an einen See führte, fortsetzte, wurde der Geruch stärker. Ich schaute auf und erblickte dunkle Pünktchen in der Luft. Ich bahnte mir einen Weg durchs Unterholz, und an einem Brombeerstrauch riß ich mir den Daumen auf, als ich die Lichtung um den See betrat.

Die Luft vor meinen Augen war voller tanzender Feen. Ich achtete nicht auf den Schmerz in meinem Daumen, so sehr nahm mich dieser Anblick gefangen. Die Feen waren winzig. Sie hatten blaßgrüne oder gelbe, durchscheinende Flügel, langgestreckte Körper, braun, gekrümmt, wie in Verzückung. Sie ballten sich zu Wolken zusammen, die sechs Meter hoch und höher stiegen, um dann wieder auseinanderzudriften und in Form ausgedünnter Nebelschwaden zu Boden zu sinken. Eine oder zwei Sekunden lang konnte ich einzelne Fäden in dem schimmernden Gobelin ausmachen, bis ein plötzlicher Wind oder ein geheimnisvoller Herdeninstinkt sie wieder auseinandertrieb und zu einem wild wimmelnden Muster zusammenwehte.

Sofort erkannte ich, was ich sah: Es handelte sich um einen Schwarm Eintagsfliegen, die sich einem »erotischen« Taumel überließen. Der Boden war bereits glitschig von ihren Leichen; sie bedeckten den kiesigen Pfad und die Granitfelsen ringsum. Ein schwacher Verwesungsgeruch entwich ihrem Massengrab. Aber dieser Insektenfriedhof konnte meine Aufmerksamkeit nur vorübergehend bannen – ich war weit mehr von den erotischen Eskapaden in der Luft fasziniert. Dort tanzten die Männchen, von den Weibchen umschwärmt, und die Pärchen, die sich getroffen hatten, »vermählten« sich, und eine neue Generation *Ephemeroptera* wurde vor meinen Augen empfangen. Es war ein grandioser Anblick. Aber was ihn besonders ergreifend machte, war der bemerkenswerte Lebenszyklus dieser winzigen Geschöpfe. Nach einer langen, verschlafenen und verträumten Zeit als Nymphen beginnt unvermittelt ihr Erwachsenen-Dasein; sie lieben sich, und sie sterben – alles an einem Tag.

Wenn es stimmt, was Matthew Arnold beobachtet hat, nämlich daß ein Leben, das halb so lang brennt, doppelt so heiß brennt, dann brennen diese Eintagsfliegen wie die Sonne. Innerhalb von 24 Stunden geboren zu werden, zu zeugen – und zu sterben! Kein Wunder, daß die Eintagsfliegen ein bei Poeten, Philosophen und Fischern (die sie als ausgezeichnete Köder schätzen) beliebtes Symbol für die Vergänglichkeit des Daseins sind. Benjamin Franklin schrieb einen Monolog aus der Sicht einer »altehrwürdigen Eintagsfliege, die 420 Minuten gelebt hatte«. Diese Eintagsfliege, ein Prophet und Visionär, schüttelt ihren Kopf, über dieses hohe Alter verwundert, und beschließt, die ihr verbleibenden Sekunden »der Reflexion über ein langes Leben, in Wohlwollen verbracht«, zu widmen. Gemäß ihrer Spekulation wird die Sonne, deren Bogenbahn über den Himmel sie verfolgt hat, bald »ausgelöscht werden in den Wassern, die uns ringsum umgeben, und die Welt in Kälte und Dunkelheit zurücklassen, was notwendigerweise zu universalem Tod und Vernichtung führt«.[1]

Ich setzte mich ans Ufer des Sees, spürte die tiefstehende Sommersonne im Nacken und fragte mich müßig, wie viele Eintagsfliegen-Methusalems in diesem großen, vibrierenden Haufen wohl ihr Leben beschließen mochten. Ich wollte diesem wundersamen Ballett noch fünf oder zehn Minuten lang zuschauen, bevor ich meine Wanderung wiederaufnahm. Aber es kam anders, als ich gedacht hatte. Innerhalb weniger Sekunden war ich von Eintagsfliegen umhüllt. Sie bildeten eine Wolke um mich herum, flogen mir in Ohren und Mund, ließen sich wie weiß-bräunliche Farbtupfer auf meinem roten Hemd und der blauen Hose nieder. Ich atmete flach, aus Angst, eine Eintagsfliegen-Familie oder einen ganzen Clan in meine Lunge zu saugen. Manchmal flogen sie mir so massiert ins Gesicht, daß ich das Gefühl hatte, einen Quarzschleier vor den Augen zu tragen, durch den eine plötzlich fremd gewordene Welt hindurchschimmerte.

Umhüllt von Eintagsfliegen, stand ich eine oder zwei Minuten lang unbeweglich dort, gebannt von diesem Schauspiel des Lebens, das kam und ging wie die Gezeiten des Ozeans, und jede dieser Minuten war ein Monat aus der Sicht dieser Insekten. Ist dies so, fragte ich mich, wie Gott den Aufstieg und Untergang der Geschlechter, der Königreiche, der Kulturen sieht? Nur zum Spaß versuchte ich, die Sicht zu wechseln und dieses Drama mit den Augen der Eintagsfliegen zu sehen. Hier war etwas Neues! Es dämmerte mir, daß die Philosophen aus menschlicher Sicht schreiben, wenn sie die Eintagsfliegen wegen ihres kurzen Augenblicks unter der Sonne bedauern. Aber in den Augen der Eintagsfliegen – das heißt aus dem intimen Zeitverständnis einer Eintagsfliege heraus – kann ein Augenblick eine Lebensspanne umfassen. William Blake kannte das Geheimnis:

Um eine Welt in einem Sandkorn zu schauen
Und einen Himmel in einer wilden Blume,
Halte Unendlichkeit in deiner Hand
Und Ewigkeit in einer Stunde.

Wenn Benjamin Franklins Eintagsfliege sich eines »langen Lebens, in Wohlwollen verbracht« erfreut, lachen wir, aber unser Lachen enthält ein geheimes Einverständnis, denn auf *einer* Ebene wissen wir, daß die Eintagsfliege sich nicht selbst etwas vormacht – ihr Tag ist tatsächlich eine Lebensspanne – und daß sie tatsächlich »lange genug gelebt [hat] ... in Ehren«.

Nun gut, dachte ich, weshalb sollte ich mir die Weisheit der Eintagsfliege nicht zu eigen machen? Jeder Tag, so läßt unsere Geschichte von der Eintagsfliege vermuten, ist unser Leben im kleinen: Wir kommen in der Morgendämmerung auf die Welt, sind am Mittag voll ausgewachsen, setzen uns am Abend zur Ruhe und finden Vergessen im Schlaf. Hier ist eine große Weisheit verborgen. Ob wir uns den gestrigen Tag zurückwünschen oder ob wir uns nach dem Morgen sehnen – unser Leben entfaltet sich im Heute, im Jetzt. So lautet auch der bekannteste Wahlspruch der Gegenkultur der 60er Jahre: »Lebe im Hier und Jetzt.« Das Zwölf-Schritte-Programm der Anonymen Alkoholiker wartet mit einer verwandten Maxime auf: »Immer nur einen Tag auf einmal.« Die Tage folgen einer auf den anderen, und wir müssen sie nehmen, wie sie kommen. »Carpe diem«, lautet ein Grundsatz der alten Römer. Und wenn wir auch die bittersüße Verzweiflung, die dieser Aufforderung zu sinnlichen Vergnügungen zugrunde liegt, zurückweisen, müssen auch wir, die wir auf der Suche nach einem spirituellen Leben sind, den Tag ergreifen.

Die Menschen in religiösen Kulturen preisen den Tag – eine Sicht, so könnte man sagen, die der Betrachtungsweise unserer weisen Eintagsfliege entspricht. Das Wort *Tag* wird von dem indogermanischen Ausdruck *dheg* mit der Bedeutung »brennen« abgeleitet und bezieht sich auf die Zeit des Tages, wenn die Sonne scheint. Im Lateinischen finden wir diese Wurzel in *deus,* Gott, und in *dies,* Tag – beide sind strahlend, brennend, leuchtend. Einige traditionelle Kulturen betrachten den Tag – und die Zeit, seine Mutter – als Gott. In der *Bhagavadgita* bezeichnet Krishna, der oberste Gott der

Trimurti, der Hindu-Trinität, sich selbst als »Zeit«, als »Verschlinger der Welten«. Die alten Römer, die Griechen und die Babylonier verehrten die Zeit und ihre Abkömmlinge. In jeder traditionellen Kultur sind die Zyklen der Zeit – besonders das Jahr, der Monat und der Tag – von einem geheimnisvollen, numinosen Licht erfüllt. Lauschen Sie dem folgenden orthodoxen syrischen Gebet, in dem Gott, dem Tag, der gesamten Schöpfung und dem menschlichen Herzen – jedem auf seine Weise – dieselbe Erleuchtung gemeinsam ist:

Herr des Morgens und Herrscher der Jahreszeiten – höre unser Gebet und habe Mitleid mit unseren Seelen. Leuchte über mir, Herr, und ich werde Licht sein wie der Tag; ich will im Licht dein Lob singen und über deine Wunder staunen. Die Schöpfung ist voller Licht, gib auch unseren Herzen Licht, auf daß sie dich preisen bei Tag und bei Nacht.[2]

Wie viele von uns begrüßen den Tag auf diese Weise – in dem Wissen, daß sie sich in Gegenwart eines helleuchtenden Gottes befinden? Ich glaube, die meisten von uns erwachen in einem Nebel, gehen voller Angst zur Arbeit, kommen gestreßt nach Hause und gehen mit Sorgen zu Bett. Im günstigsten Fall tun wir Tag für Tag mit einem Schulterzucken und dem magischen Mantra *Mañana* ab und trösten uns mit dem Gedanken, daß die Anzahl der Tage so groß wie diejenige der Gänseblümchen auf einer Wiese ist – das menschliche Leben dauert im Schnitt rund 30 000 Tage. Was spielt also ein Tag mehr oder weniger für eine Rolle? Im schlimmsten Fall hassen wir unsere Tage mit einer furchtbaren Leidenschaft. Ich schaudere noch immer, wenn ich etwa 25 Jahre zurückdenke, an eine Zeit, in der meine Tage bar jeglicher Bedeutung zu sein schienen. Ich war gerade aus dem College gekommen und hatte einen Job in einer altmodischen Telefon-Schaltzentrale in New York City bekommen. Ich saß also an einer vertikalen »Spaghetti-

Platte«, die Leitungen strebten in alle Richtungen, und jedesmal, wenn ich den falschen Stecker in die falsche Dose einführte, wurde mein Boß krebsrot im Gesicht und schrie Zeter und Mordio. Ich haßte jeden Tag mit inbrünstiger Leidenschaft, und es stellte den Höhepunkt meiner wachen Stunden dar, wenn ich den Tag auf meinem Schreibtischkalender mit einem dicken roten X durchkreuzte – eine Tätigkeit, die allen Gefangenen vertraut ist. Um es unverblümt auszusprechen, ich war entschlossen, die Zeit umzubringen.

Diese Geschichte ist ebenso traurig wie alltäglich. Zu viele von uns vertun ihre Tage. Zu wenige von uns lernen aus dem Beispiel der Eintagsfliege und nutzen jeden Augenblick. Natürlich stellt eine unbefriedigende Arbeit ein Problem dar, dem man sich stellen muß (mehr darüber erfahren Sie in Kapitel 4, »Arbeiten«), aber die Krise, der ich mich gegenübersah, bestand aus mehr als einer eintönigen Arbeit und einem unbeherrschten Boß. Es war eine Krise der Art und Weise, wie ich an den Tag heranging – eine Krise, in der die Welt insgesamt steckt. Der Historiker Jacques Le Goff sah die Ursprünge dieser Krise im Aufstieg des Kapitalismus, in dessen Folge die Menschen sich von dem abwandten, was er die »Kirchenzeit« nannte – eine Zeit, in der das Leben von religiösen Mustern und Rhythmen beherrscht wurde –, und in das eintraten, was er die »Zeit der Kaufleute« nannte – eine Zeit, in der die Minuten, Stunden, Tage und Wochen auf den Status einer trivialen Ware reduziert sind – wie Rohöl oder Schweinebäuche –, die man kaufen, verkaufen und horten kann (wie es ja in der Redensart »Zeit ist Geld« zum Ausdruck kommt).

Das schreckliche Ergebnis dieser Verwandlung ist deutlich sichtbar: Wenn es um die Zeit geht, beweisen wir alle den klaren Verstand eines Hirngeschädigten. Wir kämpfen um jede Sekunde »Freizeit« und heulen auf, wenn ein unerwartetes Ereignis – zusätzlich anfallende Arbeit im Büro oder ein außerplanmäßiger Besuch von Großtante Gertrude – unsere kostbaren Sekunden stiehlt; und dann liegen wir stundenlang am Strand und denken übers Büro nach. Unser Verhältnis zur Zeit ist gründlich gestört: Einerseits langweilen wir uns im Handumdrehen, auf der anderen Seite jagen wir verzweifelt nach Unterhaltung, um dem Ticken der Uhr zu entgehen. In dieser Verwirrung hat uns unser Sinn für die Zeit als ein geheiligtes Geheimnis vollständig verlassen. Aber es muß nicht so sein. Wir können unser Geburtsrecht zurückfordern. Wir können die Zeit heiligen. Die religiösen Traditionen der Welt weisen uns den Weg. Sie zeigen uns zwei komplementäre Wege, wie wir jeden Augenblick als göttliches Geschenk erfahren können: Wir können das Heilige in jedem Augenblick sehen, und wir können jeden Augenblick heiligen. Lassen Sie uns über beide Möglichkeiten nachdenken.

Das Heilige in jedem Augenblick sehen

Im ganzen ersten Teil von »Bewußter leben – Tag für Tag« erkunden Paul und ich die spirituellen Reichtümer, die den trivialen Tätigkeiten des Alltagslebens innewohnen. Um von diesem Reichtum profitieren zu können, müssen wir jene spezielle geistige Haltung kultivieren, die wir Kontemplation oder Besinnung nennen (wir sprachen in der Einleitung darüber). Wir können dieses Wort locker als liebende Offenheit für die Welt definieren. Wir müssen uns vorstellen, wir säßen auf unserem Meditationskissen mitten in der Welt. Wir können dies nicht nur durch Gebete im herkömmlichen Sinn erlernen, sondern auch durch eine wache Aufmerksamkeit bei allem, was wir tun, vom Geschirrspülen bis hin zur Lösung höherer mathematischer Gleichungen. Wenn wir uns dies zur Lebensregel machen, werden wir niemals wieder eine Stunde zugunsten einer anderen verschenken, niemals mehr mit einem Schulterzucken sagen: »Heute ist mal wieder einer von diesen Tagen.« Wir werden uns niemals mehr mit Mittelmäßigem zufriedengeben.

Die Religionen der Welt bieten eine Fülle von Übungen an, die alle geeignet sind, uns die Augen für die stets gegenwärtige Wirklichkeit des Heiligen zu öffnen. Bruder Lawrence von der Auferstehung, ein Karmeliter des 17. Jahrhunderts, hat der Welt die »Praxis der Gegenwart Gottes« geschenkt. Sie besteht darin, daß man inmitten des täglichen Getriebes innehält – vielleicht beim Schuheputzen oder beim Kuchenbacken – und sich in der Strahlung der Liebe Gottes erfrischt. Thomas Kelly, ein Quäker des 20. Jahrhunderts, beschreibt, wie man in das »ewige Jetzt« eintaucht, das wir als »eine unerschütterliche Präsenz, einen unendlichen Ozean aus Licht« erfahren. Auf diese Weise sehen wir alle Menschen auf eine neue Art – als unsere Brüder und Schwestern, als Kinder Gottes.[3] Buddhisten in aller Welt praktizieren die Übung der Achtsamkeit, in der man danach strebt, im jetzigen Augenblick verankert zu sein – »um die Wesen zu reinigen, um Kummer und Leid zu überwinden ... um den rechten Pfad zu erlangen, um das Nirvana zu erkennen«.[4]

Eine Praxis finden wir in jeder Religion, die man zu Recht den Königsweg zur Weisheit nennen könnte. Diese Unterweisung zielt direkt in den Kern unserer inneren Arbeit. Sie lehrt uns, das Leben in jeder Stunde zu genießen, und erinnert uns zugleich daran, daß unser Leben vorübergehend ist – ein vergänglicher Ausdruck für etwas Größeres. Ich spreche von dem Gedenken an den Tod.

Im Gedenken an den Tod

Vor einigen Jahren – wir lebten damals in Frankreich – nahmen meine Frau Carol und ich einen Zug nach Rom, um eine Woche lang unbeschwert als Touristen das Leben zu genießen. Bald hatten wir die bekannten Attraktionen – das Kolosseum, den Vatikan, die Spanische Treppe – abgehakt und schlenderten müßig die Via Veneto entlang. Plötzlich erblickten wir zur Rechten ein doppeltes Treppenhaus, das zu einer Kirche und Krypta führte. Im Inneren des Bauwerks bot sich uns ein erstaunlicher Anblick. Sechs Kapellen erstreckten sich fünfzig Meter tief unter der Erdoberfläche; jede von ihnen in bester italienischer Manier geschmückt – aber nicht mit Fresken oder Gipsstatuen, sondern mit Knochen; Hunderttausende von Knochen – die sterblichen Überreste von 4000 Brüdern des Kapuzinerordens (ein Seitenzweig der Franziskaner), die während der letzten 300 Jahre hier gestorben waren. In einer Kapelle waren die Schädel zu großen Bögen, Kreisen und Kreuzen angeordnet – all das überwacht von vier in braune Kapuzinerroben gewandeten Skeletten. Eine andere Kapelle enthielt eine aus Fuß- und Fingerknochen gefertigte Uhr. Alle Eingänge, Fenster und Alkoven waren mit Beckenknochen, Schulterblättern sowie Arm- und Beinknochen geschmückt. Am Ende des Ganges standen drei Skelette von Kindern Wache, die Stundengläser in den Knochenfingern hielten – in der Nähe einer Plakette, auf der zu lesen stand:»Du bist, was wir einst waren; du wirst sein, was wir jetzt sind.«

Dieses merkwürdige Kapuziner-Museum des Todes stellt keine mönchische Version des Grand Guignol[*] dar. Es ist vielmehr ein *Memento mori* – ein überlebensgroßes, aufdringliches und ein wenig groteskes Mahnmal an den Tod. Kein Kapuziner, der in diesen Gebäuden lebt, kann umhin, seiner eigenen oder der Sterblichkeit all jener zu gedenken, denen er in seinem Leben begegnet. Dies mag ein extremes Beispiel sein, aber die Praxis ist überall verbreitet. Die *Regel* des Benedikt von Nursia aus dem 6. Jahrhundert, die das Alltagsleben in christlichen Klöstern auf der ganzen Welt ordnet, enthält unter ihren»Mitteln, gute Werke zu tun« die Anweisung, sich täglich den Tod vor Augen zu halten. Zu einer berühmten

---

[*] Pariser Theater, das sich auf naturalistische Schauer- und Horrorstücke spezialisiert hatte. (Anm. d. Übers.)

tantrischen Übung im tibetischen Buddhismus gehört, daß man seinen eigenen, verfaulenden Leichnam visualisiert – eine praktische Stütze für die Erinnerung an die Beobachtung des Buddha: »Von allen Achtsamkeits-Meditationen ist diejenige über den Tod am wichtigsten.«[5] Daidoji Yuzan Shigesuki, ein Samurai des 17. Jahrhunderts, sah im Gedenken an den Tod die vornehmste Aufgabe eines Kriegers:

Der Samurai muß sich vor allen Dingen – bei Tag und bei Nacht, von der Zeit an, da er seine Eßstäbchen aufnimmt, um sein Neujahrsfrühstück zu sich zu nehmen, bis zu der Nacht des Alten Jahres, wenn er seine jährlichen Rechnungen bezahlt – ständig die Tatsache vor Augen halten, daß er sterben muß. Das ist seine wichtigste Pflicht.[6]

Al-Ghazali, der große islamische Mystiker, schreibt: »Im Gedenken an den Tod ist Belohnung und Verdienst.« Er erzählt von einem Mann, der eine Frage an Mohammed stellte: »Welcher ist der klügste und großmütigste unter allen Menschen?« Der Prophet erwidert: »Derjenige, der am eifrigsten des Todes gedenkt und wer am besten auf ihn vorbereitet ist.«[7] Das Gedenken an den Tod taucht sogar in der zeitgenössischen säkularen Literatur häufig auf. Mein Lieblingsbeispiel ist E. M. Forsters ausgezeichneter Aphorismus: »Der Tod vernichtet einen Mann, aber der Gedanke an den Tod rettet ihn.«
Das Gedenken an den Tod ist ein Anlaß zur Freude, nicht zum Kummer – zur Hoffnung, nicht zur Verzweiflung. Es verführt uns dazu, unser Leben neu zu bewerten und die Spreu vom Weizen zu trennen. Es hat schon viele Menschen dazu veranlaßt, ihren Arbeitsplatz zu wechseln, von schlechten Gewohnheiten zu lassen und sich neue Freunde zu suchen.
Wie unsere kleine Eintagsfliege weiß, ist das Wissen um den bevorstehenden Tod zugleich das Salz des Lebens. Wenn Sie mit

46

all Ihren Sinnen und mit Ihrem ganzen Sein die Realität Ihres eigenen wie des Todes aller Menschen in Ihrer Umgebung aufnehmen, findet eine gewaltige Veränderung statt – so radikal, als würde einem Leprösen neues Fleisch wachsen oder als könnte ein Gelähmter plötzlich wieder gehen. In einem Lichtblitz sehen Sie mit den Augen der Ewigkeit; Sie entdecken eine Welt, die nicht nur von den matten Strahlen der Sonne erhellt wird, sondern von Henry Vaughns »Ring aus reinem und unerschöpflichem Licht«. Dasselbe Prinzip – um den Faktor Tausend verringert – liegt der Redensart zugrunde: »Die Abwesenheit des Geliebten steigert die Liebe.« An den Tod zu denken heißt verstehen, daß Abwesenheit unser gewöhnliches Los ist – folglich wandelt sich Freundschaft in Mitgefühl und Verliebtsein in Liebe. Jeder Mensch wird kostbar; jeder Gegenstand leuchtet in makelloser Reinheit; jede Tat nimmt die strenge Schönheit eines Letzten Willens oder Testaments an.

Es gibt viele Möglichkeiten, das Gedenken an den Tod zu praktizieren. Ein Freund von mir, ein tibetischer Buddhist, teilte mir mit, daß er niemals morgens aus dem Haus geht, ohne sich in Erinnerung zu rufen, daß er möglicherweise am Abend nicht zurückkehren könnte. Millionen christlicher Kinder praktizieren durch das folgende traditionelle Nachtgebet eine rudimentäre Form des Gedenkens an den Tod:

Now I lay me down to sleep,
I pray the Lord my soul to keep.
If I should die before I wake,
I pray the Lord my soul to take.

(Damit ich ruhig schlafen kann,
Nimm bitte, Gott, meiner Seele dich an.
Und sollte ich sterben in der Nacht Verlauf,
So nimm denn meine Seele auf.)

47

Als Einführung in diese Disziplin könnten Sie eine bestimmte Zeit im Verlauf des Tages – die Mittagsstunde bietet sich dafür an – festlegen, in der Sie sich bei jedem Gespräch in Erinnerung rufen, daß auch Ihr Gesprächspartner eines Tages sterben muß. Sie werden bemerken, daß alter Groll und alte Vorurteile gegen den betreffenden Menschen durch eine Woge von Mitgefühl für alle Lebewesen fortgeschwemmt werden.

Jeden Augenblick heiligen

Ein paar Monate nach unserem Rom-Abenteuer flogen Carol und ich mit Bulgarian Airlines in die Türkei. Wir hätten eine bessere Wahl treffen können, denn der Flug kostete uns zusätzlich sieben entnervende Stunden im Transit-Raum in Sofia – die Luft dick vom herben Rauch russischer Zigaretten, und auf dem Flug hatten wir das zweifelhafte Vergnügen, Tauben von den Flugzeugwänden abprallen zu sehen, wann immer die geringste Turbulenz auftrat. Es wurde noch schlimmer, als wir ankamen und sich eine Ansammlung von Taxifahrern um uns bildete, die exorbitante Summen für die kurze Fahrt in die Stadt verlangten. Wir überstanden alle Widrigkeiten unversehrt, und um 3 Uhr am Morgen legten wir uns in einem Hotel im westlichen Stil mit Air-conditioning in Istanbul, wenige Häuserblocks von der Hagia Sophia entfernt, zu einem süßen Nachtschlaf nieder.

Aber wir hatten die Rechnung ohne den Wirt gemacht. Wenige Stunden, nachdem ich den Kopf auf das Kissen gebettet hatte, wurde ich durch einen schwachen, hochtonigen Schrei geweckt. Anfangs kam mir die Stimme so substanzlos vor, daß ich sie als Teil eines Traums abtat. Dann wurde mir klar, daß die Stimme von außerhalb meines Kopfes kam. Ein Blick auf meine Frau, die noch immer schlief, überzeugte mich davon, daß die Stimme sogar außerhalb unseres Zimmers ihre Quelle haben mußte. Was für ein Land war das? Ich preßte mir das Kissen an die Ohren, hörte aber den Schrei schon wieder – von einer geisterhaften Stimme ausgestoßen, die von einem hohen Berg oder aus einem unterirdischen Königreich zu kommen schien. Ich stieß das Fenster auf. Im Osten stand die Sonne am Horizont, gewaltig groß und rot. Kalte Luft strömte in den Raum. Ich verfolgte die Stimme bis zu ihrer Herkunft: einem sehr schmalen Turm neben einem überkuppelten Bauwerk, etwa 500 Meter entfernt.

Dann erkannte ich, was ich hörte. Meine Verwirrung verließ mich und wurde durch Faszination ersetzt. Denn es war die Stimme eines Muezzins, der zum Gebet *(Salat)* rief – ein Ruf, dem fünfmal täglich eine Milliarde Muslime auf der ganzen Welt folgen. Wenn ich Arabisch verstünde, hätte vielleicht auch ich einen Gewissensbiß gespürt, denn der Muezzin sang unter anderem, daß beten besser ist als schlafen.[8]

Während unseres Aufenthalts in der Türkei sahen Carol und ich Zehntausende von Menschen, die ihre täglichen Arbeiten unterbrachen, um zu beten – selbst in diesem vielleicht weltlichsten aller islamischen Länder. Wir besuchten Heiligtümer, Moscheen, Friedhöfe und Schulen, und überall sahen wir Menschen beim Gebet. Das ganze Land war von einer gewissen Heiligkeit erfüllt. Fünfmal am Tag – bei Tagesanbruch, zu Mittag, am Nachmittag, bei Sonnenuntergang und am Abend – erklingt das Gebet, in seiner präzisen Folge von Wörtern, Verneigungen und Niederwerfungen, durch die sich Körper, Geist und Herz gemeinsam und vollständig Gott zuwenden. Zum Gebet gehört immer die *Fatihah,* das Eröffungskapitel des Korans, das mit den Worten beginnt: »Im Namen Allahs, des Gütigen, des Gnädigen.« Es fährt mit der Bitte um göttliche Führung und Hilfe für den Tag fort. Der Islamistin Annemarie Schimmel zufolge führen einige frühe Sufi-Kommentatoren das Wort *Salat* auf die Wortwurzel *walasa* mit der Bedeutung »vereinigt werden« zurück. Die *Salat* vereinigt die Muslime mit sich selbst, und sie vereinigen sich mit Gott. Fünfmal, von der Morgen- bis zur Abenddämmerung, kommt der Gläubige im Kontext seines Tages mit dem Heiligen in Berührung und wird an die Bedeutung und das Ziel der menschlichen Existenz erinnert. Darüber hinaus wird durch diese fünf Gebete zu verschiedenen Zeiten der ganze Tag von einem Gefühl für die Gegenwart Gottes durchströmt.

Die *Salat* ist ein perfektes Beispiel für unseren zweiten Ansatz zum spirituellen Leben: die Heiligung eines jeden Augenblicks. Mit der Hilfe Gottes prägen wir unserem Leben bewußt den Stempel des Heiligen auf. Der orthodoxe Judaismus prägt dem Tag drei größere Gebetsperioden auf: *Ma'ariv, Shaharith* und *Minchah*. Die Katholiken beten mehrmals täglich das Brevier (siehe Kapitel 2, »Aufwachen«). Hinduismus, Buddhismus und mehrere andere Religionen tragen ihre eigenen Varianten zu diesem Thema bei.

Aber Sie müssen keiner speziellen Religion angehören, um den Tag mit spirituellen Übungen auszufüllen. Das Prinzip liegt auf der Hand: Es geht darum, die gewohnte Routine des Tages in vorgeschriebenen Intervallen durch Momente der Besinnung zu unterbrechen. Sie können ganz einfach vor jeder Mahlzeit Gott danken, sich immer dann, wenn das Telefon klingelt, einen Augenblick lang besinnen oder ein kurzes Gebet vor dem Aufstehen und vor dem Einschlafen sprechen. Ich empfehle Ihnen, mehrere Übungen auszuprobieren, bis Sie eine finden, die Ihnen zusagt. Das wichtigste ist, sofort damit anzufangen. Ziehen Sie heute einen Schlußstrich unter Ihr bisheriges Leben, und fangen Sie ein neues Leben an.

Wenn Sie morgen früh aufwachen, denken Sie als erstes: *Jetzt ist es an der Zeit anzufangen.* Der Schlaf hat die Vergangenheit gelöscht; ich erwache im Lande des »Ewigen Jetzt«, und das Leben liegt erst vor mir; ein Weg von unbekannter Länge und voller unbegreiflicher Wunder. Wie werde ich anfangen? Die ersten Schritte des Tages sind die wichtigsten. Wir wollen uns nun dem Studium und der Praxis des »Aufwachens« zuwenden.

Kapitel 2
Aufwachen

Menschen tun viele seltsame und wundervolle Dinge; sie verschlucken Goldfische, verkleiden sich als Nikolaus, fahren auf Rollschuhen um die Welt. Aber keine menschliche Tätigkeit kommt dem gewöhnlichsten Ereignis eines Tages an Seltsamkeit oder Wunderlichkeit gleich: dem einfachen Akt des Aufwachens. Wir kommen jeden Morgen zu uns, und jeden Morgen ist es wie ein Wunder. Schamanische Überlieferungen von Sibirien bis Neusüdwales lehren, daß die Seele den Körper im Schlaf verläßt und in unkartographierten Dimensionen des Raumes und der Zeit umherwandert. Wer weiß, welche Mühen die von der Reise ermüdete Seele auf sich nehmen muß, um wieder in ihren menschlichen Wohnsitz einzutreten? Ich habe einen Freund, der jeden Morgen, nachdem er die Augen geöffnet hat, die Wände seines Schlafzimmers küßt, so sehr verwundert es ihn, daß er wieder die richtige Adresse gefunden hat.

Ich persönlich glaube, daß die Seele eher altmodisch und konservativ ist. Und trotzdem kommt mir das Aufwachen stets wie ein erstaunlicher, akrobatischer Akt vor. In einem Augenblick fliege ich mit einer Rakete über die Oberfläche des Mondes dahin, nehme von Sophia Loren den *Academy Award* entgegen, erschlage Drachen in den Gefilden von Middle Earth – und im nächsten Moment finde ich mich in meinem Heim im westlichen Massachusetts wieder – zwischen meine Frau und die Wand gezwängt, und es ist ein dunkler Dezembermorgen. Oder ich war acht Stunden lang in ein traumloses Vergessen versunken und erwache durch das Hungergeschrei des kleinen Andy, durch das Wach-endlich-auf-Geplärr von John, meinem älteren Jungen, oder vom Lärm eines Schneepflugs, der die Straße hinunterfährt und mich daran erinnert, daß es an der Zeit ist, meine langen Unterhosen anzuziehen, eine Tasse Kaffee zu trinken und hinauszugehen und den Bürgersteig vom Schnee freizuschaufeln. Aber wie auch immer der Ablauf sein mag – Aufwachen ist immer eine dramatische Reise von einer Welt in eine andere; es ist fast wie eine zweite Geburt.

Vor kurzem habe ich darüber nachgedacht, weshalb wir diese Geburt so schwierig finden, obwohl wir sie ein Leben lang praktizieren und an sie gewöhnt sein müßten. Wir kämpfen ums Aufwachen – oft mit bescheidenem Erfolg – auf der tiefsten, biologischen Ebene. Wir machen Scherze über eine »Coffein-Injektion«, wir kaufen uns einen Wecker, der wie eine Eule schreit oder wie ein Expreßzug heult, wir sehen Cartoons von Rube-Goldberg-Apparaturen, die das glücklose, noch halb schlafende Opfer über eine Rutsche in ein eiskaltes Aufwach-Bad gleiten lassen, und denken insgeheim: Vielleicht gar keine so schlechte Idee.

Der beste Rat in bezug auf das Aufwachen, den ich bisher bekommen habe, stammte von einem Pärchen Wüstenspringmäuse namens Nebula und Glaxoid. Sie leben in unserem Keller in einem großen Glasterrarium. An warmen Sommernachmittagen ertappe ich sie oft bei einem Schläfchen. Wenn ich an die Scheibe klopfe, wird die Wand ihres Nestes (das getreu nach Wüstenspringmaus-Manier aus Holzspänen, Sackleinen und zerfetzten Sportsocken besteht) erschüttert. Dann zeigt sich eine winzige, schwarze Nase in der kreisrunden Hobbit-Tür, gefolgt von einem verwirrten, mit Schnauzbart geschmückten Gesichtchen. Die Wüstenspringmaus blinzelt und beäugt die Szenerie – Wasserbehälter, Futternapf, Kauknochen und das riesenhafte, menschliche Gesicht. Sie läßt sich noch einmal alles durch den Kopf gehen und tritt dann den Rückzug an. Eine Minute später kommt sie wieder hervor, sichert nochmals und zieht sich erneut zurück. Dieses Ritual wird drei- oder viermal wiederholt, bis endlich ein mutiges Pfötchen zum Vorschein kommt, gefolgt – wenn sich nichts Verdächtiges rührt, was nie der Fall ist – von einem weiteren Pfötchen und endlich dem ganzen Geschöpf. Als erster taucht Glaxoid auf, der Beherztere der beiden, dann sein zögernder Bruder. Die Gebrüder Wüstenspringmaus erkunden überaus vorsichtig ihre kleine Welt, halten am Futternapf inne, am Wassergefäß und an allen größeren Landmarken – und gedenken einander mit einem fröhlichen Guten-Morgen-Biß.

Wie es aussieht, wissen Wüstenspringmäuse, wie man die Kluft zwischen Schlaf und Wachsein überbrückt. Ihre Methode ist denkbar einfach: Sie meditieren nach jedem Schritt, sie sichern, bevor sie draufloslaufen. Wüstenspringmäuse sind kleine, hochtourige Geschöpfe. Ihre Umwandlung vollzieht sich beinahe so rasch wie eine Rakete, aber sie nehmen sich frühmorgens Zeit. Es ist so, als erwachten sie auf einem kleinen Sitzkissen, auf dem sie die ersten Augenblicke des Tages in gelassener Wüstenspringmaus-Meditation verbringen.

Andere Tiere halten es ähnlich – ihrer Art entsprechend. Meine Familie besaß einmal ein zahmes Schildkrötenmännchen namens Zeno, das eine Viertelstunde lang nachsann, wobei es seinen Kopf langsam von Osten nach Westen und wieder zurückdrehte, bevor es sich über seinen Morgenimbiß hermachte. Ein Hund, den ich einmal geliebt habe – eine Promenadenmischung namens Spot –, umkreiste morgens nach dem Aufwachen seinen Schlafplatz, als bewege er sich langsam, in Spiralen, aus der Traumwelt hinaus in die materielle Welt. Katzen strecken sich beim ersten Tageslicht ausgiebig und genüßlich, wie um sich für den Tag an ihr Katzen-Outfit zu gewöhnen.

Meiner Meinung nach sollten wir Menschen ebenso handeln. Wir müssen uns jeden Morgen aufs neue berappeln. Wir müssen unsere Schnurrbärte zurechtzupfen, den Kopf aus unserem Nest stecken, ein wenig umhertapsen, um uns allmählich wieder an uns selbst und unsere Welt zu gewöhnen.

Das gilt zweifellos für uns Menschen in größerem Maß als für Wüstenspringmäuse, denn wir können körperlich aufwachen, während unser Geist noch schläft. Alle Religionen betonen diesen spirituellen Schlafzustand: »Erwachet, ihr Schläfer, und erhebt euch von den Toten!« lautet ein altes christliches Morgengebet. Um im Körper und im Geist zu erwachen, um unser Lebensschiff durch die Riffe und Untiefen des Tages zu steuern, müssen wir die Zeit haben, uns daran zu erinnern, wer wir sind, wo wir sind und was wir suchen. Wir brauchen, kurz gesagt, Zeit, um uns zu orientieren.

Orientierung

Jedes Jahr einmal gehen die Huichol-Indianer Zentralmexikos auf die Suche nach Peyote, einem psychotropen Kaktus, den sie mit dem Älteren Bruder Hirsch und anderen Gottheiten assoziieren und um den sich ihr gesamtes religiöses und gesellschaftliches Leben dreht. Auf dieser Reise ziehen die Huichol mehrere hundert Kilometer weit durch Gebirge und Ebenen in ein wüstenartiges Gebiet, das sie mit Wirikuta identifizieren, dem mystischen Paradies, wo noch die Götter ihrer Vorfahren leben und der geheiligte Peyote noch zu finden ist. Wenn die Pilger sich ihrem Ziel nähern, findet eine magische Transformation statt, die nur sie selbst wahrnehmen können: Sie verwandeln sich in Götter, während die Wüste ringsum in ihrer heiligen Schau ein fruchtbares Tal mit Hirschen, Mais und bunten Blumen wird.

Wenn die Huichol in Wirikuta ankommen, vollziehen sie ein bedeutsames Ritual: Der *Mara 'akame* (der oberste Schamane) deutet mit einem Stock in die sechs geheiligten Richtungen Norden, Süden, Osten, Westen, Oben und Unten. Während der Schamane die Dimensionen des Alls bezeichnet, zitiert er Gebete. Die Huichol entdecken, wo sie stehen – in bezug auf die Hauptrichtungen, auf das Reich der Menschen und des Himmels, die Gegenwart und die

Ur-Vergangenheit. Auf diese Weise stabilisiert, sind sie zu der heiligen Jagd nach dem Peyote bereit.

So wie den Huichol geht es uns allen. Orientierung ist unsere erste Tätigkeit am Morgen – ob wir uns beim Erwachen im Paradies wiederfinden oder in einem gewöhnlichen zerwühlten Bett. Durch Orientierung vergewissern wir uns unserer Beziehung zur Umwelt. Wir werfen Anker in einem Universum, wir finden einen sicheren Hafen zu Beginn eines jeden Tages. Es handelt sich um den gleichen Vorgang, den wir auch unfehlbar jeden Tag bei den Wüstenspring-mäusen beobachten können. Alle großen Religionen erkennen die außerordentliche Wichtigkeit der Orientierung und ihre Wirksam-keit als Gegenmittel gegen das Gift jener Angst und Verwirrung an, die uns so häufig den Morgen verderben und nicht selten den ganzen Tag über bestehenbleiben. Die Muslime wenden ihre Gesichter während der *Salat* gen Mekka – dem heiligen Zentrum des islami-schen Kosmos –, wo auch immer auf dem Planeten sie sich befin-den. Und in Richtung Mekka werfen sie sich voller Dankbarkeit zu Boden. Bei jedem der fünf täglichen Gebete, vom Sonnenaufgang bis zum Einbruch der Dunkelheit, wenden die Muslime sich in Richtung des Heiligtums und unterwerfen ihren Willen dem Willen Gottes. In ähnlicher Weise beginnen Katholiken oft den Tag, indem sie das Kreuzzeichen machen: Sie berühren mit Zeige- und Mittel-finger der rechten Hand ihre Stirn, die Brust, die linke Schulter und die rechte Schulter. Diese Geste deutet nicht nur das Kreuz an, an dem Christus starb – sie zeichnet auch die vier Hauptrichtungen nach, mit dem Gekreuzigten in der Mitte. Durch dieses Zeichen prägen die Katholiken ihrem Körper eine kosmische Karte auf und weihen damit ihn – und folglich ihr gesamtes Sein – einem heiligen Leben. Nachdem er das Kreuzzeichen gemacht hat, betet und me-ditiert der Katholik vielleicht, wie weiter unten in der »kontempla-tiven Nahaufnahme« geschildert.

Man kann nicht genug betonen, wie wichtig dieser morgendliche Vorgang ist. Man baut keinen Tempel auf Treibsand, und auch ein

Tag braucht einen festen Untergrund. Wenn wir den Tag mit einer Zeit der Kontemplation beginnen – sei es, indem wir beten, meditieren oder leiser Musik lauschen, die einen langweiligen Raum belebt –, vergewissern wir uns nicht nur, daß wir wach sind, sondern auch, daß wir *er*wachen – daß unser Herz und unsere Seele sich zugleich mit dem Körper erheben.

Eine Morgenübung für jedermann

Bleiben Sie nach dem Erwachen ein paar Augenblicke lang im Bett liegen. Genießen Sie die Morgenluft, das Sonnenlicht entlang den Säumen der zugezogenen Vorhänge, das vertraute Bellen des Nachbarhundes. Spüren Sie das Leben durch Ihren Körper strömen. Spüren Sie Ihren Atem, den Puls in Ihren Fingerspitzen und den Zug der Schwerkraft in Ihren Gliedern und Ihrem Körper.
Stehen Sie gemächlich auf, achten Sie auf die Verlagerung Ihres Körperschwerpunktes, während Sie sich aufrichten. Stehen Sie gerade, aber ohne angespannt zu sein. Nur Menschen stehen auf diese Weise – die Wirbelsäule ein senkrechtes Mahnmal an des Göttliche. Spüren Sie Ihre Füße auf dem Boden. Gehen Sie bewußt und nehmen Sie den Druck Ihrer Fußsohlen gegen den Boden wahr. Weiten Sie diese Achtsamkeit in alle Richtungen aus, während Sie Ihren morgendlichen Verrichtungen nachgehen: Beachten Sie die Rundung des Griffs Ihrer Zahnbürste; die kalkige Süße der Zahnpasta; das Kratzen des Kammes auf Ihrer Kopfhaut; das befriedigende Gefühl der Enge, wenn Sie die Schnürsenkel Ihrer Schuhe anziehen. Jede dieser sinnlichen Erfahrungen ist Teil Ihres Aufwach-Prozesses, und Sie können jede von ihnen mit einer Grimasse oder mit einem Lächeln quittieren. Sie haben die Wahl. Auf diese Weise fangen Sie an, Ihren Willen zu erproben und den Kurs für den Tag festzulegen. Werden Sie ungeduldig auf alles reagieren,

was Ihnen widerfährt, oder werden Sie alle Ereignisse gelassen willkommen heißen und so lange in Ihrer Mitte bleiben, bis Sie auf angemessene Weise reagieren können? Werden Sie zulassen, daß triviale Ärgernisse Ihren Tag beherrschen, oder werden Sie Ihre höchsten Ziele im Auge behalten? Wir können die Ereignisse des Tages nur teilweise kontrollieren – aber es liegt ganz bei uns, wie wir darauf reagieren.

Wenn Sie auf den Beinen sind, ist es an der Zeit, ein paar Minuten mit einer spirituellen Übung zu verbringen. Sie könnten einen kleinen Waldspaziergang machen oder ein wenig im Garten arbeiten. Die meisten Menschen ziehen eine Meditation im Sitzen vor.

Es ist am besten, sich zur Meditation niederzulassen, bevor die Störungen und Mißhelligkeiten des Tages auf uns einwirken können. Wir sind kurz nach dem Aufwachen in einem empfindlichen Zustand. Wir befinden uns bis zu einem gewissen Grad noch im Rhythmus der Nacht, der Stille und des Schweigens, die uns noch vor wenigen Minuten umfaßten. Wir sind noch sehr verletzlich – Herzattacken stellen sich meistens am frühen Morgen ein. Aber diese Verletzlichkeit kann unsere Stärke werden, denn sie bedeutet, daß wir noch formbar und deshalb fähig sind, die spirituellen Einflüsse willkommen zu heißen, die uns helfen werden, uns auf positive Weise zu verändern.

Alle Religionen bieten bestimmte Formen der Morgenmeditation an, die nicht nur ihren theologischen Prinzipien entsprechen, sondern auch mit der jeweiligen Kultur vereinbar sind (ein Morgengebet in einem Ashram in Südindien kann sich sehr von dem Morgengebet in einem nordkanadischen Ashram unterscheiden). Ich habe mich entschieden, Ihnen keine verwirrende Vielfalt von Alternativen vorzusetzen, sondern eine fundamentale Morgenmeditation vorzustellen, die Tausende von Praktikanten aus unterschiedlichen Traditionen entwickelt und vielfach geprüft haben. Betrachten Sie diese Meditation als ein offenes Gefäß, in das Sie Ihr persönliches Verständnis und die Verfahrensweisen Ihrer eigenen Tradition einbringen können. Sie können genauso vorgehen, wie ich es geschildert habe, oder Sie nehmen Veränderungen nach Ihren eigenen Vorstellungen vor.

Nur vor einem hüten Sie sich: Vor der Morgenmeditation sollte man möglichst nichts essen, denn die Belastung des Magens und der Verdauungsvorgang können den Fluß der feinen Energien stören. Suchen Sie sich ein ruhiges Plätzchen – falls möglich, mit einer Tür, die Sie schließen können. Sie können sich auf einen Stuhl oder auf ein *Zafu* setzen – oder mit gekreuzten Beinen auf einen Kissenstapel. Probieren Sie so lange, bis Sie etwas gefunden haben, das bequem für Sie ist. Die Arme sollten entspannt sein und eine Hand locker in der anderen liegen, mit den Handflächen nach oben. Das Rückgrat sollte gerade sein. Falls Ihnen das schwerfällt, stellen Sie sich vor, Ihr Kopf würde mittels einer Schnur sanft nach oben gezogen. Auf diese Weise strecken und entlasten Sie Ihre Wirbelsäule. Sie werden diese Haltung nicht nur bequem finden – sie läßt sich, falls nötig, stundenlang beibehalten, ohne daß die Muskeln übermäßig beansprucht würden –, sondern sie hat außerdem noch eine spirituelle Bedeutung, denn nur eine aufrechte Haltung entspricht uns als Wesen aus Fleisch und Geist – als »Kinder Gottes« in der hübschen christlichen Ausdrucksweise oder als »Gottes Vize-Regenten« in der Terminologie des Korans (wir hören in der Umgangssprache Anklänge an den spirituellen Symbolismus in Begriffen wie »aufrecht« oder »Aufrichtigkeit«).

Sobald Sie eine aufrechte Haltung eingenommen haben, wird Ihnen eine kurze Entspannungsübung helfen, sich auf tiefere Ebenen der Meditation vorzubereiten. Stellen Sie sich vor, daß ein warmes, goldenes Licht oben auf Ihren Kopf scheint. Das Licht massiert sanft Ihre Kopfhaut und nimmt all Ihre Anspannungen und Befürchtungen fort. Ganz allmählich wandert das Licht über Ihre Stirn, glättet all die kleinen Muskeln, löst alle Verspannungen auf. Das Licht liebkost Ihre Haut mit unendlicher Zärtlichkeit. Langsam gleitet es Ihr Gesicht hinab und wäscht die Spannungen von der Augenumgebung, von den Lippen und den Kiefern. Lassen Sie das Licht Ihren Hals und die Schultern baden; lassen Sie es die Anspannungen aus Ihren Armen, Handgelenken und Händen nehmen. Das Licht badet Ihre Brust in seinen warmen, goldenen Strahlen. Es fließt in Ihr Sonnengeflecht, wo Sie vielleicht einen dichten Knoten muskulärer und emotionaler Anspannungen entdecken. Machen Sie sich nichts daraus – das warme Licht wäscht auch sie fort. Lassen Sie das Licht Ihre Hüften hinabgleiten, Ihre Beine, bis auf die Füße.

Führen Sie diese Übung langsam und sorgfältig aus. Wenn Sie fertig sind, sollte keine muskuläre oder nervöse Spannung mehr bestehen.

Nachdem diese anfängliche Entspannungsübung beendet ist, wenden Sie Ihre Aufmerksamkeit wieder Ihrer Brust zu. Gehen Sie nach innen und treten Sie in den Tempel Ihres Herzens ein. Sitzen Sie in Stille und schweigend, und denken Sie daran, weshalb Sie hier sind. Atmen Sie langsam, auf eine natürliche, entspannte Weise. Betrachten Sie die Atmung als Ihren Anker beim Meditieren. Falls Sie sich mitten in der Meditation dabei überraschen, daß Sie in Gedanken meilenweit fort sind, daß Sie an das gestrige Mittagessen denken oder an einen morgigen Flirt – regen Sich sich nicht auf. Kehren Sie einfach zu Ihrer Atmung zurück. Lassen Sie sich von Ihrem Atemrhythmus stabilisieren und verinnerlichen Sie diesen Zustand. Und nehmen Sie Ihr schweigendes Wachsein wieder auf.

Nach dreißig Minuten endet die Meditation. Verlassen Sie das Gebet so schweigend, wie Sie in es eingetreten sind. Der Übergang in den gewöhnlichen Bewußtseinszustand kann eine Zeit der fruchtbaren Entdeckungen sein: Wie kann ich die Ausgeglichenheit, die Ruhe, das Staunen über die Schöpfung wiedererlangen, die ich in der Meditation erlebt habe? Lernen Sie den Geschmack dieses letzten Augenblicks kennen, bevor die Welt mit all ihren Bitterkeiten und Reizen ihre Rechte zurückverlangt.[1]

Dr. Dean Ornish über die Frage, wie man am Morgen Zeit zum Meditieren findet

Dr. Dean Ornish, Autor des Bestsellers *Revolution in der Herztherapie*, hat sich lange Zeit mit der Beziehung zwischen Spiritualität und Gesundheit befaßt. Als ich ihn um Tips zu der Frage danach bat, wie man Zeit für einen Augenblick der stillen Besinnung findet, gab er folgenden Rat:

»Ich versuche, jeden Tag zu meditieren. Aber oft habe ich einfach keine Zeit dafür; ganz gleich, wie früh am Morgen ich aufstehe. Also wende ich bei mir selbst einen kleinen Trick an. Ich sage: ›Du hast doch eine Minute, oder?‹ Man kann sich selbst kaum einreden, man hätte nicht eine Minute Zeit, etwas so Wichtiges und Gesundes zu tun. Also meditiere ich eine Minute lang. Manchmal meditiere ich nach Ablauf der Minute noch ein wenig länger. Bei anderen Gelegenheiten habe ich wirklich nicht mehr Zeit. Auf jeden Fall ist es wichtig, den ganzen Tag über zu dieser Meditation zurückzukehren, zu dem Frieden und der Ruhe, die sie gebracht hat. Also halte ich tagsüber von Zeit zu Zeit inne und erinnere mich an die Morgenmeditation.«

Kontemplative Nahaufnahme:
Das Stundengebet

Jeden Tag um 4 Uhr 50 läutet in den Aufenthalts-
räumen des St. Mary's Monastery – einer katholischen Benedikti-
ner-Gemeinschaft in den Wäldern des westlichen Massachusetts –
eine Messingglocke. Gemächlich lösen sich die Mönche aus den
»Kokons« des Schlafs. Eine Minute später vernimmt jeder von
ihnen ein Klopfen an der Tür und zugleich ein gedämpftes Flüstern:
»*Benedicamus Domino*« (»Wir wollen den Herrn preisen«). Der
Mönch erwidert: »*Deo Gratias*« (»Dank sei Gott«).
Glocke, Anklopfen und Gebet erwecken das Kloster zum Leben.
Die Glocke repräsentiert den Ruf des Himmels; das Klopfen stellt
eine Anspielung auf das Wort Jesu dar: »Klopfet an, und es wird
euch aufgetan werden« (Matth. 7, 7). Die Glocke und das Klopfen
gemahnen den Mönch daran, wer er ist und wo er sich befindet. Das
Gebet stellt die freudige Erwiderung des Mönchs auf den Aufruf
Gottes dar, wie ihn Benedikt von Nursia – Begründer des westlichen
Klosterlebens im 6. Jahrhundert – in seiner *Regel* artikuliert hat:

*Wir wollen uns also endlich erheben, wie uns die Schrift auffordert,
wenn wir lesen:* Denn die Stunde ist jetzt da, vom Schlafe aufzuwachen *(Röm. 13, 11). Lasset uns die Augen öffnen für das Licht, das
von Gott kommt, und unsere Ohren für die Stimme vom Himmel.*[2]

Im St. Mary's obliegt sowohl das Läuten als auch das Klopfen Pater
Bede Kierney, O. S. B. Er berichtet nach 20 Jahren im Kloster: »Es
ist alles Routine. Wir legen uns schlafen und wachen auf, immer zur
selben Zeit, immer auf dieselbe Weise; jeden Tag des Jahres.« Eine
einfache Routine, die – nach den Worten Benedikts – zur »Pflege
der Tugenden« führt – und im Laufe der Zeit »zu allerhöchster
Vollkommenheit«.[3]
Innerhalb von Minuten haben Pater Bede und seine Brüder ihre

Schlafräume verlassen und befinden sich auf dem Kiesweg zur Kirche des Klosters, wo jeder von ihnen seinen Platz im Chor hat. Die Mönche sind in eine andere Welt eingetreten: im Winter eine Welt der Dunkelheit, denn draußen herrscht Nacht, und die Lampen werden erst zur offiziellen Gebetszeit eingeschaltet; im Sommer eine Welt des Sonnenlichts, das durch die hohen Fenster an den Seitenschiffen einfällt oder durch das Rosettenfenster über dem Altar in einen pastellfarbenen Fächer aufgeteilt wird – das ganze Jahr hindurch; eine Welt der Kirchenbänke und des Chorgestühls, des Pults und des Altars, der Stille und des Gesangs.

Die Mönche sitzen still, ins Gebet oder in die Meditation versunken. Zur selben Zeit hat sich ein paar hundert Meter entfernt in einem Gutshaus im schottischen Stil – dem Heim der St. Scholastica a Priory, einer Klostergemeinschaft von Benediktinernonnen – Entsprechendes abgespielt. Um 5 Uhr 5 sitzen die schwarzgewandeten Schwestern in ihren Chorstühlen – den Mönchen direkt gegenüber. Es herrscht Stille. Um 5 Uhr 10 gehen die Lichter an. Fünf Minuten später erhebt sich ein Mönch oder eine Nonne und rezitiert die ersten Gebetsverse des Tages. Die Kirche erfüllt sich mit Gesang. Mönche und Nonnen vereinen sich im Lobgesang, der große Klosterchor wird leise und schwillt an, flüstert und tönt machtvoll – einige Stimmen sind so dünn wie himmlische Luft, andere so fest gefügt wie die Erde –, ein Chor, der in jenem uralten Wechselgesang, der als Stundengebet bekannt ist, Himmel und Erde verbindet.

Das Stundengebet besteht aus sieben Abschnitten (oder *Horen*) des Gebets, der Schriftlesung, des *Rituals* und des Schweigens, die über den Tag und die Nacht verteilt sind und durch die christliche Mönche und Nonnen – ebenso wie eine riesige Anzahl Laien auf der ganzen Welt – ihr Leben Gott weihen. Durch diesen Zyklus heiligen die Christen ihr alltägliches Leben und reorientieren sich in regelmäßigen Zeitabständen anhand ihres spirituellen Kompasses. Dieser Ablauf weist offenkundig Parallelen zur fünfteiligen islamischen *Salat* auf, die im vorherigen Kapitel beschrieben wurde.

Die beiden Morgen-Horen, Vigil und Laude, bekunden die Absicht der Gläubigen, sich zu Tagesbeginn dem Dienst an Gott zu weihen. Bei diesem Bemühen spielt das Schweigen eine entscheidende Rolle. Jede Hore enthält wenigstens eine Zeitspanne des stummen Gebets, in der man schweigend vor Gott steht.»Als ich neu im Kloster war, war dies für mich die Zeit des schmerzenden Nackens«, sagt Pater Bede.»Aber jetzt ist es die glücklichste Zeit meines Tages.« Diese Zeit der inneren Einkehr stellt die fundamentale kontemplative Übung der christlichen Tradition dar. Dieses Schweigen spiegelt sich in den kürzeren Zeitabschnitten des Schweigens wider, mit denen die Gemeinde den Übergang von einem Teil des Stundengebets zum nächsten würdigt. Man eilt nicht von Gebet zu Gebet, denn das wäre im schlimmsten Fall spirituelle Völlerei. Jeder Teil der Horen wird von Augenblicken der stillen Sammlung eingeleitet und beendet, die es dem Gläubigen ermöglichen, sein ganzes Sein als Opfer darzubieten. Das Stundengebet setzt sich aus Schweigen und Gesang, aus Stille und Choral, gesprochener Rezitation und innerem Gebet zusammen. Von der ersten Hore, der Vigil, bis zur letzten Hore, der Komplet (mehr darüber erfahren Sie in Kapitel 9,»Schlafengehen«), entfaltet es sich in einem Rhythmus, der zugleich weltlich und heilig ist, und erlaubt Mönchen und Nonnen eine intime Beziehung zum Tag und zum Schöpfer aller Tage. Er erlaubt ihnen, mit ihrem ganzen Sein der biblischen Aufforderung zu folgen:»Wach auf, du Schläfer, steh auf von den Toten, und Christus wird dir aufleuchten.« (Eph. 5,14)

Das Stundengebet

Den Lesern, die daran interessiert sind, die Stundengebete zu sammeln, empfehle ich eine kurzgefaßte Version der morgendlichen Laudes. Der Text ist eine Zusammenfassung aus verschiedenen Lobgottesdiensten der Woche. Das Stundengebet zu sprechen erfordert eine bestimmte Verfassung. Wie Benedikt von Nursia erklärt:

Wir glauben, daß die göttliche Präsenz allgegenwärtig ist ... Aber wir sollten über jeden Zweifel erhaben glauben, daß dies besonders dann gilt, wenn wir die Messe feiern ... Lasset uns also betrachten, wie wir uns in der Gegenwart Gottes und seiner Engel verhalten sollten, und wir wollen uns erheben, um die Psalmen auf solche Weise zu singen, daß unser Geist in Harmonie mit unseren Stimmen ist.[4]

Keine leichte Aufgabe, diese Forderung nach Harmonie von Geist und Körper. Benedikt fordert nicht mehr und nicht weniger als eine Neuausrichtung des ganzen Seins hin zum Heiligen. Wir sollten den Stundengebeten die gleiche Ruhe entgegenbringen wie der morgendlichen Meditation: einen Zustand der Transparenz, so daß das Göttliche ungehindert durch uns hindurch scheinen kann. Ein Augenblick der Stille und des Schweigens wird uns sehr helfen, das Stundengebet zu sprechen.

Das Eröffnungsgebet

Herr, öffne meine Lippen, und mein Mund wird dein Lob sprechen.

(Verbeugung) Ehre sei dem Vater und dem Sohn und dem Heiligen Geist. Wie es im Anfang war, nun ist und immer sein wird, Welt ohne Ende. Amen.

Morgenpsalm (Psalm 119, 145–149)

Ich rufe aus ganzem Herzen: Erhöre mich, Gott! Und was du mich weisest, will ich befolgen.
Ich rufe zu dir, o schaffe mir Heil, und bewahren werde ich deine Gebote.

Ich komme am frühen Morgen und flehe um Hilfe, ich harre auf dein Wort.

Vor der Nachtwache werden die Augen mir wach, zu erwägen das Wort deiner Lehre.

Vernimm, Herr, meine Stimme nach deinem Erbarmen; wie du mir zugesagt, so gewähre mir Leben.

(Verbeugung) Ehre sei ...

Alttestamentarisches Canticum (Jesaja 45, 15 und 18–19)

Fürwahr, bei dir ist Gott verborgen, der Gott Israels, der Retter.

Also spricht der Herr, der den Himmel schuf, der Gott ist, der die Erde gebildet und geformt und der sie erhält, der sie nicht als Chaos erschaffen, sondern zum Bewohnen gebildet hat: »Ich bin Gott, und keiner sonst! Nicht im Verborgenen habe ich geredet, nicht an einem finsteren Winkel der Erde. Zu den Nachkommen Jakobs habe ich nicht gesagt: Sucht mich im Chaos! Ich, Gott, ich rede, was richtig, und verkünde, was recht ist.«

(Verbeugung) Ehre sei ...

Danksagungspsalm (Psalm 100)

Jubelt Gott, alle Lande, in Freuden dienet dem Herrn, vor sein Angesicht kommet mit Jauchzen!

Wisset, Gott ist der Herr! Er hat uns geschaffen, wir sind sein eigen, sein Volk sind wir, die Herde auf seiner Weide.

Tretet ein durch seine Tore mit Liedern des Dankes, in seine Vorhöfe mit Lobgesang, danket ihm und preist seinen Namen.

Denn gut ist Gott, sein Erbarmen währet in Ewigkeit, von Geschlecht zu Geschlecht seine Treue.

(Verbeugung) Ehre sei ...

Schriftlesung (Römer 12, 14–15, 17–18, 21)

Segnet, die euch verfolgen; segnet und fluchet nicht.
Freut euch mit den Fröhlichen, weinet mit den Weinenden.
Vergeltet niemand Böses mit Bösem; seid vor allen Menschen auf
das Gute bedacht.
Laß dich nicht vom Bösen überwinden, sondern überwinde das Böse
mit dem Guten.

Schweigendes Gebet

(Ein paar Minuten in schweigender Kontemplation)

Das Vaterunser (Matth. 6, 9–13 und Lukas 11, 2–4)

Unser Vater im Himmel,
geheiligt werde dein Name,
dein Reich komme,
dein Wille geschehe,
wie im Himmel, so auf Erden.
Unser tägliches Brot gib uns heute,
und vergib uns unsere Schuld, wie auch wir vergeben
unseren Schuldnern.
Und führe uns nicht in Versuchung,
sondern erlöse uns von dem Bösen.
Denn dein ist das Reich,
und die Kraft, und die Herrlichkeit,
in Ewigkeit. Amen.

Schlußgebet

Wir erbitten dies durch Jesus Christus, deinen Sohn, der mit dir und
dem Heiligen Geist lebt und regiert, ein Gott für immer und ewig,
amen.

Segen

Möge Gott, der Herr, uns segnen, uns geleiten, uns vor dem Bösen beschützen und in ein ewiges Leben führen, amen.

Aufwachen: Eine spirituelle Ernte

Morgengebete

Als mein älterer Sohn etwa 15 Monate alt war, wurde er bei den ersten Anzeichen der Morgendämmerung wach. Wenn Carol und ich hörten, daß John sich in seiner Wiege rührte, schauten wir einander an, stöhnten und zogen uns die Decken über den Kopf, um noch einen Augenblick lang schlafen zu können, bevor das unvermeidliche Hungergeschrei begann.

Aber eines Tages geschah etwas Wunderbares. John erwachte, wie üblich viel zu früh – wir hörten seine Wiege knarren, als er sich auf die Füße kämpfte, aber das Schreien blieb aus. Anfangs herrschte Stille, und dann hörten wir einen höchst ungewöhnlichen Ton. John sang, mit einer Stimme, die emporstieg und herabfiel, gurgelte und trillerte, die Luft mit einem Strom von Worten erfüllte, die nicht verständlich waren – ganz gewiß waren es keine englischen Worte –, aber voller Bedeutung zu sein schienen. Carol und ich standen auf und tappten den Flur entlang zum Kinderzimmer. Dort war John und brabbelte vor sich hin, einen glückseligen Ausdruck auf dem Gesicht. Ich dachte kurz daran hineinzugehen, ließ es dann aber bleiben, verwundert über die offensichtliche Freude in den Augen meines Sohnes. Brachte er einem Engel ein Ständchen? Erkundete er eine innere Welt des Entzückens? Als wir später darüber sprachen, beschlossen Carol und ich, daß nur ein Wort alles einfangen konnte, was John an jenem Morgen getan hatte (und, wie sich zeigte, in den folgenden sechs Monaten jeden Morgen tun sollte): John betete.

Wenn es sich so verhielt – und ich glaube bis zum heutigen Tag, daß Johns glückliches Geplapper eine rudimentäre Form des Gebets war –, dann war er in guter Gesellschaft. Denn dies gehört zu den wenigen Universalien in allen Religionen der Welt: Wenn Menschen aufwachen, beten sie. Die *Salat* ist ein Beispiel, das Stundengebet ein anderes. Hier ist ein Füllhorn von Gebeten und verwandten Übungen spiritueller Pfade auf dem ganzen Globus:

Jüdische Morgengebete

Wie viele andere Religionen schreibt auch der Judaismus seinen Gläubigen eine Reihe täglicher Gebete vor. Zu den *Shaharith,* den Gebeten, die am Morgen gesprochen werden, gehören eine große Anzahl von Segenssprüchen, Bibelzitaten und rabbinischen Texten. Außerdem gehört zu den *Shaharith* immer auch das *Shema,* das eigentliche Glaubensbekenntnis. Das aus verschiedenen Büchern der Bibel entnommene *Shema* beschreibt die Glorie Gottes in Worten von unvergleichlicher Kraft und Schönheit. Kleine Kinder erlernen das *Shema,* sobald sie sprechen können, die Erwachsenen hoffen, beim Sterben seine majestätischen Formulierungen aussprechen zu können. Viele Juden, die nicht dem Morgengottesdienst in der Synagoge beiwohnen können, beginnen den Tag, indem sie das *Shema* so gesammelt und liebeserfüllt wie möglich zu Hause sprechen. Das *Shema* beginnt wie folgt:

Höre, Israel, der Herr, dein Gott, ist ein Gott:
Gesegnet sei sein herrliches Königreich für immer und ewig.
Und du sollst den Herrn, deinen Gott, von ganzem Herzen lieben,
und mit deiner ganzen Seele, und mit all deiner Kraft.
Und diese Worte, die ich dir heute anempfehle, sollen in deinem
Herzen sein.
Und du sollst sie mit Sorgfalt deine Kinder lehren, und du sollst von
ihnen sprechen, wenn du in deinem Hause sitzt, und wenn du deiner

Wege gehst, und wenn du dich zum Schlafen legst, und wenn du dich
erhebst.
Und du sollst sie zum Zeichen auf deine Hand binden, und sie sollen
als Stirnband zwischen deinen Augen sein.
Und du sollst sie auf die Pfosten und auf die Türen deines Hauses
schreiben.

Black Elks Gebet an den Stern
des Tagesanbruchs

Die Oglala-Sioux begrüßten den neuen Tag traditionsgemäß, indem sie ins Freie hinausgingen, um ein Gebet an den Morgenstern oder Stern des Tagesanbruchs (*anpo wicahpi* in Lakota) zu richten. Black Elk, der bekannte spirituelle Lehrer der Sioux, beschrieb sein Vorgehen in einem Interview von 1931:

Ich stehe gewöhnlich zu der Zeit auf, wenn der Morgenstern aufgeht,
und meine Leute mußten Kenntnis von diesem Stern haben, und alle
Menschen schienen das zu wissen. Sie waren eifrig darauf bedacht,
ihn herauskommen zu sehen, und wenn der Morgenstern aufging,
sagten die Leute: »*Seht den Stern der Weisheit.*«[5]

Bei dieser Handlung sehen wir die innige Verbindung zwischen Ritual und Symbol, die so oft dem traditionellen, mystischen Umgang mit dem Aufwachen zugrunde liegt. Der Morgenstern stand – laut Black Elk – für »das Verlangen nach und die Gewißheit von mehr Licht für diejenigen, die verlangen«.[6] Beim Anblick des »Sterns der Weisheit« baten die Sioux die Kräfte, die das Universum regieren, um Hilfe bei ihrem Bemühen um eine spirituellere Lebensweise.

Ein zoroastrisches Gebet
bei Tagesanbruch

Im *Zend-Avesta,* der heiligen Schrift des Zoroastrismus, lesen wir das folgende, leidenschaftliche Bittgebet, das bei Sonnenaufgang zum Wohl aller Geschöpfe gesprochen werden soll:

Ich bete für die gesamte Schöpfung des Heiligen und des Reinen ... um Heiligkeit und Reinheit für die jetzige Generation, und für alle Wesen, die nach uns kommen. Und ich bete um die Heiligkeit, die zu Reichtum führt und die lange Zeit Schutz bot, der Hand in Hand damit geht, ihn begleitet und seine enge Genossin wird, während sie ihre Prinzipien hervorbringt, aus denen alle denkbaren Arten heilsamer Tugenden hervorgehen, die uns erfüllen ... Und auf diese Weise fallen uns die größten, die besten und die schönsten Wohltaten der Heiligkeit zu.[7]

Das Morgengebet der Abaluyia

Für die Abaluyia in Kenia kommt alles Gute von Gott. Deshalb kniet einer der Ältesten dieses Volkes auf dem Boden, das Gesicht der aufgehenden Sonne zugewandt, und fleht Gott um Gesundheit, Glück und Befreiung vom Bösen an. Diese Bitten können sich auf den Betenden selbst beziehen (»Bring mir heute allen Reichtum!« lautet eine Zeile in einem Gebet der Abaluyia) oder auf andere (»Hab Mitleid mit unseren leidenden Kindern«).[8]

Morgenandacht am Familienaltar

In vielen Religionen sind Hausaltäre üblich, an denen die Morgengebete gesprochen werden. Als Beispiel mag der *Butsudan* (»Buddhaaltar«) im Shin-Buddhismus gelten (Shin = reines Land). In den meisten shin-buddhistischen Haushalten nimmt der Altar einen zentralen Platz ein, so daß man stets an ihn erinnert wird. Für Taitetsu Unno, Professor für Religionen und ostasiatische

Studien am Smith College, ist der *Butsudan* der spirituelle Mittelpunkt des Familienlebens:»Ich erinnere mich daran, wie mein Vater sagte: ›Wenn einmal ein Feuer ausbricht, wird der Altar als erstes geborgen.‹«

In der Regel versammelt sich die Familie vor dem Frühstück zur Andacht. Ein Hauptbestandteil des Ritus ist die Rezitation des *Nembutsu* (Meditationsübung der Schulen des Reinen Landes), bei dem die Worte»*Namu Amida Butsu*« (»Verehrung dem Buddha Amida, dem Buddha des ewigen Lichts und Lebens«) wiederholt werden. In Kapitel 7 erfahren Sie mehr über das *Nembutsu*. Weiterhin gehört der Sprechgesang der buddhistischen Sutras dazu – der heiligen Schriften, die die lebendige Stimme des Buddha enthalten. Eine herrliche Passage einer häufig gesungenen Sutra – der Sukhavati-Vyuha-Sutra (»Sutra des Landes der Glückseligkeit«) – beschreibt, woran man erkennen kann, daß man wahrhaftig spirituelle Fortschritte gemacht hat:

Voll von Gelassenheit, von wohlwollenden Gedanken, von empfindsamen Gedanken, von liebevollen Gedanken, von nützlichen Gedanken, von beständigen Gedanken, von unvoreingenommenen Gedanken, von ungestörten Gedanken, von unaufgeregten Gedanken, von Gedanken an die Übung der Disziplin und der transzendenten Weisheit, die ein Wissen erworben hat, das einen festen Untergrund für alles Denken bildet, gleich dem Ozean an Weisheit, dem Berg Meru an Kenntnis, reich an vielen guten Eigenschaften … Sie erlangen vollkommene Weisheit.[9]

Der *Butsudan* selbst hat die Form eines Kabinetts oder eines Schreins. Er enthält eine Schriftrolle mit dem Namen des Amida Buddha sowie Blumen, Glöckchen, Weihrauch, Kerzen, Reisopfer und anderes religiöses Zubehör. Jedem dieser Artikel kommt eine spezielle Bedeutung zu. Zum Beispiel stehen die Kerzen – die gewöhnlich weiß sind – symbolisch für die erleuchtete Weisheit des

Buddha. Sie werden niemals ausgeblasen, sondern mit einem Kerzenlöscher oder mit den Fingern gelöscht. In ihrer Gesamtheit repräsentieren die materiellen Ingredienzen, die der Altar enthält, den ganzen Kosmos – gesammelt und dem Amida Buddha dargeboten. Indem sie jeden Morgen an ihrem Altar beten, bieten die Buddhisten auch sich selbst dar. Sie weihen ihr Leben der Erlangung dessen, was Unno »die Realisierung der Freiheit« nennt. In diesem Bestreben, so sagt er, ist das tägliche Gebet unverzichtbar: »Je älter ich werde, desto wichtiger wird das Ritual. Natürlich spielt auch die Doktrin eine Rolle, denn man muß die Lehren verstehen. Aber das Ritual ist von grundlegender Bedeutung, denn man muß den Körper, sein ganzes Sein, in die Übung einbringen.«

Die Morgen-Routine

Es ist schwierig, dem Ohrenwaschen, dem Zähneputzen oder dem Sitzen auf dem Klo große spirituelle Bedeutung beizumessen. Und doch erkennen viele Religionen die Notwendigkeit, diese profanen Tätigkeiten dem höheren Aspekt des inneren Lebens unterzuordnen. Da wir uns gewöhnlich nur mit halber Aufmerksamkeit waschen oder ankleiden, rasieren oder schminken, während wir über die lästigen Pflichten des heutigen und die romantischen Begegnungen des gestrigen Tages nachsinnen, rufen diese morgendlichen Prozeduren in der Tat nach Aufmerksamkeit. Allein schon ihre Intimität verleiht ihnen einen besonderen Wert: Denn wenn ich schon meinen eigenen Körper und seine täglichen Funktionen nicht mit Respekt behandele – wie werde ich dann den Körper eines anderen Menschen (ganz zu schweigen von seiner Seele) oder den Körper der Welt behandeln?

Waschen

Die Waschung ist von enormer spiritueller Bedeutung. Der Körper ist der Spiegel der Seele; ein reiner Körper deutet auf eine reine Seele hin – auf jemanden, der auf dem Weg zur Rechtschaffenheit, zur Erleuchtung ist. Darüber hinaus waschen wir uns mit Wasser, der Mutter allen Lebens; Waschen verbindet uns demnach mit dem Urgrund aller Dinge.

Gleich nach dem Aufstehen – im Sommer schon um 3 Uhr 30, im Winter um 4 Uhr 30 – waschen Zen-Mönche ihr Gesicht. Jeder Mönch muß mit drei Bambustassen Wasser auskommen. Er hält die Tasse in einer Hand, und mit der anderen schöpft er das Wasser in sein Gesicht – »wie eine Katze«, heißt es in einem Text.[10] Diese Einfachheit entspricht dem Rat des Zen-Meisters Dogen: »Verwende zwei Tassen, und verwahre eine für deine Nachkommen.« Auch ein Zen-Bad folgt einem strengen religiösen Protokoll. In einigen Klöstern verbeugt sich der Mönch dreimal in Richtung eines Altars außerhalb des Baderaumes, der eine Statue des Badarosatsu enthält, der beim Baden von der Notwendigkeit der Wiedergeburten befreit wurde. Dann sagt der Mönch: »Ich muß meinen Körper und mein Herz säubern.« Nach seinem Bad bestätigt der Mönch sein oberstes Ziel im Leben, indem er ausruft: »Ich habe meinen Körper gereinigt; ich bete, daß ich auch mein Herz reinigen möge.«[11]

Im Islam spielen die Waschungen eine bedeutsame Rolle beim Aufwachen und bei der Vorbereitung auf das Morgengebet. Die Waschung (im Arabischen *Wudu*) stellt rituell die Reinheit des Moslems wieder her, bevor er dem Tag und Gott ins Gesicht schaut. Das *Wudu* beginnt mit einer Weihung in Form der Eröffnungsworte des Korans: »Im Namen Allahs, des Wohltätigen, des Mitleidvollen.« Die Waschung selbst vollzieht sich in einer bestimmten Reihenfolge, die im Koran festgelegt ist:

O ihr Gläubigen, wenn ihr aufsteht, um zu beten, wascht eure
Gesichter und eure Hände bis hinauf zu den Ellbogen, und fahrt
über eure Gesichter, und wascht eure Füße bis zu den Knöcheln.
(Sure 5, 5)[12]

Diese Anordnung offenbart eine absteigende Ordnung des Seins.
Sie beginnt mit dem Gesicht, dem Sitz des Verstandes und dem
Fenster der Seele, und endet mit den Füßen, die mit Staub und
Schmutz in Berührung kommen. Durch einen so einfachen Akt wie
die Waschung verbinden die Moslems auf diese Weise Himmel und
Erde und finden ihren Platz in dem spirituellen Kosmos, den der
Koran beschreibt. Weltweit nahezu eine Milliarde Moslems führen
die Morgenwaschung als einen Hauptbestandteil der islamischen
spirituellen Praxis mit peinlicher Sorgfalt aus.
Fromme Juden waschen jeden Morgen kurz nach dem Aufstehen
ihre Hände. Beim Waschen sprechen sie folgenden Segensspruch:

Gelobt seiest du, o Herr, unser Gott! König des Alls, der du uns
durch deine Gebote geheiligt hast und uns geboten hast, die Hände
zu waschen.

Auf die Toilette gehen, Zähne putzen, baden …

Wir reden nicht oft übers Urinieren und über die
Stuhlentleerung; teils, weil diese Dinge so überaus intim sind – zum
anderen, weil wir sie mit dem Begriff des Schmutzigen assoziieren.
Aber wir sollten trotzdem die ungeheure Bedeutung dieser Tätigkeiten zur Kenntnis nehmen. Ohne ein wirksames System der
Abfallbeseitigung würden wir uns innerhalb kürzester Zeit selbst
vergiften. Darüber hinaus nähren die Produkte unserer Entleerun-
gen – wie jeder Gärtner und jeder Bauer weiß – den Erdboden. Mit
diesem Wissen im Hinterkopf betet ein Zen-Buddhist, bevor er das
Badezimmer aufsucht, versichert allen Buddhas seine Ergebenheit

74

und bittet um einen erfolgreichen Gang zur Toilette. In derselben Weise betet er vor und nach dem Zähneputzen. Er erklärt, daß er seine Zähne zum Wohl aller Geschöpfe putzt, und verspricht, »die Illusion zu zerdrücken, wie er die Zahnbürste in seinem Mund niederdrückt«.[13]

Vielleicht hat niemand jemals die religiösen Aspekte der Morgentoilette – von den trivialsten Toilettenfunktionen bis hin zu den feinsinnigsten Gebeten – tiefergehend untersucht als die »zweimal geborenen« männlichen Brahmanen Indiens. Ihr Ansatz steht für eine Auffassung des Menschenlebens, der viele von uns zwar ein Lippenbekenntnis zollen, die aber in Wahrheit heutzutage selten geworden ist: nämlich den Glauben, daß jede menschliche Geste Bedeutung hat – daß auch die geringste unserer Taten einen Einfluß auf das Universum hat, wenn dieser auch kaum meßbar ist.

Ein Brahmane erwacht zwei Stunden vor dem Sonnenaufgang, um seine ersten Gebete zu sprechen, eine Mischung aus Bitt-, Dank- und Lobgebeten, die von Region zu Region in Indien unterschiedlich ausfällt. Diesen Gebeten folgen verwirrende Arabesken sakramentaler Bewegungen. Zum Beispiel stellt der Brahmane sicher, daß sein erster Blick des Tages auf etwas Vielversprechendes fällt – etwa auf einen goldenen Ring, auf eine Silbermünze, auf eine Mutter, ein junges Mädchen oder ein Kind. Dann verläßt er sein Bett, aber nicht bevor er *Prithivi* (Mutter Erde) um Vergebung dafür gebeten hat, daß er auf sie treten wird. Nachdem er seinen Mund mit drei Schluck Wasser gesäubert hat, drapiert er den heiligen Faden – Symbol seines Status als zum zweiten Mal (ins spirituelle Leben) Geborener – über sein rechtes Ohr. Wie auch allem anderen im brahmanischen Morgenritual wohnt dieser Geste eine Bedeutung inne, denn ein Brahmane schätzt sein rechtes Ohr als eines der spirituellsten Organe seines Körpers. In dieses rechte Ohr haben seine Eltern einst die heiligen Mantras geflüstert, die seine Seele erhalten.

Dann geht der Brahmane hinaus, um wenigstens hundert Meter von

jeder menschlichen Behausung entfernt zu urinieren und zu defä-
kieren. Danach werden Hände und Füße in einer vorgeschriebenen
Anzahl von Malen mit Lehm abgeschrubbt. Es folgen weitere
Reinigungen: Zähneputzen mit einem weichen Zweig, ein Bad –
vorzugsweise in einem Fluß, der ins Meer mündet. All das wird mit
größter Würde und Aufmerksamkeit ausgeführt. Schließlich folgen
die großen Morgenandachten, zu denen Atemübungen, Mantras,
Anrufungen, achtsames Umhergehen und Brandopfer gehören –
eine spirituelle Choreographie, die zu komplex ist, um hier wieder-
gegeben zu werden. Den Abschluß bildet ein wundervolles Gebet,
das ich hier auszugsweise zitiere:

*Mögen alle in dieser Welt glücklich sein, mögen sie gesund sein,
möge es ihnen gutgehen und niemals schlecht. Möge der Regen zur
passenden Zeit fallen, möge die Erde genug Korn hervorbringen,
möge das Land ohne Krieg sein, mögen die Brahmanen sicher
sein.*[14]

Natürlich bewegen sich die traditionellen brahmanischen Morgen-
übungen innerhalb des kulturellen Kontexts. Man kann sich zum
Beispiel nur schwer vorstellen, daß jemand, der in New York City
lebt, hinausgeht und wenigstens hundert Meter von jeder menschlichen Behausung entfernt uriniert. Aber die universal gültige Lehre,
die man einem brahmanischen Morgen entnehmen kann, lautet: Die
geringste unserer Gesten – ob wir eine Katze streicheln, den Abfall
hinausbringen oder auch nur auf dem Klo sitzen – kann eine Gelegenheit sein, unser Leben zu heiligen und Gott Dank- und Lobge-
bete darzubringen.

Kapitel 3
Essen

Ich starrte auf die Blutorange. Sie lag allein auf dem Porzellanteller, und ihre sonnenfarbene Schale stand in lebhaftem Kontrast zum weißen Porzellan. Die Orange war der Mittelpunkt meines Lebens. Ich hatte seit zwei Tagen nicht *einen* Bissen zu mir genommen, und in den letzten drei Wochen hatte ich nicht einmal genug gegessen, um eine Ameise von mittlerer Größe satt zu machen – geschweige denn einen 200 Pfund schweren und 180 Zentimeter großen Mann. Der Grund für mein Fasten war eine Krankheit – eine geheimnisvolle Infektion, die meine Geschmacksknospen verwüstet hatte, so daß der kleinste Bissen meinen Mund in Brand setzte. Selbst Wasser schmeckte wie flüssiges Feuer. Mein Arzt klopfte mir auf den Rücken und sagte: »Es wird vorübergehen.« Meine Frau tätschelte mir den Kopf und tischte eine Auswahl sanfter Nahrungsmittel auf – Pudding, Wackelpeter, cremigen Spinat; ein Fest für einen zahnlosen Hundertjährigen – ohne Erfolg. Ich verlor in drei Wochen zehn Kilogramm Gewicht.

Dann verschwand die Krankheit, so rasch, wie sie gekommen war. Es war Zeit zu feiern. Aber wie das Fasten beenden? Inzwischen hatte ich mich an das Hungern gewöhnt. Der Hunger war ein vertrauter Freund geworden – ein räudiger Hund, der mir nicht von der Seite wich. Welchen Knochen sollte ich ihm zuerst zuwerfen? Es bot sich vieles an, einen knurrenden Magen zu beschwichtigen: Hummer, Schokoladenkuchen, Gänseleberpastete, Matzensuppe, Lammcurry, Limonen-Sahne-Kuchen …

Und dann erinnerte ich mich an Orangen. Sofort war der Fall klar. Ich eilte zu dem Feinkostgeschäft ein Stück die Straße hinab. Fünf

Minuten später war ich wieder zu Hause, meine Beute in einer kleinen, braunen Tüte. Ich nahm einen Teller aus dem Schrank und stellte ihn auf den Küchentisch, und dann befreite ich das Juwel unter den Früchten aus seinem papierenen Gefängnis. Die Orange leuchtete – eine Miniatursonne. Ihre Schale war hier zart kupferfarben überhaucht und dort durch eine kleine Verletzung dunkel verfärbt. Ich schälte die Sonne, legte ihr blutrotes Fruchtfleisch frei. Ich löste ein Stückchen aus der Sonne, führte es an meine Lippen und zermalmte es mit den Zähnen.

Der Geschmack der Blutorange durchflutete meinen Mund, und mit ihm kam eine Welle der Dankbarkeit für alles, was zum Gedeihen dieser Frucht und dazu beigetragen hatte, sie in meine Hände gelangen zu lassen. Sonne, Humus und Regen; Pflanzer, Erntearbeiter und Händler; Bienenzucht und Blumenzucht; die Evolution, deren Zeitlupenzauberstab eine ungenießbare jurassische Frucht in das Ambrosia der Götter verwandelt hatte; Gott, dem Quell aller Fruchtbarkeit – ich dankte allem und jedem. Dieser erste Bissen nach einem drei Wochen währenden Fasten lehrte mich, was alle verurteilten Gefangenen, notgelandeten Piloten und Verbannten wissen: daß Nahrung Leben ist – und daß essen ja sagen zum Leben bedeutet.

Essen ist die normalste und zugleich die geheimnisvollste aller Tätigkeiten. Die meisten von uns setzen sich wenigstens dreimal pro Tag an den Tisch, und wir würden schaudern, wenn wir sehen könnten, wie viele Hektar zu Brot verarbeitetes Getreide und welche Ozeane voller Milch und Wein wir im Laufe unseres Lebens konsumieren. Aber für fast alle Menschen bleibt essen eine nahezu vollständig unbewußte Tätigkeit; etwas, das wir wohl oder übel zwischen Aufwachen und Arbeiten tun – oder zwischen den Toren beim Fußball. Wir essen rasch, nachlässig, geistesabwesend und gleichgültig für die Bedeutung dessen, was wir zu uns nehmen – es wird uns kaum bewußt, daß wir überhaupt essen. Man kann mit Fug und Recht sagen, in einem Jahrhundert, in dem die Physiker die

Geheimnisse des Atoms ergründen und die Biologen die Biochemie des Lebens entschleiern, sind die Geheimnisse der Suppenterrine, des Hamburgers und des Milchkännchens – die Frage, was diese Dinge wirklich sind, auf welche Weise wir in ihren Genuß gelangen und auf welche Art sie unser Leben beeinflussen – nach wie vor völlig ungelöst.

Essen bedeutet für alle Menschen etwas anderes. Für einen Teenager ist es die Methode, den Körper mit Treibstoff für wichtigere Tätigkeiten, wie zum Beispiel einen Bummel durch das Einkaufszentrum, zu versorgen; für einen Säugling ist es das sanfte Band, das ihn an seine Mutter bindet; für einen Künstler kann es der Auslöser für ein Meisterwerk sein – wie bei Proust, der die durch einen Mundvoll Orangengebäck ausgelösten Erinnerungen in ein Buch mit dem Titel *Auf der Suche nach der verlorenen Zeit* umsetzte.

Essen verbindet uns mit allen Lebewesen, die jetzt leben, und mit allen, die jemals gelebt haben. Wir essen nur, was lebt oder was lebendig war: gebratene Heuschrecken, rohe Pilze, Hot dogs, Brot. Wenn ich ein Brokkoliröschen esse, tritt das Leben der Pflanze in mich ein und wird ein Teil meines Lebens. Essen macht unsere Abhängigkeit von anderen Lebewesen und von der Güte Gottes deutlich, die alles Leben schenkt. Ohne Essen sterben wir. Diese Wahrheit findet einen wundervollen Ausdruck in den folgenden Zeilen des englischen Lyrikers Alexander Pope (1688–1744):

Schau dich um in unsrer Welt; gewahre der Liebe Kette
Zwischen der unt'ren und der oberen Stätte ...
Sieh sterbende Pflanzen Leben erhalten,
Sieh Leben, das sich auflöst, neu sich gestalten;
Alle Formen nähren andre, wenn sie verderben,
(Wir werden im Wechsel geboren, und sterben)
Wie Blasen im See der Materie entstehen.

Kein Wunder, daß die Lakota-Sioux den Tieren danken, die sie jagen und töten. Sie glauben, daß diese Geschöpfe freiwillig ihr Leben opfern, damit die Menschen überleben können. John Lame Deer erinnert sich daran, daß sein Onkel gesagt hat: »Nahrung ist mehr als das, was deinen Körper passiert. In der Nahrung sind Geister, die über sie wachen.«[1] Nahrung ist spirituelle Nahrung, ob sie nun übernatürlich ist – das jüdische Manna, die christliche Eucharistie, das griechische Ambrosia, das hinduistische Soma – oder nur die tägliche Ration Fleisch und Kartoffeln.

Komtemplative Nahaufnahme: Essen in einem Zen-Kloster

Alle Religionen legen großen Wert auf das Essen. Die Mönche in Zen-Klöstern bringen der Nahrung in all ihren Aspekten große Aufmerksamkeit entgegen: ihrer Beschaffenheit, ihrer Herkunft, ihrer Zubereitung, ihrem Verzehr und ihrer spirituellen Bedeutung. Obwohl auch das diskursive Denken in bezug auf die Ernährung nicht unwesentlich ist – immerhin muß ein Koch sein Menü planen –, wird das Essensverständnis des Zen-Mönchs vor allem durch die Übung der Andacht bestimmt. Shunryu Suzuki, der erste Meister im San Francisco's Zen Center, beschreibt Andacht auf folgende Weise:

Wir müssen denken und die Dinge betrachten, ohne zu stocken. Wir sollten die Dinge problemlos so akzeptieren können, wie sie sind. Unser Geist sollte weich und offen genug sein, um die Dinge so zu verstehen, wie sie sind. Wenn unser Denken weich ist, wird es unerschütterliches Denken genannt. Diese Art zu denken ist immer gefestigt. Sie wird Achtsamkeit genannt.[2]

Achtsamkeit ist demnach eine sichere Methode,»die Dinge so zu verstehen, wie sie sind«. Suzuki Roshi versichert uns, daß dies keiner besonderen Anstrengung bedarf. Bei der Achtsamkeitsübung registrieren wir einfach nur Vorgänge, während sie sich ereignen. Wir analysieren nicht – wir beobachten. Wenn eine Reaktion auftritt – sei sie intellektueller, emotionaler oder körperlicher Art –, so betrachten wir sie einfach als weiteres Ereignis im Strom des Lebens und fahren mit unserer achtsamen Aufmerksamkeit für die Dinge, wie sie sind, fort.

Achtsames Essen beginnt für den Zen-Mönch mit dem Erhalt der Nahrung. Vielleicht wird sie von einem Verkäufer gebracht. Wie kommt der Mönch zu Geld, um den Handel tätigen zu können? Traditionellerweise durch Betteln. Er wandert mit gesenktem Haupt die Straße entlang und intoniert leise »Ho«. In der Hand trägt er ein Hauptsymbol des zenbuddhistischen Klosterwesens: die Bettelschale oder *Jihatsu*. Die Schale – eine Ausweitung der Hand des Mönchs – ist geöffnet für den Kosmos. Sie akzeptiert, was auch immer in sie gefüllt wird. Der Mönch trägt einen breitkrempigen Hut, der so groß ist, daß er seinem Träger die Sicht auf denjenigen verwehrt, der ihm Almosen oder Nahrung gibt. Umgekehrt kann auch der Gebende nicht das Gesicht des Mönchs sehen; die Gabe wird daher in einem Zustand unparteiischer Freigebigkeit gewährt und empfangen; frei von eitler Neugier und von persönlicher Beteiligung, die die Ruhe stören könnten. Der Mönch verbeugt sich bei jeder Gabe. Er bestätigt seine vollständige Abhängigkeit von der Mildtätigkeit anderer und seine Dankbarkeit für ihr Entgegenkommen.

Oft wird die Nahrung, die zur Verpflegung des Klosters nötig ist, bei den umliegenden Bauernhöfen eingesammelt. Die Mönche gehen aufs Land hinaus und erbetteln, was auch immer die Bauern glauben, nicht auf dem Markt verkaufen zu können: zerquetschtes Obst, Bohnen und anderes Gemüse. Die Mönche sind mit dieser verschmähten Nahrung glücklich; sie kommt ihrer Liebe zu Ein-

81

fachheit und Bescheidenheit entgegen. Auch sie selbst züchten Gemüse in kleinen Klostergärten. Bei dieser Gärtnertätigkeit ist Achtsamkeit besonders wichtig, da sie nicht nur den Zustand des mönchischen Gärtners betrifft, sondern auch den Zustand der Pflanzen, die er züchtet, und damit den Zustand aller Mönche, die sie essen, und – da sich Einflüsse dieser Art endlos fortsetzen – auch den Zustand aller Lebewesen, mit denen diese Mönche zu tun haben. Daraus geht hervor, daß Anbau und Verzehr von Nahrungsmitteln sogar in einem unbedeutenden, abgelegenen Kloster das Wohlergehen der ganzen Welt beeinflussen.

Die gesammelte Nahrung muß gekocht werden. Die Ehre, sich über einen heißen Ofen beugen zu dürfen, ist älteren Mönchen vorbehalten, die begreifen, daß Kochen ein spiritueller Vorgang ist; eine Alchimie, durch die die lebende Substanz der Welt in Nahrung für Menschen transformiert wird. Diese Aufgabe verlangt Erfahrung, Ernst und Einsicht. Der Zen-Weise Dogen erklärt in seinen *Instructions for the Zen Cook* (Anweisungen für den Zen-Koch), daß die Rolle des Kochs *(Tenzo)* nur hervorragenden Mönchen zuerkannt wird, die »Glauben an die buddhistischen Lehren zeigen, auf einen reichen Erfahrungsschatz zurückgreifen können und ein rechtschaffenes und gütiges Herz besitzen. Das ist deshalb so, weil die Pflicht eines *Tenzo* die ganze Person erfordert.«[3] Um es noch einmal zu sagen, Nahrung ist Leben, und der Koch ist derjenige, der für das Leben sorgt. Man erinnert sich daran, daß G. I. Gurdjeff erwiderte, als er einmal gefragt wurde, ob Kochen ein Zweig der Medizin sei: »Medizin ist ein Zweig der Kochkunst.«

Der langwierige Prozeß der Gewinnung und der Zubereitung der Nahrung – in Wahrheit eine religiöse Tätigkeit, die sich über viele Monate hinweg erstreckt – findet seinen Höhepunkt natürlich in der Mahlzeit. Zen-Mönche essen dreimal täglich. Sie essen niemals auf die Weise, wie Sie oder ich vielleicht essen. Sie knabbern nie geistesabwesend vor dem Fernseher an Brezeln oder Chips oder schlingen hastig einen Cheeseburger herunter, während sie bei

82

einem Wettrennen zuschauen. Bei den Mahlzeiten wird besonders auf Andacht geachtet. Das Frühstück besteht vielleicht nur aus Reis und eingelegtem Gemüse, aber bei seiner Vorbereitung und nach dem Verzehr werden Texte der heiligen Schriften gesungen und die zehn Namen der früheren und der gegenwärtigen Buddhas zitiert, die den Mönch bei seinen spirituellen Bemühungen geleiten. Beim Mittagsmahl – eine aufwendigere Angelegenheit aus mit Gerste vermischtem Reis, Sojabohnensuppe, Gemüse und Mixed Pickles – verpflichten sich die Mönche zu fünf Reflexionen *(Gokan no be)*:

1. Das Nachdenken über unsere Anstrengungen und wie sie uns unsere Nahrung verschafft haben.
2. Das Nachdenken über unsere guten und schlechten Taten – und ob wir dieses Essen verdienen.
3. Die Überwindung der Völlerei und anderer Laster.
4. Die Betrachtung der Nahrung als eine Medizin, die uns am Leben erhält.
5. Die Aufnahme von Nahrung als Mittel, das uns erlaubt, unser Streben nach Erleuchtung fortzusetzen.

Diesen Reflexionen folgen drei Beschwörungen: (1) daß der erste Bissen, den man zu sich nimmt, alles Böse vernichtet; (2) daß alles Gute unterstützt wird; (3) daß sämtliche empfindsamen Wesen gerettet werden.

Während der Mahlzeit herrscht angemessenes absolutes Schweigen. Die Mönche gehorchen nicht nur dem Redeverbot; sie achten auch darauf, keine Geräusche mit dem Mund, dem Magen oder den Eingeweiden zu erzeugen. Jeder Mönch ißt so andachtsvoll wie möglich und achtet auf die Bewegungen seiner Hände, seiner Lippen, seines Mundes und der Kehle – sowie auf das Aussehen, den Geruch und den Geschmack des Essens. Was für eine erstaunliche Ironie, daß der Mönch – der sich einem asketischen Leben geweiht hat – einem Bissen Essen größere geschmackliche Erfahrungen abgewinnen kann, als viele von uns in einem ganzen Monat machen.

Jeweils zu Beginn und zum Ende des Mahles werden zwei Holzbrettchen zusammengeschlagen. Die Überreste werden eingesammelt und zuerst den Buddhas und den Bodhisattvas angeboten, dann Fischen oder Vögeln. Die Schüsseln werden auf eine peinlich genaue und in hohem Maße ritualisierte Weise ausgewaschen. Selbst das Wasser, in dem die Schüsseln gesäubert wurden – das Spülwasser, für das wir in der Regel nur Verachtung übrig haben –, hat eine bestimmte Bedeutung. Der Mönch spricht ein Gebet und rühmt es wegen seines »Geschmacks von himmlischem Nektar«. Dann bietet er es himmlischen Geschöpfen an, während er ausruft: »Möget ihr alle erfüllt und befriedigt werden!«[4]

Andachtsvolles Essen:
Eine grundlegende Übung

Wie wir aus der Praxis der Zen-Mönche ersehen können, ist das Wesentliche am andachtsvollen Essen, daß wir jedem Schritt Aufmerksamkeit entgegenbringen. Wir wollen uns, wenn wir uns zum Essen hinsetzen, der spirituellen Natur unseres Mahles besinnen: Daß wir, wenn wir essen, eine Substanz des Kosmos in unseren Körper aufnehmen; daß wir als notwendiges Mittel zu unserer eigenen Erhaltung das Opfer anderer Lebewesen akzeptieren. Wie können wir dieses kostbare Geschenk würdigen?

Fangen Sie an, indem Sie alle Sorgen und Tätigkeiten loslassen, die Ihre Aufmerksamkeit vom gegenwärtigen Augenblick ablenken wollen. Konzentrieren Sie sich voll und ganz auf das Essen. Essen Sie bedächtig, und nehmen Sie die Eindrücke von jedem Bissen auf.

Achten Sie aufmerksam auf jeden Teil des Vorgangs: Wie Ihre Gabel die Erbsen auf ihre Zinken aufreiht oder die Möhrenstücke aufspießt, wie Ihre Muskeln sich strecken und zusammenziehen, wenn Hand und Arm zusammenspielen, um den Bissen an Ihren Mund zu heben. Machen Sie sich bewußt, wie sich Ihre Lippen öffnen und den Bissen in Empfang nehmen. Achten Sie auf die Geschmäcke und die Gerüche, auf den Tanz der Zunge und der Zähne beim Kauen.

Lassen Sie uns daran denken, daß auch wir als eine Tierart Glieder in der großen Nahrungskette sind; daß unsere Leiber eines Tages Nahrung für andere Geschöpfe sein werden. Und auch diese Übung in Andacht ist Nahrung, denn sie nährt unsere Seelen; wir wollen sie ausführen, sooft wir können.

Essen: Eine spirituelle Ernte

Tischgebete

»Dankbarkeit ist die Erinnerung des Herzens«, schrieb J. B. Massieu. Durch Tischgebete erinnern wir uns im Herzen an den göttlichen Ursprung aller Nahrung und bezeugen ihn mit unseren Lippen. Dankbarkeit für Nahrung wird auf diese Weise Dankbarkeit für die Schöpfung, für das Leben selbst.

In meiner Familie sprechen meine Frau und ich gewöhnlich ein traditionelles, christliches Dankgebet, zum Beispiel:

Möge der Herr uns wahrhaft dankbar machen für die Gaben, die wir empfangen.

Manchmal bitten wir unseren älteren Sohn, ein Gebet aus dem Stegreif zu sprechen. John tut es gern, und meistens setzt er uns in Erstaunen: Er dankt Gott beispielsweise für die Peperoni auf seiner Pizza oder schließt einen herzlichen Dank für die Gegenwart eines geliebten Verwandten oder Freundes ein, oder er fügt geschickt im Nachsatz den Wunsch hinzu, daß die Red Sox das Spiel gewinnen. Diese spezielle Form des Tischgebets ist für den Zaleski-Haushalt typisch, aber die Praxis, das Mahl mit einem kurzen Dankgebet zu beginnen, ist in der ganzen Welt verbreitet. Hier folgen ein paar Beispiele:

Jüdische Segenssprüche

Wir sind der traditionellen jüdischen Praxis der *Berakoth* oder Segenssprüche bereits in der Einleitung begegnet. Vor allem bei den Mahlzeiten wird man die Notwendigkeit eines Segens empfinden, weil unser Mahl sonst dadurch verdorben würde, daß wir die Güte Gottes vergessen.

Das hebräische Wort für »Universum« leitet sich von einer Wurzel ab, die »verbergen« bedeutet. Gemäß der mystischen jüdischen Tradition liegen in der physischen Welt Funken des Göttlichen verborgen – Manifestationen der Gegenwart Gottes. Jeder Segen – sogar jede gute Tat – entfacht diese Funken zu einer größeren Flamme und befreit sie vielleicht sogar. Deshalb tragen wir dazu bei, Gottes Gegenwart in der Welt zu offenbaren, wenn wir einen Segen über das Essen sprechen.

Ein Segen über das Brot:

Gelobt seiest du, o Herr, unser Gott! König des Alls, der du das Brot auf dieser Erde wachsen läßt.

Ein Segen über den Wein:

Gelobt seiest du, o Herr, unser Gott! König des Alls, der du die Frucht des Weines erschaffst.

Ein Segen über das Gemüse:

Gelobt seiest du, o Herr, unser Gott! König des Alls, der du die Frucht der Erde erschaffst.

Ein Segen über das Obst:

Gelobt seiest du, o Herr, unser Gott! König des Alls, der du die Frucht am Baume erschaffst.

Hindu-Segenssprüche
Ein traditionelles Hindu-Tischgebet beginnt damit, daß das älteste Haushaltsmitglied mit der hohlen Hand Wasser schöpft und es Brahma darbietet, dem Herrn über alle Kreaturen. Dann spritzen alle übrigen am Tisch Wasser um ihre Teller, und jeder sagt: »Ich besprenge Wahrheit mit Wissen.« Dann werden drei

kleine Bällchen aus Reis (der bei keiner indischen Mahlzeit fehlt) geformt, von denen jedes einer bestimmten Gottheit geweiht ist. Danach werden die drei Bällchen zu einem einzigen zusammengeknetet. Schließlich schöpft man nochmals Wasser mit der hohlen Hand, während folgendes Gebet gesprochen wird: »Nahrung ist Brahma, ihre Essenz ist Vishnu, der Essende ist Shiva.« Auf diese Weise werden Nahrung und Essender miteinander zu dem ewigen Geist verbunden, der den Hindu-Kosmos durchdringt und beherrscht.[5]

Segen der amerikanischen Ureinwohner

Viele amerikanische Indianerfamilien beginnen ein Mahl mit dem uralten Spruch »all unseren Verwandten« und ehren auf diese Weise alle Verwandten, nah und fern, zugegen und abwesend. Manchmal gilt besonderer Dank »denen, die schon gegangen sind«, unseren Vorfahren, die uns das Leben schenkten. Manchmal wird ein Teller voll Essen gehäuft und für die Vorfahren beiseite gestellt, entweder neben andere Teller auf dem Eßtisch oder auf einen Extratisch. Manchmal findet dieses Opfer an die Vorfahren auch im Freien statt.

In der Küche mit Ed Brown

Co-Autor Paul Kaufman trifft sich mit Ed Brown – Zen-Priester, Bäcker, Koch und Autor mehrerer populärer Kochbücher –, um die Verwandtschaft zwischen Achtsamkeit und den kulinarischen Künsten zu untersuchen.

Ed Brown kocht in der Küche seines weißen Stuckhauses in der Gemeinde Fairfax, eine kurze Fahrt in nördlicher Richtung von San Francisco entfernt. Ed ist erst vor kurzem hier eingezogen, und er hat sich noch nicht an den engen Raum gewöhnt. »Keine besonders professionelle Küche«, seufzt er, während er Zwiebeln und Knoblauch in eine Pfanne mit Kurzgebratenem gibt, die er »Reste« nennt. Jede seiner gekonnten Bewegungen mit dem Wender setzt eine Wolke faszinierender Düfte frei. »Kochen ist nicht einfach nur Kochen«, bemerkt er. »Suzuki Roshi sagte einmal zu mir: ›Du arbeitest an dir selbst ... du arbeitest an anderen Leuten.‹ Seine Idee ist, daß die Dinge nicht einfach nur Dinge sind und daß Nahrung nicht einfach nur Nahrung ist.«

Ed war ein Schüler von Shunryu Suzuki Roshi, dem Soto-Zen-Meister, der das San Francisco Zen Center und das Zen Mountain Center in Tassajara Springs in Monterey County, Kalifornien, gründete – Amerikas erstes Zen-Kloster. Als Ed vor 30 Jahren nach Tassajara kam, fing er als Tellerwäscher an, und ein Jahr später war er der Chefkoch – der *Tenzo,* wie der Mönch genannt wird, der für die Zubereitung der Mahlzeiten für die Klostergemeinschaft zuständig ist. Im Jahr 1971 wurde er Zen-Priester. Augenblicklich ist er vollständig von der Tätigkeit beansprucht, Maiskörner aus einem Kolben zu lösen.

Eds Schnitte sind gekonnt; die gelben Körner fallen in ordentlichen Reihen auf das Schneidebrett. »Die meisten Leute halten den Maiskolben senkrecht, und dann rollen die Körner unkontrolliert umher. Es ist weitaus sinnvoller, den Kolben hinzulegen. In unserer Zen-Schule betonen wir die Vorstellung vom ›Geist des Anfängers‹: das heißt, wir sind ständig bemüht herauszufinden, wie die Dinge zu tun sind. In diesem Geiste habe ich gelernt, Gemüse zu schneiden, einfach, indem ich es ausprobierte.« Ed gibt die Maiskörner zu den Resten, den Zwiebeln und dem Knoblauch.

Meine Vorstellung von der traditionellen Klosteraskese gerät mit dem sinnlichen Vergnügen aneinander, Ed bei der Essenszubereitung und beim Essen zuzuschauen. Er erklärt: »Im Kloster mußt du sehr schnell essen. Das ganze Mahl nimmt 45 oder 50 Minuten in Anspruch, aber zuerst singst du, holst deine Schüsseln und die übrigen Utensilien hervor und faltest deine Tischdecke auseinander. Man legt dir vor, und dann singst du. Dann hast du fünf oder sechs oder sieben Minuten Zeit, um zu essen. Danach spülst du deine Schüsseln und verstaust alles. Du wirst nicht gerade ermutigt, dein Mahl besonders zu genießen oder dich daran zu erfreuen. Andererseits gibt es eine Zen-Tradition der Gastfreundschaft. In Tassajara hat sich daraus die Tradition entwickelt, Besuchern ein wirklich gutes Mahl vorzusetzen.«

Eds Methode, die Essenszubereitung als Achtsamkeitsübung zu betrachten, hat ihre Wurzeln in der Entwicklung des Buddhismus in China, wo die Mönche von der bereits bestehenden Einstellung der Chinesen angezogen wurden, daß die Arbeit selbst eine spirituelle Übung sein kann. Mit der weiteren Entwicklung dieser Philosophie in Japan übernahm der Zen die ästhetischen Praktiken und Traditionen wie die Teezeremonie und das Theater. All dies wurde zum Vehikel für Achtsamkeit, Konzentration und Andacht. Das äußere Tun enthüllt das innere Leben. »Du kannst die Qualität der Achtsamkeit eines Menschen daran erkennen, wie er etwas tut«, sagt Ed.

Ed erzählt, daß er als Kind körperbetont war; er war Fahrradgefahren und hatte viel Basketball gespielt, oft allein. Im Zenbuddhismus hat er eine meditative Praxis gefunden, die die Einheit von Körper und Geist betont und den Glauben vertritt, daß im Tun Ruhe liegt. Dann fand Ed im Kochen eine körperliche und sinnliche Erfahrung, die den Körper mit Aufmerksamkeit, mit der Gegenwart des Geistes durchtränkte. Sein spiritueller Vorfahre ist Dogen Zenji, ein Zen-Meister des 13. Jahrhunderts. Dogen Zenji schrieb seine *Anweisungen* für seine Schüler in den Klöstern und »für jene, die den Weg in den folgenden Jahrhunderten gehen wollen«. Er schreibt:

Wenn du Nahrung zubereitest, befleißige dich einer inneren Haltung, als würdest du großartige Tempel aus gewöhnlichen Pflanzen errichten; wie sie das Buddha-Dharma (Gesetz oder Lehre

90

des Buddha) selbst bei den trivialsten Tätigkeiten vorschreibt ...
Behandle auch ein einzelnes grünes Blatt so, als verkörpere es
den Leib des Buddha. Dies wiederum erlaubt dem Buddha, sich
durch das Blatt zu manifestieren. Es handelt sich hierbei um eine
Macht, die du mit deinem rationalen Verstand nicht erfassen kannst.
Sie wirkt frei, je nach der Situation, immer auf die natürlichste
Weise. Zugleich wirkt diese Macht in unserem Leben, um unser
Tun zu klären und zu regeln, und sie ist wohltuend für alle Lebe-
wesen.[6]

In den Klostergemeinschaften obliegt die Essenszubereitung jenen
Mönchen, die den Bodhisattva-Geist in sich erweckt haben. Das
bedeutet, daß man der Zubereitung des Mahles seine ganze Energie
und Aufmerksamkeit widmen muß – daß es der erwachte Geist sein
muß, der in der Küche tätig ist. Dogen Zenji verlangt, daß wir die
Lebensmittel mit Respekt und so behutsam behandeln, als wären sie
unser Augapfel.
Ed trägt das Essen auf und schenkt uns grünen Tee ein. »Es gehört
zu den klassischen Ideen des Zen«, sagt er, »daß wir unserer Natur
folgen. Unserer Natur zu folgen heißt, daß wir nichts beweisen
müssen. Wir müssen niemandem – auch nicht uns selbst – beweisen, daß wir ›gute Menschen‹ oder ›spirituelle Menschen‹ sind. Wir
sind auf keinen Kredit angewiesen, gleich welcher Art. ›Ach, wissen
Sie, ich habe diesen oder jenen Status.‹ ›Ach, ich habe diesen oder
jenen Level erreicht.‹ Manche Menschen glauben, um spirituell zu
sein, müßten sie auf einem Dock oder an einem anderen Platz sitzen
und schweigen. Sie glauben, sie müßten ihr Denken entleeren. Aber
der Versuch, Ihr Denken zu entleeren, ist in Wahrheit eine Veren-
gung. Im Zen sagen wir ein wenig salopp: ›Setz deinem Kopf keinen
zweiten Kopf auf.‹ Bauen Sie sich kein Nest, in dem Sie sich
verbergen können. Trennen Sie Ihr Denken nicht von den Dingen.
Eine Beziehung zu allen Dingen herzustellen ist eine spirituelle
Arbeit. Gönnen Sie Ihrem Denken eine Pause. Dogen Zenji sagt,

daß wir den Geist des Suchenden verwirklichen, wenn wir die Ärmel aufkrempeln.«

Und, dem Himmel sei Dank, wenn wir essen.

Fasten: Ein Gespräch mit Kabir Helminski

Fasten spielt – ebenso wie das Dankgebet vor dem Mahl – in jeder religiösen Tradition eine Rolle. Aber nirgendwo beherrscht es die spirituelle Landschaft so sehr wie im Islam mit seinem Ramadan – dem neunten Monat im Jahr –, während dessen der Muslim von der Morgendämmerung bis zum Sonnenuntergang auf alles Essen und Trinken (sogar Wasser) verzichtet. Diese strenge Disziplin, die sich so sehr von der Gewohnheit der meisten von uns unterscheidet, immer dann zu essen, wenn uns danach ist, hat im Koran ihren Ursprung:

O ihr Gläubigen! Fasten ist euch vorgeschrieben, wie es auch euren Vorfahren vorgeschrieben war, auf daß ihr [das Böse] abwendet.

Sure 2, 183[7]

Wie dieser Passus erkennen läßt, bedeutet Fasten im Islam mehr als eine Gelegenheit, ein paar Pfunde zu verlieren, sich das Verlangen nach Schokolade abzugewöhnen oder sich gegen Abend vor Hunger leicht im Kopf zu fühlen. Fasten ist eine moralische Tat, die dem Muslim hilft, ein spirituelles Leben zu führen. Aber auf welche Weise bewerkstelligt vollständige Abstinenz von Essen und Trinken dies? Um die spirituellen Dimensionen dieser ungewöhnlichen Praxis besser zu verstehen, fragte ich Dr. Kabir Helminski, eine Autorität auf dem Gebiet der islamischen Praxis und Scheich des Mevlevi-Ordens in den Vereinigten Staaten.

Helminski glaubt, daß der rituelle Verzicht auf Nahrung und Wasser der Natur zuwiderläuft und daß darin sein Segen liegt. »Wenn Sie fasten«, sagte er, »geben Sie eines Ihrer Rechte auf, ein natürliches Recht – etwas, auf das Sie jedes Recht haben. Sie geben es für Gott auf.« Es handelt sich um kein geringes Opfer, wie Helminski klarmachte. Er wies mich darauf hin, daß die Fastenzeit des Ramadan nicht nur Essen und Trinken untersagt, sondern auch den Geschlechtsverkehr, Rauchen, sogar Klatsch. »Sie lernen, zu bestimmten Impulsen nein zu sagen und auf etwas Tieferes zu hören. Dies ist in unserer Kultur allzu selten. Wir sagen vielleicht nein, um ein egoistisches Ziel zu erreichen, aber wir sagen kaum jemals nein, um etwas Tieferes zu erlangen.«

Was aber ist dieses »Tiefere«? Was ist es, das Fasten ans Licht befördert? Als ich Helminski danach fragte, sprach er die Vermutung aus, daß Fasten zur »Reinigung des Herzens« führt. Er erklärte: »Durch Fasten werden Sie transparent für sich selbst; Sie gehen in einen anderen Zustand über – in einen Zustand, der leichter und reiner ist.« Dies hat, wie Helminski hinzufügte, tiefreichende psychische Effekte. »Sie verschaffen Ihren Organen eine vollständige Erholung und Reinigung. Selbst ein Schluck Wasser würde Ihre inneren Organe aktivieren und diese Ruhezeit beenden. Der Prozeß der Reinigung ist spürbar. Zum einen verändert sich der Atem. Gewöhnlich wird er unangenehm. Aber eine Redensart lautet: ›Der Atem eines Fastenden ist für Allah der süßeste.‹«

Übelriechender Atem signalisiert, wie man glaubt, die Ausscheidung von Giftstoffen aus dem Körper. Der Prozeß erinnert an Entgiftungsprogramme für Alkoholiker und Drogenabhängige. Tatsächlich sagte Helminski: »Fasten ist umgekehrte Abhängigkeit. Alle Abhängigkeiten betäuben uns, aber Fasten läßt uns emotional nackt zurück.« Dies führt begreiflicherweise zu beträchtlichem Unbehagen. »Wenn ein Amerikaner nach dreißig, vierzig oder fünfzig Jahren des regelmäßigen Essens fastet, ist eine emotionale Reaktion unvermeidlich. Als erstes werden Sie empfindlich und reizbar, denn Sie enthüllen sich selbst Dinge, die bisher unterdrückt wurden.« Helminski beeilt sich hinzuzufügen, daß diese Reizbarkeit bald wieder verschwindet. Nach seiner Erfahrung wird das Fasten mit jedem Jahr ein wenig leichter. »Man fängt an, es zu mögen. Jeden Abend wird das Fasten beendet, indem Sie eine Dattel essen und einen Schluck Wasser trinken. Danach folgen ein Gebet und ein Mahl. Aber Sie wollen nicht wirklich essen. Nahrung erscheint Ihnen nicht erstrebenswert; Sie sind nicht länger besessen davon.« Fasten kann viele Formen annehmen. Man kann viele Tage lang nichts essen, wie es Christus während seiner vierzig Tage in der Wüste machte. Man kann das ganze Jahr über sehr wenig essen, wie es christliche und buddhistische Mönche machen, denen gelehrt wird, niemals zwischen den Mahlzeiten zu essen und stets den Tisch zu verlassen, bevor sie sich gesättigt fühlen. Man kann nur bestimmte Nahrungsmittel essen, wie es die Juden machen, die koschere Diätregeln beachten. Wie auch immer – Fasten schärft den Verstand, beruhigt den Körper und macht das Herz reiner.

Ich möchte Ihnen wärmstens ans Herz legen, das Fasten in Ihr Leben einzubringen. Vielleicht beginnen Sie, indem Sie bestimmte Arten von Nahrung weglassen (rotes Fleisch, Süßigkeiten) oder indem Sie nicht länger mehr essen, als Sie benötigen. Versuchen Sie, Ihr Mahl zu beenden, wenn Ihr Magen beschwichtigt, aber noch nicht vollgestopft ist. Nach einer Weile können Sie – je nach Gesundheitszustand und Vorlieben – zu einem systematischeren oder längeren Fasten übergehen. Sie können bescheidene Fasten-Experimente machen oder gleich in die vollen gehen – wenn Sie Klugheit walten lassen, wird das Fasten Sie dem Verlangen Ihres Herzens näher bringen.

Achtsames Fasten und Gesundheit: Ein Rat von Dr. Dean Ornish

Ich fragte Dr. Dean Ornish, Direktor des Preventive Medicine Institute in Sausalito, Kalifornien, und Autor mehrerer Bestseller über Diät, Streß und Herzerkrankungen, was er mir in bezug auf achtsames Essen und seine Beziehung zur Gesundheit sagen könne. Er erwiderte:

»Achtsamkeit beim Essen wirkt sich auf vielerlei Weisen wohltätig aus. Früher aß ich, während ich beim Fernsehen zuschaute, oder ich las die Zeitung dabei. Ich konnte eine ganze Mahlzeit verzehren, und wenn ich dann einen Blick auf meinen Teller warf und feststellte, daß er leer war, dachte ich: *Also, ich frage mich wirklich, wer das alles gegessen hat.* Ich hatte nicht einmal den Geschmack davon im Mund.

Wir Menschen sind auf eine gewisse Befriedigung angewiesen, und wenn wir sie nicht in der Qualität bekommen, versuchen wir, diesen Ausfall durch Quantität wettzumachen. Ich habe beobachtet, daß Menschen ihr Essen besser genießen, die ihm mehr Aufmerksamkeit widmen – und als Ergebnis essen sie nicht so viel.

Sie zollen auch den feineren Qualitäten der Nahrung und ihren Auswirkungen mehr Achtsamkeit. Zum Beispiel könnte jemand, der ein sehr fettreiches Essen zu sich nimmt, sich danach träge und benommen fühlen, während Personen, die auf weniger Fett in der Nahrung achten, sich klarer im Kopf und energiegeladener fühlen. Die eigene Erfahrung ist der beste Lehrer. Sie müssen nicht auf einen Fachmann, einen Arzt oder ein Buch zurückgreifen, um herauszufinden, was Sie essen sollten und was nicht.«

Dr. Ornish machte folgenden Vorschlag, wie man seine Achtsamkeit beim Essen fördern kann: »Schauen Sie sich die Farbe an.

Achten Sie auf die Beschaffenheit. Nehmen Sie die Gerüche wahr. Essen Sie einen Bissen, und schließen Sie die Augen. In diesem Augenblick sind Sie vollständig auf das Essen konzentriert. Sie können diesen Augenblick während der ganzen Mahlzeit wiederholen. Schließen Sie die Augen, und holen Sie Ihre Aufmerksamkeit zum Essen zurück.«

Der Weg des Tees

Die japanische Teezeremonie – ein Ritual, bei dem eine Tasse Tee und ein besonderer Imbiß serviert werden – gilt ebensosehr einem besonderen Bewußtseinszustand wie auch dem Essen und dem Trinken. Die Teezeremonie entstand in Zen-Klöstern, wo die Mönche grünen Tee nippten, um während der langen Stunden der Mediation wach zu bleiben. Sie entwickelte sich zu einer Schule, als Sen Rikyu, der große Tee-Meister des 16. Jahrhunderts, die Andacht des Zen mit der reichen Ästhetik verband, die den Akt der Zubereitung, des Servierens, Trinkens und Essens mit einer höheren Bedeutung versah.

Tara Bennett-Goleman, die sich seit zwei Jahrzehnten mit der japanischen Teezeremonie beschäftigt, sagt: »Tee-Bewußtsein bezieht sich auf die Qualitäten einer Achtsamkeit, die durch die Kunst des Teewegs – Gelassenheit, Einfachheit, Natürlichkeit und Harmonie – inspiriert wurde. Während meine Erfahrungen mit dem Tee sich vertiefen, erfahre ich, daß das Tee-Bewußtsein mich immer häufiger vom Teeraum aus in mein Alltagsleben begleitet.«

Die Japaner verwenden das Wort *mitate* oder »wieder-sehen« für die Art und Weise, wie die Teezeremonie eine neue Achtsamkeit in vertraute Handlungen einbringt. Während der Zeremonie ist die Aufmerksamkeit auf den gegenwärtigen Augenblick gerichtet. Zum Beispiel kreist die Unterhaltung beim Teetrinken ausschließlich um

Gegenstände, die das Hier und Jetzt betreffen. Wie Tara berichtet: »Das hilft einem, die subtileren Details des Augenblicks zu würdigen: den Geschmack des Tees, den Duft des Weihrauchs, den Klang des aus Bambus gefertigten Teeschlägers, wenn der Gastgeber den pulverisierten grünen Tee *(Matcha)* mit dem Wasser zu einem schäumenden Gebräu mischt.«

Wenn Gäste in Taras Teehaus kommen, begrüßt sie sie schweigend. Die Gäste konzentrieren sich auf ihre Bewegungen, wenn sie den Tee bereitet. Sie führt jede Bewegung mit Achtsamkeit und Genauigkeit aus: Wenn sie den Teebehälter säubert, das kochende Wasser mit der Kelle aus dem Kessel schöpft, den Tee einrührt – jede Bewegung ist perfekt; sie wird einfach nur gemacht.

Die Andacht bei der Teezeremonie kann auch das Leben außerhalb des Teeraumes transformieren. »Das Tee-Bewußtsein in die Welt einzubringen führt unter anderem zu einem tiefen, inneren Frieden, der durch kleine Ärgernisse nicht gestört wird«, sagt Tara. »Manchmal eile ich durch Manhattan, um rechtzeitig zu meinem Teeunterricht zu kommen. Ich komme völlig erschöpft von der Hast in der Teeschule an. Ich entledige mich meiner Schuhe, ziehe meine weißen Socken und den schwarzen Kimono an und gehe schweigend an dem stillen Teeraum vorbei, halte inne, um den Teegarten zu betrachten, dann bereite ich alles für das Servieren des Tees vor. Ich finde, daß die Säuberung der Utensilien eine reinigende Wirkung auf das Denken hat. Plötzlich ist da eine stille Insel mitten in Manhattan. Man hört keinen Laut außer dem gelegentlichen Zirpen einer Grille aus dem Teegarten.

Während der Teezeremonie beruhigen wir uns, um die Anmut jeder Bewegung, den schweigenden Rapport, die Schlichtheit des Raumes und die Schönheit aller Gegenstände würdigen zu können, die mit dem Tee in Verbindung stehen. Der Geist wird leer, jede Bewegung wird realer, in Zeitlosigkeit gebettet; Aufmerksamkeit hüllt auf intime Weise jeden Augenblick ein.

Dann ist der Teeunterricht vorbei. Die zwei Stunden hätten ebensogut zwei Wochen oder zwei Minuten sein können. Wenn ich die Teeschule verlasse, glüht das Licht des späten Nachmittags. Geräusche, Anblicke, Gerüche und Empfindungen stellen nicht länger Ablenkungen dar, die das Denken in alle Richtungen zugleich zu ziehen versuchen. Sie beschäftigen einfach nur sämtliche Sinne, einen nach dem anderen, während das Tee-Bewußtsein alle Dinge kommen und gehen sieht und sich an ihnen allen erfreut, von einem tief innen gelegenen Zentrum aus.«

Kapitel 4
Arbeiten

Ich hatte einst einen Freund, den ich Marvin nennen will. Als ich ihn zum ersten Mal erblickte, hatte ich eben erst das College hinter mir, und Marvin ging auf die Achtzig zu. Wir begegneten einander im Treppenhaus eines dreistöckigen Hauses in Cambridge, Massachusetts, an dem Tag, an dem ich einzog. Ich kämpfte mich soeben mit einem Bücherkarton die Treppe hoch, als ich über mir ein Trappeln hörte. Jemand kam vom dritten Stockwerk heruntergeeilt. Einen Augenblick später kam ein weißhaariger Gnom in mein Sichtfeld.»Ich habe Sie draußen gesehen«, sagte Marvin,»dachte mir, daß Sie Hilfe brauchen könnten.« Dann nahm er mir den Karton ab – er muß fast fünfzig Pfund gewogen haben – und schleppte ihn in mein Apartment.

Wie ich bald erfahren sollte, hatte ich Marvin in einer trüben Stimmung kennengelernt. Er liebte es zu arbeiten. Er liebte es, an Arbeit zu denken, über Arbeit zu reden, sogar von Arbeit zu träumen. Er mochte es, über seine wechselvolle Karriere zu sprechen, deren Beginn Dreiviertel eines Jahrhunderts zurückreichte und die immer mit körperlicher Arbeit verbunden gewesen war. Er hatte als Bäcker, Farmer, Eiscremehersteller, als Soldat und Straßenkehrer gearbeitet. (»Das war damals, als die Pferde noch das Straßenbild bestimmten«, sagte er.»Wir hatten eine Menge aufzukehren, und ich meine damit keinen Abfall.«) Marvin verbrachte seine Zeit als Pensionär damit, einen Gemüsegarten anzulegen, die Autos der Nachbarn zu reparieren und Schiffsmodelle zu bauen. Ich sah ihn niemals ohne ein Werkzeug in der Hand oder einen Bauplan im Kopf. Als ich ihn fragte, weshalb er soviel arbeitete, schaute er mich an, als wäre ich nicht ganz richtig im Kopf, und erwiderte mit seiner hohen Stimme mit ihrem Anflug eines schottischen Akzents: »Gesegnet ist, wer seine Arbeit gefunden hat, und er soll keinen weiteren Segen begehren.« (Ich erfuhr später, daß es sich um ein Zitat von Thomas Carlyle handelte, das sein Vater ihm beigebracht hatte.) Marvin war, wie ich heute erkenne, so etwas wie ein Weiser. Er hatte eines der Geheimnisse des Lebens entdeckt: die spirituelle Bedeutung der Arbeit. Die Behauptung des französischen Porträtisten Eugène Delacroix: »Wir arbeiten nicht nur, um etwas hervorzubringen, sondern auch, um der Zeit einen Wert zu verleihen«, hätte seine lebhafte Zustimmung gefunden. Marvin wußte, daß die Arbeit unseren Stunden einen Sinn verleiht. Sie verwandelt uns von sich drehenden Kreiseln in Pfeile – in Geschöpfe, die ein Ziel haben. Arbeit verleiht Würde, denn sie führt dazu, daß wir die Wahrheit erkennen, daß wir Schönheit schaffen, daß wir das Gute kultivieren.

Zugleich kann man aber auch ein dunkleres Bild von der menschlichen Mühe entwerfen. »Arbeit!« schreit Maynard G. Krebs, der Prototyp aller Müßiggänger, in der alten Dobie-Gillis-Fernsehshow enerviert. Wie viele von uns stöhnen innerlich am Montagmorgen und begrüßen den Freitag mit »Gott sei Dank – Wochenende«? Arbeit ist eine Strafe, ein Leiden. Sogar die Sprache bestätigt diese häufige Erfahrung: Das Wort »Arbeit« bedeutete noch bis ins Neuhochdeutsche hinein: schwere körperliche Anstrengung, Mühsal, Not, Plage. Die Technik hat dadurch, daß sie uns sukzessive von allen Formen der Arbeit entfremdet, die mit den natürlichen Tagesrhythmen oder mit den alltäglichen Lebensbedürfnissen verbunden sind – wie Handwerk, Ackerbau und Viehzucht –, unsere Auffassung von der Arbeit als Zwang verstärkt.

Beide Auffassungen von der Arbeit – als göttlich wie als dämonisch – finden wir in den ersten Kapiteln der Genesis. Solange Adam und Eva im Garten Eden geborgen sind, erfreuen sie sich einer Vielfalt mentaler und körperlicher Arbeiten (die Tiere benen-

100

nen, den Boden bestellen), die dem Leben Bedeutung und Sinn verleihen. Dann erfolgt der Sündenfall, und mit ihm verwandelt sich die Arbeit von einem Segen in einen Fluch (»Dornen und Disteln soll [der Erdboden] dir wachsen lassen ... Im Schweiße deines Angesichts sollst du dein Brot essen«). Wenn diese Legende wahr ist – und authentische Mythen sind auf der tiefsten Bedeutungsebene immer wahr –, dann ist die Arbeit zugleich ein Geschenk und eine Strafe. Arbeit verdeutlicht unsere Trennung vom Göttlichen, und zugleich weist sie uns einen Pfad zum Göttlichen.

Folglich haben wir es hier mit einem Rätsel zu tun, das wir lösen müssen. Ich glaube, die Lösung lautet wie folgt: Es hängt alles davon ab, wie wir arbeiten, und dies hängt wiederum davon ab, wie wir die Arbeit verstehen. Ich will damit sagen, Arbeit ist ein physisches Problem mit einer spirituellen Lösung. A. K. Coomaraswamy drückt es so aus: »Die Tätigkeit des Menschen ist entweder ein Anfertigen oder ein Verrichten. Jeder dieser beiden Aspekte des tätigen Lebens muß in einem kontemplativen Leben berichtigt werden.« Wenn wir Kontemplation in unser Anfertigen oder Verrichten einbringen, gelingt es uns vielleicht – sogar inmitten der Tätigkeit –, uns aus dem geschäftigen Treiben der Illusion in die große Stille der Wirklichkeit zu erheben. Wir erkennen vielleicht die wahre Natur des Herstellens oder Verrichtens und entdecken, wie und weshalb dieses Handeln uns zu Gott bringt. Simone Weil entdeckte, daß selbst die aufreibendste und niedrigste Arbeit diese wunderbare Fähigkeit besitzt, uns in die Wirklichkeit zu führen:

Körperliche Arbeit ist ein besonderer Kontakt mit der Schönheit der Welt ... Der Künstler, der Gelehrte, der Philosoph, der Kontemplative – sie alle sollten die Welt wirklich bewundern und den Film der Unwirklichkeit, der sie verschleiert und ... einen Traum oder ein Bühnenbild aus ihr macht, durchstoßen. Sie sollten es tun, aber in den meisten Fällen schaffen sie es nicht. Er, dessen sämtliche Glieder schmerzen, der von der Mühsal der Arbeit eines Tages erschöpft ist – will sagen, eines Tages, an dem er der Materie unterworfen war –, trägt die Realität des Universums in seinem Fleisch wie einen Dorn. Es ist schwierig für ihn, zu schauen und zu lieben. Wenn es ihm gelingt, liebt er das Wirkliche.[1]

Arbeit bringt uns nicht nur von der Illusion zur Wirklichkeit. Gemäß vielen Traditionen erlaubt sie uns auch, an der Arbeit Gottes teilzunehmen. Papst Johannes Paul II., der ausführlich über diesen Gegenstand schrieb, hat bemerkt, der Mensch, »geschaffen nach dem Bilde Gottes, beteiligt sich durch seine Arbeit an der Tätigkeit des Schöpfers«. Sodann, fügt der Papst hinzu, »entwickelt [der Mensch] diese Tätigkeit und vervollkommnet sie«.[2] Nach der Genesis war Gott von den Anfängen des Kosmos an ein Arbeiter. Er schuf sechs Tage lang und ruhte sich am siebten Tag aus. Die Menschen vollziehen diese ursprüngliche Arbeit durch ihre eigene Arbeit nicht nur nach, sondern sie helfen dem Schöpfer darüber hinaus, seinen göttlichen Plan zum Wohle der gesamten Schöpfung durchzuführen.

Die gleiche erhabene Sicht läßt sich in der jüdischen Erzählung von den 49 Gerechten erkennen, deren Gebete und gute Taten die Welt erhalten. Und sie findet sich im Koran, in dem es heißt, die Arbeit Adams, die Tiere zu benennen, bringe ihm – und in der Folge allen Menschen – den Titel des Vizeregenten Gottes auf Erden ein.

Jede Religion lehrt, daß Arbeit zu Weisheit führt, wenn sie richtig getan wird. Zum einen ist Arbeit eine vorzügliche asketische Übung; ein Tonikum, das Ausdauer, Zuversicht und Konzentration stärkt – also genau jene Qualitäten, die das innere Leben nähren. Simone Weil bietet in einem Essay mit dem erfrischend seltsamen Titel »Reflexionen über die rechte Nutzung von Schulwissen, mit einem Ausblick auf die Liebe Gottes« eine überraschende Perspektive auf diesen Tatbestand. Sie schreibt:

Jede schulische Übung ... ist wie ein Sakrament, und – so paradox es auch klingen mag – ein Stück lateinischer Prosa oder ein Problem der Geometrie kann – auch, wenn wir darin Fehler machen – eines Tages unsere Fähigkeit verbessern, jemandem in Not die Hilfe zu geben, die er braucht, um auf dem Gipfel seiner Bedrängnis gerettet zu werden.[3]

Aber wie kann ein Problem der euklidischen Geometrie uns lehren, wie wir jemandem in Not helfen können? Wie Weil es sieht, stellt die Schule eine Übung in Aufmerksamkeit dar. Das Einpauken der Grammatikregeln, die Lösung geometrischer Probleme, das Entziffern einer obskuren lateinischen Ode – jede dieser prosaischen Aufgaben verlangt Aufmerksamkeit. Sie alle verpflichten den Schüler dazu, der Wirklichkeit ins Gesicht zu schauen – laut Weil der erste Schritt zum Erlernen der Liebe. Aufmerksamkeit ist die Essenz der Liebe, denn sie ermöglicht es uns, unseren Nachbarn mit Einfühlungsvermögen zu betrachten. Aufmerksamkeit ist die Essenz des Gebets, denn beten heißt, daß wir uns mit all unserem Sein Gott zuwenden. Weils Beobachtung in Sachen Schule läßt sich ohne weiteres auf alle Arbeiten ausweiten, die mit liebevoller Aufmerksamkeit verrichtet werden, denn solche Arbeiten weiten unser Herz und unsere Seele. Daher rührt der bekannte Spruch der Benediktiner: »Laborare orare est« (»arbeiten ist beten«).

Die Tradition weist uns zwei Wege, wie wir bei der Arbeit dem Heiligen nahekommen können: durch die Menschen, denen wir begegnen, und durch die Arbeit selbst.

Heutzutage, da so viele von uns in Dienstleistungsberufen tätig sind und ihre Tage damit verbringen, anderen Menschen zu helfen, gewinnt der erste dieser beiden Wege zunehmend an Bedeutung. Allgemein gesprochen ist es bei der Arbeit mit anderen und für andere unsere Aufgabe, *die Menschen so zu sehen, wie sie wirklich sind:* »göttlicher Natur, deren Form Existenz, Intelligenz und Glück ist«, wie es in den Veden heißt; und »Kinder Gottes«, wie die Evangelien

103

erklären. Es ist zweifellos eine gewaltige Aufgabe, Gott in dem Mann mit den buschigen Augenbrauen zu erkennen, der Sie heiser über den Ladentisch hinweg anschreit – aber es ist möglich. Der Beweis ist Mutter Teresa, die Liebe ausstrahlte, wenn sie die schmutzigen Leiber der Unberührbaren Kalkuttas badete. Das Geheimnis dieser Kraft war, wie sie niemals müde wurde zu betonen, einfach dies: Daß sie die Sterbenden und Altersschwachen als Ikonen Christi ihrer Obhut anvertraut sah (siehe auch Kapitel 6, »Zusammensein mit anderen«). Der zweite Weg, das Spirituelle am Arbeitsplatz zu entdecken, ist, *die Arbeit als Handwerk zu betrachten.* Handwerker, die in der heutigen Ökonomie einen eher geringeren Status einnehmen, hatten in den traditionellen Kulturen einen sehr hohen Rang inne. Denken Sie einmal über folgendes merkwürdige Zwiegespräch zwischen einem Ankömmling und einem Wächter aus einem Manuskript eines britischen Barden des 14. Jahrhunderts nach:

»Öffnet das Tor!«
»Ich werde das Tor nicht öffnen.«
»Und weshalb nicht?«
»Das Messer ist im Fleisch, und der Trunk ist im Horn, und in Arthurs Halle ist eine Feierlichkeit, und niemand darf hier eintreten außer dem Sohn eines Königs über ein privilegiertes Land oder einem Handwerksmann, der kommt, um sein Handwerk auszuüben.«[4]

Zu Zeiten der Feierlichkeiten, wenn edle Taten verkündet und große Ehren vergeben werden, sind Handwerksleute ranggleich mit den höchsten Herrscherpersonen – noch über den Ratgebern des Königs, den Bischöfen und den Äbten. So ist es in allen Traditionen: Handwerker mögen arm sein und vielleicht nicht geschickt mit Worten umgehen können, aber sie halten das Schicksal der Nationen in ihren Händen. Das apokryphe Buch Ecclesiasticus (Jesus Sirach) beschreibt das Los der Handwerker im alten Jerusalem:

Sie sitzen nicht auf dem Stuhl des Richters, und das Gesetz verstehen sie nicht. Bildung und Urteilsfähigkeit offenbaren sie nicht, und unter denen, die Spruchweisheit schaffen, sind sie nicht aufzufinden. Aber sie erhalten das Gewebe der Welt, und ihr Gebet sind die Arbeiten ihres Gewerbes.[5]

Hier steht der bescheidene Status des Handwerkers in scharfem Gegensatz zu seiner erhabenen, aber verborgenen spirituellen Rolle. Das Handwerk, so belehrt uns dieser Text, ist von zweifacher Glorie: Es erhält den Kosmos, und es ist eine Art zu beten. Dies sind gewagte Behauptungen, aber ich glaube, daß sie berechtigt sind. Durch die Ausübung eines Handwerks können wir das harmonische Spiel zwischen Körper, Seele und Geist erkennen und an den übergeordneten Harmonien des Kosmos teilnehmen. »Wer ein Heiliger sein will, soll graben oder bauen«, schreibt W. R. Lethaby. Das Handwerk bringt uns die Rhythmen des Lebens näher – den Geist, der die ganze Schöpfung beseelt. Dies wird deutlich in dem Brief eines jungen, anonymen Lesers, den vor vielen Jahren Mohandas Gandhi in seiner Zeitschrift *Young India* veröffentlicht hat:

Ich verließ die Straße einer großen Stadt im Westen, die von hochaufragenden Häusern und von schrecklichem, taub machendem Lärm erfüllt war, und betrat die stillen Hallen eines völkerkundlichen Museums ... und kam in die Räume, in denen viele Objekte aus dem Osten waren, die die Kunst und das Handwerk Asiens und des Pazifiks repräsentierten ... Ich konnte fast Sandelholz und Champak-Blumen riechen. Das Leben selbst kam von den Dingen in dem Raum, die östliche Hände so fest gehalten und so sorgfältig und liebevoll geschaffen hatten. Das Leben war in die Gewebe und Holzskulpturen gelegt worden, und das Leben sickerte kaum merklich wieder aus ihnen hervor – wie ein Parfüm, ein sanftes Glühen, warm und seltsam erregend nach den eisernen Straßen des Westens.[6]

105

Das Wesen des Handwerks besteht darin, etwas mit Achtsamkeit und Liebe zu tun oder herzustellen. Wie der anonyme Autor der obigen Zeilen andeutet, verleiht dies dem Werk »ein sanftes Glühen, warm und seltsam erregend«. Es kann ein nützliches Gefäß sein, ein herzhaftes Eintopfgericht oder eine Büro-Notiz – was zählt, ist, daß man seine Arbeit als Gebet versteht und diesem Verständnis gemäß handelt. Dabei ist es unerheblich, ob man einer Stammeskultur oder einer technischen Zivilisation angehört. Das Verständnis ist universal. Es findet sich zum Beispiel im Kern eines ganz und gar westlichen Handwerks – dem der Shaker, denen wir uns jetzt zuwenden.

Kontemplative Nahaufnahme: Die Shaker

Ich entdeckte die Außenbezirke des Himmels weniger als fünfzig Kilometer von meiner Heimatstadt im westlichen Massachusetts entfernt. Sie können sie ebenfalls entdecken. Fahren Sie einfach die Route 7 entlang, vorbei an den Schornsteinen von Pittsfield, Ohio, über einen oder zwei Hügel, und vor Ihnen breitet sich eine Szenerie aus, die so lieblich ist wie kaum ein zweites Fleckchen Erde: eine Ansammlung eleganter Bauwerke des 19. Jahrhunderts auf einer mintgrünen Wiese, hier und dort mit Zuckerahorn und Ulmen bestanden, die die Ausläufer der Berkshire-Berge bedeckt.
Typisch Neuengland, denken Sie. Dann stellen Sie etwas Ungewöhnliches an den Gebäuden fest. Weder im Kolonialstil erbaut noch viktorianisch, stehen sie außerhalb des architektonischen Kanons der Gegend. Und doch haftet ihnen nichts Exzentrisches an: Sie wirken, als seien sie in Ruhe, Klarheit und Vernunft getränkt worden. In der Mitte des Komplexes erhebt sich ein massives vierstöckiges Bauwerk wie ein rechteckig zugehauener Felsblock. Sein einziger Schmuck sind Dutzende hübsch vergitterter Fenster.

106

In der Nähe ragt eine dotterblumengelbe Molkerei aus einem See von weißen Schindeln und rötlichen Ziegelsteinen. In der Ferne steht eine runde Scheune aus Graustein, über der sich ein zwei Stockwerke hoher, weißer Turm erhebt – wie ein Hochzeitskuchen auf einer Steingutplatte.

Die Komposition als Ganzes wirkt überraschend ansprechend und heiter. Kein Wunder, denn jedes Element, vom Pferdestall bis zur Wäscherei, vom Kühlhaus bis zum Schulgebäude, ist zugleich Arbeitsplatz und Ort des Gebets. Bei diesem Komplex von Gebäuden handelt es sich um Hancock Shaker Village, gegründet im Jahr 1790. Von den vielen Shaker-Dörfern, die sich einst über die Ostküste der Vereinigten Staaten verteilten, ist Hancock Shaker Village am besten erhalten. Die Gebäude, zweckmäßig und doch elegant, stilvoll und doch praktisch, sind mustergültige Beispiele für die Shaker-Architektur (und Shaker-Architektur ist immer mustergültig). Wenn man ihre Linien, Formen und Maße beschreibt, läßt sich das Wort »vollkommen« nicht umgehen – und damit haben wir zugleich die Essenz der Shaker-Spiritualität.

Man muß nicht Hancock Shaker Village besuchen, um sich von der Großartigkeit der Shaker-Handwerkskunst zu überzeugen. Shaker-Design ist in den Staaten überall zu finden: in Einkaufszentren, in Versandhauskatalogen, selbst in der schäbigsten Fernsehwerbung. Gehen Sie in ein beliebiges Möbelgeschäft, und Sie finden Shaker- (oder Neo-Shaker-)Formen. Stühle, Tische, Schreibtische, Besen, Körbe – sie alle weisen die für die Shaker typische Verbindung zwischen organischer Einfachheit und strenger Sachlichkeit auf. Wo findet sich die Quelle dieses Stils, der so stark unseren angeborenen Sinn für Ausgewogenheit, Harmonie und Frieden anspricht? Nicht in einem Design-Studio und auch nicht in einem handwerklichen Atelier – das sind die Kanäle, aber nicht die Quelle. Der Shaker-Stil wurde in der Shaker-Religion geboren.

Die Religion der Shaker entstand in Amerika im Jahr 1744 unter der Urheberschaft von Mutter Ann Lee, einer charismatischen christlichen Anführerin, die die Tugenden des einfachen Lebens, der harten Arbeit und der glühenden Gottesverehrung lehrte. Nach Mutter Ann lag der Zweck des Lebens darin, daß man Gott verherrlichte, indem man gemäß der Lehre der Evangelisten lebte. Alle Kennzeichen der klassischen Lebensweise der Shaker – Pazifismus, Zölibat, Gemeinsamkeit des Besitzes, absolute Ehrlichkeit bei allen Geschäften – entstammen dieser grundsätzlichen Treue den Ideen des Neuen Testaments gegenüber. Amerika hungerte nach einer solchen Lehre, und eine Zeitlang breiteten sich Shaker-Gemeinschaften an der ganzen Ostküste aus. Aber die harten Bedingungen eines Lebens als Shaker – insbesondere die Verpflichtung zur Keuschheit – führten zu schweren Verlusten. Heute gibt es nur noch wenige Shaker – es sind fast ausschließlich Frauen in den Neunzigern, die sich voller Wehmut an die großartige Zeit der Shaker-Musik, der Shaker-Schulen und der Shaker-Gebete erinnern.

Aber trotz des Abstiegs der Shaker-Religion bis an den Rand der Auslöschung sind alle, die mit dem Shaker-Leben in Kontakt kommen, Zeugen ihrer Reinheit und Schönheit. Es folgt eine Beschreibung eines Shaker-Dorfs aus dem 19. Jahrhundert:

Die Straßen sind still, denn hier gibt es keinen Spirituosenausschank, kein Bierlokal, kein Geschäft, keinen Hundezwinger ... jedes Gebäude, welchem Zweck auch immer es dienen mag, hat etwas von einer heiligen Stätte an sich. Die Farbe ist überall neu; die Planken sind blitzsauber; die Fenster sind geputzt. Auf allem liegt ein Glanz; es herrscht eine glückselige Ruhe.[7]

In dieser friedvollen Atmosphäre entwickelten die Shaker eine Arbeitsauffassung, die, wie ich glaube, von großem Wert für uns Heutige sein könnte. Ihr Ursprung liegt in Mutter Anns berühmtem Motto: »Hände für die Arbeit und Herzen für Gott.« Mit diesem Spruch erfüllen die Shaker das weiter oben zitierte zweite Gebot im Buch Jesus Sirach: »Ihr Gebet sind die Arbeiten ihres Gewerbes.«

108

Für die Shaker *ist* Arbeit Gebet. Arbeit ist Gottesverehrung, und Gottesverehrung ist Arbeit. Es ist kein Zufall, daß die Shaker das Wort »laboring« (engl. »arbeiten«) benutzen, wenn sie von der Verehrung Gottes sprechen. Nun ist die Erhebung der Arbeit in den Status eines Gebets in der Geschichte des Christentums natürlich nicht neu. Aber einen solchen Spruch in das Grenzgebiet Amerikas mit seinen Süßwarengeschäften und seiner Sklaverei einzuführen war in der Tat radikal, denn bevor Mutter Ann auf der Bühne erschien, hatten die Amerikaner die Arbeit stets als notwendiges Übel betrachtet – als Kennzeichen des Sklaventums. Wie einst ein Außenstehender an einen Freund schrieb, der den Shakern angehörte:

Keiner in Deiner Gemeinschaft findet Arbeit entwürdigend, während sich in der größeren Gesellschaft viele Männer der Arbeit schämen, und natürlich auch der arbeitenden Männer (und Frauen), die sich gegenseitig dazu bringen, sich zu schämen. Nun, die Shaker haben dieses Übel vollständig besiegt ... das gehört zu ihren größten Verdiensten, und es ist in der Tat ein überaus großes Verdienst.[8]

Die Shaker führten Arbeiten aller Art aus – vom Kleidernähen und Fellegerben übers Körbeflechten und die Knopfherstellung bis hin zum Anbau von Heilkräutern. Sie betrachteten Erfindungsreichtum als besonderes Geschenk Gottes, zu seiner höheren Ehre. Sie führten viele Neuerungen in die Welt ein, darunter Wäscheklammern, Kreissägen und Propellerschrauben. Außerdem haben die Shaker eine Anzahl bereits bestehender Produkte verbessert – von Feuerwehrautos über Sonnenuhren bis zu hydraulischen Bewässerungsanlagen. Wirklich verblüffend ist die Tatsache, daß diese fruchtbare Tätigkeit sich in einer Handvoll Gemeinden entfaltete, die insgesamt weniger Mitglieder zählten, als eine englische Kleinstadt Einwohner hat. Wie es scheint, haben die Shaker den Anspruch im Buch

Jesus Sirach sehr ernst genommen, daß Arbeit vor allem »das Gewebe der Welt erhalten soll«.

Für die Shaker war Arbeit eine spirituelle Pflicht, die die Seele erhob, den Körper kräftigte, den Appetit anregte und Ordnung im Chaos schuf. Diese Dinge wurden jedoch nicht blindlings angestrebt, vielmehr verfügten die Shaker über eine vollständig entwickelte spirituelle Methode der »Arbeit als Gebet«. Fünf Regeln regierten ihr Alltagsleben:

1. *Arbeit muß praktisch sein.* Die Shaker verzichteten auf allen überflüssigen Zierat. Denken Sie nur an einen Shaker-Stuhl: leicht, schlicht und robust – leicht genug, daß man ihn mühelos beiseite stellen oder an einen Pflock hängen kann, wenn der Platz auf dem Boden anderweitig gebraucht wird; schlicht genug, um sich zwanglos überall einzufügen; dank geschickt angebrachter Streben robust genug, um das Gewicht der Person auszuhalten, für die er gebaut worden war.

2. *Arbeit muß mit den Gesetzen des Handwerks und den Gesetzen der Natur in Einklang stehen.* Das ergibt sich aus der ersten Regel. Wenn die Arbeit praktisch sein soll, muß der Handwerker die Gesetze des Handwerks und der Natur kennen und berücksichtigen. Dann kann er Robustheit, Ausgewogenheit, Harmonie und dergleichen erreichen. Um diese Gesetze zu kennen und befolgen zu können – in denen die Shaker den physischen Ausdruck der geistigen Ordnung Gottes sahen –, mußte der Arbeiter sein Material möglichst genau kennen. Wenn diese Gesetze berücksichtigt werden, wohnt dem Produkt eine eigene Schönheit inne.

3. *Arbeit läßt sich nicht beschleunigen.* Das folgt aus der zweiten Regel. Wenn Holz, das für die Fertigung eines Stuhles gedacht war, noch einen Monat oder ein Jahr benötigt, um zu reifen, dann soll es so sein. Wenn ein Arbeiter mehr Zeit braucht, um einen Ziegelstein zu plazieren, dann soll es so sein. Die Shaker konnten es sich leisten, sich Zeit zu nehmen; ihre materiellen Gebrauchs-

gegenstände waren für Jahrhunderte gebaut, und ihre Seelen lebten ewig.

4. *Der Arbeiter strebt nach Vollkommenheit.* Das folgt aus der dritten Regel. Die Shaker glaubten, wenn sie sich nur lange genug und mit der nötigen Sorgfalt bemühten, würden sie Vollkommenheit erreichen. Dieses Bemühen hat seine Wurzel in der Aufforderung Jesu an uns Menschen:»Seid ihr also vollkommen, wie euer himmlischer Vater vollkommen ist.« (Matth. 5, 48) Für die Shaker war Vollkommenheit Ansporn und Ziel zugleich; eine Mahnung zu größeren Anstrengungen und eine Bestimmung, die die größten Opfer wert war.

5. *Der Arbeiter schont sich niemals, und er wirbt nie für sich selbst.* Das folgt aus den bisherigen Regeln. Das Leben ist kurz; man muß jeden Augenblick nutzen; harte Arbeit ist vonnöten. Zugleich ist die Arbeitsfähigkeit selbst ein Geschenk Gottes. Dieses Bewußtsein führte unmittelbar zu der Abscheu der Shaker vor der Selbstbeweihräucherung. Die Shaker signierten ihre Produkte nicht. Alles gehörte Gott. Als Carol und ich vor ein paar Jahren das Shaker-Dorf am Sabbath Lake in Maine besuchten, entdeckten wir auf dem Friedhof den äußersten Ausdruck dieser Leidenschaft für die Anonymität: Das Friedhofsgelände enthält viele Gräber, aber nur einen einzigen Grabstein. Darauf stand schlicht und einfach:»Shaker«.

Arbeiten: Eine spirituelle Ernte

Arbeiten als Befreiung

Vor kurzem hielt ich mich am Union Square in New York City auf. Wie in den meisten städtischen Parks wird auch dieser Flecken sonnenverbrannten, struppigen Grases Zeuge einer täglichen Parade aus spielenden Kindern, kuschelnden Liebespaa-

111

ren, Büroangestellten, die hier ein Nickerchen machen, Drogendealern, die ihre Ware feilbieten, und Obdachlosen, die ihre mit Kartons und Lumpen gefüllten Einkaufswagen vor sich herschieben. Alle schienen es sich gutgehen zu lassen – und niemand arbeitete. Alles gut und schön, dachte ich, bis ich zu der berühmtesten Statue des Parks emporschaute – einer lebensgroßen Darstellung der vielleicht am meisten verehrten religiösen Figur des 20. Jahrhunderts: Mohandas Gandhi. Der Mahatma, in Stoffbahnen gehüllt und auf seinen Stock gestützt, spähte konzentriert auf die anwesenden Personen. Ich glaubte, Mißbilligung auf seinem Gesicht wahrnehmen zu können. Eigentlich war ich mir dessen sogar sicher.

Vielleicht war es nur der Lichteinfall, aber der Mahatma runzelte eindeutig die Stirn. Zuerst war ich verwundert. Aber nach kurzem Nachdenken erkannte ich, daß Gandhi recht hatte. Er war kein Mensch, der sich für Dösen oder Schmusen oder Drogen erwärmen konnte. Gandhi hatte den Müßiggang in keiner Form gutgeheißen. Er schrieb, las, lehrte und drehte bei Tag und bei Nacht sein Spinnrad. Er sagte gern: »Gott schuf den Menschen, damit er für sein Brot arbeite, und nannte diejenigen, die aßen, ohne zu arbeiten, Diebe.« Mit diesem Ausspruch stimmte Gandhi mit der *Bhagavadgita* überein, in der es heißt: »Wer ißt, ohne sein Opfer zu bringen, ißt gestohlenes Brot.«[9] Für Gandhi – und für die Hindu-Tradition, für die er, obwohl Abweichler, der berühmteste Vertreter war – ist Arbeit geradezu die Essenz des Lebens:

Ich kann nicht ohne Arbeit leben. Mein Wunsch ist es, mit der Hand am Spinnrad zu sterben. Schließlich muß man seine Vereinigung mit Gott irgendwie bewerkstelligen – warum also nicht durch das Spinnrad?[10]

Durch das Spinnrad – das heißt, durch die einfachen Aufgaben der alltäglichen Arbeit – kann man seine Vereinigung mit Gott bewerkstelligen. Dabei spielt es keine Rolle, ob man Stenotypistin in

112

einem Anwaltsbüro oder Seemann im arktischen Meer ist: Arbeit ist der Eingang zu Gott. Und wie genau erreicht man diese Vereinigung? Hier kann die *Gita,* die Gandhi so sehr liebte, unser Führer sein.

Die *Bhagavadgita,* der »Gesang des Erhabenen«, ist der am häufigsten gelesene heilige Text der Inder. Der Gesang entfaltet sich als Dialog zwischen Krishna, der Inkarnation der göttlichen Kraft, und Arjuna, einem Krieger und Aristokraten. Arjuna ist im Begriff, sich in die Schlacht gegen seine Blutsverwandten zu stürzen – ein Akt, den er als verwerflich betrachtet und den er gern vermeiden möchte. Krishna entscheidet, daß Arjuna in den Krieg ziehen soll. Er sagt, es sei nichts gewonnen, wenn man einen Kampf oder eine gegebene Arbeit vermeide:

Ein Mann erlangt nicht allein dadurch eine Befreiung vom Tun, indem er nichts unternimmt, und man erreicht kein Ziel, indem man nicht handelt.[11]

Die Lösung, läßt Krishna durchblicken, liegt in der Praktizierung von *Leidenschaftslosigkeit* und *Opferbereitschaft.* Arjuna sollte, wie wir alle, die Arbeit zu einem heiligen Geschenk an das Göttliche machen, das in einem Zustand des gelassenen Gleichmuts dargeboten wird. Also rät Krishna Arjuna:

Alle Handlungen, die nicht zu Ehren Gottes getan werden, binden den Handelnden an das Handeln. Handele Ihm zu Ehren, o Sohn der Kunti, ohne davon berührt zu werden …
Widme alle Taten mir, und richte dein Herz auf die geheimnisvolle Verbindung zwischen dem Menschen und der Gottheit; kämpfe ohne Erwartungen, frei vom Gefühl [deiner selbst] und frei von Zorn.[12]

Der Mensch, der Krishnas Rat befolgen kann, findet Befreiung in der Arbeit. Der Schlüssel liegt in dem Ausspruch: »Handele Ihm zu

Ehren.« Die *Gita* schlägt vor, daß wir nicht für uns selbst arbeiten, nicht einmal für die Welt, außer insofern, als die Welt eine Manifestation Gottes ist. Wir arbeiten einfach für Gott. Praktisch bedeutet dies, daß wir fleißig an der uns zugewiesenen Aufgabe arbeiten, ohne daß wir uns persönlich für einen bestimmten Ausgang engagieren – wir arbeiten um der Arbeit willen, die wir Gott darbieten. Wenn es meine Aufgabe ist, über einem heißen Ofen Hamburger zu braten – wie es für mich als Jugendlichen ein paar Jahre lang der Fall war –, mache ich die Hamburger so perfekt wie möglich. Ich schneide das Brot auf, schmelze den Käse, wende das Fleisch mit der größten Aufmerksamkeit. Diese an sich stumpfsinnigen Tätigkeiten können – wenn sie gemäß der *Gita* ausgeführt werden –, das »Herz auf die geheimnisvolle Verbindung zwischen dem Menschen und der Gottheit« gerichtet, eine spirituelle Choreographie des Opfers und des Gotteslobes werden; eine Gabe, die mich »frei vom Gefühl [meiner selbst]« macht und mir eine größere Freiheit zuweist: die Freiheit, im Dienst »des Erhabenen« zu arbeiten.

Rechter Lebenserwerb

Einer der Ecksteine des Buddhismus – der Achtfache Pfad – nennt acht Wege zur Erleuchtung: rechte Erkenntnis, rechtes Denken, rechte Rede, rechtes Handeln, rechter Lebenserwerb, rechte Bemühung, rechte Achtsamkeit und rechte Konzentration. Von diesen acht betrifft der »rechte Lebenserwerb« die spirituelle Bedeutung der Arbeit. Der traditionelle Buddhismus besteht darauf, daß bestimmte Berufe – allgemein gesagt, alle Berufe, deren Ausübung uns selbst oder anderen schadet – ein »falscher« Lebenserwerb sind, den wir scheuen müssen. Als Beispiele könnte man die Berufe Metzger, Waffenhändler, Jäger, Spirituosenhändler und Schuhmacher nennen (letzteren deshalb, weil Schuhe aus den Häuten geschlachteter Tiere gefertigt werden). Alle anderen

Berufe sind als »rechter« Lebenserwerb akzeptabel – vorausgesetzt, die Bedingungen erlauben die Ausübung buddhistischer Praktiken.

Einige buddhistische Meister bestanden unnachgiebig auf der Wichtigkeit des rechten Lebenserwerbs. Einer der bedeutendsten unter ihnen war Suzuki Shosan (1579–1655), ein japanischer Krieger, Lehrer, Schriftsteller und Mönch, der sowohl in Zen- als auch in Shin-Traditionen praktizierte. Shosan glaubte an die Heiligkeit aller Arbeit und nötigte Arbeiter, bei ihrer Arbeit das *Nembutsu* zu rezitieren. In bezug auf die Landarbeit gab er folgenden Rat:

Die Landarbeit selbst ist eine buddhistische Tätigkeit. Man muß nicht anderswo nach einer Übung Ausschau halten ... Wenn du Land bestellst und mit jeder Bewegung der Hacke Namu Amida Butsu *(jap.: Verehrung dem Buddha Amitabha) aufsagst, wirst du sicher Buddhaschaft erlangen. Überlaß einfach alles der Vorsehung, sei ehrlich, und laß keine persönlichen Wünsche hochkommen. Wenn du diesen Rat befolgst, wirst du dich der Segnungen des Himmels erfreuen und jetzt sowie in der nächsten Welt ein gutes Leben genießen.*[13]

Mit anderen arbeiten

»Wie kann ich besser mit anderen Menschen arbeiten?« Diese Frage hört man heutzutage überall: bei Arbeitsbesprechungen, in politischen Debatten, in Sitzungssälen und Kantinen. Die Menschen scheinen nicht zu wissen, wie sie mit Mitarbeitern umgehen sollen, wie man eine Atmosphäre der Kooperation und des Vertrauens schafft. Man heuert unter immensen Kosten Experten an, die den Abteilungsleitern die Grundbegriffe der Ethik und der Etikette beibringen sollen. Zur gleichen Zeit schütteln Gesellschaftskritiker die Köpfe über den ständigen Niedergang der guten Manieren zwischen Arbeitgebern und Arbeitnehmern; zwischen Lehrern und Schülern; zwischen Eltern und Kindern.

In traditionellen Gesellschaften treten derartige Probleme kaum jemals auf. Sie sind fast ausnahmslos gemeinschaftlich ausgerichtet; Gemeinsamkeit geht über alles. Vor ein paar Jahren habe ich das Heim meiner Vorfahren mütterlicherseits in Birkirkara auf der Insel Malta besucht, jenem mediterranen Kalksteinfleckchen auf halbem Weg zwischen Sizilien und Libyen. Meine Großtante Nena begleitete mich zu dem heute verwaisten Platz, wo einst die kommunalen Backöfen standen. Unzählige Generationen lang haben meine Vorfahren mehrmals wöchentlich ungebackene Brote zu dieser zentralen Sammelstelle gebracht und mit ihren Nachbarn Klatsch ausgetauscht, während die Brote gebacken wurden. Die Wärme, die diese kommunalen Backöfen erzeugen, und ihre magische Transformation von Getreide und Hefe symbolisieren auf sehr schöne Weise die Stärke einer Gemeinschaft. Das Alleinsein war im alten Malta eine Seltenheit – eine Lebenssituation, die der Erklärung, eines Rates und möglicherweise sogar einer spirituellen Deutung bedurft hätte.

Heute hat sich alles geändert. Auf Malta sind die alten Backöfen verschwunden – und mit ihnen der Sinn für eine eng zusammengeschweißte Gemeinschaft mit gemeinschaftlichen Zielen. Heute leben dort wie auch anderswo viele Menschen allein oder von der Kernfamilie getrennt. Allein schon das Konzept einer kommunalen Arbeit erscheint atavistisch – wer backt heute in der Gemeinschaft Brot? Aber erinnern wir uns an die Frage: »Wie kann ich besser mit anderen Menschen arbeiten?« Die Antwort liegt vielleicht nicht in einem Gemeinschafts-Backofen, aber ich glaube, daß wir vieles lernen können, indem wir traditionelle Beispiele für eine Gemeinschaftsarbeit studieren, besonders in Fällen, wo sich die Wurzeln bis in tiefe, spirituelle Wasser verfolgen lassen. Wir könnten mit keinem besseren Beispiel beginnen als mit der Scheunenbau-»Bee« (eigentlich »Bien«, wie die Imker ein Bienenvolk nennen, hier

116

Versammlung zur gemeinschaftlichen Hilfeleistung) der Amish und anderer radikaler christlicher Gesellschaften. Die Wahl des Wortes *Bee* für diese denkwürdige, einen Tag dauernde Explosion von Arbeit, Essen und gegenseitiger Hilfe könnte kaum treffender sein, denn das Ereignis erinnert an nichts so sehr wie an das geschäftige Treiben in einem großen, blühenden Bienenvolk. Vor dem Tag des Scheunenbaus legen vierzig bis fünfzig Mann starke Teams die Fundamente. Sie tragen das Bauholz zusammen und erledigen andere schwere Arbeiten. Inzwischen gehen die Frauen ihren Pflichten nach. Sie backen Brote und Kuchen, bereiten Würste und Schinken, kochen Gemüse und Eintopf. Wenn der große Tag gekommen ist, versammelt sich am Ort des Geschehens eine Arbeiterschaft von atemberaubenden Ausmaßen – bis zu 800 Männer und Frauen, alles Freiwillige. Diese Menschenmenge wird schlagartig aktiv. Die Frauen kümmern sich ums Essen, die Männer stemmen die Tragbalken, die angespitzten Stangen, die hölzernen Dachträger, die Wände und die Dächer empor. Das Ergebnis ist ein kleines Wunder, wie ein Augenzeuge berichtet:

Ich wurde zu einem Scheunenbau in der Nähe von Wooster, Ohio, eingeladen. Ein Tornado hatte vier Scheunen und mehrere Hektar erstklassiges Bauholz der Amish niedergewalzt. Innerhalb von nur drei Wochen wurden die gefallenen Bäume in Tragbalken, Pfosten und Balken zersägt, die vier Scheunen wieder aufgebaut und mit Vieh gefüllt, das Nachbarn gespendet hatten, um die im Sturm getöteten Tiere zu ersetzen. Ich war Zeuge des Aufbaus der letzten Scheune und schaute mit vor Staunen offenem Mund zu. Ungefähr 400 Amish-Männer und -Jungen agierten und reagierten wie ein Bienenstock in vollkommen harmonischer Zusammenarbeit. Sie begannen bei Sonnenaufgang. Nur die Fundamente und der Boden der Scheune waren schon fertig. Und am Mittag – am Mittag *– war das riesige Gebäude so weit gediehen, daß man Heu darin unterbringen konnte.*[14]

Was uns hier interessiert, ist nicht die genaue Methodik des Scheunenbaus der Amish, sondern die »vollkommen harmonische Zusammenarbeit« bei diesem Ereignis; eine Harmonie, geboren aus einem Leben, das durch religiöse Gesetze und Praktiken geregelt und gesegnet ist. Wie jeder Amish bestätigen wird, findet die Mühe, die bei einem *Bee* aufgewendet wird, ihre Quelle in der Mühe, die auf Gebet, Schriftstudium und eine Kultur aufgewendet wird, die die spirituellen Bedürfnisse des einzelnen erhöhen soll, statt sie zu behindern. Nun sind nur wenige von uns Amish oder bauen Scheunen, aber wir alle können von diesem Beispiel profitieren. Wir können in uns den Geist des Scheunenbaus erwecken, indem wir unsere Anstrengungen beim spirituellen Üben und beim Bauen erneuern, gemeinsam mit Mitarbeitern, Nachbarn, Freunden und Verwandten – eine gewaltige Arbeits-Scheune des Geistes; ein Ort, an dem Arbeit mit Nachsicht, Großzügigkeit und Liebe getan wird.

Die Spiritualität der Wiederholung

Paul spricht mit Kazuaki Tanahashi, Künstler und Autor/Herausgeber von *Brush Mind, Moon in a Dewdrop: Writings of Zen Master Dogen, Penetrating Laughter: Hakuin's Zen and Art* und *Essential Zen.*
In der umgebauten Garage, seinem Studio im Westen Berkeleys, bereitet Kazuaki Tanahashi sich auf eine Ausstellung in Deutschland vor. Er hat mehrere der großen Gemälde für diese Ausstellung fertiggestellt: große, offene Kreise, in einem einzigen, kühnen Pinselstrich in Tusche ausgeführt, die eine stille Ausweitung des inneren Lebens andeuten; an den Rändern die Gefahren des Chaos.
»Kaz«, wie seine Freunde ihn nennen, lernte Kalligraphie als Grundschüler in Japan. »Das erste, was unser Lehrer uns sagte, war, daß wir unser Denken stillhalten und anfangen sollten, uns zu konzentrieren, während wir mit Tusche malten. Dann sagte er, wir

sollten den Boden der Tuschestange genau waagerecht halten, so daß die Tuschestange immer senkrecht ist.« Der Lehrer sagte zu Kaz, wenn die Tuschestange geneigt sei, wäre auch sein Denken geneigt; wenn seine Haltung schlecht sei, könne seine Kalligraphie nicht gut sein.

Kalligraphie wurde in China vor Jahrtausenden entwickelt. Im Laufe der Jahrhunderte entwickelte sich aus der Anerkennung hervorragender Künstler und ihrer unterschiedlichen Stile ein besonderer »Kunst-Begriff«. Und als Menschen diese Kunst studierten, entdeckten sie, daß sich die Persönlichkeit des Künstlers in seiner Arbeit widerspiegelte.

»Obwohl jeder Kalligraph dieselben Zeichen wie jeder andere Kal-

Altes Ideogramm für »Achtsamkeit«. Dieses Ideogramm wurde vor über 3000 Jahren geschaffen und war in ganz Asien gebräuchlich. Es besteht aus zwei Schriftzeichen oder Wörtern: »gegenwärtiger Augenblick« – dargestellt durch die vier oberen Striche; und »Geist/Herz« – dargestellt durch die vier unteren Striche. Es ist hier in vier verschiedenen Stilarten abgebildet: (1) die früheste oder Siegelschrift, (2) die Formalschrift, (3) die Semikursivschrift und (4) die Kursivschrift. Kalligraph: Kazuaki Tanahashi.

ligraph malte«, sagt Kaz,»wurde offensichtlich, daß einige Gemälde eine größere Tiefe aufwiesen und den Betrachter mehr bewegten als andere. Natürlich gehörte Kontemplation zu dem, was die großen Künstler ausführten. Sie brachten größere Konzentration, größere Entspanntheit, größeres Verständnis und die Tiefe ihrer Persönlichkeit in ihre Arbeit ein. Manche Kalligraphen waren geschickt, aber sie trugen keine tiefe Poesie in sich selbst. Und deshalb war ihrer Kunst keine Dauer beschieden. Das Herz der Spiritualität ist die Wiederholung«, fährt Kaz fort.»Sie wiederholen mit Achtsamkeit. Sie wiederholen dieselbe Sache immer wieder und wieder. Und da Ihre Energie nicht in den Versuch fließt, etwas ›Neues‹ oder ›Besseres‹ zu schaffen, wird sie auf subtilere Weise auf Sie selbst geleitet. Der Pinsel ist weich. Er hat sein eigenes Leben. Sie können niemals genau denselben Strich ausführen. Auf diese Weise erfahren Sie etwas über Ihren inneren Zustand. Kalligraphie ist eine unmittelbare Darstellung Ihrer Persönlichkeit.«

Arbeiten: Eine Reihe alltäglicher Übungen

Paul weist darauf hin, daß dieses Kapitel das einzige in unserem Buch ist, daß sich eingehender mit Aktivitäten außerhalb des Hauses befaßt. Vor der Haustür wimmelt es von Fremden, gelten andere Regeln, lauert das Unbekannte an jeder Wegbiegung. Wir können unseren Arbeitsplatz so weitgehend wie möglich unserem Heim angleichen – ihn mit Fotos unserer Kinder oder mit Blumen aus unserem Garten schmücken –, er wird trotzdem niemals unser Heim werden.

Das bedeutet, daß jeder, der versucht, spirituelle Werte in seinen Arbeitsplatz einzubringen, bestimmte Bedingungen erfüllen muß. Vielleicht ist Ihre Arbeit eintönig und unbefriedigend oder destruktiv; einer Ihrer Mitarbeiter ein Intrigant, Ihr Chef ein Ekel. Wie

120

können Sie unter diesen Umständen an spirituelle Werte und kontemplative Praktiken auch nur denken?

In der *Bhagavadgita* heißt es, daß jede Arbeit, die unsere Rolle im Leben von uns verlangt, akzeptabel ist, wenn wir sie im rechten Geist ausführen. Die *Gita* spricht von Weihe und Opfer – davon, daß wir unsere Arbeit Gott widmen sollen. Dies können wir zum Beispiel durch Achtsamkeit erreichen: indem wir – tief in unserem Herzen, wenn auch nicht immer im bewußten Denken – den Gedanken hochhalten, daß wir im Dienst des Göttlichen arbeiten und nicht im Dienst unserer eigenen egoistischen Bedürfnisse und Wünsche. Oder wir wiederholen während der Arbeit eine einfache spirituelle Übung. Suzuki Shosan schlägt vor, das *Nembutsu* zu rezitieren. Wir finden entsprechende Praktiken auf der ganzen Welt, wo immer die Angehörigen einer traditionellen Kultur bei der Arbeit den Rosenkranz beten, eine Knoten- oder Perlenschnur befingern, während sie pflügen oder spinnen oder betteln. (Mehr über solche Praktiken finden Sie in Kapitel 7, »Worte«.)

Eine andere Möglichkeit besteht darin, daß wir während der Arbeit innehalten und uns unsere spirituelle Rolle mitsamt ihren Verpflichtungen in Erinnerung rufen. Das war die Übung von Bruder Lawrence von der Auferstehung, dem katholischen Mönch und Koch des 17. Jahrhunderts, der die Übung der Göttlichen Gegenwart entwickelte. Den ganzen Tag über unterbrach Bruder Lawrence immer wieder seine Arbeit und wandte sein Denken Gott zu. »Durch diese einfache und sichere Methode«, berichtete er, »erlangte ich einen Zustand, in dem es mir ebenso unmöglich war, *nicht* an Gott zu denken, wie es mir zu Beginn schwergefallen war, mich daran zu gewöhnen, an ihn zu denken.«[15]

Wir haben aus diesem vielfältigen Angebot an Praktiken drei Übungen ausgewählt, die Anfängern helfen können, die Verbindung zwischen der äußeren und der inneren Arbeit zustande zu bringen.

Die Übung der reinen Aufmerksamkeit

Versuchen Sie, sich die ganze Zeit über Ihrer Arbeit bewußt zu sein. Wenn Sie einen Hammer schwingen, nehmen Sie sein Gewicht wahr; die Anspannung Ihrer Unterarmmuskeln, wenn Sie den Hammerstiel heben; das Gewicht des Hammerkopfes, wenn er seinem Ziel entgegeneilt. Wenn Sie vor einem Computer sitzen, machen Sie sich das Leben in Ihren Armen, Beinen und Füßen bewußt. Spüren Sie den Druck der Tasten gegen Ihre Fingerspitzen. Bemühungen dieser Art, den ganzen Tag über ausgeführt, bringen uns die offene Aufmerksamkeit und die gelassene Fülle des Seins zurück, deren wir uns während der Morgenmeditation erfreuten. Sie umarmen die Wirklichkeit mit all ihren sinnlichen Wundern und bringen uns auf diese Weise der Wahrheit über uns selbst und über die Welt näher. Josef Pieper sagte es folgendermaßen: »Ein Mann ist weise, wenn er alles so wahrnimmt, wie es wirklich ist.«

Die Übung, sich in andere Menschen hineinzuversetzen

Wie kann ich lernen, gut mit anderen zusammenzuarbeiten? Indem ich der andere werde. Wenn Sally mir ins Gesicht springt, versuche ich, mir ihr häusliches Leben in Erinnerung zu rufen: ihre schäbigen Möbel, ihre kriminellen Kinder, ihren lieblosen Mann. Gott sei Dank geht es mir besser – eine Binsenweisheit, die dennoch wahr ist. Würde ich in Sallys Schuhen stecken, wäre ich vielleicht vor Verzweiflung gelähmt und könnte überhaupt nicht arbeiten. Ich kann mir an ihrem Mut ein Beispiel nehmen. Wenn ich nichts über Sallys Leben weiß – nichts, was ihr unverschämtes Verhalten erklären oder entschuldigen könnte –, kann ich in ihren Fehlern mich selbst wiedererkennen, denn ich habe bestimmt Charakterfehler, die den ihren zumindest vergleichbar sind. Daß ich Sally in mir selbst und mich in Sally entdecke, erinnert mich daran, daß wir zu einem gemeinsamen Unternehmen vereint sind. Die Sioux haben es am besten ausgedrückt: Wir sind alle Verwandte.

122

Die Übung, unsere Arbeit Gott zu widmen

Worin auch immer meine Arbeit bestehen mag, es steht mir frei, sie Gott, der Rettung anderer Menschen oder sogar meiner eigenen spirituellen Erbauung zu widmen. Alle diese Motive merzen den Egoismus aus meiner Arbeit aus und verleihen ihr eine tiefere Bedeutung. Hier ist Krishnas Rat von größtem Wert: »Handele Ihm zu Ehren, ohne dich davon berühren zu lassen.« Experimentieren Sie mit dieser Übung. Wenn Sie Ihren Chef hassen, verrichten Sie Ihre Arbeit, so gut Sie können, *zu seinem Nutzen*. Ein solches Angehen gegen alle Gewohnheiten und Vorurteile kann sich als Segen für Sie beide auswirken. Arbeiten Sie mit Gleichmut. Wenn Sie in einem Restaurant tätig sind und den Tisch hinter einem wüsten Patron abräumen müssen, der ein Fünfpfennigstück als Trinkgeld hinterließ, seien Sie die beste Bedienung, die Sie nur sein können. Jede Bewegung mit dem Wischtuch, wenn Sie den Schmutz beseitigen, den er hinterlassen hat, stellt Ihre Reaktion dar – nicht nur auf seine Ungehobeltheit, sondern auch auf das Universum, von dem er ein Teil ist. Unsere Arbeit ist die Signatur, die wir der Welt aufprägen – lassen Sie sie uns mit Sorgfalt und Liebe schreiben.

Somit erkennen wir drei Ebenen der Arbeit mit der Welt: die Arbeit, die wir allein verrichten; die Arbeit mit anderen; und die Arbeit für das Geheiligte. Wenn wir diese Ebenen mit Gleichmut und Demut bewohnen, entdecken wir vielleicht, daß sie sich miteinander verbinden; daß unsere tägliche Arbeit zugleich uns selbst, unseren Nachbarn und Gott dient; und daß durch dieses sakramentale Verständnis der Arbeit die Mühsal im Exil die Bestellung des Gartens Eden werden kann.

Ein Wanderweg – Wandern ist eine überall
verbreitete Form der Meditation.

Kapitel 5
Einfache Vergnügen

In jeder klaren Nacht bade ich im Sternenlicht. Eine oder zwei Stunden nach Einbruch der Nacht, wenn die Kinder im Bett sind und das Geschirr gespült ist, eile ich ins Freie, wende mein Gesicht dem Himmel zu und lasse die uralten Photonen vom Beteigeuze, vom Arkturus und dem Sirius – laut den Astronomen Jahrmillionen alte Lichtpartikel – auf meine Stirn prasseln, über meine Wangen kullern und auf meinen Lippen einschlagen.

Während dieser Sternenlichtwäsche schätze ich es, alte Freunde zu besuchen, die ihre Bahnen über den Himmel ziehen: die Jungfrau mit ihrem wehenden Milchstraßenkleid, Orion, der sein Sternennebelschwert schwingt, den Großen Bären, der die eisigen Polregionen durchstreift. Manchmal halte ich auch nach den Planeten Ausschau. Jupiter und Saturn sind fast immer sichtbar; beide starren in düsterem Schweigen mit einem gelben Auge auf die Erde, das sie niemals schließen. Aber meistens schaue ich nur in schweigendem Staunen hinauf. Seit ich ein Kind war, liebe ich die Astronomie wegen ihrer unendlichen Ausblicke, ihrer unerschöpflichen Vielfalt und der Momente tiefer Andacht, die sie mir schenkt. Die Sterne zu betrachten ist meiner Überzeugung nach ein idealer kontemplativer Zeitvertreib – ein herrliches und zugleich einfaches Vergnügen, eine kleine Freude.

Was meine ich mit einem einfachen Vergnügen? Ganz einfach: jene Tätigkeiten, denen wir uns zuwenden, wenn wir Erholung vom täglichen Trott suchen. Ich schaue am liebsten zu den Sternen empor, andere lesen vielleicht lieber, stricken oder backen; studieren klassische Gitarre oder modernes Griechisch; harken ihren Garten oder rudern in einem Boot. Wir brauchen diese einfachen Vergnügen ebensosehr, wie wir Sauerstoff brauchen, um atmen zu können. »Um viel zu leisten, muß man sowohl sehr faul als auch sehr fleißig sein«, sagte Samuel Butler. Einfache Vergnügen befreien uns von den anstrengenden Fesseln, die unsere ganze Kraft beanspruchen, und bieten uns statt dessen Freiheit und Spaß. Tatsächlich ist es schon ein einfaches Vergnügen, wenn wir an einfache Vergnügen denken. Es läßt uns einen Vorgeschmack auf die Freude kosten, die uns diese Zerstreuungen bereiten werden.

Einfache Vergnügen sind Lichtblicke im Arbeitsalltag. Die meisten Menschen suchen sie in der Mittagspause, am Abend, am Wochenende oder im Urlaub. *Vacation,* das englische Wort für Urlaub, erweist sich als sehr treffende Bezeichnung. Das lateinische Verb »vacare« heißt: leer oder frei sein, und der Sinn der einfachen Vergnügen ist es, sich selbst leer oder frei zu machen. Durch die einfachen Vergnügen befreien wir uns von dem Staub, der unser Denken unklar macht, und von den Spinnweben, die unser Herz verstopfen. Eine Anwältin kommt erschöpft von einem Kampftag auf dem juristischen Schlachtfeld nach Hause und nimmt ihre Violine zur Hand; ein Hochschullehrer macht einen Waldspaziergang, sobald der Unterricht beendet ist. Jeder von uns sucht Erholung in einer zeitweiligen Flucht aus der täglichen Schufterei. Wir müssen verstehen, daß diese Flucht normal und gesund ist – daß sie unsere spirituelle Arbeit fördert, statt sie zu behindern. Nach einfachen Vergnügen Ausschau zu halten heißt, das universal gültige Gesetz von Anspannung und Entspannung, Einatmen und Ausatmen, Systole und Diastole zu akzeptieren. Einfache Vergnügen wirken wie ein Mini-Urlaub, wie ein kurzer Aufenthalt in den Bergen oder in der Wüste. Jedesmal, wenn ein Schreiner eine Kaffeepause macht, ist er für einen Augenblick Moses auf dem Berg Sinai; immer, wenn eine Krankenschwester die Karpfen in ihrem Gartenteich füttert, geht sie Hand in Hand mit Basho auf der Straße

126

in den tiefen Norden. Jeder weiß, daß man unter den Sternen spielen muß, um im Schlamm arbeiten zu können.

Die spirituellen Traditionen des Ostens und des Westens erkennen ohne Einschränkung die Wichtigkeit der einfachen Vergnügen an. Wir ersehen dies aus Erzählungen über Zen-Mönche und franziskanische Mönche; aus ihrer gemeinsamen Liebe zu Gärten, Seen und Bergpfaden; zur Malerei und zur Musik; zu Späßen, die sie miteinander und für Fremde machen. Und wir ersehen es aus den Sitten der Navajo-Indianer, die einen arbeitsfreien Tag genießen, wenn sie an einem Stammestreffen teilnehmen oder allein auf dem Pferderücken über die Hügel reiten. Solche Aktivitäten orientieren sich niemals an einem Nutzen oder Gewinn. Hieraus ergibt sich ein ironischer Kontrast zwischen dem traditionellen und dem modernen Geschmack: Die Fertigung einer Bettdecke im Amish-Stil mag für eine geplagte Chicagoer Hausfrau ein einfaches Vergnügen sein, aber für eine Amish-Hausfrau bedeutet sie schlicht und einfach Arbeit. Die Amish suchen anderswo Erholung – vielleicht durch eine Fahrt mit dem Einspänner, um im Nachbarhaus eine Stunde mit Kochen zu verbringen.

Einfache Vergnügen machen uns nicht nur leer, sie füllen uns auch wieder auf. Was kann uns größere Befriedigung verschaffen, als wenn wir Musik hören? Wenn wir erschöpft oder nervös sind, kann uns nichts rascher wiederaufbauen als die erhabenen Harmonien der Bachschen Fugen, in denen eine Schönheit die andere jagt, in einem endlosen Taumel des Entzückens. Schönheit bringt immer Vitalität mit sich, denn sie ist nichts anderes als die sichtbare Manifestation des Guten und des Wahren. Alle einfachen Vergnügen wirken sich auf diese Art aus, indem sie uns mit einer Schönheit konfrontieren, die uns erneuert – ob sie sich auf einem Wochenendausflug in einem nebelverhangenen Moor zeigt oder in den staunenden Augen eines Kindes, dem wir ein Märchen von Andersen oder Grimm vorlesen.

Wu-wei: Das taoistische Herz der einfachen Vergnügen

Von allen Religionen versteht vielleicht der Taoismus am besten die Bedeutung der einfachen Vergnügen und ihrer Doppelrolle als Staubwedel und Zauberstäbe, die uns in Entzücken versetzen. Nach Lao-tzu (Laotse oder Lau-dse), dem chinesischen Weisen, der als Verfasser des *Tao te king* und als Begründer des Taoismus gilt, liegt der Schlüssel zum Glück für den Menschen im *Wu-wei* oder »Nichttun«; ein scheinbar paradoxer Ausdruck, der stark an die »passive Aktivität« erinnert, die wir in unserer Morgenmeditation anstreben. *Wu-wei* zu praktizieren heißt, in Harmonie mit den Gezeiten der Wirklichkeit zu leben – eins sein mit dem Tao, jenem unauslotbaren, transzendenten, immanenten, ewigen Herz allen Seins, daß sich jedem Versuch entzieht, es zu definieren. Und wie praktiziert man *Wu-wei?* Die einfachen Vergnügen sind ein Teil davon.

Stellen Sie sich eine junge Ballerina vor, die mit vollendeter Haltung tanzt, oder einen alten Mann, der gelassen eine Landstraße entlanggeht. Beide folgen dem Fluß des natürlichen Lebens, passen sich ohne Widerstand den Kurven und Windungen der Straße oder der Musik an, bewegen sich still von einem Augenblick zum nächsten. Sie fließen wie Wasser. In traditionellen chinesischen Texten ist Wasser – das wegen seiner Klarheit, seiner Einfachheit und der Leichtigkeit seiner Bewegungen gepriesen wird – das häufigste Symbol für das Tao. Lauschen Sie folgenden Zeilen aus dem *Tao te king:*

Der Welt Allerweichstes ereilt und überholt der Welt
  Allerhärtestes;
das Nichts und das Sein durchdringen sich
  ohne Zwischenraum.
Daher weiß ich: des Tatlosen Besitz mehrt sich.

128

Angeln, Malen, Singen, Wandern, Stricken, Backen, Gärtnern, Bootfahren: diese einfachen Vergnügen werden, wenn sie im rechten Geist getan werden, zum »Nichttun«, *Wu-wei* – erfüllt von Ruhe, Frieden und Schönheit. Die folgende Legende über den taoistischen Weisen Chuang-tzu (etwa 369–286 v. Chr.) bekräftigt die enge Verwandtschaft zwischen dem Taoismus und den einfachen Vergnügen:

Eines Tages fischte Meister Chuang-tzu in einem Fluß. Da näherte sich ihm der Prinz von Ch'u mit einem erregenden Angebot. Er wollte, daß Chuang-tzu sogleich seine Angel niederlegte und das Amt als Erster Minister aufnähme. Statt dem Prinzen nun direkt zu antworten, begann Chuang-tzu, von einer berühmten, geheiligten Schildkröte zu erzählen, die jetzt tausend Jahre alt war und juwelenbehangen in einer reichverzierten hölzernen Schatulle auf dem Regal-Altar des Prinzen lag.

»Würde diese Schildkröte«, fragte Chuang-tzu, »wohl lieber geschmückt, aber tot, auf deinem Altar liegen oder lebend durch den Schlamm kriechen?«

»Sie wäre natürlich lieber am Leben und im Schlamm«, erwiderte der Prinz.

»Auch ich«, sagte Chuang-tzu, »krieche lieber durch den Schlamm, als im Amt des Ersten Ministers gefangen zu sein.«

In allen Texten, die wir bisher gelesen haben, werden die einfachen Vergnügen als Zufluchtsorte der Seele dargestellt – Stätten der Erholung und Erneuerung. Aber manchmal betreffen einfache Vergnügen auch eher formale kontemplative Übungen. Zum Beispiel könnte ein Buddhist sich dem Gärtnern zuwenden, weil er findet, daß das verspielte Herummanschen im Boden ihn herrlich von der strengen Disziplin des *Zendo* ablenkt, um dann zu entdecken, daß Säen und Unkrautjäten wunderbare Gelegenheiten bieten, sich in Andacht zu üben. Ein anderer mag sich Schlittschuhe anschnallen, um den Streß an seinem Arbeitsplatz abzubauen, um bald darauf festzustellen, daß die Eisbahn der ideale Ort ist, um spirituelle Mantras zu rezitieren. Bei manchen Tätigkeiten zeigt sich das doppelte Potential zur formlosen Erholung und zur formalen Übung besonders deutlich. Vielleicht das bekannteste Beispiel von allen ist das einfache Vergnügen, das man als Wandern bezeichnet. Damit wollen wir uns nun ein wenig näher befassen.

Kontemplative Nahaufnahme: Wandern

Ein guter Freund von mir begründet seine Leidenschaft fürs Wandern wie folgt: »Wenn ich wütend bin und Dampf ablassen muß, wandere ich. Wenn ich bedrückt bin und mich aufmuntern muß, wandere ich. Wenn ich aufgewühlt bin und mich beruhigen will, wandere ich. Wenn ich nachdenken will oder träumen, die Welt spüren will, wie sie ist, wandere ich.« Mein Freund, der auf seinen Tages- und Nachtwanderungen bereits mehrere Paar Schuhe zerschlissen hat, zitiert gern folgenden Ausspruch von Macauley Trevelyan: »Ich habe zwei Ärzte: mein linkes und mein rechtes Bein.«

Wandern ist eine universale Medizin und eine Form der Meditation. Es ist das einfache Vergnügen schlechthin und bedarf keiner Ausrüstung – nicht einmal Schuhe sind nötig, wie zahllose Wanderer in milderen Klimazonen bestätigen. Man stellt einfach nur einen Fuß vor den anderen. Man braucht kein Ziel, überhaupt keinerlei Absicht. Die Freude liegt im Wandern selbst – im Vergnügen der Bewegung, in der Schönheit der Landschaft, in den Gesichtern der

Entgegenkommenden. Für Walt Whitman bedeutete Wandern Freiheit, Wohlbefinden und robustes Selbstvertrauen:

> *Allein und leichtherzig nehme ich die Straße*
> *   unter die Füße,*
> *Gesund, frei, die Welt vor mir.*
> *Der lange, braune Weg vor mir führt, wohin ich will.*
> *Künftig frage ich nicht nach Glück,*
> *   ich bin selbst Glück,*
> *Künftig jammere ich nicht mehr, verschiebe nichts*
> *   mehr, brauche nichts mehr.*
> *Vorbei ist's mit den Klagen zu Hause,*
> *   den Büchereien, der nörglerischen Kritik.*
> *Stark und zufrieden nehme ich die Straße*
> *   unter die Füße.*

Whitman erfaßt die Hochstimmung dieses einfachen Vergnügens – seine doppelte Gabe, uns von den Ketten des Gewohnten zu befreien und uns die Ungebundenheit der Straße zu schenken. Wandern heißt, die Freiheit in jeder Arm- und Beinbewegung zu spüren. Frieden zu spüren heißt, seine Seele zu erfrischen, sich selbst als Geschöpf mit nicht ausgeschöpften Möglichkeiten und unauslotbarer Bestimmung kennenzulernen.

Aber Whitman spricht nirgendwo von einer Methode, wie andere ihm nachfolgen könnten. Seine Überschwenglichkeit ist ohne Beispiel – geboren aus einem derart außergewöhnlichen Selbstvertrauen, daß es an Selbstanbetung grenzt. Zum Glück beschreiben andere Autoren das Wandern als spirituelle Übung konkreter. Ein Beispiel ist William Hazlitt, ein englischer Essayist des 18. Jahrhunderts, für den Wandern mit einer Einladung zur Kontemplation verbunden war:

Die Seele einer Reise ist die Freiheit, die vollkommene Freiheit, genau das zu denken, zu fühlen, zu tun, was uns gefällt. Wir gehen vor allem deshalb auf eine Reise, um frei von allen Behinderungen und allen Unannehmlichkeiten zu sein; um uns selbst hinter uns zurückzulassen; um der anderen ledig zu sein. [Ich reise], weil ich eine kleine Verschnaufpause brauche, um über unbestimmte Dinge nachzusinnen, in der die Kontemplation ihr Gefieder putzen und ihre Flügel wachsen lassen kann …*

Gebt mir den blauen Himmel über meinem Kopf, den grünen Rasen unter meinen Füßen, einen sich schlängelnden Weg und einen dreistündigen Marsch vor dem Essen … Ich lache, ich laufe, ich springe, ich singe vor Freude. Von jener ziehenden Wolke aus tauche ich in mein früheres Sein ein und erfreue mich daran, wie der sonnenverbrannte Indianer kopfüber in die Wogen eintaucht, die ihn an die Gestade seiner Heimat tragen. Dann tauchen längst vergessene Dinge wie »gesunkene Wracks und unermeßliche Schätze« vor meinen begierigen inneren Augen auf, und ich fange an, mich wieder wie ich selbst zu fühlen, wie ich selbst zu denken, ich selbst zu sein … mein ist diese ungebrochene Stille des Herzens, die allein vollkommen beredt ist.

Wir alle haben schon einmal die Glückseligkeit erfahren, die eine Wanderung mit sich bringt; besonders, wenn die Umstände stimmig sind, wenn der Himmel blau und der Rasen grün ist, der Weg sich windet und genügend Zeit zur Verfügung steht. Wie Hazlitt erklärt, heilt diese Glückseligkeit den Körper, den Geist und die Seele. Der Körper findet an der Bewegung, an der Geschmeidigkeit und am Gleichgewicht Entzücken, der Geist schwelgt in Erinnerungen, und die Seele erfreut sich an der »ungestörten Stille …, die allein vollkommen beredt ist«. Hier stoßen wir auf das Paradoxon im Kern des Wanderns (und aller einfachen Vergnügen): Wandern führt zu Ruhe, »vor Freude singen« bringt Stille mit sich, eine Entdeckungsreise in die Natur läßt uns das Innere entdecken.

132

Manchmal führt eine Wanderung zu einer Enthüllung nicht allein über uns selbst, sondern auch über die Welt. Wenn wir empfindsam für unsere Umgebung werden – wenn wir dem Rascheln der Feldmäuse lauschen, dem Flüstern des Grases unter unseren Füßen, dem Bellen eines Hundes in weiter Ferne; wenn wir spüren, wie eine Brise die feinen Härchen auf unseren Unterarmen aufrichtet; wenn wir die Feuchtigkeit eines aufkommenden Sturmes riechen; wenn wir die eigentliche Würde und Schönheit der Gesichter der Menschen sehen, die uns entgegenkommen –, dann erhaschen wir vielleicht einen flüchtigen Anblick der ewigen Wahrheit. Von solcher Art war die Erfahrung des Engländers Bede Griffiths, eines katholischen Mönchs und Priesters, als er zwischen den Kriegen ein Schuljunge war:

Eines Tages in meinem letzten Schuljahr ging ich am Abend allein hinaus und hörte die Vögel in jenem volltönenden Chor singen, den man nur zu dieser Jahreszeit bei Tagesanbruch oder in der Abenddämmerung vernehmen kann ... Dann, als der Sonnenuntergang verblaßte und der Schleier der Dunkelheit die Erde zu umhüllen begann, wurde alles still. Ich erinnere mich noch heute an das ehrfurchtsvolle Gefühl, das mich überkam. Ich spürte das Verlangen niederzuknien, als befände ich mich in der Gegenwart eines Engels. Ich wagte kaum, die Augen zum Himmel emporzuheben, weil es mir so vorkam, als sei er in Wirklichkeit ein Schleier vor dem Angesicht Gottes.[2]

Diese Offenbarung veranlaßte Griffiths dazu, in ein englisches Benediktinerkloster einzutreten und später nach Indien zu gehen, wo er mehrere Ashrams gründete. Er trug viel zu einer christlich-hinduistisch-ökumenischen Bewegung bei und wurde eine bekannte Gestalt im kontemplativen Leben. Es ist erstaunlich, aber wahr, daß sich all diese reichen Folgen auf einen Spaziergang im Jünglingsalter zurückführen lassen!

Die kleinen Freuden in der Natur:
Ein Gespräch mit Norman Boucher

Für Norman Boucher, Autor von *A Bird Lover's Life List and Journal*, ist ein Streifzug durch die Wälder Neuenglands das einfache Vergnügen par excellence. Die Jahreszeit spielt dabei keine Rolle; im Sommer zieht er Laufschuhe an und trabt schweigend unter dem endlosen, grünen Blätterbaldachin dahin; im Winter holt er seine Schneeschuhe hervor und stapft durch die Schneewehen. Die Wälder locken Boucher an, wie Kinos oder Spielcasinos andere anziehen. Sie schenken ihm körperliche und geistige Entspannung vom alltäglichen Kleinkram. »Wenn ich in die Wälder aufbreche«, sagt Boucher zu mir, während er mich mit seinen ironisch dreinblickenden Augen fixiert, die an die eines Vogels erinnern, »breche ich zu einem Ideal auf – dem Ideal eines unzivilisierten Ortes; des Ortes hinter dem Ende der Straße, wo alles besser ist; wo ich den menschlichen Komplikationen in eine andere, ebenso komplexe Welt entfliehen kann, in der die Menschen aber eine weniger wichtige Rolle spielen.«

Ich erwähne Boucher gegenüber, daß ich die Wälder und das Fehlen menschlicher Wärme in ihnen gefürchtet habe, als ich ein Junge war. Er kontert mit dem Vorschlag, eine andere Sichtweise einzunehmen. »Ich suche nach Harmonie. Wenn Sie auf von Menschen gefertigte Hilfsmittel verzichten, müssen Sie der Welt gegenüber eine bescheidenere Haltung einnehmen. Wenn Sie in den Everglades fallen und sich ein Bein brechen, erwischt Sie ein Alligator – lange, bevor das Rettungsteam eintrifft. Die Natur gewöhnt Ihnen Ihre Hybris schnell ab.« Demnach ist es die Entrücktheit der Natur, die Boucher am attraktivsten findet – sei es auf einem kurzen Ausflug in den nahen Park oder bei einer Expedition in die Wildnis. »Je mehr ich über die Natur erfahre«, sagt er, »desto seltsamer erscheint sie mir. Anfangs ist es nicht schwer, die Natur zu vermenschlichen, wenn Sie hinausgehen. Aber wenn Sie genauer hinschauen, kommen Ihnen diese Verbindungen dünner und dünner vor. Es scheint so, als geschähe etwas *anderes*. Als Junge ging ich jeden Freitag in die Kirche, um die Stationen des Kreuzwegs zu beten. Ich war allein in diesem riesigen, überwölbten Gebäude. Ich finde in der natürlichen Welt dieselbe Ruhe und Abgeschiedenheit, wie ich sie damals in der Kirche fand.«

In dieser geheimnisvollen, natürlichen Welt, wo die Menschen nicht länger das Bild der Landschaft beherrschen, findet Boucher die Möglichkeit zur Kontemplation. »Die Natur ist meditativ; sie zwingt Sie dazu, sich einzustimmen. Sie entfremdet Sie Ihrer selbst und führt Sie zugleich tiefer in sich hinein. Sie empfinden schärfer, Sie sehen besser. Als ernsthafter Zen-Schüler fand ich, daß Meditationssitzungen eine ähnliche Wirkung haben. Zu Beginn kam eine Vielzahl von Dingen hoch, die ich mitgebracht hatte, aber nach und nach wurde es weniger. Ich lernte, frischer zu sehen.«

Diese Disziplin des Sehens ist nahe dem Kern der Liebe Bouchers zur Natur angesiedelt. Als Ergebnis trägt er nur selten einen Naturführer bei sich, wenn er in die Wälder geht. »Ich nehme gewöhnlich höchstens ein Fernglas mit. Ich erinnere mich, manchmal ein Vergrößerungsglas mitgeführt zu haben, um mir Insekten und kleine Blumen anzuschauen. Aber ich nehme nur selten einen Naturführer mit, weil ich dort draußen bin, um zu beobachten. Ein Naturführer stört meine Beobachtung. Ich sehe nur die Züge, die er hervorhebt. Ich ziehe es vor, genauer hinzuschauen und mir Notizen zu machen oder soviel wie möglich zu behalten, um dann später einen Blick in den Naturführer zu werfen. Auf diese Weise sehe ich mehr. Mir geht es vor allem darum, meine Sinne soweit wie möglich zu öffnen. Die Natur ist eine wirkliche Freude für die Sinne.« Ein kürzlicher Ausflug in die Everglades ist ein gutes Beispiel. »In den Everglades ist die Pflanzen- und Tierwelt erstaunlich reich, von den Algen im Wasser bis zu den Adlern, den Störchen und den Alligatoren, die überall zu finden sind. Ich bin an sonnigen Tagen

135

durch Mangrovensümpfe gepaddelt. Obwohl es sonnig ist, sieht es so aus, als würde dicht vor dem Bug des Kanus Regen auf das Wasser fallen. In Wirklichkeit sind es Hunderttausende frisch geschlüpfter Fischchen, die dem Kanu ausweichen. Das Wasser ist wie die Ursuppe. Die Everglades zwingen einen dazu, über Ursprünge nachzudenken; über den Ursprung des Lebens, unseres Lebens, der Welt.«

Boucher fügt jedoch hinzu, daß man keine ausgefallene Landschaft aufsuchen muß, damit das einfache Vergnügen, in einen Wald einzutreten, seinen Zauber entfalten kann. Auch ein Stadtpark, und sei er noch so klein, erfüllt diesen Zweck. »Ich habe in den Mittagspausen ein wenig Vogelkunde betrieben«, sagt er, »um herauszufinden, welche Zugvögel hier zu finden sind. Ich suche eine waldige Stelle in der Nähe des Büros auf. Die Vögel unternehmen unglaubliche Flüge von Hunderten oder sogar Tausenden von Kilometern, und man macht sich das kaum bewußt. Die Menschen gehen an Gebüschen vorbei, in denen sich Ammerfinken *(Zonotrichia albicollis)* aufhalten, und sie haben keine Ahnung, daß diese Vögel unterwegs nach Südamerika sind und den Sommer über auf den Berggipfeln in Neuengland oder auf Bäumen in Kanada genistet haben.« Er schüttelt den Kopf, zugleich verwundert über die Blindheit der Menschen wie über die Schönheiten der Natur. Er fügt hinzu, daß es ein Heilmittel gegen diese Blindheit gibt. »Die sogenannte Schöpfung ist ein Wunder. Die Natur zu betrachten ist eine Art, das Wunderbare zu sehen, zu hören und zu spüren.«

Wandern als formale Übung:
Die Meditation beim Wandern

Wandern führt – wie auch andere einfache Vergnügen – nicht nur zu zufälligen Entdeckungen und Freuden; es bietet auch Gelegenheiten zu formalisierten spirituellen Praktiken. Das bekannteste Beispiel ist die Wander-Meditation oder *Kinhin*, wie es in japanischen Zen-Klöstern genannt wird. *Kinhin* wird häufig in den Sitzpausen beim *Zazen* geübt. *Zazen* ist die klassische japanische Zen-Meditation im Sitzen, die das Denken beruhigen und von Illusionen befreien soll, damit ein Zustand der nicht-dualen Achtsamkeit erreicht wird. Wir können *Kinhin* als *Zazen* in der Bewegung definieren.

Bei der *Kinhin*-Übung steht der Mönch eines Rinzai-Zen-Klosters aufrecht, die linke Faust ist in die rechte Hand gebettet und wird gegen die Brust gedrückt, der Blick ist auf einen Punkt zwei Meter vor den Füßen gerichtet. Der Mönch behält diese Haltung bei und geht mit forschem Schritt im Meditationsraum oder *Zendo* umher. Er zählt die Atemzüge, während er sich bewegt. Jeder Schritt währt einen Atemzug (Ein- und Ausatmen) lang. Der Mönch geht aufmerksam und ist sich dessen bewußt, wo und wie sein Fuß den Boden berührt. Zeigt sich eine Wand oder ein anderes Hindernis vor ihm, wendet er sich nach rechts und setzt seine Wanderung fort. In Soto-Zen-Klöstern geht der Mönch weitaus langsamer, und seine Schritte tragen in der Regel nicht mehr als 15 Zentimeter weit. Außerdem wird die rechte Faust in die linke Hand gebettet. Aber wie sehr sich auch die Einzelheiten unterscheiden mögen – die Absicht bleibt dieselbe. Es geht darum, die Aufmerksamkeit auf den Atem zu richten, während man geht, um das Denken zu klären.

Im *Vipassana* (Pali: Einsicht, Hellblick, intuitives Erkennen der drei Merkmale des Daseins – Vergänglichkeit, Leidhaftigkeit und Unpersönlichkeit)) sind Form und Absicht der Wander-Meditation (in Pali *Cankamana*) anders. Viele *Vipassana*-Klöster in Südostasien verfügen über eine »Meditations-Terrasse«, einen geraden, etwa hundert Meter langen Gehweg, auf dem die Mönche während der *Cankamana*-Übung wandeln. Das Ziel dieser Wander-Meditation besteht darin, sich des Bewegungswechsels des Körpers beim Gehen bewußt zu sein, der die vergängliche Natur aller Phänomene ausdrückt. Die meisten Vipassana-Übenden widmen der Bewegung der Füße beim *Cankamana* besondere Aufmerksamkeit. Oft zerlegen sie jeden Schritt in fünf Teile: Heben des Fußes, Vorwärtsbewegen des Fußes, Senken des Fußes, Niedersetzen des Fußes auf den Boden und Herabsenken des Körpergewichts auf den Fuß.

Meditation beim Wandern: Eine Übung für den Alltag

Man kann die formalisierte buddhistische Wander-Meditation an die Anforderungen des Alltagslebens anpassen. Sie könnten zum Beispiel eine modifizierte Meditation im Gehen beim morgendlichen Weg zum Arbeitsplatz ausführen.

Ich schlage vor, daß Sie zumindest fürs erste die Soto-Methode des langsamen und achtsamen Gehens übernehmen – aber nicht so auffällig, daß andere bemerken, was Sie tun.

Versuchen Sie, sich jede Ihrer Bewegungen bewußtzumachen – von dem Augenblick an, da Sie Ihren Fuß anheben, bis zu dem Punkt, an dem Sie ihn wieder auf die Erde setzen. Spüren Sie den Zug der Gravitation an den Fußsohlen, die Berührung des Rocks oder der Hose an Ihren Beinen. Achten Sie darauf, wie sich das Zentrum Ihres Körpergewichts verlagert, wenn ein Fuß den Boden berührt und der andere von ihm abhebt. Sobald Sie diese Grundelemente des Gehens studiert haben, können Sie sich auch die Begleitbewegungen bewußtmachen – etwa das Schwingen Ihrer Arme oder die nahezu unmerkliche Auf- und Abbewegung Ihres Kopfes. Im Laufe der Zeit sollte Ihre Aufmerksamkeit die Welt um Sie herum umfassen: das Zwitschern der Vögel, den Gestank der Auto-Auspuffgase, die Gesichter der Menschen, die Ihnen begegnen. Sie können eine Segens- oder Gebetsübung hinzunehmen, etwa die *Metta*-Praxis oder die Übung, andere Menschen als Christus zu sehen, die beide im folgenden Kapitel – »Zusammensein mit anderen« – beschrieben werden.

Einfache Vergnügen:
Eine spirituelle Ernte

Rohanas Garten

Co-Autor Paul Kaufman schreibt über einen Besuch bei seiner Freundin Rohana, über ihren Garten und ihre Achtsamkeit.

Rohanas Haus steht hinter einem Holzzaun an einer ruhigen Straße in der Stadt. Die Weinreben und Sträucher, die hinter dem Zaun wuchern, wirken wie eine Umarmung der Natur, die zugleich liebevoll und ein wenig besitzergreifend ist. In der Tat erinnert das graugestrichene Haus mit den blauen und weißen Vorhängen am Erkerfenster an ein Märchenschiff, das auf Dauer an Land angelegt hat.

Rohana steht auf einem mit roten Backsteinen ausgelegten Pfad, der – von Austernschalen und runden Steinen gesäumt – fast ganz um das Haus herum verläuft.

»Ich gärtnere nun schon seit rund dreißig Jahren«, sagt sie, als wir vor einer rostfarbenen Blüte stehenbleiben. »Wo auch immer ich lebte, hatte ich einen Garten. Er bedeutet mir sehr viel, er inspiriert zur Kreativität, fordert aber auch harte, körperliche Arbeit. Der Garten ist ein lebendes Wesen, dessen muß ich mir jeden Tag bewußt sein.«

Der Garten gehört zu Rohanas Morgenübung. Sie sitzt nach dem

139

Erwachen eine halbe Stunde lang dort und meditiert. Sie wechselt diese Sitz-Meditationen mit Meditationen im Gehen ab. Danach folgen Sprechgesänge und tiefe Verneigungen. Sie stellt den Rasensprenger an und macht einen Spaziergang auf einen Hügel in der Nähe. Danach wässert sie den Garten noch einmal gründlicher, bevor sie arbeiten geht.

»Der Buddhismus spricht von einer Pflege der Achtsamkeit als wichtigem Faktor, der zur Erleuchtung beiträgt«, sagt sie. »Wenn ich meinen Garten pflege, muß ich in allem achtsam sein, was ich tue. Bin ich es nicht, zeigen sich sofort die Folgen. Der Garten läßt es mich wissen. Wenn ich beim Unkrautjäten nicht achtsam bin, ziehe ich vielleicht eine Pflanze heraus, die ich eigentlich behalten möchte, und sie ist fort.«

Rohana und ich betreten eine Redwood-Laube, die mit den Blättern einer Concord-Weinrebe bedeckt ist. »Ich habe schöne Erinnerungen daran, als meine Kinder Weintrauben pflückten«, sagt sie. »Mein Dad war sehr groß, und es gefiel den Kindern, die Trauben zu bekommen, die so hoch hingen, daß niemand sonst sie erreichen konnte. Das hier ist eine kleine Erinnerung daran.« Sie erklärt mir, daß der Wein am Spalier hochgezogen wird, damit die Waschbären nicht an alle Trauben kommen. »Die Waschbären geben Weintrauben-Parties«, sagt sie mit einem leichten Lächeln. »Andere Tiere kommen dazu.« Rohana betrachtet dies als Teil ihrer Gabe, ein Milieu zu schaffen, das ihnen allen behagt – eine Gabe, die sie in die Lage versetzt, das vielfältige Leben im Garten bewußt wahrzunehmen.

Ich beobachte Rohana dabei, wie sie ein paar von Mehltau und Rostpilz befallene Blätter von einem Rosenstrauch pflückt. »Die erkrankten Blätter vom Rosenstrauch zu nehmen«, erklärt sie, »und sie beiseite zu schaffen, damit der Rostpilz oder Mehltau sich nicht auf andere Pflanzen ausbreitet, ist eine meditative Tätigkeit. Es hat auch viel mit Liebe zu tun. Wenn ich mich um den Garten kümmere, muß mein Denken sehr fokussiert bleiben. Ich kann den ganzen

140

Nachmittag über bis in den Abend hinein im Garten bleiben, bis es so dunkel ist, daß ich nichts mehr erkennen kann, und es kommt mir so vor, als wäre fast überhaupt keine Zeit vergangen. Ich kann mich über längere Zeit hinweg auf eine Sache konzentrieren. Und das ist sehr hilfreich.«

Rohana erwähnt, daß der Garten nicht nur reichhaltiges Leben in sich birgt, sondern auch Verfall und Tod. Dieses Wissen hält sie davon ab, ihr Herz allzusehr an irgend etwas zu hängen. Sie lernt, alles, was kommt, mit viel Gleichmut hinzunehmen. Rohana spricht von Gelassenheit. »Ich habe immer einen Komposthaufen im Garten. Wenn ich gärtnere, weiß ich, daß jeder Trieb, den ich vielleicht ›getötet‹ habe, wieder ein Teil des Gartens wird. So wird der Kreislauf des Lebens aufrechterhalten. Das Wissen um die Vergänglichkeit ist da. Es ist immer vorhanden.«

Am Tor werfen wir noch einen Blick auf den Garten zurück. »Mit das Wundervollste an einem Garten ist, daß er sein eigenes Leben hat«, sagt Rohana, »und daß dieses Leben weitergehen wird, wenn ich einmal nicht mehr bin. Ich kann etwas sehen, das mich nicht nur überleben, sondern nach meinem Tod weiter gedeihen wird. Ich habe eine Art Vision von dem, was sein wird. Ich liebe die lange Sicht – eine Sicht, die ein ganzes Leben umfaßt und noch darüber hinaus!«

Die wohltemperierte Weberin

Paul beschreibt die kleine Freude, Klavier zu spielen, während seine Partnerin Libby Colman neben ihm sitzt und webt.

Wenn sie am Ende eines Arbeitstags nach Hause zurückkehrt, ist Libby froh, wenn sie nicht mehr reden muß. Beruflich berät sie alleinstehende Mütter und Väter mit kleinen Kindern, die sich in gemeinsamen Übergangshaushalten zusammenraufen. Den ganzen

Tag lang hört sie Berichte über Probleme, stärkt die Moral, besänftigt den Zorn und schlichtet Streitigkeiten. Libbys bevorzugte Form eines meditativen Schweigens ist das Weben. Ihr Webstuhl steht in unserem Wohnzimmer, gleich neben meinem Piano.

Libby fing mit Stricken an, als sie acht Jahre alt war. »Es war sehr beruhigend«, sagt sie. »Das Garn lief mir durch die Finger wie Gebetsperlen.« Sie konnte bequem weiterstricken, während sie ihre drei Kinder aufzog. »Ich konnte die Arbeit im Handumdrehen aufnehmen oder weglegen. Das Schlimmste, was passieren konnte, war, daß die Kinder das Garn verwirrten.«

Als die Kinder groß waren, ging Libby nach Arizona und zog zu einer Familie von Navajo-Webern am Canyon de Chelly, um deren Webkunst zu erlernen. Sie schlug ihr Zelt am Rand des Canyons auf, meditierte jeden Morgen und verbrachte zwei Wochen lang acht bis zehn Stunden täglich mit Weben.

Die Webstühle der Navajo-Indianer sind so konstruiert, daß man den Fortschritt der Arbeit verfolgen kann. »Ich liebe es, meine Weberei wachsen zu sehen«, sagt sie. Das Erlernen der Webkunst ging mit einer Veränderung in Libbys Leben Hand in Hand – es fiel mit dem Ende ihrer Tätigkeit als Mutter und dem Beginn eines tiefen Nachdenkens über das Muster ihres Lebens zusammen.

Nach dem Mittagessen, kurz vor dem Schlafengehen oder an einem Sonntagmorgen geht Libby an ihren Webstuhl, und ich setze mich an mein Piano. Webstuhl und Piano stehen nebeneinander; Libby und ich sitzen Seite an Seite – wie Kopiloten an einer vorindustriellen Zeitreise-Apparatur. Ich spiele einen Duke-Ellington-Song mit dem Titel »Lost in Meditation«, in dem ein Liebhaber sich träumerisch dem Gefühl hingibt, wieder bei der Geliebten zu sein, die jedoch nicht länger unter den Lebenden weilt. Während ich diese Musik spiele, schlägt sie mich in ihren Bann, und ich fühle mich befreit. Wie ist das möglich? Die gedruckten Noten auf den Seiten sind fertig geformt und festgehalten; unverändert und unveränderlich. Wie kann etwas derart Fixiertes eine solche Freiheit vermitteln?

142

Auf ähnliche Weise bestimmen Schuß und Kette das Muster eines gewebten Teppichs. Die Muster entwickeln sich aus abstrakten, geometrischen Formen in Libbys Kopf – über eine Skizze auf Millimeterpapier zu dem farbigen Gesichtsfeld, das beim Weben ihre gesamte Realität wird. Der Teppich, an dem sie zur Zeit arbeitet, ist ein Hochzeitsgeschenk für ihren Sohn Jonah und Rupam, ihre künftige Schwiegertochter. Sie webt Garn mit in das Muster ein, das Rupams verstorbener Großmutter gehörte.

Beim Weben kommen Libby Gedanken in den Kopf: Gedanken an die Vergangenheit und die Zukunft; an Rupams Großmutter und die ungeborenen Enkelkinder; Gedanken an uns beide.

Ich habe das erste Präludium von Bachs »Wohltemperiertem Klavier« vielleicht schon hundertmal zuvor gespielt, aber es verlangt jedesmal eine Ehrerbietung von mir. Das Präludium verlangt von mir, daß ich getreu seine verborgenen Absichten wiedergebe und es hier und jetzt zum Leben erwecke – aber mit meinem eigenen Sound, meiner eigenen Interpretation. Seine Phrasen werden zu einem unerschütterlichen, vollkommenen Gebet. Beethoven hat einmal gesagt: »Es ist ein spiritueller Rhythmus nötig, um das Wesen der Musik zu erfassen. Musik verleiht dem Denken eine Beziehung zur totalen Harmonie …, die Einheit ist.«

Libby sagt, daß die Musik, die ich spiele, ihr beim Weben den Rhythmus angibt. Ohne mich vom Klavierspiel ablenken zu lassen, bin ich ihrer Präsenz neben mir gewahr. Des Zeitablaufs nicht bewußt, meditieren wir im spirituellen Rhythmus – Muster im Gewebe und in der Musik – in Zweisamkeit und in Einheit.

Die drei spirituellen Prinzipien
der einfachen Vergnügen

Eigentlich ist niemand auf Hinweise in bezug auf die Praxis der einfachen Vergnügen angewiesen. Abgesehen von dem Cartoon-Tycoon, der im Liegestuhl am Strand liegt, einen Minze-Cocktail in der Hand, immer noch sein *Wall Street Journal* durchackert und über Geschäfte spricht, kennen wir alle den Wert regelmäßiger Pausen in unserer gewöhnlichen Tätigkeit. Es gibt aber drei Prinzipien, die uns helfen können, die spirituelle Ernte unserer bevorzugten Freizeitbeschäftigung einzuholen.

Wählen Sie das einfache Vergnügen, das Ihnen zusagt

Einfache Vergnügen sollten unser inneres Leben fördern; es ist klar, daß Petit-point-Stickerei oder Fliegenfischen dem Glücksspiel und dem Handfeuerwaffentraining vorzuziehen sind. Aber es geht nicht nur darum, das Laster zu vermeiden. Jeder von uns neigt in seiner inneren Entwicklung mal dieser, mal jener Seite zu, und die kleine Freuden helfen uns, das Gleichgewicht zu finden. Im Westen sind die meisten Menschen in Dienstleistungsberufen tätig, die häufigen Kontakt mit anderen mit sich bringen – und oft auch Reibereien. Wenn Sie bemerken sollten, daß Sie auf andere Menschen gereizt reagieren, haben Sie um so mehr Grund, sich einem kleinen Vergnügen hinzugeben, das Ihnen ein gewisses Maß an Stille und Alleinsein verschafft. Ein Freund von mir verbringt seine Tage damit, Scharen übermütiger Teenager, die nichts als Streiche im Kopf haben, Physik beizubringen, und so wundert es nicht, daß er seine Nächte auf einer Wiese in der Nähe seiner Wohnung verbringt, wo er Raubvögel bei ihren Beutezügen beobachtet. Wenn eine große Ohreule im Sehbereich seines Fernglases auftaucht, erlebt mein Freund einen Moment eines maßvollen, aber intensiven Hochgefühls. Er betritt die Welt des absoluten »Andersseins«, die Norman Boucher in den Mangrovensümpfen entdeckt. Er findet ein kostbares Stück Frieden, wenn er dieses geheimnisvolle Geschöpf – dieses uralte Symboltier der Weisheit und des Todes – bei seiner eigenen täglichen (oder vielmehr nächtlichen) Routine beobachtet.

Kein einfaches Vergnügen bleibt einfach ohne willentliche Anstrengung

Mein Freund, der Eulenbeobachter, erinnert sich daran, sein einfaches Vergnügen vor ein paar Jahren in eine komplizierte Quälerei verwandelt zu haben, indem er sich einen Haufen optische Geräte, Naturführer, Feldstühle und dergleichen beschaffte. Schon bald verbrachte er so viel Zeit mit der Justierung seiner optischen Ausrüstung, daß ihm keine Zeit mehr blieb hindurchzuschauen. Zum Glück brachte ihn die erneute Lektüre von *Walden* wieder ins Lot. Er las Thoreaus Rat, zu »vereinfachen, vereinfachen, vereinfachen«, stutzte seine optische Ausrüstung auf ein einfaches Fernglas zurück, und heute erfreut er sich jede Nacht an der dunklen Schönheit der Ohreule. Andererseits spricht vieles dafür, daß man sich gut vorbereiten sollte. Rohanas Garten gedeiht, weil sie sich über Blüten, Knospen, Dünger und dergleichen informiert hat. Norman Boucher zeichnet ein düsteres Bild von Naturliebhabern, die in die Wälder gehen, ohne eine Vorstellung zu haben, nach was sie Ausschau halten sollen. Ihr Traum ist es, mit unschuldigen Augen zu sehen; die Realität ist, daß sie mit unvorbereiteten Augen sehen und folglich beinahe nichts erblicken. Selbst das einfachste Vergnügen ist eine Kunst – eine Disziplin, die Zeit und Mühe verlangt.

Jedes einfache Vergnügen ist eine Gelegenheit zu Achtsamkeit und Gebet

In dieser Hinsicht unterscheiden sich einfache Vergnügen nicht im geringsten von anderen Tätigkeiten: Beides kann ein Einstieg in die Kontemplation sein. Das heißt aber nicht unbedingt, daß Sie Ihren Zeitvertreib in ein fest durchstrukturiertes Exerzitium, in ein Achtsamkeitstraining verwandeln sollten, bei dem Sie besonders auf Ihre Atmung oder einen anderen physiologischen Vorgang achten müssen. Es kann einfach nur bedeuten, daß Sie allem, was auch immer Sie augenblicklich tun mögen, mehr Aufmerksamkeit entgegenbringen. Wenn Sie stricken, erfreuen Sie sich am Aufblitzen der Nadeln, dem Vorbeistreifen des Garns an Ihren Fingern, der Entstehung eines Musters aus dem Chaos. Wenn Sie Schlittschuh laufen, erfreuen Sie sich des kalten Luftzugs an den Wangen, des Eisschimmers, des schwerelosen Gleitens. Genießen Sie die einfachen Vergnügen, »betrinken« Sie sich an ihnen. Wie Norman Boucher über das Wandern in den Wäldern sagte, führen diese Freuden uns aus uns selbst heraus und zugleich in uns hinein: aus der Hybris in die Demut; aus dem Trott in die Freiheit; aus der Phantasie in die Wirklichkeit.

Kapitel 6
Zusammensein
mit anderen

Die Annalen der Erforschung der Welt enthalten mehr, als die wunderlichen Geschichten darüber mitteilen: fruchtbare Täler in den Tiefen der Antarktis; abscheuliche Schneemenschen im Himalaja – Geschichten dieser Art, die, würden sie nicht von achtbaren Leuten weitererzählt, auf die Bücherständer an den Supermarktkassen verbannt wären. Von den seltsamen Geschichten, die sich um die Erforschung der Welt ranken, ist vielleicht keine so wunderlich oder im spirituellen Sinne so herausfordernd wie die Berichte über einen »unsichtbaren Begleiter«.

Das Phänomen wurde von jedem Kontinent berichtet: Ein Alpinist oder Polarforscher, der unter härtesten Bedingungen allein unterwegs ist, ahnt plötzlich die Gegenwart einer anderen Person, eben eines »unsichtbaren Begleiters«, dessen reines Dasein Beistand und Hoffnung verheißt. Vielleicht der interessanteste Bericht dieser Art stammt von Francis Sydney Smythe. Er beschreibt die »Präsenz«, die ihn 1933 auf der schwierigsten Strecke seines Aufstiegs auf den Mount Everest begleitete:

In ihrer Begleitung konnte ich mich nicht einsam fühlen, und es konnte mir kein Unglück zustoßen. Sie war immer da, um mir bei meinem einsamen Aufstieg in die schneebedeckten Hänge zu helfen. Als ich innehielt, um ein Pfefferminzplätzchen aus der Tasche zu holen, war sie so nahe und so deutlich spürbar, daß ich das Pfefferminzplätzchen instinktiv halb durchbrach und mich mit einer Hälfte in der Hand umwandte, um es meinem »Begleiter« anzubieten.[1]

Für die Bestseller-Autorin Sophy Burnham sind derartige Präsenzen sehr wahrscheinlich Engel; für einen Psychiater kann es sich um Projektionen aus dem Unbewußten handeln. Aber wie auch immer die Erklärung lauten mag, die von Fall zu Fall unterschiedlich sein kann – alle Berichte über unsichtbare Begleiter lehren dieselbe Lektion: Daß das Bedürfnis, mit anderen zusammenzusein, ein ebenso heftiges Verlangen wie Hunger, Durst oder ein sexuelles Bedürfnis ist. Wer zu lange allein ist, verkümmert und verhärtet sich wie ein Baum auf einer windgepeitschten Höhe. Als der Blick von Daniel Defoes fiktionalem Helden Robinson Crusoe nach einem Dutzend Jahren Einsamkeit, die nur durch die gelegentliche Gesellschaft von Schildkröten und Bergziegen unterbrochen wurde, auf Freitag fiel, kannte sein Glück keine Grenzen mehr. Er schreibt: »Eine geheime Freude [erfüllte] jeden Teil meiner Seele.« Robinson spricht für uns alle. Wir freuen uns über unsere Eltern, unsere Geschwister, unsere Kinder – jene Gemeinsamkeit des Blutes und der Gesinnung, die wir Familie nennen. Wir freuen uns über unsere Freunde: über ihre Freundlichkeit, ihre Begeisterung, sogar über ihre Exzesse. Wir freuen uns über unsere Liebhaber, über die reine Berührung menschlicher Haut. Wir freuen uns über unsere gemeinsame Existenz, und wir versammeln uns in Kirchen, Synagogen, Moscheen, Tempeln, Zendos, Ashrams, um gemeinsam die Mysterien des Lebens zu feiern.

Nichts bringt uns größere Freude als ein anderer Mensch. »Welch ein Werk ist ein Mensch!« ruft Shakespeare in *Hamlet* aus. »Wie vornehm in seiner Vernunft, wie grenzenlos in seinen Fähigkeiten, wie unzweideutig und bewundernswert in der Gestalt und in den Bewegungen – im Handeln wie ein Engel, vom Verstand her wie ein Gott.« Wir lieben nur, was menschlich ist. Wir respektieren Tiere, die auf eine fremdartige Weise anders sind (die geschuppte Schlange, den achtgliedrigen Tintenfisch), aber wir beten Geschöpfe an, die uns ähnlich sind (das knuddelige Hundejunge, der mutige Löwe). Selbst das Göttliche muß eine menschliche Form annehmen, um unsere Aufmerksamkeit zu erregen: Die Weisheit wird zur Sophia, einer blendendschönen Frau, und Gott ein brillanter alter Mann.

Aber das ist nur die halbe Geschichte.

Wir müssen uns auch eingestehen, daß nichts uns größere Verzweiflung bereiten kann als andere Menschen. »Die Hölle, das sind die anderen«, sagt Jean-Paul Sartre. Welch ein Bild: Der Mensch als Abgrund der Verzweiflung, als die stygische Finsternis. Es ist unmöglich, das Fünkchen Wahrheit in diesem düsteren Urteil zu übersehen.

Sogar Heilige haben gelegentlich soziale Probleme – um wie vieles schwieriger ist das Zusammenleben mit anderen für uns gewöhnliche Menschen! Wie oft empfinden wir andere als Plagen oder Störenfriede! Es ist einfach genug, in einer einsamen Zuflucht ruhig und gesammelt zu sein. Man denkt voller Zuneigung an seine Freunde, sehnt sich sogar nach ihrer Gesellschaft. Aber es ist eine gänzlich andere Sache, sie bei den Irrungen und Wirrungen des Alltagslebens dabeizuhaben. Nur zu häufig verwandelt sich der Halbgott der Erinnerung in den Dämon der Wirklichkeit.

Was also ist der Mensch – ein Lichtstrahl des Himmels oder ein Abglanz der höllischen Gluten? Die Wahrheit liegt zweifellos irgendwo dazwischen. Menschen wurden zutreffend als Geschöpfe beschrieben, die mit den Füßen in der Gosse stehen und den Blick auf die Sterne richten. C. S. Lewis schreibt: »Menschen sind Amphibien – halb Geist, halb Tier.«

Genau dieser ambivalente Aspekt des Menschen macht ihn so bedeutsam für unser inneres Leben. Wenn wir einer anderen Person begegnen, wissen wir niemals, was uns erwartet. Wir können ein Gespräch mit der Frau anfangen, die neben uns im Bus sitzt, und eine Freundin fürs Leben gewinnen. Ein Mitschüler auf der High-School kann uns um Mitternacht anrufen, um uns seine größte Sünde zu beichten.

Angesichts des unvorhersehbaren Verhaltens anderer Menschen

– das heißt, mit dem unauslotbaren Geheimnis dieses Geschöpfes, das »halb Geist, halb Tier ist«, konfrontiert – müssen wir auf der spirituellen Hut sein. Die ungeheure Größe der Aufgabe, die uns erwartet, läßt sich anhand dieses alten christlichen Sinnspruchs erkennen:

Der Wille Gottes, das sind die anderen Menschen.

Wie können wir die Tiefen dieses ungewöhnlichen Ausspruchs ausloten? Er läßt vermuten, daß die anderen Menschen als Tore zum Göttlichen dienen; daß Gott durch jede Begegnung mit unseren Mitmenschen zu uns spricht.

Es folgen drei der Segnungen, die uns aus dem Zusammensein mit anderen erwachsen können:

1. *Ein Zusammensein mit anderen zeigt uns neue Denkweisen und andere Arten zu empfinden auf.* Wie belesen, gebildet oder weitgereist wir auch sein mögen – unser Horizont bleibt entsetzlich begrenzt. Andere Menschen verleihen uns eine neue Perspektive. Eine einstündige Unterhaltung mit der richtigen Person im richtigen Augenblick kann ein Leben der Ignoranz beenden. Ich denke an ein Motiv, das in Sagen und Märchen häufig auftaucht: ein Mann, der jahrzehntelang vergeblich nach einem vergrabenen Schatz sucht, nach einer wertvollen Schrift oder nach einer verschwundenen Geliebten. Schließlich – am Ende seiner vermeintlichen Möglichkeiten – bereitet er sich aufs Sterben vor, indem er sein Geld dem nächstbesten Wanderer schenkt, den er trifft. Und diese Zufallsbekanntschaft erweist sich als der Retter, der den Protagonisten durch ein paar ausgewählte Worte der Erfüllung seines Herzenswunsches entgegenführt.

2. *Mit anderen zusammenzusein lehrt uns die Wahrheit über uns selbst.* Wenn ich zehn Minuten lang mit einem Menschen zusammen bin, der in seiner Mitte ruht, wird mir mein eigener, verwirr-

150

ter Zustand nur allzu offensichtlich. Verbringe ich zehn Minuten mit einem verwirrten Freund, wird mir entsprechend meine Unfähigkeit zu helfen offenbar. Das Zusammensein mit anderen zeigt uns unsere Grenzen. Es zerstört unsere von der Eigenliebe geschaffenen Illusionen.

Ebenso läßt es unsere Stärken zutage treten. Sie bemerken vielleicht, daß Sie besser stillsitzen, klarer denken oder besser arbeiten können als Ihr Nachbar. Dieses Wissen ist von unschätzbarem Wert, weil es Ihnen zeigt, welche Gaben Sie besitzen und im Dienst an anderen Menschen einsetzen können, und weil es eine Versuchung zum Stolz darstellen kann. Alle Versuchungen dieser Art sind wertvoll. Ein Bodybuilder baut seine Muskeln auf, indem er gegen die Schwerkraft ankämpft; wir bauen unser inneres Leben auf, indem wir der Macht der Versuchung widerstehen.

3. *Das Zusammensein mit anderen lehrt uns, daß wir Liebe finden, indem wir lieben.* Das ist das große geistige Gesetz. Je mehr man sät, desto reicher fällt die Ernte aus; je mehr wir geben, desto mehr erhalten wir. Liebe läßt sich nicht definieren; Wörterbücher scheitern an dieser Aufgabe und verweisen auf bemühte Erklärungen und Synonyme wie »Zuneigung«, »gefühlsmäßige Bindung«, verbunden mit der »Bereitschaft, Opfer zu bringen und zu helfen«. All dies sind natürlich großartige Dinge, aber keines davon ist Liebe. Liebe entzieht sich, wie auch das Leben, der Definition. Im Johannesevangelium heißt es schlicht und einfach: »Gott ist die Liebe.« Jeder Mensch, welchen Glaubens auch immer er sein mag, kann die Bedeutung dieser eleganten Gleichung verstehen. Ohne Liebe haben wir kein Leben, und Liebe ist das Leben, das wir haben, wenn wir mit anderen zusammen sind.

Kontemplative Nahaufnahme: Gastfreundschaft

Fast allen großen Erzählungen für Kinder ist gemeinsam, daß sie die Gastfreundschaft rühmen. In *Homeward Bound* entdeckt ein zurückgezogen lebender Naturforscher eine Katze namens Sassy, die einen Wasserfall herabstürzte und jetzt benommen und krank ist. Getreu der Moral der Kinderbücher wickelt er das Tier in seinen Mantel, trägt es in seine Hütte, füttert es mit Milch und Brot, wärmt es unter seiner Wolldecke und pflegt es wieder gesund. In *The Lion, the Witch, and the Wardrobe* nimmt der Faun Tumnus unter großen persönlichen Gefahren Lucy in seinem Bau in Narnia auf, einer »kleinen, trockenen, sauberen Höhle aus rötlichem Stein, mit einem Teppich an der Wand und zwei kleinen Stühlen (›einer für dich und einer für eine Freundin‹, sagte Mr. Tumnus)«.[2] In *The Hobbit* versorgt Bilbo Baggins, der sich normalerweise nach Ruhe und Alleinsein sehnt, eine ganze Zwergenbande mit Himbeermarmelade und Apfelkuchen, Minzpastetchen und Käse, Bier und Kaffee.

Die Ursache für diese allgemein übliche Großzügigkeit scheint auf der Hand zu liegen. Kinderbücher beschäftigen sich mit den wichtigsten und tiefsten Dingen: mit Mut, Liebe und Opfer; mit der Krönung von Königen und dem Erschlagen von Drachen; mit dem Triumph der Tugend in all ihren Formen. Und keine andere Tugend gilt soviel wie die Gastfreundschaft. Diese Wahrheit kann jedermann bezeugen, der einmal auf Gastfreundschaft angewiesen war. Wir alle waren schon einmal auf einen Gastgeber angewiesen. Wir alle waren schon einmal einen Tag lang ohne Heim – sei es aus Armut oder weil wir eine Zugverbindung verpaßt haben oder weil wir im Regen Autos anhalten wollten, aber keines hielt, um uns mitzunehmen. Ich habe einmal eine halbe Nacht mit dem Versuch zu trampen auf den Straßen von Poughkeepsie, New York, verbracht, nachdem meine Freundin vom Vassar College vergeblich versucht hatte, einen Platz zu finden, wo ich bleiben konnte. Das ist schon einige Jahrzehnte her. Damals war Vassar eine reine Mädchenschule, an der adleräugige Matronen die Schlafsäle durchsuchten und jedes männliche Wesen verscheuchten, das dumm genug war, nach dem Schrillen der Neun-Uhr-Glocke zu bleiben. Poughkeepsie war naß, kalt und unfreundlich, und ich erinnere mich noch heute an die Freude, die mich durchrieselte, als ich eine nicht verschlossene Münzwäscherei entdeckte. Den Rest der Nacht verbrachte ich verhältnismäßig behaglich zwischen zwei Wäschetrocknern, deren Wärme und gemütliches Rumoren, das ich mittels einer Handvoll Vierteldollarstücke immer wieder in Gang setzte, mir die lebenslange Überzeugung einpflanzte, daß sogar Maschinen Gastfreundschaft praktizieren können.

Und um wie vieles größer ist menschliche Gastfreundschaft! Der chassidische Weise Rabbi Nachman aus Breslau sagt: »Gastfreundschaft ist sogar noch größer, als rechtzeitig im Haus des Thora-Studiums einzutreffen.« Wenn Menschen einander ihre Häuser öffnen, öffnen sie zugleich ihre Herzen. Grenzen werden beseitigt, Feindseligkeiten vergessen, Freundschaften besiegelt. Gastfreundschaft macht Brüder und Schwestern aus uns allen. Ihre magische Kraft, Differenzen zu lindern und gegensätzliche Standpunkte einander näher zu bringen, zeigt sich schon in der indogermanischen Wortwurzel *ghosti:* der freundlich aufgenommene oder aber feindlich abgewiesene »Fremdling«. Die Gastfreundschaft holt den Fremden ins Heim und verwandelt ihn in einen Gast – eine Person, die spirituell dem Gastgeber gleichzusetzen ist.

Das Willkommen in der Wüste

In den großen Glaubensbekenntnissen des Westens – Judentum, Christentum und Islam – symbolisiert ein einzelnes Bild, das in die Bibel und in den Koran aufgenommen wurde, die Gastfreundschaft und offenbart deren religiöse Ursprünge: der große Patriarch Abraham, der aus seinem Zelt tritt, das er unter den Eichen Mamres aufgeschlagen hatte, um drei Fremdlinge zu begrüßen, die von der Wüste her kommen. Abraham verneigt sich bis zur Erde vor den Männern und bietet ihnen Wasser, Brot und Schatten an. Er befiehlt seinem Knecht, ein Kalb zu schlachten und zuzubereiten, und seinem Weib Sara, Kuchen zu backen. Dann bringt er den Fremden alles, was sie sonst noch brauchen. Zum Dank versichern die geheimnisvollen Fremdlinge ihm, daß seine Frau, die bisher nicht geboren hatte, einen Sohn zur Welt bringen werde.

Die Beduinen der arabischen Wüste, die schon seit langem wegen ihrer Pflege der Gastfreundschaft *(Diyafah)* gerühmt werden, sprechen oft über die Geschichte von Abraham, die, wie sie sagen, im Koran mehrmals auftaucht – in Erzählungen, die die gegenseitige Höflichkeit des Patriarchen und seiner Gäste betonen. Tatsächlich weigern sich die Besucher in einer Version des Berichts (Sure 11, 73), das gebratene Kalb, das Abraham ihnen anbietet, anzunehmen; eine Zurückweisung, die ihn mit Furcht und Verwirrung erfüllt.

»Gastfreundschaft«, sagt Mohammed, »ist ein Recht«, und es zu mißachten heißt, die Religion selbst und die Gesellschaft mit Füßen zu treten.

Die Beduinen besitzen einen reichen Schatz an Erzählungen über Gastfreundschaft. Zu ihren Volkshelden zählen der Krieger-Poet Hatim al-Ta'i, der seine Kamelherde opferte, um eine größere Gruppe Fremder bewirten zu können, und der Mann, der sich damit brüstete, selbst sein Hund pflege die Gastfreundschaft, und zum Beweis auf die vielen Fliegen an dem Tier deutete. Oft betonen diese Erzählungen – wie auch Berichte von Reisenden – die enge Beziehung zwischen Gast und Gastgeber. W. Thesiger schreibt in *Arabian Sands:*

Ich dachte über diese Gastfreundschaft in der Wüste nach und verglich sie mit der unseren. Ich erinnerte mich an andere Lager, wo ich geschlafen hatte, an Zelte, auf die ich in der syrischen Wüste gestoßen war und in denen ich die Nacht verbracht hatte. Hagere Männer in Lumpen und hungrig schauende Kinder hatten mich begrüßt und mit den blumigen Worten der Wüste willkommen geheißen. Später setzten sie mir ein üppiges Mahl vor: Reis, um das Schaf gehäuft, das sie geschlachtet hatten, und über den mein Gastgeber flüssige, goldgelbe Butter goß, bis sie überfloß und den Sand tränkte; und als ich Einspruch erhob und »genug, genug« sagte, erwiderte er, ich sei hundertmal willkommen. Ihre überschwengliche Gastfreundschaft führte immer wieder dazu, daß ich mich unbehaglich fühlte, denn ich hatte erfahren, daß sie in der Folge tagelang hungern mußten. Trotzdem hatten sie mich, als ich sie verließ, fast davon überzeugt, daß ich ihnen eine Freundlichkeit erwiesen hatte, indem ich bei ihnen war.[3]

Der Konkurrenzkampf ist unter den Beduinen so heftig, daß er ihren Bedarf an Feinden deckt. Wenn ein Fremdling auftaucht, kommen die Männer eilends aus ihren Zelten hervor und rufen: »Möge ich meine rechte Hand verlieren, wenn du nicht an meinem Zelt absteigen willst.«[4] H. R. P. Dickson, ein Engländer, der als Säugling eine Beduinin als Amme hatte und sich deshalb allen Beduinen durch Blutsbande verwandt fühlte, berichtet von einer weiteren Begrüßung:

O unser Gast, auch wenn du es warst, der kam, auch wenn du es warst, der uns besuchte, und auch wenn du unsere Hütten beehrt hast, sind in Wahrheit wir die Gäste, und du bist der Herr dieses Hauses.[5]

Eine dritte, sehr weit verbreitete Begrüßung lautet: »Du bist in deiner Familie.« In der Tat gehören Gast und Gastgeber zu *einer* Familie, sobald sie in einem Zelt zusammensitzen. Als Folge dieses ungewohnten Verständnisses garantiert man dem Fremdling Sicherheit, wenn man ihn willkommen heißt – selbst dann, wenn er sich als tödlicher Feind entpuppt. Während seines Aufenthalts herrscht eine in allen Einzelheiten vorgeschriebene Etikette. Der Gastgeber ist dazu verpflichtet, seinem Gast nicht von der Seite zu weichen, ihm das beste Essen und Trinken anzubieten und ihm in jeder Hinsicht zur Verfügung zu stehen, ohne nach seinem Namen oder dem Zweck seiner Reise zu fragen.

Was steckt hinter dieser bedingungslosen Gastfreundschaft der Beduinen? Was können wir aus ihr lernen?

- *Gastfreundschaft ist ein göttliches Gebot.* Für Beduinen bedeutet dies an erster Stelle, daß Gastfreundschaft ihr Verhältnis zu Gott verbessert. Wenn Beduinen den Islam annehmen, werden sie *Djar,* das bedeutet »ein geschützter Nachbar«. Sie stehen unter dem Schutz Gottes und nehmen seine Gastfreundschaft an. Alle weltliche Gastfreundschaft wird als Ausweitung dieser göttlichen Gastfreundschaft verstanden; als ein Widerschein der Güte Gottes.

- *Gastfreundschaft bietet Solidarität in der Not.* Die Beduinen bewohnen eine unwirtliche Landschaft aus Sand, Sonne und Wind, in der Gastfreundschaft den Unterschied zwischen Leben und Tod ausmachen kann. Die Wohltätigkeit der Gastfreundschaft stellt deshalb einen getreuen Ausdruck der Goldenen Regel dar: »Behandele andere so, wie du dir wünschst, daß andere dich behandeln.«

• *Gastfreundschaft lehrt die Freude, sich selbst leer zu machen.* Die Beduinen schonen weder sich selbst noch ihre Besitztümer, wenn es darum geht, gastfreundlich zu sein. Es handelt sich oft um ein wirkliches Opfer; es ist nicht leicht, seinen letzten Bissen Nahrung oder sein Zelt mit jemandem zu teilen, den man niemals zuvor gesehen hat. Und doch finden die Beduinen durch dieses demütige Opfer zugunsten der Bedürfnisse anderer eine besondere Qualität von Leben. Lesen Sie, was Théodore Lascaris, ein Gesandter Napoleon Bonapartes, über die Gastfreundschaft berichtet, die er im Zelt einer Beduinenwitwe erlebte. Obwohl mittellos, schlachtete und briet diese Frau ihr letztes Schaf, um es ihrem Gast vorzusetzen. Als er sie nach dem Grund für diese ungewöhnliche Geste fragte, erwiderte sie: »Wenn du das Heim eines lebenden Menschen betrittst und dort keine Gastfreundschaft findest, ist es so, als würdest du einen Toten besuchen.«[6]

Hier entdecken wir ein großes Gesetz des spirituellen Lebens: Sich selbst zu verleugnen, um anderen zu dienen, bringt Frieden und Glück mit sich. »Nur die Niedrigen«, sagt Rabbi Simhah Bunam aus Przysucha, »sind fähig, die Größe Gottes zu begreifen.« Rabbi Nachman aus Breslau, der das Paradox liebt, sagt: »[Demut] bringt den Menschen weiter und verhindert, daß er von seiner Höhe hinunterfällt ... Wir müssen beten und Gott bitten, daß er uns der wahren Demut und Niedrigkeit würdig macht.«[7]

Die Beduinen leben jeden Tag auf dieser paradoxen Leiter der Demut, auf der jene, die hinabsteigen, erhöht werden, und jene, die hinaufklettern, sich am Boden wiederfinden. Sich selbst leer machen bringt Selbsterfüllung; dies wird ganz deutlich aus Thesigers abschließendem Kommentar über seinen Aufenthalt bei den Beduinen ersichtlich: »Als ich sie verließ, [hatten sie mich] fast davon überzeugt, daß ich ihnen eine Freundlichkeit erwiesen hatte, indem ich bei ihnen war.«

Den anderen als Gott sehen

Ich habe im 4. Kapitel kurz auf die wohltätige Arbeit Mutter Teresas hingewiesen, die Maden aus dem entzündeten Fleisch der Armen Kalkuttas entfernte und diese leidenden Seelen dann in ihr Heim führte, wo sie Nahrung, Unterkunft, Kleidung und Liebe fanden. Wie hatte sie die Kraft dazu? Wie konnte sie die Häßlichkeit, den Gestank, die Gewalt, das Leid ertragen? Zum Teil, weil sie eine ähnliche Lektion in Demut wie die Beduinen gelernt hat. »Ich bin Gottes Schreibstift«, hat sie gesagt, »ein winziger Stift, mit dem er schreibt, was er will.«[8]

Aber es geht um noch etwas anderes, möglicherweise noch Fundamentaleres. Die meisten Menschen, die der Bettler Kalkuttas ansichtig werden, sehen nichts weiter als Schmutz, Krankheit und Schmerz. Sie murmeln ein Gebet oder spenden eine kleine Münze, wenden den Kopf ab und eilen weiter. Aber wenn Mutter Teresa diesen menschlichen Abfall anschaute, sah sie das Gesicht Gottes:

In den Slums erblicke ich Christus in der erschreckenden Verkleidung der Armen … Diese Leprakranken, diese Sterbenden, diese Hungrigen, diese Nackten: sie sind Jesus! … Es ist ein Privileg für uns, ihnen dienen zu dürfen, denn indem wir ihnen dienen, dienen wir in Wahrheit Christus selbst, der gesagt hat: »Ich war hungrig, ich war nackt, ich war fremd, ich war krank … Und ihr habt mir geholfen.«[9]

158

Gott in anderen Menschen zu sehen heißt, ihr Elend ebenso wie ihre Glorie zu teilen. Es ist nicht angenehm, Lepröse zu waschen oder Sterbende zu füttern. Aber Mutter Teresa fand in diesen Tätigkeiten »etwas Schönes für Gott«. Mit dem Schönen meint sie hier nicht einen Schmuck, der die Augen erfreut, oder einen betörenden Glanz. Sie spricht von der Schönheit, die man durch die Gastfreundschaft erlangt, in der man sich selbst leer macht und in der – wie die Beduinen wissen – aus dem Gast der Gastgeber wird und aus dem Gastgeber ein Diener. Lesen Sie diesen Auszug aus ihrer Rede anläßlich der Überreichung des Nobelpreises:

[Wir] müssen einander geben, bis es weh tut. Es ist nicht genug, wenn wir sagen: »Ich liebe Gott, aber ich habe keine Liebe für meinen Nächsten.« Der Apostel Johannes sagt, daß du ein Lügner bist, wenn du Gott liebst und deinen Nächsten nicht liebst. Wie kannst du Gott lieben, den du nicht siehst, wenn du deinen Nächsten, den du siehst, den du berührst, mit dem du zusammenlebst, nicht liebst? Also ist es für uns sehr wichtig zu erkennen, daß Liebe weh tun muß, um real zu sein.[10]

Die Regeln der Gastfreundschaft

Wir können die Lektionen der Beduinen und Mutter Teresas, von Balbo Baggins und Tumnus, dem Faun, in zwei goldene Regeln der Gastfreundschaft zusammenfassen:

- *Gedenke der anderen.* Deine Gäste brauchen deine Hilfe. Eile, ihnen zu helfen – mit Nahrung und Unterkunft, Wärme und guten Nachrichten. Indem du so handelst, handelst du wie Gott, der unsere Not ohne Zögern oder Knausern lindert.
- *Denke nicht an dich selbst.* Du bist hier, um zu dienen – nicht, um bedient zu werden. Der Herd, die Küche, das Bett gehören

dir; deine Bedürfnisse sind befriedigt worden – zumindest deine körperlichen. Und was deine spirituellen Bedürfnisse betrifft, so sorge selbst dafür, indem du anderen mit offenen Armen und offenem Herzen hilfst.

Zusammensein mit anderen: Eine spirituelle Ernte

Freigebigkeit

Vor ein paar Jahren saß ich einmal in einem Eiscafé und teilte einen Becher Schokoladen-Joghurt-Eis mit meinem Sohn John, als ich dicht hinter mir jemanden husten hörte. Ich wandte mich um und sah mich Auge in Auge einem jungen Mann gegenüber, der nur aus Haut und Knochen zu bestehen schien, schlecht rasiert war und in einem Arbeitsanzug der Armee steckte. Ein kleines Mädchen war bei ihm. Ich bedaure, es zugeben zu müssen, aber ich fühlte mich gestört, denn dieses Gespenst mit dem armen Würmchen an seiner Seite hatte ein angenehmes Gespräch unterbrochen. Ich wartete ungeduldig darauf, daß er sprach.
»Bitte, entschuldigen Sie«, sagte er und machte eine unbestimmte Geste zum Fenster hin, »ich … meine Frau und meine Kinder und ich … unser Wagen hat eine Panne. Wir brauchen zwanzig Dollar, um ihn reparieren zu lassen. Wir möchten heim, nach Ludlow.«
Zwanzig Dollar? Sofort stieg Ärger in mir auf. Meine Brust und der Solarplexus verkrampften sich. *Man will dich auf den Arm nehmen,* dachte ich. *Das ist wieder mal so ein Betrüger wie damals der Kerl in New York City, der eine erfundene Geschichte über einen verpaßten Bus und eine kranke Mutter erzählte und mir glatt fünfzig Dollar aus der Tasche zog.* Also schaute ich dem Mann in die Augen und log ihm ins Gesicht:

»Tut mir leid, aber ich habe kein Kleingeld.«

Ich wandte mich meinem Sohn zu, und dann geschahen mehrere Dinge zugleich. Es wurde mir bewußt, daß ich gelogen hatte und daß mein Sohn gehört hatte, wie ich log (wenn ich auch sicher war, daß er keine Ahnung vom Wert des Geldes hatte). Im nächsten Moment erkannte ich mit unerschütterlicher Gewißheit, daß der Bettler mir die Wahrheit erzählt hatte. Ich drehte mich um, bereit, ihm zu geben, was er haben wollte – eben noch rechtzeitig, um ihn durch die Tür des Eissalons verschwinden zu sehen.

Diese Geschichte geht noch weiter. Eine Stunde später, als ich mit meinem Sohn einen Bummel durch die Stadt machte, sah ich den jungen Mann wieder, wie er einen anderen Passanten ansprach und ihn offensichtlich um Geld bat. Diesmal hatte er seine Frau dabei. Ich ging auf die andere Straßenseite, damit er mich nicht sah.

Was mich an dieser Erinnerung am meisten beschäftigt, ist die Scham, die ich darüber empfand, daß ich nicht geholfen hatte. Mir war klar, daß ich in der zwischenmenschlichen Beziehung an einem wichtigen Punkt versagt hatte. Ich hatte mich dieser gestrandeten Familie, meinem Sohn und mir selbst gegenüber schäbig benommen. Ich hatte eine Chance verpaßt, einem Schicksalsgenossen auf unserer gemeinsamen Reise mein Herz zu öffnen. Im Brennpunkt meines Bedauerns sah ich für einen einzigen, kostbaren Augenblick, daß es göttlich ist, Almosen zu geben, eine hilfreiche Hand auszustrecken, auf die Bitten anderer zu hören – kurz, ich sah die göttliche Natur der Freigebigkeit.

Alle Religionen rühmen die Freigebigkeit. Sie schätzen sie so hoch ein, daß unser Anlaß zu geben an die zweite Stelle hinter die wohltätige Handlung selbst zurücktritt. Der Baal Schem Tov sagt:

Wenn du Gutes tust, aber einen Hintergedanken dabei hast, ist es besser, du hättest es gar nicht getan. Die einzige Ausnahme ist Wohltätigkeit. Sie ist auch mit Hintergedanken eine gute Tat, weil sie den Armen hilft.[11]

Im Buddhismus ist das Geben von Almosen als *Dana* bekannt. Es nimmt einen Ehrenplatz unter den persönlichen spirituellen Übungen ein. Für Theravada-Buddhisten gilt *Dana* als die ranghöchste Methode, Erleuchtung zu erlangen, im Mahayana-Buddhismus ist *Dana* die erste der zehn Vollkommenheiten auf dem Pfad des Bodhisattva (eine heroische Gestalt, die an der Schwelle zur Buddhaschaft steht, aber nicht eher ins Nirwana einzugehen gelobt hat, als bis alle fühlenden Wesen erwacht sind). Der Bodhisattva lebt wahrhaftig das *Dana,* denn er opfert sich selbst ohne Vorbehalt. Er verzichtet sogar auf die Früchte seiner Erleuchtung, um für die Erleuchtung aller Wesen tätig zu sein. *Dana* kann darin bestehen, daß man die Lehren Buddhas vermittelt, oder darin, daß man Geld oder Nahrung gibt. Welche Form es auch annimmt, es ist immer mit einem Opfer verbunden. Eine berühmte Jataka-Erzählung (eine Geschichte über den Buddha in einer früheren Inkarnation) enthält unter anderem einen Bericht darüber, wie Buddha in einem Leben als ein Kaninchen einem verhungernden Wanderer sich selbst als Nahrung anbot.

Die vielleicht beeindruckendste religiöse Manifestation der Freigebigkeit findet sich unter den Jainas in Indien. Die Jainas folgen einer sehr alten Lehre. Sie leben voll und ganz gemäß der Doktrin der *Ahimsa* oder des Nicht-Verletzens. Alle geordneten Strukturen – Steine, Wasserläufe, Bäume, Spinnen, Elefanten und Menschen – werden als lebendig und als bei ihrem Kampf um Erlösung der liebevollen Fürsorge bedürftig verstanden. Einige Jainas binden sich ein kleines, weißes Tuch vor den Mund, aus Furcht, Insekten einzuatmen. Die meisten Jainas essen nach Einbruch der Dunkelheit nicht mehr, um nicht versehentlich Kleinstlebewesen mit zu verschlucken. Aus demselben Grund wird Trinkwasser stets durchgeseiht. Die meisten Jainas lehnen es ab, als Bauern tätig zu sein, weil sie keine Pflanzen schneiden, beim Umgraben keine kleinen Tiere zerquetschen oder ähnliche »Unfälle« hervorrufen möchten. Diese extreme Besorgtheit um kleine Tiere hat beachtliche Folgen für die kontemplativen Übungen der Jainas. Sie gehen gewöhnlich mit größter Achtsamkeit, den Blick zu Boden gerichtet, um nicht auf Insekten oder Würmer zu treten. Aus demselben Grund ist bei ihnen die Meditation im Sitzen sehr angesehen, weil man auf diese Weise kaum andere Lebewesen verletzt.

Güte üben bei Sharon Salzberg

Sharon Salzberg, Mitbegründerin des Insight Meditation Center in Barre, Massachusetts, gießt mir eine Tasse Tee ein, während wir in ihrem Eßzimmer mit Ausblick auf die kahlen, winterlichen Hügel von Zentral-Massachusetts sitzen. Durch das Fenster sehe ich Männer und Frauen auf dem Gelände des Center umhergehen. Einige von ihnen praktizieren die Meditation im Gehen, andere machen Botengänge. Sie müssen alle frieren, die Temperatur nähert sich dem Nullpunkt. Um so angenehmer wird mir die Wärme in Salzbergs Eßzimmer, ihrer Gastfreundschaft und ihrer Worte bewußt. Sie erzählt mir von einer buddhistischen Praxis, mit der sie sich seit über einem Jahrzehnt befaßt: *Metta* oder Güte.

»Die Praxis des *Metta* lehrt uns unsere eigene Fähigkeit zu lieben«, sagt Salzberg. »Wir sind zu weitaus mehr Liebe fähig, als wir uns vorstellen können. Der Buddha sagte, daß unser Geist von Natur aus strahlend und rein ist. Durch die *Metta*-Praxis entdecken wir die Kapazität des Herzens. Wir entdecken, daß unser Herz groß genug ist, um alle Menschen zu lieben.«

Diese Praxis, sagt Salzberg, können wir unter allen Bedingungen durchführen: während einer Meditation im Sitzen, während wir die Straße hinuntergehen, beim Abwaschen oder beim Autofahren. »Wenn Sie eine *Metta*-Übung während einer Meditation im Sitzen durchführen«, sagt sie, »besteht der erste Schritt darin, daß Sie nach dem Guten in Ihnen selbst schauen. Denken Sie einfach nur über sich selbst nach – über Ihre Art, zu leben und zu handeln, und erkennen Sie darin alles, was Ihnen gut oder richtig erscheint. Wenn Sie nichts Gutes finden, würdigen Sie einfach Ihren Wunsch, glücklich zu sein. Das Streben nach dem Glücklichsein ist universal und gut – ein Kennzeichen des Lebens«, sagt sie. Sie fügt hinzu: »Alle Wesen wollen glücklich sein, aber nur wenige wissen, wie sie es anstellen sollen.«

164

Die Übung wird dann dahingehend erweitert, daß man nach dem Guten in anderen Menschen Ausschau hält. »*Metta*«, sagt Salzberg, »heißt buchstäblich ›Freundschaft‹. Können Sie in dem anderen nichts Gutes finden, denken Sie einfach über den Wunsch des anderen nach, glücklich zu sein – als Spiegelbild Ihres eigenen Wunsches.« Salzberg verlangt, daß Sie in dieser vorbereitenden Übung eine Person aussuchen, zu der Sie kein emotional angespanntes Verhältnis haben – etwa einen Bankkassierer oder einen Verkäufer in einem Geschäft.

Eine andere Form der *Metta*-Übung wird aktuell, wenn Sie sich draußen in der Welt aufhalten; vielleicht einfach nur, wenn Sie die Straße hinunterschlendern. Nun widmen Sie jedem Fremden, der Ihnen entgegenkommt, einen der vier klassischen Aussprüche, die Salzberg »Ausdrücke des Herzens« nennt:

Mögest du frei sein von Gefahren.
Mögest du mental glücklich sein.
Mögest du körperlich glücklich sein.
Mögest du dich des Wohlergehens erfreuen.

Salzberg schlägt vor, daß Sie diese Wünsche stumm vor sich hin sagen, wenn Ihnen ein Lebewesen begegnet – ein Polizist, ein Kind, ein Rotkehlchen, eine streunende Katze. »Dann sehen Sie, was geschieht«, sagt sie. »Vielleicht stellen Sie eine Verbindung zu dem Wesen her, oder Sie empfinden einfach weniger Furcht, oder Sie fühlen sich mehr in sich selbst gefestigt.« Sie warnt jedoch davor, daß man die Folgen nicht vorhersagen kann: »Einmal sandte ein Freund von mir einem kleinen, kläffenden Hund *Metta* – und das Tier biß ihn.«

Die *Metta*-Praxis, warnt Salzberg, ist nicht ohne Gefahren. Falsch angewandt, kann sie zu Selbstzufriedenheit führen oder zum Gegenteil – zu einem zerstörenden Gefühl der eigenen Unzulänglichkeit. Aber unter Anleitung eines erfahrenen Lehrers, sagt Salzberg, kann die *Metta*-Praxis unser Leben tiefgreifend verändern. Sie erinnert sich an eine Schülerin, die ein schreckliches Jahr voller Schmerzen durchlitten hatte. Salzberg erzählt, was die Schülerin ihre Leiden aushalten ließ: »Der Gedanke, daß irgendwo in der Welt jemand voller Güte an sie dachte. Zu wissen, daß diese Energie existierte und daß sie sie empfing, war eine außergewöhnliche Hilfe für sie.«

Freundschaft

Die Freundschaft gehört zu den wichtigsten Formen, »mit anderen zusammenzusein«. Aber die großen Religionen haben merkwürdigerweise über diesen Bereich nur wenig zu sagen. Man könnte die Ursache dafür in der Selbstverständlichkeit dieses Themas vermuten. Wir hören schon in früher Kindheit Eltern und Altersgenossen über Freundschaft sprechen. Was für ein Bedarf sollte an einem spirituellen Rat in dieser Sache bestehen? Zum Glück sind Lyriker und Philosophen in die Bresche gesprungen. Cicero schwärmt in *De amicitia* von der Großartigkeit der Freundschaft, erklärt ihre moralische Grundlage und beschreibt die Tugenden, die sie voraussetzt:

Freundschaft ist dies und nichts anderes: vollständige Sympathie in allen wichtigeren Dingen, dazu Gutwilligkeit und Zuneigung, und ich glaube beinahe, daß die Götter den Menschen – mit Ausnahme der Weisheit – nichts Besseres gegeben haben … Die da sagen, Tugendhaftigkeit sei das höchste Gut des Menschen, spornen uns natürlich sehr an, aber es ist eben diese Tugendhaftigkeit, der die Freundschaft ihren Beginn und ihr Wesen verdankt; ohne Tugend kann Freundschaft gar nicht bestehen.[12]

Nach Ciceros Definition ist wahre Freundschaft seltener als Platin, denn wer könnte sich auf Dauer der »vollständigen Sympathie in allen wichtigeren Dingen« mit jemandem rühmen? Die Wahrheit lautet, daß Tugendhaftigkeit eine Freundschaft ausmachen kann, aber eine Freundschaft zur Tugendhaftigkeit führt. Wir gewinnen Freunde, weil wir uns anderen öffnen und ihnen zugetan sein möchten; unsere Freunde wiederum lassen uns unsere Tugendhaftigkeit frei ausüben und helfen uns auf diese Weise, uns zu bessern. Lesen Sie das folgende Gedicht von Ralph Waldo Emerson:

167

O Freund, sagte mein Herz,
Durch dich allein sich der Himmel wölbt,
Durch dich allein ist die Rose rot;
Alles gewinnt durch dich eine edlere Form
Und weist über die Erde hinaus;
Das Mühlrad unseres Schicksals scheint
Ein sonnenbeschienener Pfad mir, dank dir.
Auch mich hat dein innerer Adel gelehrt,
Meiner Verzweiflung Herr zu werden;
Der Quell meines verborgenen Lebens
Sprudelt dank deiner Freundschaft frisch.

Freundschaft, sagt Emerson, klärt unsere Sicht, belebt unser Denken, adelt unser Fühlen. Freundschaft läßt uns unsere Verzweiflung meistern, bringt das Edle aller Dinge zum Vorschein, befreit unser Herz von Sorge. Das Ergebnis all dieser Segnungen ist die Reinigung der Seele: »Der Quell meines verborgenen Lebens / Sprudelt dank deiner Freundschaft frisch.«

Thomas Carlyle, ein Zeitgenosse Emersons, zeigt genauer auf, wie Freundschaft das innere Leben kräftigt:

Wie wäre Freundschaft möglich? Indem wir uns gegenseitig dem Guten und dem Wahren weihen, sonst ist sie unmöglich: außer als bewaffnete Neutralität oder als hohle Interessengemeinschaft … Der Mensch kann dem Menschen unendliche Hilfe bringen.

Wahre Freundschaft besteht, wenn Menschen eine Liebe zur Güte und zur Wahrheit teilen. Zwei Freunde allein können einander im besten Fall ein labiles Gleichgewicht bieten. Aber eine Freundschaft, die in einem dritten, spirituellen Element gegründet ist, bildet ein festes Fundament, das alles aushält, was da kommen mag: Not, Leiden, Begeisterung, Liebe. Eine wahre Freundschaft zwischen

168

zwei Menschen besteht nur dann, wenn ein dritter Freund zugegen ist – nennen Sie diesen dritten Freund Gott oder Dharma oder einfach das Heilige.

Während Texte über die Freundschaft in der traditionellen Religion selten sind, finden wir Symbole der Freundschaft im Überfluß. Ein gutes Beispiel dafür ist die spirituelle Pfeife. Im Jahr 1947 traf Joseph Epes Brown, ein junger Schüler der Religion der amerikanischen Ureinwohner, auf Black Elk – den erstaunlichen Visionär, von dem bereits die Rede war – in Nebraska, wo der alte Lakota als Saisonarbeiter bei der Kartoffelernte half. »Bei unserer ersten Begegnung«, schreibt Brown, »saßen wir einfach Seite an Seite auf einem Schaffell und rauchten schweigend die rote Tonpfeife, die ich in traditioneller Manier als Geschenk mitgebracht hatte.«[13] Durch diese einfache Geste erwarb Brown zunächst Black Elks Anerkennung, und am Ende erhielt er Zugang zum spirituellen Wissen dieses großen Weisen.

Diese Pfeife, die oft »Friedenspfeife« genannt wird, ist das zentrale vereinigende Symbol der Lakota. Sie wird aus medizinischen Gründen, bei der Suche nach Visionen, bei Versammlungen von Freunden und bei zahllosen anderen Gelegenheiten geraucht. Nach den Worten Browns hat jeder Aspekt der Pfeife eine Bedeutung:

Die Pfeife … wird als ein Schnittpunkt zweier Achsen und als Definition eines Pfades zwischen Himmel und Erde verstanden. Mikrokosmisch wird die Pfeife mit den Menschen assoziiert. Der Stiel ist der Luftkanal, der zum Kopf der Pfeife – dem spirituellen Zentrum oder Herzen – führt. Während man jedes Krümelchen des sorgfältig präparierten Tabaks in die Pfeife stopft, spricht man ein feierliches Gebet, in dem man einige Aspekte der Schöpfung anspricht, so daß die Pfeife, wenn sie gefüllt ist, die Gesamtheit der Zeit, des Raumes und der Schöpfung enthält – darunter die Menschheit.[14]

Brown fügt hinzu:

Die gestopfte Pfeife ist somit die Gesamtheit, so daß, wenn die Flamme des Großen Geistes hinzukommt, ein heiliges Opfer vollzogen wurde, in dem das Universum und die Menschheit wieder mit dem Urgrund vereint – und geworden sind, was sie eigentlich sind.[15]

Alle, die die Pfeife rauchen, vereinigen sich, unter der Anleitung und dem Schutz Wakan Tankas (des Großen Geistes). Oft folgt, wenn die Pfeife aufgeraucht ist, zum Abschluß die Erklärung: »Wir sind alle miteinander verwandt« – ein klarer Hinweis darauf, daß die Pfeife die spirituelle Freundschaft symbolisiert.

Eine Anmerkung zur Praxis

Wenn es um das Zusammensein mit anderen geht, stehen Höflichkeit, Freundlichkeit und Vernunft an oberster Stelle. Es ist nichts Esoterisches an Gastfreundschaft, Güte, Freigebigkeit und Freundschaft – die vier Themen dieses Kapitels. Die meisten von uns haben auf den Knien der Mutter die Grundregeln für das Zusammensein mit anderen erlernt. Darüber hinaus gibt es eine Anzahl besonderer Übungen – vom buddhistischen *Dana* bis zum *Ahisma* der Jainas –, die Licht auf einen bestimmten Aspekt des Zusammenseins mit anderen werfen. Einige dieser Übungen – wie zum Beispiel die *Metta*-Übungen, die Sharon Salzberg lehrt – sind für jedermann durchführbar; andere – wie das Rauchen der heiligen Pfeife bei den Lakota – gehören zu einem bestimmten, kulturell-spirituellen Kontext. Alle diese Praktiken erleichtern Leiden, inspirieren die Liebe und bringen dauerhafte Freude.

Und doch ist noch etwas erforderlich. Denn meine Gastfreund-

170

schaft kann schäbig sein, meine Freigebigkeit gehemmt, meine Güte furchtsam, meine Freundschaft verletzend. Wie oft habe ich einem Bettler eine Münze zugeworfen und mich geweigert, ihm dabei in die Augen zu schauen? In diesem Augenblick der Feigheit stirbt etwas in mir, und vielleicht stirbt auch etwas in dem Bettler. Wie kann ich mein Essen, mein Geld, meine Zeit, mein Dach in einem Geist einer natürlichen Verwandtschaft geben – bereit, denjenigen, der meine Gabe empfängt, als Bruder oder Schwester zu begrüßen?

Hier, glaube ich, kommen uns die Lehren Mutter Teresas zu Hilfe. Wir müssen vor allem lernen, andere Menschen so zu sehen, *wie sie wirklich sind*. Gewöhnlich setzen wir unseren Mitmenschen Masken auf und sehen den einen als putzsüchtigen Pfau, den anderen als schnatternden Affen. Wir können damit anfangen, sie zu demaskieren, indem wir anderen Menschen nicht länger unsere Vorlieben und Abneigungen aufdrängen. Welch ein ungewöhnlicher Akt der Freundschaft, die Menschen von unseren Urteilen und Neigungen zu befreien!

Um andere Menschen so zu sehen, wie sie sind, müssen wir ihre essentielle Schönheit bezeugen. Sich einem Bettler ohne Illusionen zu nähern heißt, ihn zwar in Lumpen gehüllt zu sehen (und die Realität dieser Lumpen nicht gefühlsmäßig zu leugnen), ihn aber auch in die Würde eines Gotteskindes gekleidet oder – in den einfachen Worten Mutter Teresas ausgedrückt – als Christus zu sehen. Ein Buddhist würde vielleicht sagen, daß wir den Bettler als potentiellen Bodhisattva betrachten müssen. Sie werden diese Lehre in der einen oder anderen Form in allen Religionen wiederfinden. Cyril Connolly sagte: »In jedem dicken Mann steckt ein dünner Mann, der verzweifelt durch Gesten zu verstehen gibt, daß er heraus möchte.« Ich würde sagen, in jedem Menschen steckt ein göttlicher Funke, der verzweifelt signalisiert, daß er zur Kenntnis genommen und geliebt werden möchte. Lassen Sie uns andere Menschen als Wesen von unauslotbarem Geheimnis und unverletzlicher Würde

171

grüßen, die allein schon wegen ihrer Natur unsere Liebe und Achtung verdienen. Dann werden wir Gastfreundschaft, Freigebigkeit, Güte und Freundschaft mühelos von uns zu ihnen fließen sehen, und das Zusammensein mit anderen wird – wie es sein sollte – ein Segen ohne Ende sein.

Kapitel 7
Worte

Es war 1987, an einem verregneten Vormittag in Tokio, als ich der Macht der Worte verlustig ging.

Und das kam so:

Ich war am Abend zuvor in Japan angekommen, nach einem Flug von Vancouver aus, der sich durch schlechtes Essen und jammernde Kinder ausgezeichnet hatte – und durch Luftlöcher, daß ich die Zähne aufeinanderbeißen mußte. Ich hatte kein bißchen geschlafen und war benommen aus dem Flugzeug und in ein Taxi getaumelt. Der Taxifahrer war ein junger Mann mit weißen Handschuhen, der alte Elvis-Lieder sang, während wir auf die Tokioter Innenstadt zukurvten. Und endlich, um vier Uhr am Morgen, war ich in einem Luxushotel, das für seine knöcheltiefen Teppiche und seine riesengroßen Badezimmer bekannt war (letzteres ist eine Rarität in Japan mit seiner Raumnot), in ein Bett westlichen Stils gefallen.

Am nächsten Morgen trank ich ein wenig *Kohi* und machte mich zum Ausgehen bereit. Endlich in Tokio! Bilder aus Lehrbüchern, Romanen und Kurosawa-Filmen schwirrten mir durch den Kopf: Admiral Peary, der den Shogun belagert; Geishas, die in klumpigen Holzschuhen umherhumpeln; Kirschblüten, die in den stillen Weiher eines Zen-Klosters fallen. Dies war mein erster Besuch in Japan, und ich brannte darauf, alles zu sehen. Ich verließ das Hotel, öffnete den Schirm, überprüfte meine Touristenmappe und wandte mich nach links, wo die Haltestelle der U-Bahn war. Mein Ziel war das Zentrum von Tokio.

Sofort fiel der Lärm der Stadt über mich her, den sich niemand

173

vorstellen kann, der noch nie in Japan war. Hupen blökten, Lastwagen dröhnten, Sirenen heulten, Lautsprecher plärrten aus Bussen, an Fußgängerüberwegen, Ladenfronten und *Pachinko*-Salons. Und im Hintergrund das ständige Tosen von 20 Millionen Stimmen. Ich stellte fest, daß die Stimmen hektisch klangen, drängend – aber wonach drängten sie? Sofort wurde mir bewußt, daß ich keine Ahnung hatte, was die Menschen sagten. Sogar die indogermanischen Wurzeln, die mir in fremden Ländern in der Regel das Sprachverständnis erleichterten, waren verschwunden. *Macht nichts,* dachte ich, *ich werde mich an den Zeichen orientieren.*

Ich fand Zeichen – Millionen von Zeichen. Tokio ist derart mit Botschaften zugepflastert, daß es den Times Square wie einen Versammlungsraum der Shaker aussehen läßt. Aber alles war in *Kanji* geschrieben – dieser merkwürdigen Schrift, die für ungeübte Augen wie ein Elektrokardiogramm aussieht.

Ich schaute mich um. Ich verstand keine einzige Stimme. Ich konnte kein einziges Schriftzeichen lesen. Das Wort – der Inbegriff der Sinne – war spurlos verschwunden. Ich war ohne linguistischen Halt; ich taumelte am Rande eines verbalen Abgrunds entlang. Der letzte Schlag traf mich, als ich dank einem reinen Zufall an einem U-Bahn-Eingang anlangte. Ich starrte eine Weile auf die farbenfrohe Anzeigetafel des Automaten mit seinen Schlitzen, Zahlen und Knöpfen; alles minutiös mit einem nicht zu entziffernden Code markiert – bereit, Fahrscheine zu den unterschiedlichsten Haltestellen auszuspucken. Ich war nur 15 U-Bahn-Minuten vom Tokioter Zentrum entfernt, aber ich hätte ebensogut auf dem Mond sein können. Ich drehte mich um und kehrte zu meinem Bett zurück.

Nach und nach lernte ich genügend japanische Ausdrücke, um mit der Expreßbahn fahren und Tintenfisch am Spieß kaufen zu können. Natürlich behielt ich die ganze Zeit über meine Englischkenntnisse – sie waren mir kostbarer als mein Geldgürtel. Ich verfügte noch immer über Worte. Aber an jenem ersten Morgen in Tokio hatte ich

174

einen Blick auf etwas buchstäblich Unaussprechbares erhascht – auf die Möglichkeit eines Lebens ohne Worte.

Stellen Sie sich eine Welt ohne Worte vor, und Sie haben die Hölle – eine Welt ohne Kommunikation, ohne Austausch, ohne Liebe. Wörter machen uns zu Menschen, wie Walker Percy erklärt:

Sobald man ... mit dem Wesen der Sprache konfrontiert wird, wird man zugleich mit der Natur des Menschen konfrontiert. Was ereignete sich, als der erste Mensch einen kurzen Laut mit dem Mund machte, den der zweite Mensch verstand – nicht als ein Zeichen, auf das er hätte reagieren sollen, sondern als etwas mit einer »Bedeutung«, die sie beide erkannten? Das erste Geschöpf, das dies tat, ist zugleich der erste Mensch nach der knappsten aller Definitionen.[1]

Wörter stehen in enger Beziehung zum Denken – zum Fluß des Bewußtseins selbst. »Wie kann ich sagen, was ich denke, bevor ich sehe, was ich sage?« fragt E. M. Forster. Auf den ersten Blick scheint dieser Ausspruch nur eine andere Form der alten Redensart »denke, bevor du redest« zu sein. Aber ich glaube, daß es Forster um etwas Tiefgründigeres ging. Er will seinen Eindruck wiedergeben, daß Denken und Sprechen ein und dasselbe sind – daß unsere Gedanken im besten Fall eine Schattenexistenz führen, bevor sie mit Worten vermählt werden. Wie ein anderes Sprichwort sagt: »Sprache ist die Mutter des Denkens, nicht seine Magd.«

Wenn wir uns dieser Ebene nähern – dem Akt, der uns erst zu Menschen macht –, treten wir zugleich auch in das Gebiet der Religion ein. Worte begleiten uns nicht weniger als Schweigen auf dem Wege zum Geist. Hören Sie, wie Walt Whitman vom inneren Leben der Wörter schwärmt:

Alle Wörter sind spirituell – nichts ist spiritueller als Wörter. Woher kommen sie? Wie viele Tausende und Zehntausende von Jahren haben sie gebraucht, um aufzutreten? Diese unbestimmbaren, flüssigen, schönen, fleischlosen Wirklichkeiten: Mutter, Vater, Wasser, Erde, Ich, Dieses, Seele, Zunge, Haus, Feuer.

Whitman, ein sublimer Künstler, aber ein nachlässiger Analytiker, erklärt nirgendwo, weshalb Wörter so spirituell sind. Emerson sagt es uns: »Wörter und Taten sind … Formen der göttlichen Energie.« Einen unfertigen Gedanken in Worte zu kleiden ist ein göttlich inspirierter Akt – ähnlich so, als würde man Wasser in Wein verwandeln. Wörter gründen uns im Spirituellen; darin sind sich alle Religionen einig. Das Evangelium des Johannes beginnt mit der bemerkenswerten Erklärung: »Im Anfang war das Wort, und das Wort war bei Gott, und Gott war das Wort.« Damit setzt der Apostel Christus und den Logos (die letzte Realität des Kosmos; Logos ist der griechische Ausdruck für »Wort«) gleich. Der Islam betrachtet den Koran als das buchstäbliche Wort Gottes. Der *Koan* im Zenbuddhismus, ein aus Wörtern konstruiertes Paradoxon (»Welches Geräusch erzeugt *eine* klatschende Hand?«), soll unmittelbar auf die letzte Realität hindeuten.

Die Art und Weise, wie wir die Wörter benutzen – und wie die Wörter uns benutzen –, bestimmt weitgehend die Qualität unseres Alltagslebens. »Wir alle sind aus Wörtern gemacht«, schreibt der Kiowa-Autor N. Scott Momaday. »Unser innerstes Sein besteht aus Sprache. Sie ist das Element, in dem wir denken und träumen und handeln, in dem unser alltägliches Leben stattfindet. Wir haben keine andere Möglichkeit, als in der Moralität einer verbalen Dimension zu existieren.«[2] Unser Leben setzt Wörter voraus, ebenso sicher, wie es Luft zum Atmen voraussetzt. Es ist kein Zufall, daß wir durch denselben Körperkanal atmen und sprechen. In der Sprache der Amassalik-Eskimos bedeutet das Wort für »atmen« zugleich »Poesie machen«. Ein Netsalik-Eskimo namens Orpingalik drückt eine ähnliche Vorstellung aus:

*Ich kann Ihnen nicht sagen, wie viele Lieder ich habe. Ich zähle
solche Dinge nicht. Es gibt so viele Gelegenheiten in meinem Leben,
bei denen mich eine Freude oder ein Kummer derart berührt, daß
mich das Bedürfnis zu singen überkommt – und so weiß ich nur, daß
ich viele Lieder habe. Mein ganzes Sein ist Gesang, und ich singe,
wie ich atme … Zu singen ist für mich ebenso notwendig wie zu
atmen.*[3]

Im gewöhnlichen Leben kommen wir grundsätzlich auf vier Arten
mit Worten in Berührung: durch Sprechen, durch Lesen, durch
Schreiben, durch Schweigen. Wir wollen jede dieser Arten der
Reihe nach untersuchen – angefangen mit der wichtigsten Form: der
Welt der Sprache.

Kontemplative Nahaufnahme:
Die Sprache

Man findet in den Lebensmittelgeschäften der
Nachbarschaft mehr als Milch und Eier – man findet dort
auch Weisheit. Vor einer Weile nahm ich John, der damals
fünf Jahre alt war, mit in ein Delikatessengeschäft. Schon sehr
bald wurde er unruhig und fing zum Verdruß des Geschäftsin-
habers an, auf großen Dosen mit eingemachten *Mixed Pickles*
herumzutrommeln. Ich beschloß, John von seinem musikali-
schen Debüt fortzulocken, indem ich ihm die verschiedenen
Nahrungsmittel in der Auslage zeigte. Die mit Schokolade über-
zogenen Ameisen faszinierten ihn; die Pilze mit den zottigen Hüten von 15 Zentimetern Durchmesser entzückten ihn; aber was
ihn wirklich richtig in Bann zog, das waren die Kuhzungen – schlaf-
fe, graubraune, in Plastik verpackte Fleischlappen. Sie sahen tot
aus, sehr tot. Mein Sohn streckte *seine* Zunge heraus und sagte:
»Uuuh!«

»Deine Zunge sieht nicht so aus«, sagte ich, als ich die gesunde rosa Farbe sah.

»Ich weiß, Dad«, erwiderte er etwas ungeduldig. »Meine Zunge spricht.«

In der Tat. Die Zunge ist ein höchst eigenartiges Organ. Denn – wie John es sagte – sie spricht. Sie trennt uns von den Tieren, und gelegentlich trennt sie uns auch von unseren Mitmenschen. Denn die Zunge erklärt Kriege, vernichtet gute Reputationen, stürzt ganze Reiche. Aber sie umwirbt auch Liebespartner, rezitiert Gedichte, preist Gott. Die Zunge eint uns auch.

In allen heiligen Schriften wird eine zwiespältige Einstellung zur Zunge ersichtlich. »Der Zunge Gelassenheit ist ein Lebensbaum«, heißt es im biblischen Buch der Sprüche (15, 4), aber im selben Buch werden wir auch gewarnt: »Tod und Leben sind in der Zunge Gewalt« (18, 21). Jesus sagt: »Denn nach deinen Worten wirst du gerechtgesprochen, und nach deinen Worten wirst du verurteilt werden« (Matth. 12, 37). Diese Aussagen lassen vermuten, daß unsere gewöhnliche Sprache das Potential zum Guten wie auch zum Bösen hat und uns eine entsprechend große Verantwortung auferlegt. Wie oft bin ich nicht mit etwas herausgeplatzt, um mir später zu wünschen, es zurücknehmen zu können! Wie oft habe ich geschwiegen und mir später Vorwürfe gemacht, weil ich nicht gesagt hatte, was ich hätte sagen müssen! Umgekehrt sage ich vielleicht etwas im richtigen Augenblick und vermeide eine schreckliche Verletzung, oder ich schweige, wenn ich angegriffen werde, und vermeide auf diese Weise, daß ein Geplänkel sich zu einem regelrechten »Krieg« ausweitet.

Wie bei den einfachen Vergnügen gibt es auch nur sehr wenige religiöse Praktiken, die sich mit der gewöhnlichen Alltagssprache befassen. Aber drei wichtige Punkte werden von den meisten Traditionen betont:

1. *Wenige Worte sind besser als viele.* In vielen Fällen ist Schweigsamkeit ein Zeichen von spiritueller Reife. Wir alle haben schon oft erlebt, daß die Konversation in einer Gruppe fast ausschließlich von einer oder zwei Stimmen bestritten wurde. Meldet sich plötzlich eine dritte Stimme, halten die fleißigen Redner inne, und alle werden aufmerksam. Worte sind wie Edelsteine, desto kostbarer, je seltener sie sind.

2. *Die Schönheit des Ausdrucks ist wichtig, aber die Wahrheit ist wichtiger.* Die Chassidim erzählen folgende Geschichte:

Ein gelehrter Mann, der am Sabbat-Mahl im Hause des Rabbis Baruch Medzibozer (der ein Urenkel des Baal Schem Tov war) teilnahm, sagte zu seinem Gastgeber: »Laß uns nun hören, wie du von deiner Lehre redest; du sprichst so wunderschön!«
»Ich will lieber stumm werden, ehe ich wunderschön rede«, lautete die Antwort des Rabbis Baruch, und weiter sagte er nichts.[4]

Rabbi Baruch verdammt nicht die Schönheit an sich, denn dieselben Chassidim, die diese Geschichte erzählen, begeistern sich für die Schönheiten der Thora. Der Witz dabei ist, daß die Wahrheit in Sackleinen gehüllt oder in Seide gewandet auftreten kann, und wir müssen uns davor hüten, die Seide für dasjenige zu halten, was sie bekleidet.

3. *Alle Wörter verbinden uns mit dem Spirituellen.* Ein anderes chassidisches Zitat – von dem Baal Schem Tov – lautet:

Deine profanen Wörter sind aus denselben Buchstaben zusammengesetzt wie die heiligen Worte. Deshalb ist auch in den profanen Wörtern Heiligkeit. Bring sie zu ihrer Quelle.[5]

Sogar Fluchen hat – dank der Tatsache, daß es Sprache ist – auf geheimnisvolle Weise Anteil an der göttlichen Natur der Sprache. Das bedeutet keine Entschuldigung dafür, daß Sie Ihrer Zunge freien Lauf lassen, wenn Sie sich das nächste Mal die Zehe stoßen. Die Bemerkung des Baal Schem Tov besagt vielmehr, daß alle Wörter kostbar sind und daß wir deshalb unsere Zunge hüten müssen, als wäre sie ein Tempeltor – was sie auch ist.

Die Welt des Gebets

Die großen Religionen, die sich nur sparsam über gewöhnliche Wörter äußern, werden sehr beredt und sprechen ausführlich über heilige Wörter – das heißt, über Worte des Gebets. Jede Tradition hat ihre eigenen bevorzugten Gebete vorzuweisen, einige von ihnen haben wir bereits kennengelernt; etwa die buddhistischen Sutras, die man vor dem Frühstück vor dem Hausaltar rezitiert. An dieser Stelle möchte ich mich mit einer bestimmten Gebetsart befassen: kurzen Sätzen oder auch nur einzelnen Wörtern, die wiederholt werden und im Kern kontemplativer Übungen auf der ganzen Welt zu finden sind. Lassen Sie uns Beispiele aus drei unterschiedlichen Traditionen ins Auge fassen: das *Mantra,* das *Dhikr* und das Jesus-Gebet. In allen diesen Fällen wird ein kurzer Wortlaut wiederholt, von dem man glaubt, daß er die verdichtete Weisheit der ganzen Tradition enthält. Man kann diese Gebete in allen Lebenslagen sprechen: bei der Morgenmeditation, beim Autofahren, beim Erledigen der Korrespondenz, beim Essen.

Mantra

Seit die Beatles in den 60er Jahren zu Füßen des Maharishi Mahesh Yogi saßen, hat das Wort *Mantra* (Sanskrit: »heilige Äußerung«) in das spirituelle Vokabular des Westens Einzug gehalten. Die meisten von uns wissen, daß ein Mantra aus einer oder einer Folge von Silben besteht, die sehr oft wiederholt werden.

Aber vielleicht ist nicht allgemein bekannt, daß Mantras mit einer Urkraft geladen sind. Gemäß der indischen Tradition ist ein Mantra unvergänglich und unerschaffen – die göttliche Kraft selbst in Form eines Klanges. Ein Mantra zu sprechen heißt deshalb, eine intime Beziehung zwischen sich selbst und Gott (oder dem Absoluten) herzustellen. Einige Mantras dienen bestimmten Zwecken – zum Beispiel als Mittel, um uns zu schützen –, aber vor allem beruhigt das einfache, immer wiederholte Gebet den Geist und inspiriert das Herz.

Vielleicht das berühmteste aller Mantras ist die Silbe OM. Es heißt, daß sie der Klang und das Symbol einer letzten Realität ist – das göttliche Wort in seiner reinsten Form. Dieses Mantra läßt sich fast 3000 Jahre zurückverfolgen; vielleicht das älteste Mantra, von dem wir wissen. Ein anderes Mantra, das jedermann vertraut ist, der viel Zeit auf den Straßen einer größeren Stadt im Westen verbringt, verherrlicht verschiedene Namen und Inkarnationen Vishnus, der alles durchdringenden indischen Gottheit:

Hare Krishna Hare Krishna
Krishna Krishna Hare Hare
Hare Rama Hare Rama
Rama Rama Hare Hare

Wir bringen Mantras hauptsächlich mit dem Hinduismus und Buddhismus in Verbindung, aber sie machen auch einen wesentlichen Teil der täglichen spirituellen Übungen in anderen Religionen aus. Ein beliebtes buddhistisches Mantra, *Om Mani Padme Hum* (Oh, mein Juwel im Lotos), wird von vielen Millionen Buddhisten jeden Tag unzählige Male wiederholt. Außerdem flattert es von Gebetsstangen, wiederholt sich in Gebetsmühlen und findet sich in ganz Tibet und Nordindien in Mauern und Böden eingraviert. Laut einem buddhistischen Text ist dieses Mantra »die Essenz allen Glücklichseins, allen Reichtums und allen Wissens und die Quelle der großen Befreiung«.[6]

Im traditionellen Hinduismus wird ein Mantra nur innerhalb eines rituellen Kontextes und unter Anleitung eines Gurus rezitiert. Aber heutzutage werden auch Mantras demokratisch gehandhabt, und man rezitiert sie in allen nur denkbaren Lebenslagen. Ein paar meiner buddhistischen Freunde zitieren ihre Mantras stumm, andere murmeln sie vor sich hin, und wieder andere sagen sie laut auf. Alle bestehen sie jedoch darauf, daß es sinnvoll ist, über die Bedeutung des Mantras nachzudenken, während man es rezitiert. Sie weisen darauf hin, daß die etymologische Wurzel von »Mantra« *man* ist – das Sanskrit-Wort für »denken«. Ein Mantra aufzusagen impliziert deshalb eher ein bewußtes Nachdenken über seinen Sinn als eine geistlose, tranceartige Glückseligkeit. Man darf aber auch nicht vergessen, daß die eigentliche Kraft eines Mantras in der wunderbaren Natur des Klangs selbst liegt – ein Akkord im Gesang des Absoluten, des ungeschaffenen Kosmos.

Dhikr

Das meistgesprochene Gebet der islamischen Mystik – oder des Sufismus – ist das *Dhikr* oder die Andacht an Gott. Das *Dhikr* versetzt den Gläubigen in einen Zustand der Reinheit und der Ruhe. Wie es im Koran heißt: »Im Gedenken an Gott findet das Herz Ruhe« (Sure 13, 28).[7]

Sufis, die das *Dhikr* praktizierten, haben im Verlauf der Jahrhunderte eine Vielfalt an Verfahrensweisen in bezug auf das kurze, gesprochene Gebet entwickelt. Die fundamentalste Form ist die einfache Wiederholung des Wortes »Allah«. Man sagt, dieser Akt versetzt den Betenden unmittelbar in die Gegenwart Gottes. In einigen Sufi-Kreisen wird »Allah« rasch wiederholt und nach und nach verkürzt, bis nur noch die Endsilbe bleibt, die »Hu« ausgesprochen wird. Schließlich fällt auch das »Hu« fort, und nur noch der Atem bleibt, der Urgrund des Lebens selbst – die Essenz Allahs.

182

Alternativ kann ein Moslem auch den Satz wiederholen: »La Ilah illa Allah«, und sich an der fließenden Alliteration dieses ersten Teils des islamischen Glaubensbekenntnisses erfreuen, das übersetzt lautet: »Es gibt kein Gutes außer Gott.«

Im Gegensatz zu den täglichen Zeiten des rituellen Gebets kann das *Dhikr* überall und jederzeit gesprochen werden. Man kann es laut aufsagen oder stumm. Man sollte allerdings hinzufügen, daß der Koran einen Kompromiß empfiehlt: »Sei in deiner Anbetung nicht laut und auch nicht stumm, sondern schlage einen mittleren Weg ein.« (Sure 17, 110).[8] Die Sufis beten ihr *Dhikr* traditionellerweise im Sitzen, die Beine gekreuzt, das rechte über das linke Bein gelegt, die rechte Hand auf der linken Hand. Das Gebet muß im Rhythmus des Atmens gesprochen werden; dabei wird bei jedem Ausatmen der Name Allahs rezitiert.

Durch Übung, so sagen die Sufis, wandert das *Dhikr* von der Zunge ins Herz und wird zu einem Teil des innersten Wesens. Andere sagen, daß dieses Gebet in jedes Glied des Körpers wandert. Annemarie Schimmel schreibt deshalb: »Der Sucher wird schließlich vollkommen Herz, jedes seiner Glieder ist ein Herz, das sich Gottes entsinnt.« Am Ende, wenn das Ego des Suchers ausgelöscht ist und nur noch Gott übrigbleibt, herrscht Schweigen. »Das wahre *Dhikr* ist, wenn du dein *Dhikr* vergißt«, lautet eine Redensart.

Das Jesus-Gebet

Im Jahre 1961 zog eine junge Frau namens Franny Glass, die aus dem College kam, um ihren Freund Lane zu besuchen, »ein in Stoff gebundenes Büchlein« aus der Handtasche und machte Millionen von Lesern mit einem der größten religiösen Klassiker bekannt. Wir können diese Szene in J. D. Salingers Bestseller-Roman *Franny and Zooey* (dt.: »Franny und Zooey«, Köln, 1963) lesen. Das Buch, das Franny berühmt machte, war *Der Weg eines Pilgers,* eine russische Biographie aus dem 19. Jahrhundert, in der, in den Worten Frannys, von »dieser wirklich unglaublichen Methode des Betens die Rede ist« – eine Methode, die heute gemeinhin als das Jesus-Gebet bekannt ist.

Das Jesus-Gebet besteht in der unablässigen Wiederholung des Satzes »Herr Jesus Christus, Sohn Gottes, erbarme dich meiner, des Sünders.« Oft wird auch die Kurzform »Herr Jesus Christus, erbarme dich meiner« gesprochen, oder es wird nur das eine Wort »Jesus« unzählige Male wiederholt. Obwohl das Gebet schon seit nahezu 2000 Jahren in Gebrauch ist, bleibt unsere beste Informationsquelle *Der Weg eines Pilgers.* Vom Autor dieses ungewöhnlichen Textes wissen wir nahezu überhaupt nichts; nur, daß er ein junger Russe mit einem tauben Arm war, der sich eines schönen Herbsttages in den 1850er Jahren aufmachte – er trug nichts weiter bei sich als ein paar Brotkrusten, Salz und eine zerfledderte Bibel –, um das Geheimnis des unablässigen Gebets zu lüften. Mit Hilfe eines *Staretz,* eines heiligen Mannes der russischen orthodoxen Kirche, fand er die Antwort in der methodischen Wiederholung des Jesus-Gebets. Hier berichtet er über einige der Folgen:

Manchmal fühlte mein Herz sich an, als sprudele es vor Freude; eine solche Leichtigkeit, solcher Friede und Trost waren in ihm. Manchmal verspürte ich eine brennende Liebe zu Jesus Christus und für alle Geschöpfe Gottes. Manchmal schwammen meine Augen vor Tränen der Dankbarkeit gegenüber Gott, der mit mir, einem elenden Sünder, solches Erbarmen hatte … Manchmal war ich von Glück überwältigt, wenn ich den Namen Jesu anrief, und ich kenne jetzt die Bedeutung der Worte: »Das Königreich Gottes ist in dir.«[9]

Der Pilger verlangt unzählige Wiederholungen des Gebets. Er selbst sagte es bis zu 6000mal am Tag auf. Man kann einen Rosenkranz benutzen, um die Übersicht nicht zu verlieren. Manche Menschen beten synchron mit der Atmung. Nach meinen Erfahrungen eignet sich die kurze Fassung des Gebets hierfür besonders. Sie sagen »Herr Jesus Christus« beim Einatmen, indem Sie die heiligende

Gegenwart Gottes einladen, und »erbarme dich meiner« beim Ausatmen, bei dem Sie zugleich Ihre Sünden austreiben. Nach dem Ausatmen sind Sie naturgemäß für eine kurze Weile »ohne Luft« – das heißt, hilflos und damit von der Gnade Gottes abhängig.

Wie die übrigen kurzen, kontemplativen Gebete, von denen in diesem Buch bereits die Rede war, kann man auch das Jesus-Gebet bei allen Gelegenheiten sprechen. Ich wende mich ihm oft zu, wenn ich mitten in der Nacht meinen kleinen Sohn Andy wiege. Der Pilger belehrt uns darüber, daß das Jesus-Gebet sich nach einer Weile »selbständig« macht. Es wandert vom Verstand ins Herz – wie Sie sich erinnern werden, folgt das islamische *Dhikr* derselben Route –, um dort aus eigener Kraft zu erklingen, ob wir es beachten oder nicht. Es setzt sich sogar fort, während wir schlafen.

Bruder David Steindl-Rast vom Orden des heiligen Benedikt, Autor von *The Music of Silence* und anderen Werken, spricht über das Jesus-Gebet und andere christliche Gebete.[10]

Wie ich bete
Von David Steindl-Rast

Meine früheste bewußte Erinnerung an ein Gebet ist, daß meine Großmutter, wenn sie nach unserem Mittagessen auf dem Bett ruhte, die Perlen des Rosenkranzes durch ihre Finger gleiten ließ und stumm die Lippen bewegte. Da ihr Bett in meiner Erinnerung riesig war, muß ich noch sehr klein gewesen sein. Ich bat sie, mir ihr geheimnisvolles Spiel zu erklären, und sie tat es. Die Geschichten hinter den 15 Geheimnissen sind so, wie meine Großmutter sie mir erzählte, in meinem Denken verblieben und in meinem Herzen gediehen. Wie Samenkörner in gutem Boden Wurzeln schlagen, wuchsen sie in mir und bildeten Ableger aus. Und wie eine alte Erdbeerstaude tragen sie immer noch Früchte.

Rund dreißig Jahre später, in einem anderen Erdteil, lag meine Großmutter wieder auf ihrem Bett, und ich kniete neben ihr. Diesmal lag sie im Sterben. Auch meine Mutter kniete neben dem Sterbebett ihrer Mutter, und beide rezitierten wir die Gebete für die Sterbenden aus dem englischen Brevier. Großmutter lag im Koma, aber sie wirkte unruhig. Immer wieder und wieder hob sie die linke Hand und ließ sie wieder aufs Bett zurückfallen. Wir hörten das Klingen des silbernen Rosenkranzes, der um ihr Handgelenk geschlungen war. Endlich waren wir fertig. Wir beendeten die Psalmen und begannen mit dem Schmerzhaften Rosenkranz. Bei seinen vertrauten Sätzen entspannte Großmutter sich, und als wir beim Geheimnis des Todes Christi am Kreuz anlangten, gab sie Gott friedvoll ihren Lebensodem zurück.

186

Eine andere Erinnerung aus meiner Kindheit hängt mit dem Angelusbeten zusammen. In ganz Österreich, meiner Heimat, erklingt von jedem Kirchturm der Chor der Angelusglocken – bei Morgenanbruch, am Mittag und am Abend, vor Einbruch der Dunkelheit. Als Schüler der ersten Klasse stand ich eines Tages an einem offenen Fenster in der obersten Etage und schaute auf den Schulhof unserer großen, schönen, von den Christlichen Brüdern erbauten Schule hinab. Es war um die Mittagszeit. Die Schule war soeben beendet, und überall kamen Kinder und Lehrer auf die Wege und in den Hof geströmt. Von meiner luftigen Höhe aus erinnerte mich der Anblick an einen Ameisenhügel an einem heißen Sommertag. In diesem Augenblick begann das Angelusläuten von der Kirche her, und sofort hielten all die geschäftigen Füße dort unten inne. »Der Engel des Herrn brachte Maria die Botschaft ...« Wir hatten gelernt, dieses Gebet schweigend zu sprechen. Dann wurde das Läuten seltener; schließlich noch ein letzter Glockenton, und die Ameisen schwärmten weiter.

Heute, so viele Jahre später, ist mir jener Augenblick der Stille am Mittag noch immer gegenwärtig. Und ob die Glocken läuten oder nicht – ich spreche stumm das Angelusgebet. Ich lasse die Stille wie einen Kiesel mitten in den Tag hineinfallen, und er sendet ständig sich erweiternde, konzentrische Wellen über die Oberfläche der Zeit. Das ist es, was das Angelusbeten für mich bedeutet: das ewige Jetzt, das konzentrische Wellen durch die Zeit sendet.

Ich möchte hier noch eine weitere Erinnerung erwähnen: die Erinnerung an meine erste Begegnung mit dem Jesus-Gebet – dem Gebet des Herzens, wie es auch genannt wird. Damals war ich schon älter, aber immer noch ein Kind – vielleicht zwölf Jahre alt. Ich saß mit meiner Mutter im Wartezimmer einer Arztpraxis. Ich plazierte meine rechte Hand erst auf das eine, dann auf das andere Knie, dann auf die Armlehne meines Stuhles, dann auf die Fensterbank eines Fensters, von dem aus ich nur eine hohe Hecke und ein paar Spinnweben sehen konnte. Meine Hand war fest bandagiert,

187

und ich war in die Praxis gekommen, damit der Arzt diesen Verband wechselte. Nachdem ich eine Zeitlang ein Gefäß mit lebenden Blutegeln betrachtet hatte – damals hielten Landärzte immer Blutegel, für Fälle, wo ein Aderlaß erforderlich war –, hatte dieser kahle Raum mir nichts weiter an Unterhaltung zu bieten, und ich wurde allmählich zappelig.

Da sagte meine Mutter etwas Verblüffendes: »Die Russen kennen das Geheimnis, wie man sich niemals langweilt.« Die Olympischen Spiele waren das einzige, was ich damals mit den Russen assoziierte, aber falls es eine geheime Methode gab, wie man Langeweile überwand, mußte ich dieses Volk so bald wie möglich kennenlernen. Erst Jahre später, als mir eine englische Übersetzung von *Der Weg eines Pilgers* unterkam, verstand ich die geheimnisvolle Anspielung meiner Mutter. In diesem Buch war ausführlich von dem Geheimnis die Rede, niemals gelangweilt zu sein, aber meine Mutter hatte es so einfach und gekonnt zusammengefaßt, daß ein zwölfjähriger Junge es verstehen konnte: »Du mußt nur ständig, mit jedem Atemzug, den Namen Jesu wiederholen. Das ist alles. Der Name Jesu wird dir so viele hübsche Geschichten in Erinnerung rufen, daß dir die Zeit niemals lang wird.« Ich versuchte es, und es klappte.

Es sollte sich herausstellen, daß Langeweile ohnehin kein Thema in meinem Leben war – eher das Gegenteil. Tatsächlich ist das Jesus-Gebet später, als es sich zu meiner ständigen Gebetsform entwickelt hatte, mehr und mehr zu einem Anker geworden, der mich mit dem Urgrund verbindet, während mein Leben alles andere als langweilig ist. Um mir einen Vers aus dem *Missale Romanum* auszuborgen: Das Jesus-Gebet hält mein Herz »verankert in ständiger Freude«.

Nachdem ich *Der Weg eines Pilgers* gelesen hatte, fertigte ich mir einen Rosenkranz mit Holzperlen an, die ich seitdem Perle für Perle bewege, wenn ich das Jesus-Gebet wiederhole. Diese Bewegung meiner Finger ist inzwischen derart mit dem Gebet verbunden, daß ich es mit Hilfe der Perlenschnur fortsetzen kann, wenn ich lese

oder mit jemandem spreche. Es klingt fort wie eine Hintergrund-
musik – nicht im Vordergrund meines Bewußtseins, und doch
jederzeit hörbar.

Die Formulierung, die mir am meisten zusagt, lautet: »Herr Jesus,
erbarme dich!« Der russische Pilger benutzte eine längere Version.
Ich habe mit verschiedenen Formen experimentiert, aber die oben
genannte Fassung sagt mir am meisten zu. In der Regel drückt sie
meine Dankbarkeit aus. Wenn ich mich einer bestimmten Situation
gegenübersehe und sie mit dem Einatmen ganz in mich aufnehme,
betrachte ich diese gegebene Wirklichkeit als eine Facette des
elementaren Gottesgeschenks, das in Jesu Namen zusammengefaßt
ist. Dann, beim Ausatmen, spreche ich den zweiten Teil des Gebets,
und der Sinn ist: »Mit wieviel Gnade überhäufst du mich, von
Augenblick zu Augenblick!« Manchmal kann »Erbarmen!« natürlich
auch ein Hilferuf sein, zum Beispiel, wenn ich todmüde bin und
einen Termin wahrnehmen muß oder wenn ich über die Vernichtung der Regenwälder oder über Zehntausende von Kindern lese,
die alle 24 Stunden auf diesem Planeten der Fülle aus Hunger
sterben. »Erbarmen«, rufe ich dann aus, »Erbarmen!« Das Jesus-
Gebet ist bei mir mittlerweile derart mit dem Ein- und Ausatmen verbunden, daß es die meiste Zeit über ohne meine bewußte Anstrengung fließt. Manchmal dauert es noch an, während
ich einschlafe, bis es sich mit dem tiefen Atmen des Schlafes
vermischt.

Der Rosenkranz, das Angelusgebet und das Jesus-Gebet gehören
mit zu den Gebeten, die ich als am wohltuendsten empfinde. Sie
sind ganz und gar nicht die einzigen, nur diejenigen, die sich am
leichtesten beschreiben lassen. Wie könnte ich auch nur anfangen,
Ihnen zu schildern, was mir die Gebete in den mönchischen
Stundenbüchern bedeuten? Ich habe kürzlich ein Büchlein darüber
geschrieben – *The Music of Silence* –, in dem ich aufzuzeigen versuche, wie nicht nur Mönche, sondern jedermann, in welchen Lebens-
umständen auch immer, in jene Zeiten des Tages eintreten kann,

zu denen die Zeit selbst betet. Oder in das Vaterunser oder in das Glaubensbekenntnis. Ich finde diese Gebete unerschöpflich; ich müßte über jedes von ihnen ein ganzes Buch schreiben. Ja, wir befinden uns immer noch im Gebiet des offiziellen Gebets; und ein offizielles Gebet ist nur ein Eimerchen, mit dem wir wie ein Kleinkind Wasser aus dem Ozean des Betens schöpfen und wieder ausgießen können – schöpfen und wieder ausgießen.

190

Worte: Eine spirituelle Ernte

Geschichten erzählen:
Ein Gespräch mit Joseph Bruchac

Dem Soziologen David Riesman zufolge sind Geschichtenerzähler »unverzichtbare Helfer bei der Sozialisierung. Sie malen die Welt für das Kind aus und geben seinem Gedächtnis und seiner Vorstellungskraft auf diese Weise eine Form und Grenzen.«[11] Nirgendwo sind Geschichtenerzähler und ihre Kunst wichtiger als bei den Ureinwohnern Amerikas. Bis der Cherokee-Indianer Sequoya (1770–1843) im Jahre 1821 sein Silbenalphabet einführte, wurde alles Wissen der amerikanischen Indianer durch das gesprochene Wort weitergegeben. Als Ergebnis wurde jeder Aspekt der oralen Kultur der Ureinwohner Amerikas zu einem fein abgestimmten Instrument, das in der Lage war, Daten von hoher Komplexität und Tiefe zu übermitteln. N. Scott Momaday bemerkt bei seiner Darstellung, welche Kraft den Geschichten in Kiowa und anderen indianischen Nationen innewohnt:

Geschichtenerzählen ist von Natur aus imaginativ und kreativ. Es ist ein Akt, in dem der Mensch danach strebt, seine Fähigkeiten zum Staunen, zur Sinnfindung und zum Entzücken auszudrücken. Darüber hinaus ist es ein Akt, in dem der Mensch sich selbst in einem Kontext von Ideen verwirklicht und bewahrt. Der Mensch erzählt Geschichten, um seine Erfahrungen zu verstehen, worin auch immer sie bestehen mögen. Die Möglichkeiten des Geschichtenerzählens bestehen genau in diesem Verstehen der menschlichen Erfahrungen.[12]

In traditionellen Stammeskulturen existieren Geschichten nur dann, wenn sie mündlich erzählt werden. Sie besitzen eine Unmittelbarkeit, Dynamik und Aktualität, die dem gedruckten Wort versagt ist.

Deshalb sind mündlich erzählte Geschichten auf eine Weise lebendig, die gedruckte Geschichten niemals erreichen können. Es ist vorstellbar, daß schon das Übermaß an gedruckten Wörtern in unserer Kultur – allein in Amerika werden jährlich mehr als 10.000 Bücher produziert – direkt für den heutigen Niedergang der Sprache verantwortlich ist. Wir haben gesehen, daß wenige Worte eines wortkargen Menschen mehr als die eines Vielredners zählen können; entsprechend ist eine Kultur, die nicht viele Worte macht, zugleich eine Kultur, die ihre Worte achtet (bedenken Sie zum Beispiel, wie liebevoll und aufwendig mittelalterliche Manuskripte vor Einführung der beweglichen Drucktypen gefertigt wurden). Bei den Ureinwohnern Amerikas besitzt das Wort Macht, und Geschichten sind lebendig.

Um mehr über das Geschichtenerzählen und seinen Platz in der spirituellen Praxis des Alltags bei den Ureinwohnern Amerikas zu erfahren, sprach ich mit Joseph Bruchac, einem Geschichtenerzähler der Abenaki. Bruchac hat mehrere Bücher – darunter viele Anthologien traditioneller Erzählungen – über das Amerika der Indianer geschrieben. Bruchac, ein schlanker Mann mit einem freundlichen Gesicht und einer ungewöhnlich melodischen Stimme, betont eingangs die Bedeutung einer Geschichte: »Geschichtenerzählen gehört zu unseren wirksamsten Kommunikationsmitteln«, sagt er. »Wenn Sie jemandem einfach irgend etwas erzählen, hört er zu – oder auch nicht. Aber wenn Sie eine Geschichte erzählen, hören die Leute immer zu. Geschichten gehen uns unmittelbar ins Herz.«

Geschichten waren schon immer ein Teil von Bruchacs Leben. Als Kind lungerte er beim Kanonenofen im Gemischtwarenladen des Ortes herum und hörte den Erwachsenen zu, wenn sie über das Alltagsleben und über ungewöhnliche Abenteuer erzählten. Immer wenn es ihm möglich war, ging er in die Wälder – eine Gewohnheit, die er mit seiner Liebe zu Geschichten in Verbindung bringt.

192

»Geschichtenerzählen verbindet uns mit der Erde. Als Kind habe ich den Wald geliebt. Wenn Sie nicht in die Natur hinausgehen, bleibt sie eine Abstraktion, und Sie können sie nicht würdigen oder über sie sprechen. Vieles von dem, was ich jetzt tue – mit meinem Geschichtenerzählen –, ist, daß ich den Menschen die Natur näherbringe.«

Als Bruchac anfing, Geschichten zu erzählen, erwählte er Kinder als seine ersten Zuhörer; zum Teil deshalb, weil er sich der Bedeutung von Geschichten als Lehrmittel sehr bewußt war. »Man muß Kindern Geschichten erzählen«, sagt er. »Mit Kindern, denen keine Geschichten erzählt wurden, geschehen schreckliche Dinge. Bei meiner Arbeit mit Gefangenen finde ich stets heraus, daß sie als Kinder fast nie Gelegenheit hatten, Geschichten anzuhören. Als Folge entspricht ihre wirtschaftliche Armut ihrer intellektuellen und spirituellen Armut. Geschichtenerzählen heißt, jemandem zu großem und beständigem Reichtum zu verhelfen.« Bruchac betrachtet Geschichtenerzählen darüber hinaus als feines Instrument, Kindern moralisches Verhalten einzuimpfen. »Die Indianer erzählen ihren Kindern Geschichten, statt sie zu schlagen. Eine Geschichte verlockt das Kind dazu, zuzuhören und in sich hinein zu lauschen.«

Ich gab zu bedenken, daß ein Kind gewiß mehr braucht als eine Innenschau. Manchmal muß man ihm sagen, was es zu tun hat, und sei es nur um seiner Sicherheit willen. Bruchac gab mir recht. »Die Geschichten der amerikanischen Ureinwohner enthalten auch Überlebensstrategien. Sie zeigen uns die Vielzahl der Pfade auf, denen wir folgen können. Was einer Gestalt in einer Geschichte widerfährt, könnte auch Ihnen passieren, also erfahren Sie etwas über *Ihre* Möglichkeiten, wenn Sie der Geschichte lauschen. Die meisten Geschichten der Indianer sind belehrend. Sie können aus ihnen lernen, wie man Feuer macht und welche Beeren genießbar sind – oder Sie lernen etwas über wichtige moralische Fragen.«

Bruchac erwähnte noch einen zweiten Grund, weshalb man Geschichten ins Alltagsleben einbringen sollte – einen Grund, der sehr stark mit der Kindererziehung verbunden ist: die Notwendigkeit der Gemeinschaft. Er sprach mit Begeisterung über Gemeinschaften, groß oder klein, und mehrmals erwähnte er die Heldentaten seiner Kinder. »Es ist sehr wichtig für mich, Teil einer Familie zu sein – und nicht der wichtigste Teil«, fuhr er fort. »Die nächste Generation ist wichtiger als die frühere.« Bruchac betrachtet den Geschichtenerzähler als Schlüsselfigur in jeder Kultur. »Geschichtenerzählen hält die Gemeinschaft zusammen. Ohne Geschichtenerzählen, ohne Gemeinschaft sind wir buchstäblich geistig nicht im Gleichgewicht. Innerhalb einer Gemeinschaft gibt es immer Geschichten. Sie kommen als Geschenk. In meiner Kultur ist der Geschichtenerzähler der Leim, der alles zusammenhält. In Westafrika, wo ich drei Jahre lang gelebt habe, reiste der Geschichtenerzähler nach einer alten Tradition von Langhaus zu Langhaus, um dort seine Geschichten zu erzählen. Dieser Geschichtenerzähler war so etwas wie der Leim.«

Aber wie ist es mit denjenigen von uns, die nicht bei den amerikanischen Ureinwohnern, bei Afrikanern oder einem anderen Volk mit einer Tradition des Geschichtenerzählens aufgewachsen sind? Hat Bruchac eine Empfehlung für uns, wie wir diese Kunst in unser Alltagsleben einbringen könnten? »Vertrauen Sie der Geschichte«, sagt er. »Versuchen Sie nicht, sie Wort für Wort wiederzuerzählen. Wenn Sie eine Geschichte erzählen, kommt sie, um in Ihnen zu leben, und Sie leben in der Geschichte. Vertrauen Sie diesem Leben.« Als ersten Schritt beim Erlernen des Geschichtenerzählens empfiehlt er folgendes: »Wenn Sie ein Geschichtenerzähler sein wollen, lernen Sie zuzuhören. Bei den Ureinwohnern Amerikas beginnt man eine Geschichte traditionsgemäß mit den Worten: ›Hör zu!‹ Zuhören ist eine Kunst, die wir verlernt haben. Statt zuzuhören, warten die Leute nur auf eine Gelegenheit, einen zu unterbrechen. In meiner Familie kennen wir ein aus vier Teilen bestehendes

194

Mantra. Es lautet: ›Hör zu, beobachte, erinnere dich, teile mit.‹ Wenn Sie lernen zuzuhören, werden Sie auch wissen, wie man etwas mitteilt.«

Lesen

Die Lektionen des Chu Hsi

Lesen ist eine Methode, ein anderes Denken in Ihrem Kopf willkommen zu heißen und neuen Ideen, fremden Landschaften, unbekannten Geschöpfen, exotischen Träumen Raum zu geben. Mit anderen Worten: Lesen ist die Kunst der geistigen Gastfreundschaft.

Einer der profundesten Lehrer des Lesens als einer inneren Disziplin war Chu Hsi (1130–1200), Pädagoge, Philosoph und Regierungsbeamter im China des 12. Jahrhunderts. Chu Hsi, der im Westen nur wenig bekannt ist, galt in China – zumindest vor der maoistischen Revolution – als einer der einflußreichsten Denker der letzten 1000 Jahre. Im 14. Jahrhundert war seine Version des Konfuzianismus zur Staatslehre geworden, und man legte die Lektüre seiner Schriften nachdrücklich jedem ans Herz, der sich durch die labyrinthischen Korridore des chinesischen Staatsdienstes hindurchlavieren wollte.

Chu Hsi schrieb viel übers Lesen – eine Tätigkeit, die seiner Meinung nach die Grundlagen für eine einwandfreie Moral und fromme Lebensführung schuf. Lesen zum Vergnügen oder um Neues zu erfahren, verabscheute er. Er betrachtete das Lesen als eine Übung, die den Intellekt schärft, die Einsicht vertieft und die Moral stützt. Chu Hsi empfiehlt in Hinblick aufs Lesen unter anderem:

- *Lies mit Aufmerksamkeit.* Für Chu Hsi bedeutete dies, daß Körper und Geist beim Lesen wach, aber ruhig sein sollten; nur dann erschließe sich die innere Bedeutung des Gelesenen. Er

195

empfiehlt, der Leser solle – wenn die Aufmerksamkeit nachlasse – eine Pause einlegen und danach neu beginnen:

Es gibt eine Methode, aus Büchern zu lernen. Entleere einfach deinen Geist, dann lese. Wenn du den Text nicht verstehst, lege ihn für eine Weile beiseite, warte, bis deine Gedanken sich geklärt haben, dann nimm ihn auf und lies ihn noch einmal.[13]

- *Genieße das Geschriebene.* Chu Hsi spricht über die Lektüre eines guten Buchs, wie andere über den Genuß eines guten Whiskeys reden würden: »Du mußt dir häufig die Worte der Weisen vornehmen und sie vor deinen Augen Revue passieren lassen, sie in deinem Mund umherrollen lassen, um sie dann in deinem Geist immer wieder umzuwenden.«[14] Er rät, ein und dieselbe Passage mehrmals zu lesen, bis man seine Essenz in sich aufgenommen hat. Er schreibt, daß man lesen muß, bis die Worte und Gedanken des Autors die eigenen geworden sind, denn »nur dann kann es ein wirkliches Verstehen geben.«[15] Sie müssen nicht befürchten, daß dies zu Langeweile führt, denn »unser zehntes Lesen ... ist anders als unser erstmaliges Lesen, und unser hundertstes Lesen unterscheidet sich entsprechend vom zehnten«.[16]
- *Lies wenig, aber lies mit Sorgfalt.* Chu Hsi spottet über Menschen, die sich bemühen, möglichst viel Text zu lesen. Es ist weitaus besser, sagt er, wenig mit Sorgfalt als vieles oberflächlich zu lesen: »Wenn du heute fähig bist, eine Seite zu lesen, lies eine halbe Seite; lies diese halbe Seite immer wieder, mit all deiner Kraft.«[17]
- *Lies laut.* Diese Praxis ist in vielen Traditionen üblich. Das gesprochene Wort besitzt eine fast greifbare Präsenz, die ein Lesen im Kopf niemals erlangen kann, selbst dann nicht, wenn Sie die Wörter im Geist aussprechen. Chu Hsi sagt:

Wenn wir einen Text lesen, müssen wir ihn laut lesen. Wir können ihn nicht nur denken. Wenn unser Mund ihn ausspricht, ist unser Geist ruhig, und die Bedeutung [des Geschriebenen] erschließt sich uns auf ganz natürliche Weise.[18]

- *Sei offen für den Text.* Unterlegen Sie ihm nicht Ihre eigenen Vorstellungen. Akzeptieren Sie die Sicht des Autors, ob seine Worte unbeholfen oder geschickt sind – ob Sie mit seiner Sichtweise übereinstimmen oder sich von ihr abgestoßen fühlen. Was daran von Wert ist, wird Ihnen in Erinnerung bleiben. Chu Hsi fügt hinzu, daß wir ohne Hintergedanken und nur um des Textes willen lesen sollen.
- *Beginne mit Lesestoff, den du verstehst.* Bisweilen lassen Leser sich durch eine ungewohnte Terminologie oder durch undurchsichtige Ideen verwirren. In solchen Fällen rät Chu Hsi, daß Sie nach einer verständlichen, unkomplizierten Passage Ausschau halten und dort anfangen. Auf diese Weise erreichen Sie einen Zugang zu der komplexen Bedeutung des Textes, so wie man etwa durch einen Höhleneingang in ein ausgedehntes System von unterirdischen Gängen gelangen kann.

Lectio divina

Die christliche Tradition hat in den zwei Jahrtausenden ihres Bestehens einen spirituellen Lese-Ansatz entwickelt, der als *Lectio divina* (lateinisch: »Göttliches Lesen«) bekannt ist. Um *Lectio* zu verstehen, muß man wissen, daß das Lesen in vielen religiösen Kulturen als eng mit dem Essen verwandt betrachtet wird. Durch Lesen empfangen wir die reichhaltigste Nahrung, die man sich nur vorstellen kann. Augustinus ruft sich in seinen *Bekenntnissen* in Erinnerung, wie erstaunt er als Jugendlicher war, als er entdeckte, daß Ambrosius, sein Lehrer, lesen konnte, ohne die Lippen zu bewegen. Im Afrika des 4. Jahrhunderts (und in Chu Hsis China des 12. Jahrhunderts sowie in allen Zeitaltern und Kulturen, die das Heilige verehrten) bedeutete Lesen soviel wie wiederkäuen; man käute die Worte eines anderen wieder, so wie eine Kuh das Gras wiederkäut, um den größtmöglichen Nutzen von der Nahrung zu haben. Der katholische Theologe und Benediktiner Henri Leclercq (1869–1945) erklärt:

Im Mittelalter las man gewöhnlich – ebenso wie in der Antike – nicht wie heute hauptsächlich mit den Augen, sondern mit den Lippen, die aussprachen, was die Augen sahen; und mit den Ohren, die die ausgesprochenen Worte hörten – hörten, was man »die Stimme der Buchseiten« genannt hat. Es ist ein wirkliches, akustisches Lesen ... Man versteht nur, was man hört, wie wir heute noch sagen: »entendre le latin«, das bedeutet, »verstehe« es.[19]

In diesem Kauen, diesem Wiederkäuen, diesem Nachdenken und Sich-Verwundern über das Wort-Dinner, das man uns vorgesetzt hat, liegen die Anfänge der *Lectio divina.*

Die Methode der *Lectio* könnte nicht einfacher sein: Statt den Text nach eigenem Gefühl zu interpretieren, denkt man über ihn nach. St. Benedikt, den man den Patron der *Lectio divina* nennen könnte, weist seine Mönche an, jedes Buch »sorgfältig von Deckel zu Deckel« zu lesen.[20] Er schreibt zwei Stunden *Lectio* im Sommer und bis zu vier Stunden im Winter vor (wenn es viele von uns zum Glück ohnehin lieben, sich einzuigeln und zu lesen). In ihrer klassischen Form umfaßt die *Lectio* vier Stufen: Lesen, Auswendiglernen, Meditation und Gebet. Man beginnt, indem man einen Text – gewöhnlich aus der Heiligen Schrift – liest und sich die wichtigsten Passagen einprägt. Das Auswendiglernen schließt die kostbaren Worte im Safe unseres Herzens ein, wo sie für die bewußte Meditation verfügbar sind und zugleich in uns wirken, ohne daß wir es bemerken. Das Meditieren über den Text erschließt uns seine Essenz. Oft führt dieser Prozeß auf natürliche Weise zu tieferen Ebenen des Gebets. Im Idealfall wird die *Lectio* zu einem Dialog zwischen Leser und Schreiber – handelt es sich um die Bibel, findet der Dialog zwischen dem Leser und Gott statt. Guigo der Kartäuser beschreibt diesen Prozeß wie folgt:

Es ist, wie der Herr spricht: »*Suchet, und ihr werdet finden. Klopfet an, und es wird euch aufgetan werden.*« *(Matth. 7, 7) Suchet im Lesen, und ihr werdet in der Meditation finden; klopfet an im Gebet, und ihr werdet durch Kontemplation eintreten.*[21]

Die Methode der *Lectio divina* wird in der Hauptsache bei der Bibel oder der Schriften der Kirchenväter benutzt, aber sie läßt sich auch bei anderen Texten anwenden. Lyrik, Essays, Memoiren – sie alle enthalten Passagen, die des Auswendiglernens, der Meditation und des Gebets wert sind. Wenn wir diese Texte mit Sorgfalt und Liebe lesen, werden wir entdecken, was für ein großartiges Mittel die *Lectio divina* sein kann, uns die Brillanz von Worten zu enthüllen.

Das Thora-Studium:
Was Rabbi Jonathan Omer-Man rät

Der erste rituelle Wunsch, der anläßlich der Beschneidung eines jüdischen Jungen geäußert wird, lautet: »Möge er in das Reich der Thora eintreten!« Einem Außenstehenden mag dieses Reich begrenzt vorkommen, denn die Thora besteht in ihrer einfachsten Definition nur aus den ersten fünf Büchern der hebräischen Bibel. Aber der Judaismus lehrt, daß die Thora in Wirklichkeit ein unendlicher Ozean ist, der sich zwischen dem gegenwärtigen Augenblick und der Ewigkeit erstreckt. Die Thora zu studieren heißt, die gesamte Heilige Schrift in sein Sein aufzunehmen – sämtliche Werke des Gesetzes, der Überlieferung und der spirituellen Einweisung, in denen die Juden die Stimme Gottes gehört haben. Wie Rabbi Jonathan Omer-Man schreibt:

*Die Thora ist der Quell aller Weisheit. In ihren Erzählungen, ihren
Gesetzen, die sogar im Aufbau der hebräischen Sprache, in der sie
geschrieben ist, eingebettet sind, kann man alles finden, was man
auf seinem irdischen Weg wissen muß ... Auf einer tieferen Bedeutungsebene ist die Thora, wie geoffenbart wurde, eine detaillierte
Karte des Kosmos, des göttlichen Plans, jeder einzelnen Facette der
Schöpfung, sogar der Persönlichkeit des Schöpfers.*[22]

—

*Anfang und Ende der Thora
sind gute Taten.*

—

Bei einem kürzlichen Gespräch machte Rabbi Omer-Man, der dem
Metivta vorsteht – einem Zentrum für kontemplativen Judaismus in
Los Angeles –, drei konkrete Vorschläge für diejenigen, die Interesse daran haben, die Thora zu lesen und sie in ihr Alltagsleben zu
integrieren:

- *Geben Sie sich dem Text hin.* »Ich betrachte die Schrift als eine
  Folge von Gedichten«, sagt Omer-Man. »Gedichte müssen
  nicht miteinander übereinstimmen. Jedes von ihnen enthält
  eine besondere Einsicht, und gemeinsam ergeben sie ein Werk.
  Wir befassen uns zu sehr mit Philologie, mit Geschichte. Meine
  Absicht ist es, die Menschen dazu zu bringen, daß sie sich
  dem Text hingeben, statt ihn zu beherrschen. Es ist eine im
  tiefsten Sinne verspielte Methode. Sie ist kreativ-verspielt; sie
  verleitet uns dazu, daß wir uns in unerwartete Richtungen
  wagen.«
- *Stellen Sie Ihre Fragen genauer.* »Die Antworten stehen alle
  im Text«, betont Omer-Man. »Aber die Fragen müssen verfeinert werden. Ich habe festgestellt, daß – wenn man in einer
  Gruppe arbeitet – die Fragen im Verlauf von einem oder zwei

200

Jahren verfeinert werden und mehr dem entgegenkommen, wer die Fragenden sind und wo sie sich befinden.«

• *Erweitern Sie Ihre Definitionen.* »Zum Thora-Studium gehören der Talmud und mystische Texte. Wir sehen alles als ein nahtlos zusammengehöriges Ganzes – vom ersten Wort der Genesis bis zum letzten Wort, das darüber geschrieben wurde. Jedes Studium jüdischer Texte enthüllt präexistente Bedeutungen. Die Thora, das sind nicht nur die fünf Bücher Mosis; es sind die fünf Bücher Mosis und alles seitdem. Die Gesamtheit alles dessen ist die Thora. Das rechtfertigt ein solches Studium. Es erfordert eine moralische und persönliche Arbeit an uns selbst.«

Schreiben

Im Jahre 1577 wurde in Toledo in Spanien ein 35 Jahre alter Barfüßermönch von zartem Körperbau auf eine erlogene Anklage hin ins Gefängnis geworfen. Seine Zelle – ein 180 mal 180 Zentimeter großes, drei Meter hohes, fensterloses Verlies, ein Ofen im Sommer und ein Eisschrank im Winter – wurde für fast ein Jahr sein Heim. Er lebte von schimmeligem Brot, Wasser und Sardinenresten. Dreimal wöchentlich wurde er entkleidet und gegeißelt.

Wie würden Sie oder ich wohl mit einer solchen Quälerei fertig? Der kleine Gefangene – sein Name war Juan de Yepes y Alvarez; er ist besser unter dem Namen Johannes vom Kreuz bekannt – wußte, was er tun mußte. Er vertrat sich die Beine, betete – und schrieb. Mit Hilfe von Tinte und Papier, mit denen ihn ein mitfühlender Wärter versorgte, schrieb er eine Lyrik von unvergleichlicher Sensibilität und Schönheit nieder. Heute, dreihundert Jahre später, sind diese Gedichte in hundert Sprachen übersetzt worden und werden mit zur bedeutendsten religiösen Lyrik gezählt.

Ähnliche Geschichten über Großtaten in der Gefangenschaft gibt es im Überfluß; manch ein literarisches Meisterwerk wurde beim Rasseln von Zellenschlüsseln und in Schatten eiserner Gitterstäbe verfaßt. Ich habe die Geschichte des Johannes vom Kreuz erzählt, um aufzuzeigen, daß die Kunst des Schreibens stets zu Diensten ist, solange man über die erforderlichen Utensilien verfügt. Man kann unter fast unvorstellbaren Bedingungen schreiben, und das Schreiben kann für uns sein, was es für Johannes vom Kreuz war: ein Weg zu Weisheit und Hoffnung.

Das Schreiben jeder Art von Literatur kann eine spirituelle Disziplin sein. Dante schrieb ein episches Gedicht, Basho einen Reisebericht, Donne Predigten und Verse, Coleridge Essays, C. S. Lewis Romane. Jeder dieser Autoren entschied sich dafür, seiner Arbeit eine komplexe Form zu geben, seinen Willen und seine Talente den strengen Regeln der Schreibkunst unterzuordnen. Denkt man aber an alltägliche Zwecke, kommen einem Autoren einer anderen Art in den Sinn: Dorothy Wordsworth, Fjodor Dostojewski, Papst Johannes XXIII. Was hat dieses recht verschiedenartige Trio gemeinsam? Jeder von ihnen bemühte sich, spirituelle Wahrheiten in der einfachsten, bürgerlichsten aller literarischen Formen auszudrücken: in einem Diarium oder Tagebuch.

Das Verfassen von Tagebüchern ist zu einer sehr populären Form des spirituellen Ausdrucks geworden, wie jedermann bestätigen wird, der sich in einer Buchhandlung umschaut. Und es gibt gute Gründe dafür. Tagebücher sind spontan, enthüllend und aufrichtig – oder sollten es zumindest sein. Da sie äußerst privaten Charakters sind, können sie auf die Verkleidung verzichten, die wir gewöhnlich im Alltagsleben tragen. Tagebücher können intim sein, das Herz öffnen. Tagebücher spiegeln die Unmittelbarkeit des Augenblicks wider und fügen dennoch einen Tag an den anderen, bis ein ganzes Leben zusammengekommen ist. Tagebücher können so eklektisch sein, wie Sie es nur wünschen – sie können fast jede andere literarische Form enthalten: Gedichte, Zeilen eines Liedes, Rohentwürfe von Romanen. Um ein Tagebuch zu führen,

202

müssen Sie einfach nur Ihren Bleistift spitzen und sich übers Papier beugen.

Das Wichtige dabei ist, daß man sich überwindet. Schreiben Sie auf, was auch immer Ihnen in den Sinn kommt, wie überspannt oder unbedeutend es Ihnen auch erscheinen mag. Schließlich kann man eine Bleistiftschrift jederzeit ausradieren. Aber es wird kaum jemals nötig sein, denn wenn Sie ein altes Tagebuch hervorholen, werden Sie entdecken, daß Ihnen die peinlichen Passagen ebenso kostbar wie die nüchternen sind. Stellen Sie sich die Tagebuchseite als die Leinwand eines Malers vor; beklecksen Sie sie großzügig mit roten oder gelben Wörtern. Tränken Sie das Papier mit Wörtern. Lassen Sie alles sich über die Seite ergießen: Einfälle, Erinnerungen, Inspirationen. Mit der Zeit werden Sie Ihre Stimme schon finden, und Sie werden anfangen, gekonnter zu schreiben. Sie werden sehr schnell entdecken, daß Ihr Tagebuch – Ihre Lyrik, Ihr Roman, Ihre Briefe, Ihre Lieder – ein Mittel zu einem größeren Selbstverständnis wird. Solange unsere Gedanken in unserem Kopf bleiben, behalten sie ihre Embryonalform – erst wenn wir sie in Worte fassen, erhalten sie ihren vollen Ausdruck. In diesem Sinne *ist* Schreiben Denken; deshalb wird das Schreiben in vielen Traditionen als – zumindest potentielle – Form des Betens betrachtet.

Stille

Meine erste Erfahrung mit totaler Stille war ein Geschenk eines eigensinnigen Eichhörnchens. Dieses Eichhörnchen – das keinen Namen hatte, aber in der Geschichte der Spiritualität ein eigenes Kapitel verdient hätte, denn sein Tun veränderte das Leben vieler Menschen zum Besseren und bewies damit die Realität der brüderlichen Liebe – nagte am 4. Februar 1966 in der Nähe von Buffalo, New York, einen Transformatorendraht durch. Wie jedermann, der damals an der Ostküste der Vereinigten

203

Staaten lebte, sich erinnern wird, war das Ergebnis ein großer Blackout.

Während das Eichhörnchen sich seinen Weg in die Geschichte nagte, sah ich mir – zugleich mit Millionen anderen gelangweilten Teenagern – Soupy Sales's nachmittägliche Fernsehshow an. Ich saß zu diesem Zweck im Wohnzimmer des Hauses meiner Eltern auf Long Island. Gerade in dem Augenblick, als Soupy nach seiner Kreide griff, um einen seiner berühmten zweideutigen Scherze an die Tafel zu schreiben, knisterte der Bildschirm, schrumpfte das Bild zu einem grellweißen Punkt zusammen und verschwand schließlich. War der Fernseher defekt? Gespannt schaltete ich auf einen anderen Kanal um. Nichts als Schneegestöber. Ich versuchte es mit einem dritten Sender. Noch mehr Schneegestöber. Alle Kanäle waren tot. Verblüfft und ein wenig besorgt – es waren die 1960er Jahre, die Sowjetunion hielt den Westen noch in Atem, und meine Gedanken wandten sich sofort der Möglichkeit eines Atomkriegs zu – eilte ich zum Radio. Nichts als ein schwaches, elektronisches Rauschen war zu hören. Was in aller Welt ging da vor sich?

Ich lief nach draußen und starrte in die Richtung, in der – 24 Kilometer in östlicher Richtung – New York City lag. Halb erwartete ich, eine pilzförmige Wolke zu erblicken. Statt dessen sah ich nichts am Himmel – nicht einmal den Widerschein der Stadtbeleuchtung New Yorks, der normalerweise zu dieser Dämmerstunde den Horizont erfüllte. Ich hatte keine Ahnung, was ich von alldem halten sollte, aber ich fing an, die Neuheit des Erlebnisses zu genießen. Ich ging ins Haus zurück. Es war still. Ich hörte kein Radio, keinen Fernseher, keinen Plattenspieler, nichts von dem allgegenwärtigen, elektronischen Summen und Wispern meiner Teenagerjahre. Es gab überhaupt keinen Laut – mit Ausnahme meines Herzschlags. Außerdem herrschte Dunkelheit; das Reich des Lichts und das Reich des Lärms waren gestürzt worden. Ich konnte nichts anderes tun, als mich in die neue Ordnung der Dinge

204

zu fügen. Ich zuckte mit den Schultern, kuschelte mich auf der Couch zusammen, und zum ersten Mal in meinem Leben genoß ich die Stille.

Später erfuhr ich, daß der große Blackout im gesamten Nordosten der Vereinigten Staaten große Erleuchtung in das Leben Tausender von Menschen gebracht hatte; daß Fremde Fremden und Nachbarn Nachbarn geholfen hatten; daß Männer und Frauen sich ineinander verliebt hatten, während sie in Aufzügen oder Untergrundbahnen feststeckten – neun Monate später sollte es in der betroffenen Region einen Mini-Babyboom geben; daß die Kirchen sich gefüllt hatten und die Gefängnisse leerer geblieben waren (während des ersten großen Blackouts hatte es fast keine Gewalttaten gegeben). Für einen erklecklichen Teil der Weltbevölkerung war Stille eingekehrt, und sie hatte Frieden mit sich gebracht.

Stille ist die Rückseite der Wörter, ihre Auskleidung, ihre Seele. Wie der Philosoph George Steiner beobachtet: »Sprache kann sinnvoll nur einen besonderen, begrenzten Bereich der Wirklichkeit ausdrücken. Der Rest – und das ist vermutlich der bei weitem größere Teil – ist Stille.«[23] Mutter Teresa stellt den Wert der Stille auf religiösere Weise dar:

Wir müssen Gott finden, und er läßt sich nicht im Lärm und in der Ruhelosigkeit finden. Gott ist ein Freund der Stille. Siehe, wie die Natur – Bäume, Blumen, Gras – in Stille gedeihen; siehe die Sterne, den Mond und die Sonne, wie sie sich in Stille bewegen ... Wir brauchen Stille, um Seelen berühren zu können.[24]

In der Stille können wir die Welt hören, ungestört durch das Lärmen unseres ruhelosen Affenverstandes. In der Stille hören wir uns selbst, ungestört durch den Lärm der Welt. In der Stille begegnen wir den Wirklichkeiten, die durch den Vorhang der Erscheinungen, des Kommens und Gehens, des Geborenwerdens und des Sterbens, hindurchschimmern. Das ist der Grund dafür, daß – um nur ein

Beispiel aus der unendlichen Vielfalt der religiösen Praktiken der Welt zu nennen – ein Lakota, der um eine Vision bittet, in ein Reich der vollständigen Stille eintritt, die nur durch den Klang der Gebete, das Knistern des glimmenden Tabaks und die Laute der wilden Tiere unterbrochen wird.

Alle Religionen lassen der Stille den ihr gebührenden Raum. Stille ist der Klang der Ewigkeit. »Wir lernen die Sprache von den Menschen und die Stille von den Göttern«, schrieb Plutarch. In frühen buddhistischen Texten wird der Buddha als jenseits »der Pfade der Sprache« beschrieben, und seine Antwort auf nutzlose Fragen – Fragen, die »nicht zur Erbauung dienen« – war oft Schweigen. John Climacus, ein christlicher Theologe des 17. Jahrhunderts, zählt in einem einzigen (recht langen) Satz die spirituellen Schätze auf, die das Schweigen bewacht:

Kluges Schweigen ist die Mutter des Gebets – Freiheit von Sklaverei, Wächter des Eifers, Zucht unserer Gedanken, Obacht auf unsere Feinde, Gefängnis der Trauer, Freund der Tränen, unfehlbares Gedenken an den Tod, Ausmalen der Bestrafung, Nachdenken über das Gericht, Sorge vor der Strafe, Diener der Qual, Feind der Zugeständnisse, Begleiter der Stille, Gegner des Dogmatismus, Zunahme des Wissens, Hilfe bei der Kontemplation, verborgener Fortschritt, die geheime Reise nach oben.[25]

In einigen religiösen Gruppen, wie zum Beispiel bei den Quäkern – besonders während der Glanzzeit des Quietismus –, wurde das Schweigen als die einzig angemessene Haltung bei der Begegnung mit Gott betrachtet. Einige Quäkertreffen fanden jahrelang regelmäßig statt, ohne daß eine einzige Stimme die Stille unterbrochen hätte. In unserem Jahrhundert ist vielleicht das radikalste Beispiel für das Schweigen als religiöse Praxis das Leben Meher Babas (1894–1969), des geliebten Hindu-Lehrers, der 1925 das Sprechen aufgab. Anfangs benutzte er ausgeschnittene Buchstaben, später nur

206

noch Gesten, um mit der Welt zu kommunizieren. Er wandte seine Energie von der Sprache, die nur dem Ego schmeichele, ab und der Arbeit mit Armen und Behinderten zu – eine stumme Mutter Teresa.

Schweigen ist eine schwierige Disziplin. Ambrosius, der Lehrer des Augustinus, fragt rhetorisch: »Was sonst sollen wir vor allem übrigen lernen, wenn nicht zu schweigen, um des Sprechens fähig zu werden?« Er fügt hinzu: »Zu wissen, wie man schweigt, ist schwieriger, als zu wissen, wie man spricht.«[26] John Climacus pflichtet diesem Gedanken bei, wenn er sagt: »Es ist schwierig, ohne einen Kanal das Wasser zu lenken. Aber es ist noch schwieriger, seine Zunge im Zaum zu halten.«[27] Die Mönche und Nonnen in vielen Religionen, die lange Perioden des Schweigens beachten, beschreiben es als die schwierigste aller spirituellen Übungen. (Mehr darüber lesen Sie in dem Gespräch mit Mutter Mary Clare Vincent in Kapitel 9: »Schlafengehen«.)

Es wurde gesagt, noch schwieriger sei es, das richtige Gleichgewicht zwischen Sprechen und Schweigen zu finden. Wir stellen fest, daß wir – auch wenn wir die besten Absichten hegen – bei einer Gelegenheit zuviel und dann wieder zuwenig sagen. Vielleicht am schwierigsten jedoch ist es, mitten im Lärm der Welt ein inneres Schweigen zu bewahren. Können wir – während wir unsere Kinder ermahnen, sich zu beeilen, oder wenn wir mit Mitarbeitern über eine wichtige betriebliche Entscheidung diskutieren – zumindest einen Fuß in der Tür zur stillen Kammer unseres Herzens halten?

In buddhistischen und in christlichen Klöstern lösen Klang und Stille einander in festgelegten Intervallen ab – ein Rhythmus, der Ausgeglichenheit und Gelassenheit im Gefolge hat. In einem Zen-Kloster zum Beispiel alternieren die Laute des Betgesangs, der Glocken, des fließenden Wassers und der stampfenden Füße mit der Stille des *Zazen*, der Badezeit und der Essenszeit. In einem katholischen Kloster alternieren das Angelusläuten oder das Stundengebet mit der Stille der manuellen Arbeit, des privaten Gebets und der

Lectio divina. Wir brauchen dieses Gleichgewicht auch in unserem säkularen Leben. Da wir keine Mönche oder Nonnen sind, müssen wir auf die Unterstützung eines festen Reglements verzichten und unseren eigenen Weg finden. Wie sollen wir dies beginnen? Zwei Übungen bieten sich an:

1. *Nehmen Sie sich einen Tag vor, an dem Sie vom Augenblick Ihres Aufwachens an Stille bewahren.* Schaffen Sie keine unnötigen Schwierigkeiten – wählen Sie einen Tag aus, an dem keine Gäste oder Handwerker zu erwarten sind. Ziehen Sie die Stecker von Telefon, Fernseher, Computer und Radio aus der Wand. Lassen Sie die Stille herrschen. Wenn Sie sich keinen ganzen Tag dafür nehmen können, reicht auch eine Stunde aus.

2. *Nehmen Sie sich einen Tag vor, an dem Sie nur sprechen, wenn es sich nicht vermeiden läßt.* Wie Sie feststellen werden, ist dies ein schwierigeres Vorhaben, als strikte Stille zu wahren. Wenn Sie sich das Sprechen vollständig untersagen, ist die Regel einfach: nicht sprechen. Wenn Sie die Regel brechen, wissen Sie es sofort. Aber wenn Sie beschließen, nur dann zu sprechen, wenn es nötig ist, sehen Sie sich den überwältigenden Komplikationen des Alltagslebens gegenüber, denen Sie mit einem neuen Ordnungsprinzip gegenübertreten. Wenn Ihr kleiner Sohn Sie um ein Plätzchen bittet, können Sie auf die Keksdose deuten. Aber was tun, wenn Ihre kleine Tochter Sie um Hilfe bei ihren Hausaufgaben bittet? Was tun, wenn ein Freund hereinschaut und Sie um einen Gefallen bittet oder sich mit Ihnen gemütlich unterhalten will? Wie hält man das Gleichgewicht zwischen Schweigen und Gastfreundschaft?

Zu dieser Frage zumindest haben sich die Wüstenväter der frühen Kirche ausführlich geäußert. Sie stimmen einmütig darin überein, daß der Gastfreundschaft stets der Vorzug gebührt. Aber andere Streitfragen werden gewiß auftreten. Die beiden Übungen der Stille und des Schweigens laufen unserem gesamten Gewohnheiten zuwider; deshalb laufen wir Gefahr, gegen uns selbst zu kämpfen. Achten Sie deshalb sorgfältig auf sich selbst und Ihre Reaktionen. Stille ist zugleich ein Spiegel, der uns unser Selbst zeigt, und ein Fenster, das uns den Blick zum Göttlichen öffnet.

Ein schöner Aikido-Wurf ist heilig.

Jan Watson

Kapitel 8
Bewegung

Der Schrecken schlug ohne Vorwarnung zu.

Bisher war ich ohne sonderliche Mühe geklettert. Meine elfjährigen Finger waren beweglich genug, um an den winzigen Granitvorsprüngen Halt zu finden. Auf dem Waldboden tief unter mir konnte ich meinen Bruder Jeff ausmachen, der zu mir hochwinkte, und über mir erblickte ich den sich entfernenden Rücken meines Freundes Mike als Silhouette gegen den Himmel. Mike war es gewesen, der vorgeschlagen hatte, daß wir den steilen Fels hinter seinem Haus emporklettern sollten – ein Wagnis, das sinnlos und leichtsinnig genug war, um die Phantasie eines Jungen zu begeistern.

Ich holte tief Luft und streckte die Finger nach dem nächsten Halt aus. Ich packte zu und begann mich hochzuziehen – und dann rutschte ich ab.

Ich fiel nicht. Innerhalb eines Sekundenbruchteils hatte ich meinen Griff erneuert. Aber etwas fiel dennoch – meine Tollkühnheit oder Willenskraft oder Beherztheit. Schweiß lief mir übers Gesicht, brannte mir in den Augen und kitzelte mir im Gesicht. Meine Arme zitterten, mein Magen hob sich. Ich klebte an der Felswand, unfähig, mich zu rühren.

»Was ist los?« rief mein Bruder von unten.

Ich konnte nicht antworten. Ich war zu verwirrt, zu geängstigt und zu wütend über mich selbst und über die Welt, um antworten zu können. Verspätete Bedenken und Selbstbeschuldigungen stürmten auf mich ein. Weshalb hatte ich mich auf dieses lächerliche Wagnis eingelassen? Was, wenn ich zu Tode stürzte? Ich hatte von Leuten gehört, die von Bergen gestürzt waren und ihr ganzes Leben blitzartig vor ihren inneren Augen vorüberziehen sahen. Würde ich das ebenfalls erleben? *Ich war solch ein Narr* ... Ich schaute hoch und sah meinen Freund im Höhersteigen kleiner werden. Dann erreichte er den Gipfel und verschwand aus meinem Gesichtsfeld. Ich wußte, daß ich mich beruhigen mußte. Ich konnte nicht höher steigen, und ich konnte nicht abwärts klettern. Aber etwas sagte mir, daß ich nach innen gehen konnte.

Damals hatte ich noch keine Erfahrung mit Meditation oder Achtsamkeit, aber da meine Eltern darauf bestanden hatten, mich als frommen Katholiken zu erziehen, wußte ich, wie man betet. In meiner Panik begann ich, Gott zu bitten, daß er mich errette. Die Wörter entströmten meinem Mund in einem wilden Durcheinander – in einem Strom des Selbstmitleids und der Angst. Und dann sagte mir etwas – ich weiß bis heute nicht, wer oder was es war –, dies sei der falsche Weg. Ich hörte auf zu jammern und begann, stumm das Vaterunser zu beten. Eine große Ruhe breitete sich in meinem Körper aus. Ich beendete das Gebet und machte mich an den Aufstieg.

Aber ich kletterte auf eine neue Art. Ich achtete nicht länger sorgfältig darauf, wo ich einen Halt haben würde – zumindest nicht bewußt, wie ich es zuvor getan hatte. Vielmehr ging ich instinktiver an den Aufstieg, und ein sechster Sinn sagte mir, wo ich meine Hände und Füße zu plazieren hatte. In den darauffolgenden Jahren habe ich von ähnlich mühelosen Kletterpartien gelesen – von Bergsteigern, die von der Intuition ergriffen wurden, und von Mönchen, die in esoterischen Schulen erzogen waren. Ich wußte nur, daß ich rasch emporkam, geleitet von einer neuen Intelligenz in mir. Innerhalb weniger Augenblicke hatte ich den Gipfel erreicht. Ich schaute meinen Freund an, zuckte mit den Schultern und sagte: »Ganz schöne Klettertour.«

Ich erzähle diese Geschichte nicht, um die Wirksamkeit von Gebeten zu illustrieren – dieses Thema findet sich im gesamten Buch –, sondern um ein Beispiel für die Weisheit des Körpers zu bringen,

212

und sei es auch noch so unbedeutend. Wir sind körperliche Wesen, und vieles von dem, was uns teuer ist, verdanken wir unserem Fleisch und Blut. Tatsächlich ist, wie Emerson in seinem Essay *Society and Solitude* schreibt, die gesamte Zivilisation eine Ausweitung des Körpers:

Der menschliche Körper ist ein Vorratslager an Erfindungen – das Patentbüro mit Modellen, von deren Tips und Fingerzeigen wir uns bedienen. Denn fast alle Werkzeuge und Maschinen auf der Erde sind nur Ausweitungen der Gliedmaßen und Sinnesorgane.

Demnach ist es von größter Wichtigkeit, wie wir zu unserem Körper stehen. Gewiß geht es dabei um mehr als um Gesundheit. Körperliches Wohlbefinden ist natürlich wünschenswert, und die Erhaltung der Gesundheit erfordert – besonders, wenn wir älter werden – Wissen um die Bedürfnisse und die Kapazitäten unseres Organismus. Aber die körperliche Unversehrtheit ist nicht das Wichtigste an unserer Existenz; viele Heilige waren ihr Leben lang von schwächlicher Gesundheit, und nicht wenige spirituelle Übungen zehren an unserer Kraft. Am wichtigsten ist zu lernen, wie der Körper die Seele bei ihren Bemühungen unterstützen kann – auf welche Weise Muskeln und Sehnen, Blut und Knochen zum inneren Leben beitragen können.

Bisher haben wir viel über körperliche Ruhe gesprochen – über das Stillsitzen bei der Morgenmeditation; über das Innehalten in der Hektik unseres Arbeitsalltags, um das Stundengebet zu sprechen oder sich gen Mekka zu verneigen; über das schweigende Lauschen, um die Stimme der Natur zu hören. Aber die Klettergeschichte deutet, wie mir scheint, eine neue Möglichkeit der kontemplativen Praxis an: Wie wir mitten in der Bewegung still sein können. Als ich an den Fels geheftet war und mich nicht rühren konnte, erwachte etwas in mir – nur für einen Augenblick –, und ich hatte genug Verstand, um still zu bleiben und dieses Etwas meine Bewegungen ausführen zu lassen. Was war dieses »Etwas«? Mir fällt kein besserer Ausdruck ein als Körperintelligenz – die Sprache des Leibes, die sich in der Bewegung ausdrückt.

Diese Sprache zu erlernen gehört zu den wichtigsten Zielen unserer inneren Arbeit. Sie hat zu einer Reihe spezieller Aktivitäten Anlaß gegeben, vom Yoga über den rituellen Tanz bis zu den Wallfahrten. Lassen Sie uns einige der ältesten und am weitesten verbreiteten Disziplinen dieser Art näher betrachten: die Kampfsportarten Asiens.

Kontemplative Nahaufnahme: Die Kampfsportarten

Übe den Geist, übe den Körper

Wer die Straßen meiner Heimatstadt durchstreift, kommt vielleicht an einem alten gemauerten Fabrikgebäude vorbei. Es war früher eine Spinnerei, in der unter den aufmerksamen Blicken von Yankee-Pionieren viele Millionen Seidenraupen das Rohmaterial für Damenbekleidung ausschieden. Heute sind diese Raupen nicht mehr, und die Stille des Spinnens wurde – wie der Passant sofort bemerkt – durch ein Gemisch von seltsamen Geräuschen ersetzt: Füßestampfen, Keuchen, Stimmen in einer fremden Sprache. Besucher, die neugierig genug sind, um den Geräuschen nachzugehen, gelangen ins zweite Stockwerk des Gebäudes und sehen sich einer Szenerie gegenüber, die unsere Yankee-Vorfahren sich in ihren wildesten Phantasien nicht hätten träumen lassen: Vierzig oder fünfzig Männer, Frauen und Kinder in weißen Gewändern *(Gi)*, die von weißen, grünen, braunen oder schwarzen Gürteln zusammengehalten werden, führen einheitlich eine Folge von Bewegungen aus, die wie eine Kreuzung zwischen den Aufwärmübungen in einem Marine-Camp und klassischem Ballett anmuten.

214

Wie Sie vielleicht bereits erraten haben, ist unser »Forscher« in eine Karate-Klasse geraten – ein kleiner Tropfen in einem Ozean der kriegerischen Künste, der zur Zeit über die ganze Erde schwappt. Einer Schätzung gemäß gibt es allein in den Vereinigten Staaten 20 000 oder 30 000 *Dojos* oder Übungshallen für den Kampfsport. Nach der Legende schlug die Geburtsstunde des modernen Kampfsports, als Bodhidharma (448–527), der erste Patriarch des Ch'an-Buddhismus, beschloß, etwas gegen die körperliche Trägheit der Mönche des Shaolin-Tempels in China zu unternehmen. Er entwarf für sie eine Reihe von Übungen, die nicht nur ihrer körperlichen Kraft und Beweglichkeit, sondern auch der inneren Sammlung förderlich waren. Somit stellte er prinzipiell fest, daß diese Kampfsportarten sowohl den Geist als auch den Körper stärken. Tausend Jahre später erreichten die Lehren Bodhidharmas Japan, wo sie rasch von den *Bushi* adaptiert wurden – der traditionellen Kriegerkaste. Es entstanden Judo, Karatedo, Aikido, Kendo (Schwertkampf), Kyudo (Bogenschießen) sowie eine Vielzahl anderer Formen. Man findet an diese Namen stets das Suffix *do* angehängt, was soviel wie Weg bedeutet. Dies unterstreicht die spirituelle Dimension dieser Disziplinen, die Mut, Willen und das harmonische Leben betonen.

Um etwas mehr über die Kampfsportarten zu erfahren, besuchte ich Jeffrey Brooks, Direktor des Northampton Karate Dojo und des Northampton Zendo (Zen-Übungshalle) in West-Massachusetts. Brooks hat umfassende Untersuchungen über die Verbindung zwischen den Kampfsportarten und den spirituellen Übungen angestellt; Verbindungen, die er in seiner Praxis lebendig zu halten versucht. Man ahnt dies anhand seiner Kondition, wenn er eine Klasse führt. Während Brooks seine Schüler in Kata unterrichtet – einer Reihe festgelegter Karate-Ausfälle gegen einen imaginären Feind –, bewegt er sich mit atemberaubender Schnelligkeit. Er trägt ein weißes *Gi*, das von einem schwarzen Gürtel zusammengehalten wird, und erinnert an einen Fels – einen Brocken aus weißem Granit

215

mit einer schwarzen Basaltader. Ein Felsen, der fließt – dieses Paradoxon vermittelt uns eine Ahnung von dem bemerkenswerten Ziel des Kampfsports, über den Weg des Kriegers Frieden zu finden.

Für Brooks ist Kata Herz und Seele des Karate: »Durch die ständige Anstrengung des Kata stellt sich ein Gleichgewicht in unserem Körper ein. Wir werden stärker, besser im Einklang mit unserer Atmung, besser integriert mit unserem Geist und Willen.« In dieser und auch anderer Hinsicht erinnert Kata erstaunlicherweise an die kurzen, repetitiven Gebete, die im vorangegangenen Kapitel besprochen wurden. Mantra wie Kata sind mit einem explosionsartigen Ausbruch von verbaler beziehungsweise körperlicher Aktivität von höchster Präzision und Eleganz verbunden. Die Folge sind tiefgreifende Veränderungen beim Ausübenden. »Durch die scheinbar gezügelte Form«, sagt Brooks, »werden Geist und Körper integriert und frei.«

Der Prozeß, von dem Brooks spricht, findet schrittweise statt. »Wenn Sie sich zum ersten Mal im Kata versuchen, versagen Sie. Sie erlernen die Bereitschaft, Fehler zu machen und dabei zu bleiben. Viele Male sind Sie geneigt aufzugeben, aber Sie entwickeln Beharrungsvermögen. Indem Sie Ihre Grenzen und deren Unbeständigkeit akzeptieren, lernen Sie viel über Ihre Fähigkeiten. Anfangs sind Sie zielorientiert. Sie arbeiten hart daran, Fortschritte zu machen. Aber später werden Anstrengungen und Geduld die Pole eines einheitlichen Übungsweges. Sie üben für Ihre Übung. Sie halten nicht länger nach Belohnungen von außen Ausschau. ›Dies ist die Kondition meines Lebens‹, denken Sie. Sie üben, um diese Kondition beizubehalten, und diese Kondition läßt Sie üben. In den fortgeschritteneren Stadien verschwindet die Barriere zwischen Kata und dem Schüler vollständig. Es sind nicht länger Sie, der Kata übt, sondern Sie verkörpern Kata auf natürliche und spontane Weise.«

Demnach kann Karate zu einer persönlichen Transformation führen. Als mir dies in den Sinn kam, stellte ich Brooks eine schwierige Frage, die sich wie ein Trommelrhythmus durch dieses ganze Buch zieht: »Was lehrt uns Kata über das gewöhnliche Leben? Gibt es eine Möglichkeit, wie ich – der ich keinen Kampfsport ausübe – diese Lehre anwenden kann?«

»Fast jeder von uns hat ein Hobby, einen Zeitvertreib, eine familiäre Verantwortlichkeit«, erwidert er. »Aber nur sehr wenige Menschen haben Erfahrung darin, wie es ist, sich einer Übung zu unterziehen. Ich glaube, daß wir alles – wandern, musizieren, im Haus arbeiten – als Übung auffassen können, solange wir einen ›Übungs-Verstand‹ haben.«

Aber sicherlich bieten die verschiedenen Tätigkeiten auch unterschiedliche Arten und Ebenen der Übung. Achtsamkeit bei einer täglichen Routine – beim Abwasch oder beim Bürsten der Katze – ist nicht dasselbe, wie in einem Dojo zu üben oder bei einer Messe zu beten. »Das Problem«, sagt Brooks, »ist, daß einige Übungsarten, wie zum Beispiel Karate, perfektioniert wurden. Der Weg ist markiert, die Stufen liegen fest. Wenn Sie für sich selbst üben, entscheiden Sie sich vielleicht für einen einfachen Weg, der keine besonderen Anforderungen an Sie stellt. Dies führt niemals zu einer Transformation.«

Wie steht es dann mit der Transformation, die das Karate mit sich bringt? Jeder, der ein Dojo besucht, kann sehen, daß durch diese strenge Kunst Körper und Geist geübt werden. Fortgeschrittene Schüler kann man – zumindest dann, wenn sie in einer traditionellen Schule sind – an ihrer Aura der inneren Stille und Ruhe erkennen. Sie stellen sich nicht zur Schau und haben viel von der Anmut einer Ballerina an sich. Auf welche Weise lehrt Karate den Schüler, sich mit solcher Reinheit, Einfachheit und Kraft zu bewegen?

»Wir existieren in einem Leib«, sagt Brooks. »Sie können ihn als totes Gewicht mit sich herumschleppen, als Quelle von Problemen und als Last, oder aber Sie können ihn mit Menschlichkeit füllen und in Frieden leben. Ich habe herausgefunden, daß ich nicht still oder friedlich sein kann, wenn ich mich nicht energisch bewege. Je intensiver und energischer mein Training am Tag war, desto stiller bin ich innerlich. Der Körper hat einen Drang, sich zu bewegen, und einen Drang, damit aufzuhören. Die meisten Menschen bewegen sich auf dem Mittelfeld – sie sind weder in der Bewegung noch im Aufhören energisch. Aber wenn Sie wahrhaft ruhig sein können oder wenn Sie sich hundertprozentig auf Bewegung einlassen können, werden Sie feststellen, daß diese beiden Zustände einander sehr ähnlich sind. Das Gefühl, das entsteht – manche nennen es *Samadhi* –, läßt sich auch in andere Momente des Lebens übertragen. Aber Sie können es nicht wollen – es kommt nur durch die Übungspraxis.«

Ruhe in der Bewegung

Paul Kaufman geht auf die Matte, um das Geheimnis der Ruhe in der Bewegung zu ergründen:

Wenn George Leonard in seinem Aikido-Dojo in Mill Valley in Kalifornien über seinen Trainingspartnern emporragt, könnte man meinen, daß er im falschen Geschäft ist. Er ist eine Königseiche unter Pappeln; ein großer Mann mit jener perfekt aufrechten Haltung, wie man sie auf Schautafeln dargestellt findet, auf denen unsere Entwicklung zum *Homo sapiens* stilisiert dargestellt ist. Und doch beherrscht er die wirbelnden Energien einer subtilen Kampfsporttechnik, die körperlich kleinere Menschen dazu befähigt, die Angriffe größerer abzuwehren und dabei sich selbst und ihren Angreifern kaum Schaden zuzufügen.

George fordert Charlotte – eine seiner besten Schwarzer-Gürtel-Schülerinnen – auf, ihn anzugreifen. Sie deckt ihn mit hörbaren Schlägen ein, die immer heftiger werden. Immer wieder fällt sie über ihn her. Sie ist sehr schnell. Gemäß der Logik der Straßenkämpfe sollten die Dinge jetzt zu einer heftigen Salve von Aktion und Reaktion eskalieren. Aber während Charlottes Angriffe heftiger werden, wird George ruhiger und ruhiger. Die Ruhe in seinen Bewegungen ist um so verblüffender, als er weniger zu tun scheint, je mehr die Umstände von ihm verlangen, daß er aktiver wird.

»Meditation in der Aktion ist der Meditation in der Ruhe hundert-, ja, tausendmal überlegen«, besagt ein taoistischer Spruch. »Ruhe in der Ruhe ist nicht die wirkliche Ruhe; nur wenn Ruhe in der Bewegung ist, manifestiert sich der universale Rhythmus.«

Während ich George zuschaue, erkenne ich, daß dieses alte Konzept ein neuerliches Beispiel für diese »paradoxe« östliche Weisheit ist, und ich sage mir, daß wir uns bei allem, was wir tun – kochen, Auto fahren, Sport treiben, tanzen –, eines kontemplativen inneren Zentrums bewußt sein können, das zugleich leer und übervoll an Möglichkeiten ist.

George beginnt den heutigen Aikido-Unterricht, indem er seine Schüler auffordert, sich still auf die Matte zu setzen und fünf Minuten lang zu meditieren. Er bittet sie darum, einfach nur auf alles zu achten, was ihnen in den Sinn kommt, und es dann vorübergehen zu lassen. Bei dieser Übung geht es darum, sich nicht von inneren Bildern und Gedanken ablenken zu lassen. Seine Kampfsportschüler sollen sich nicht ablenken lassen – noch nicht einmal durch Geräusche. »Was auch immer geschieht, lassen Sie es gehen … lassen Sie es vorbeigehen«, rät er.

Das bedeutet, daß man nicht ziehen muß, wenn gestoßen wird. Sie haben die Möglichkeit, sich mit der Energie des Stoßes zu verbinden. Wenn der Angreifer schlägt, können Sie beiseite treten. Mit Georges Worten ausgedrückt: Sie können mit Ihrem Angreifer »eins« werden. Metaphorisch gesprochen, repräsentiert der Angreifer die Welt der Kräfte um Sie herum. Wenn Sie sich mit dem Angreifer verbinden, öffnen Sie sich für ein größeres Universum.

George bittet seine Schüler, ihren Impuls in Frage zu stellen, einen Angreifer, der sie gepackt hat, zu Boden zu werfen. Um zu demonstrieren, was er meint, lädt er einen Schüler ein, seine Handgelenke mit festem Griff zu umklammern. George und der Schüler bilden einen Minireigen und drehen sich und drehen sich in einem Tanz, bei dem schwer zu entscheiden ist, wer wen festhält; wer der Angreifer ist und wer der Verteidiger. George kommentiert: »Von der Zeit an, als wir kleine Kinder waren, hat man uns gesagt, wenn jemand uns stößt, sollen wir zurückstoßen. Wir leben in einer Folge von Stoßen und Zurückstoßen. Wenn also jemand deine Handgelenke packt, verbinde dich einfach mit ihm. Denk nicht ans Hinwerfen. Sei einfach dort, im Hier und Jetzt, und achte auf alles, was geschieht. Und wenn du das richtig machst, wirst du – solltest du doch werfen müssen – es wirksamer machen.«

George ermutigt seine Schüler zu dem Gedanken, daß es das

Unwichtigste überhaupt ist, jemanden zu Boden zu werfen. Und das hat in der Praxis zur Folge, daß ihre ohne innere Beteiligung ausgeführten Würfe bei weitem wirksamer sind. Wenn im Kern der Bewegung die Ruhe ist, verschwenden Sie Ihre Energie nicht an einen Angriff, ein Problem oder dafür, der Kraft entgegenzuwirken, die gegen Sie stößt, sondern die Kraft steht für eine Lösung zur Verfügung. »Wenn Sie sich nicht auf das Problem einlassen, können Sie ihm nicht Ihre Kraft opfern«, sagt George. »Tritt ein großes Problem auf, widmen Sie nicht ihm Ihre ganze Aufmerksamkeit, sondern zentrieren Sie sich und weiten sich durch das Problem hindurch aus und über es hinaus bis ans Ende des Universums. Weiten Sie sich in die Ewigkeit aus, und die Lösung wird sich zeigen.«

Der Kampfsportler wird zuweilen angewiesen: »Lassen Sie Ihren Geist wie Wasser werden.« Dieser Rat impliziert den Gedanken, daß Ihre mentale Ruhe widerspiegeln wird, was tatsächlich geschieht, und nicht, was Ihrer Meinung nach geschehen wird. Psychologische Untersuchungen haben gezeigt, daß unsere Erwartungen die Informationen prägen, die wir aufnehmen. Eine starre Erwartung eines Ausgangs kann den Fluß der Energie hemmen, die fließt, wenn wir handeln. Eine ruhige Achtsamkeit bedeutet, daß wir unserem Kopf eine Ruhepause gönnen, und unser Körper eine Chance erhält.

»Unsere Kultur lehrt uns immer noch, daß der Körper unserem ›imperialen Verstand‹ unterlegen ist«, sagt George. »Wir lernen noch immer, daß der Körper voller unsinniger Gelüste steckt und daß die materielle Welt irgendwie minderwertig ist. Ob es der Heilige Geist irgendwie versäumt hat, Stein und Holz zu durchdringen?« fragt er rhetorisch. »Kommen Sie schon ... wer hat das Fleisch geschaffen? Der Heilige Geist. Gott hat das Fleisch gemacht. Es ist alles heilig. Ein schön gelaufenes Rennen ist heilig. Ein schöner Wurf ist heilig.«

Bewegung: Eine spirituelle Ernte

Die Sprache des Körpers

Wir haben gesagt, daß der Körper seine eigene Sprache spricht. Die üblichen körperlichen Positionen des täglichen Lebens – Stehen, Sitzen, Liegen – stellen einen Teil seines Vokabulars dar. Aber es gibt auch speziellere Haltungen und Gesten wie etwa Knien oder Handgesten. Es folgt ein Lexikon der Körperhaltungen mit Hinweisen auf ihre spirituellen Bedeutungen:

Stehen

Nur Menschen stehen aufrecht auf zwei Füßen. Diese Haltung bringt unmittelbar praktische Vorteile mit sich. Durch sie haben wir die Hände frei, um Weizen ernten, Romane schreiben oder Gitarre spielen zu können. Rein körperlich gesehen bedeutet der aufrechte Gang den Marsch in die Zivilisation. Aber diese Haltung hat auch eine spirituelle Bedeutung, denn wenn wir stehen, setzen wir die Füße auf die Erde und heben den Kopf dem Himmel entgegen. Auf diese Weise werden wir – wie Black Elk es ausdrückt – die Achse oder das Bindeglied zwischen Materie und Geist. Der Stand ist hervorragend als Gebetshaltung geeignet. Eine Variante davon ist die frühchristliche *Orans*-Haltung, bei der man mit ausgestreckten Armen vor Gott stand.

Sitzen

Einst eine Ausnahmehaltung, die den Vornehmen vorbehalten war, ist der Sitz heute die gewöhnlichste aller Haltungen geworden. Wir sitzen im Auto, auf der Couch, am Schreibtisch und am Eßtisch. Wir sitzen, wenn wir telefonieren, wenn wir einen Brief schreiben, wenn wir ein Buch lesen (ich möchte bei dieser Gelegenheit darauf hinweisen, daß Schreiben und Lesen bis zum 16. Jahrhundert Tätigkeiten waren, die im Stehen ausgeübt wurden).

222

Sitzen läßt uns an Bequemlichkeit, Komfort und Entspannung denken – Qualitäten, die auch die spirituelle Rolle dieser Haltung bestimmen. Wenn wir sitzen, können wir das Wesentliche am aufrechten Stand – nämlich das gestreckte Rückgrat – lange Zeit ohne Ermüdungserscheinungen beibehalten. Deshalb wurde die sitzende Position in den meisten Traditionen die bevorzugte Haltung bei längeren Gebeten oder Meditationen.

Die berühmteste Sitzhaltung bei der Meditation ist der Lotossitz: Die Beine sind angewinkelt und derart überkreuzt, daß der rechte Fuß auf dem linken Oberschenkel und der linke Fuß auf dem rechten Oberschenkel ruht, während die Knie den Boden berühren. Diese Haltung soll eine unvergleichliche Stabilität mit sich bringen, sobald man sie einmal erlernt hat (eine sehr schwierige Aufgabe – ich persönlich habe sie nie auch nur annähernd erfüllt). Eine weniger anstrengende Variante ist der halbe Lotus: rechter Fuß unter den linken Oberschenkel, linker Fuß unter den rechten Oberschenkel, die Knie am Boden. Noch einfacher ist die traditionelle japanische oder burmesische Meditationshaltung, bei der man mit einem Kissen unter dem Gesäß kniet. Dies ist meine bevorzugte Position – tatsächlich die einzige Haltung, in der mein bemerkenswert unflexibler Körper still verharren kann, ohne zu schmerzen. Viele Menschen sitzen beim Meditieren einfach auf einem Stuhl, auch hierbei ist es wichtig, daß das Rückgrat gerade ist. Der Blick sollte genau nach vorn gerichtet sein; hebt man den Kopf an, stellen sich Phantasien ein; senkt man ihn, neigt man zum Einschlafen.

Liegen

Wir legen uns hin, wenn wir schlafen wollen. Dieser Umstand läßt nichts Gutes für die spirituelle Bedeutung dieser Position ahnen, denn sie wird in der Regel mit Trägheit oder Faulheit assoziiert. Aber andererseits ist die willentliche Niederwerfung – man streckt sich, mit dem Gesicht nach unten, auf dem Boden aus – eine außerordentlich wirksame Geste, die man in vielen Religionen findet. Sie wird mit Ergebenheit oder Unterwerfung assoziiert; sie zeigt an, daß man sich vor dem Göttlichen erniedrigt. Wie wir bereits gesehen haben, werfen sich die Muslime während der *Salat* auf den Boden und drücken auf diese Weise mit ihrem Körper den Wesenskern des Islam aus (»Islam« ist das arabische Wort für »Ergebung«). Ich habe auch Praktiker des Jesus-Gebets kennengelernt, die sich nach jeder Wiederholung des Gebets zu Boden werfen.

Eine Anzahl anderer, genauer beschriebener Haltungen haben Eingang in das kontemplative Repertoire gefunden. Dazu gehören unter anderem:

Sich verbeugen

Durch Verbeugen ehren wir andere, indem wir uns erniedrigen. In vielen asiatischen Ländern ist das Sich-Verbeugen in das kulturelle Leben integriert. Oft kaum merkliche Unterschiede in der Dauer oder Tiefe der Verbeugung dienen als genaue Gradmesser des gesellschaftlichen Status. Vielen Angehörigen westlicher Kulturen bereiten Verbeugungen Unbehagen – sie lehnen Gesten ab, die Unterwürfigkeit signalisieren. Dennoch erscheint es uns angemessen, sich vor Menschen, die wir respektieren, zu verbeugen – sie zu ehren und ihnen zu gehorchen. Zen-Mönche und -Nonnen verbeugen sich vor ihrem *Roshi,* Ritter vor ihren Damen, Pfauenmännchen vor den Pfauenweibchen.

Es ist spaßig, sich vorzustellen, welche Veränderungen in unserem Leben stattfänden, wenn wir die Sitte des Sich-Verbeugens im Alltagsleben aktivieren würden. Stellen Sie sich die Reaktion von Eltern vor, wenn ihre Kinder sie jeden Morgen mit einer Verbeugung statt mit einem Knurren begrüßen würden. Und wie würde ein hartgesottener Taxifahrer reagieren, wenn wir ihm mit einer Verbeugung dafür dankten, daß er uns rechtzeitig zum Flughafen gebracht hat? Bis diese glücklichen Zeiten anbrechen, empfehle ich

224

Ihnen jedoch, die Verbeugung in Ihr persönliches religiöses Leben einzuführen, wann immer es angemessen erscheint.

Knien

Knien ist in gewisser Hinsicht eine längere Zeit hindurch beibehaltene Verbeugung – eine bewußte Herabsetzung unseres eigenen Status, um die Größe einer anderen, bedeutenderen Person zu ehren. Im christlichen Glauben ist Knien die bevorzugte Haltung bei längeren Gebeten; das körperliche Unbehagen, das durch den Druck des harten Bodens gegen die Knie hervorgerufen wird, ist manchmal willkommen – es erinnert den Betenden an den geheimnisvollen Zusammenhang zwischen Leiden und Gnade.

Handgesten

Nach dem Gesicht sind die Hände unsere ausdrucksvollsten Körperteile. Sie sprechen mit unvergleichlicher Anmut und Beredtheit, wie jeder bestätigen wird, der einmal die *Mudras* des traditionellen indischen Tanzes beobachtet hat. Dies ist zweifellos der Grund dafür, daß die Hände eine so wichtige Rolle im Ritual spielen. Sie dienen als Vermittler beim Segnen, Salben und beim Weihen sowie bei den wichtigsten religiösen Symbolen, etwa beim Kreuzzeichen.

Auch auf weltlichem Gebiet spielen unsere Handgesten eine wichtige Rolle. Wie wir die Hände halten – vor der Brust gefaltet, im Schoß ruhend, an den Seiten hängend –, ist von großer symbolischer Bedeutung und kann tiefe Auswirkungen auf unser inneres Leben haben. Um zwei extreme Beispiele anzuführen: Wie die Menschenaffen mit den Armen zu schwingen macht jede Gelassenheit und jede Erkenntnis bei einer Meditation im Gehen von vornherein unmöglich. Hingegen stellt es ein universal gültiges Zeichen von gutem Willen und eine günstige Gebetshaltung dar, wenn wir die Hände vor der Brust zusammenlegen.

Küssen

Es mag seltsam erscheinen, in einem Buch über spirituelle Praktiken übers Küssen zu sprechen, aber der Kuß ist in der Tat eine universale Geste der Liebe und Achtung. Ein bekanntes Beispiel aus der Gegenwart ist die Gewohnheit von Papst Johannes Paul II., den Boden jeden Landes zu küssen, das er besucht. Aber diese Geste ist kaum auf Päpste beschränkt. Juden küssen das Mezuzah, Christen küssen den Bischofsring, die Gläubigen fast aller Religionen küssen ihre heiligen Schriften. Es ist eine Offenbarung, zu küssen, was man als heilig betrachtet – ob es sich um eine Ikone handelt, um eine Kette mit Gebetsperlen oder ein Foto des geliebten Lehrers. Die reine Intimität des Aktes macht jede Art von Falschheit unmöglich – Sie werden sofort merken, ob Ihre Hingabe echt ist oder nicht. Wir küssen, wenn wir lieben.

Pilgerschaft: Die äußere
und die innere Ruhe

Im Dezember 1968 kommen zwei Männer im buddhistischen Schrein in Polonnaruwa in Sri Lanka an. Der Mann, den wir A nennen wollen, ist von der Großartigkeit der gigantischen Felsstatue des liegenden Buddha fasziniert – sie erinnert ihn an die riesigen Thanksgiving-Day-Ballons in New York und das Lincoln Memorial in Washington. Er macht Fotos und schreibt Postkarten. Mann B ist ebenfalls überwältigt. Er schreibt in sein Tagebuch:

Ich wurde plötzlich, beinahe gewaltsam, aus der gewohnten beschränkten Sicht der Dinge herausgerissen, und eine innere Helligkeit, Klarheit wurde evident, offensichtlich, als würde sie von dem Fels selbst abgeschleudert ... Ich weiß nicht, wann ich jemals zuvor in meinem Leben einen so starken Eindruck hatte, daß Schönheit und spirituelle Wahrheit in einer einzigen ästhetischen Illumination verschmolzen.[1]

Mann A ist ein namenloser Tourist, Mann B der katholische kontemplative Mönch Thomas Merton. Aber ich möchte Ihre Aufmerksamkeit nicht auf den Mann lenken, sondern auf die Reise. Beide Reisende brachen von Amerika aus auf, und beide landeten auf derselben Lichtung in Asien. Was also unterscheidet sie voneinander? Nur soviel: Mann A war auf einem Trip, und Merton war auf einer Pilgerfahrt. Für Mann A ist eine Reise eine Angelegenheit, bei der es hauptsächlich um Äußerlichkeiten geht, wenn sie ihm auch einen inneren Ertrag in Form von angenehmen Erinnerungen einbringt. Für Merton hingegen ist – wie für jeden Pilger – die Reise zugleich ein inneres und ein äußeres Unternehmen. Die Karte der Reisen Mertons enthüllt eine bemerkenswerte, zweifache Route; die eine führt nach Polonnaruwa, die andere in den Kern seines Herzens.

Wir verbringen unsere Tage in Bewegung. Jeden Morgen brechen wir zu einer Reise auf, und jeden Abend kommen wir am Ziel dieser Reise an. Jeden Tag reisen wir durch 16 Stunden und über eine gewisse Strecke an Kilometern – selbst dann, wenn wir mit dem Staubsauger, dem Wischtuch oder dem Besen durchs Haus wandern. Das ist unsere äußere Reise. Wir alle müssen uns fragen, ob wir auch auf einer inneren Reise sind. Wie kann ich meinen Tag zu einer Pilgerreise machen? Dazu gibt es kein einfaches Rezept, aber das folgende Gedicht von Sir Walter Raleigh zählt einige der Zutaten auf:

> Gebt mir meine Muschelschale voll Stille;
> Meinen Wanderstab des Glaubens;
> Meinen Ranzen voll Freude, Unsterblichkeitsdiät;
> Meine Flasche voll Heil;
> Mein Gewand der Glorie (das wahre Maß der Hoffnung);
> Derart gerüstet will ich meine Pilgerfahrt antreten.

Kapitel 9
Schlafen gehen

Ich habe immer noch den Geruch nach altem Leder im Lesesaal in der Nase, einen trockenen, staubigen Geruch, der in der Nase kitzelte – den Geruch nach den ledergebundenen Büchern, den ledergepolsterten Stühlen, den lederbezogenen Platten der Lesetische und nach altem, menschlichem Schweiß. Der Lesesaal, den wir als »die Grube« bezeichneten, war im hinteren Teil des Erdgeschosses eines Elite-College der freien Künste im Süden Neuenglands untergebracht. Man trat in die Grube ein, indem man die lederumborteten Türflügel aufstieß. Sobald man sich im Inneren befand, verschwand die Außenwelt mit ihren Nichtigkeiten, und es zählte nur noch das geistige Leben. Hier war es, wo ich Plato, Nietzsche, den Koran, die Upanishaden – und die Mysterien des Schlafs entdeckte.

Meine Einweihung in die Geheimnisse des Schlummers fand dank einer Abschlußarbeit statt. Der Professor, der sie uns aufgegeben hatte, erkannte keine Entschuldigung wegen einer Verspätung an. »Ein Termin«, erklärte er an seinem ersten Unterrichtstag bei uns, »ist etwas Endgültiges.« Dann reckte er sich zu seiner vollen Körpergröße empor, starrte uns über den Rand seiner Hornbrille hinweg an und fuhr fort: »Wenn Sie einen Termin versäumen, ist das Ihr Ende.«

Ich glaubte dem Professor aufs Wort. Es war eine beglaubigte Legende auf dem Campus, daß er einmal die nur zehn Minuten zu spät abgelieferte Arbeit eines Studenten zurückgewiesen hatte, dessen Mutter am Vortag gestorben war. Andererseits war ich ein chronischer Aufschieber, und ehe ich mich versah, war die Arbeit am nächsten Tag fällig. Ich mußte die Nacht durcharbeiten. Also trat ich – bewaffnet mit einer Thermoskanne voll Kaffee, einer Schachtel Kekse und einem mit Papieren, Schreibstiften und Büchern vollgestopften Rucksack – durch die Schwingtüren in die Grube ein.

Alles ging gut; bis etwa gegen zwei Uhr am Morgen. Der Kaffee hielt mich wach, und die Arbeit – etwas über Nabokov – nahm mich gefangen. Dann fing plötzlich meine Haut an zu jucken. Es begann an meinen Schultern und griff bald auf die Arme und Beine über. Fast zugleich verspürte ich ein Gewicht wie von Sandsäcken auf Brust und Rücken. Die Luft im Raum kam mir unerträglich heiß vor. Ich stand auf und ging im Lesesaal umher. Ich bemühte mich, die feinen Details an dem viktorianischen Deckenfries zu bewundern. Wieder an meinen Tisch zurückgekehrt, konzentrierte ich mich mit neuem Eifer auf meine Arbeit. »Nabokovs ›Fahles Feuer‹ verrät einen Zusammenfulß – äh, einen Zusammenfluß – von Ideen, die in toto – hieß nicht Dorothys Hund Toto? – den racshen ...« Es war hoffnungslos. Der Raum drehte sich im Kreise. Das Knarren eines Stuhles klang plötzlich wie ein Kreischen; betätigte jemand einen Lichtschalter, klang es wie ein Pistolenschuß. Was tat ich hier? War ich eine Fledermaus, eine Eule oder ein anderer nächtlicher Räuber? Wieso lag ich nicht in meinem warmen, daunengefüllten, flauschigen, kuscheligen Bett?

In diesem Moment lockte mich das Bett mit all seinem Liebreiz unwiderstehlich. Ich sah – deutlich wie nie zuvor – seinen Sinn, seine Freundlichkeit, seine Notwendigkeit. Ich begriff seine bedeutende Rolle im Tagesablauf und den Grund, weshalb Coleridge es »ein sanft' Ding/geliebt von Pol zu Pol« nannte. In diesem Augenblick wäre ich mit Freuden des Schlafes Gemahl, des Schlafes Sklave gewesen.

Aber mit Rücksicht auf meine Arbeit kämpfte ich gegen meine Schläfrigkeit an. Die beiden folgenden Stunden glänzen in meiner Erinnerung wie des Folterers Werkzeuge – ich wand mich, seufzte, stöhnte, wimmerte, kratzte mich, gähnte und plagte mich durch die schleichenden Minuten, die kriechenden Stunden. Meine Lippen zitterten. Meine Arme schmerzten. Meine Sicht verschleierte sich und wurde wieder klar, verschleierte sich und wurde wieder klar; und mein Stift kratzte und kratzte mühsam übers Papier.

Dann – gegen vier Uhr am Morgen – veränderte sich etwas. Unvermittelt spürte ich eine seltsame Leichtigkeit im Kopf, als hätte ich Champagner getrunken. Die Schleier lösten sich auf – mein Verstand war messerscharf. Auch meine körperliche Müdigkeit verschwand; es war, als hätte sich eine dicke Teerschicht von meiner Haut gelöst. Ich fühlte mich agil, voller elektrischer Spannung. Ich warf einen Blick auf die anderen Studenten. Während meiner Erschöpfung waren sie mir wie lebende Leichname erschienen – menschliche Wegschnecken, teiggesichtige Nachahmungen von Menschen. Aber jetzt kamen sie mir wie Götter vor: strahlend in ihrer Intelligenz, ganz und gar bewundernswert in ihrem Schülerfleiß. Ich wandte mich meiner Arbeit zu. Sofort erkannte ich die schon halb ausgearbeiteten Zusammenhänge und wie ich sie in Form starker, zwingender Argumente vortragen konnte; wie ich die Wörter anordnen mußte, damit sie einen Gesang bildeten statt ein Gestammel. Leise pfeifend machte ich mich an die Arbeit.

In jener Nacht in der Grube erhielt ich einen Vorgeschmack von dem, was die großen Religionen über den Schlaf lehren. Sie alle stimmen darin überein, daß der Schlaf zugleich Dämon und Halbgott ist. Der Schlaf ist unser Freund und unser Feind – Wächter und Verführer. Man muß den Schlaf willkommen heißen, man muß ihn meiden.

Ein großer chassidischer Rabbi sprach sich wie folgt für den Schlaf aus:

Selbst der Schlaf hat seinen Zweck. Wer in seinem Dienst immer voranschreiten will, von Heiligkeit zu Heiligkeit, von Welt zu Welt, muß zuerst seine Lebensarbeit beiseite legen, um einen neuen Geist

zu empfangen, durch den ihm eine neue Offenbarung zuteil werden
kann. Und darin liegt das Geheimnis des Schlafes. Ja, sogar der
Schlaf kann Dienst sein.[1]

Alle Geschöpfe schlafen, an allen möglichen Stätten und unter allen
nur denkbaren Umständen: Menschen schlafen in Betten, Eichhörnchen in Bäumen, Mauersegler im Flug, Haie beim Schwimmen. Der
Schlaf erfrischt Körper und Geist: Der Stoffwechsel verlangsamt
sich, die Atmung vertieft sich, die Muskeln erschlaffen, die Nerven
entspannen sich. Zugleich übernimmt das Unterbewußtsein die
Kontrolle in unserem mentalen Cockpit und steuert uns in uner-
forschte, von Träumen erfüllte Regionen, wo wir die Ereignisse des
Tages durcharbeiten und Visionen empfangen, die uns im wachen
Zustand anleiten können.

Der Schlaf gehört zu den natürlichen Rhythmen der Schöpfung –
wie das Ausatmen zur Nacht und das Einatmen zum Tag, die
Diastole zur Ruhe und die Systole zur Aktivität. Er ist mehr als eine
Atempause, er ist, wie Shakespeare sagt, »der zweite Kurs der
großen Natur« – das Reich der Träume und Visionen, der Nachtge-
spenste und Ekstasen. Gemäß vielen religiösen Lehren ist der Schlaf
ein »kleiner Tod«, in dem die Seele den Körper verläßt und in
himmlische Gefilde reist. Andere Traditionen betonen lediglich die
Wichtigkeit eines guten Nachtschlafs als Voraussetzung für einen
gelungenen Tag. In den Psalmen lesen wir:

Umsonst, wenn ihr euch erhebt vor dem Tag, euch müht bis spät in
die Nacht: Ihr esset das Brot einer harten Mühsal, dem von ihm
Geliebten gibt er es im Schlaf.

Psalm 127, 2

Dieser Rat findet seine Parallele in den buddhistischen Lehren über
die Wohltaten des Schlafs. Wie D. T. Suzuki sagt, kommt der Schlaf,
wenn wir mit dem Leben im reinen und im Frieden mit uns selbst

232

sind; Menschen, die um den Schlaf kämpfen müssen, sind häufig reizbar, sprunghaft, angespannt – »jene, deren Geist auf irgendeine Weise schlecht auf den allgemeinen Plan des Universums eingestimmt ist«.[2]

Aber zugleich betrachten die meisten Traditionen den Schlaf mit einem argwöhnischen Auge. Eine typische Warnung steht in der Bibel: »Nicht liebe den Schlaf, sonst verarmst du; mache die Augen auf, dann hast du Brot genug.« (Sprüche 20, 13) Hier wird der Schlaf mit Müßiggang gleichgesetzt – und Müßiggang mit gesellschaftlichem Ruin.

Aber wichtiger noch ist die Überzeugung, daß Schlaf zu spiritueller Nachlässigkeit führt. In fast allen Religionen der Welt wird Wachen als tugendhafte Übung gepriesen, die die Sinne schärft, den Verstand rascher macht und uns Gott näherbringt. Umar, der Kalif des 17. Jahrhunderts, sagte: »Was habe ich mit dem Schlaf zu tun? Schliefe ich am Tage, so verlöre ich die Muslime, und schliefe ich nachts, so verlöre ich meine Seele.«[3] Jesus bat seine Jünger am Vorabend seiner Hinrichtung: »Wachet und betet.« Den Schlaf zu bekämpfen heißt, das Leben zu umarmen mit all seinem Schmerz und all seinem Glanz. Darüber hinaus führt Schlafentzug zu einer gesteigerten Empfindlichkeit von Körper und Geist, in der der gewöhnliche Schutz, der unsere Erfahrungen dämpft, dahinschmilzt. Wir werden offener für die spirituelle Schönheit, die sich in geistlicher Kunst, Musik und Literatur zeigt. Außerdem werden unsere Sinne schärfer. Gegen den Schlaf anzugehen hilft uns auf diese Weise, viel von dem über uns selbst und andere zu erfahren, was normalerweise verborgen ist. Eine Nacht ohne Schlaf ist eine Nacht der Entdeckungen.

Der Schlaf ist demnach ein zweischneidiges Schwert. Auf der einen Seite befreit er uns von den Schlacken des Tages, der hinter uns liegt, und ermöglicht uns auf diese Weise, dem neuen Tag frisch entgegenzusehen; andererseits schneidet er uns aber auch von der Gelegenheit eines tieferen inneren Lebens ab und versenkt uns jeden

Tag für acht Stunden in einen Zustand, den Sir Thomas Browne »den Bruder des Todes« nannte. Folgende islamische Anekdote, die Annemarie Schimmel nacherzählt, porträtiert das Janusgesicht des Schlafes ausgezeichnet:

Shah Kirmani schlief vierzig Jahre lang nicht, aber schließlich überkam ihn der Schlummer doch – und er schaute Gott. Da rief er: »O Gott, ich habe Dich in nächtlichen Vigilien gesucht und habe Dich im Schlaf gefunden.« Gott antwortete ihm: »O Shah, du hast mich durch diese nächtlichen Vigilien gefunden – wenn du mich nicht dort gesucht hättest, hättest du mich nicht hier gefunden.«[4]

Offenbar haben wir es mit einem komplexen Phänomen zu tun, für das es keine einfachen Regeln geben kann. Und wir können es uns nicht leisten, den Schlaf zu ignorieren, denn der Schlaf ignoriert uns niemals – früher oder später stattet er uns einen Besuch ab.
Wieviel Schlaf ist genug Schlaf? Ich komme mit sechs Stunden aus; schlafe ich länger als acht Stunden, bin ich den ganzen Tag über benommen. Carol braucht wenigstens acht und träumt immer von zehn Stunden Schlaf. Mutter Teresa kam, wie berichtet wird, mit weniger als fünf Stunden aus. Die Frage, wieviel Schlaf man braucht, ist ein ausgezeichneter Test Ihres Urteilsvermögens – eine Chance, Bilanz zu ziehen, ernsthaft und entschlossen Ihre tatsächlichen Bedürfnisse gegen Ihre Wünsche abzuwägen. Vielleicht glauben Sie, acht Stunden Schlaf zu brauchen – aber haben Sie jemals versucht, mit sieben oder nur sechs Stunden und einem Nickerchen am Nachmittag auszukommen? Vielleicht möchten Sie den Fakiren in Indien nacheifern und nur eine oder zwei Stunden lang dösen und den Rest der Nacht unter freiem Himmel meditieren – ein paar Versuchsnächte könnten ausreichen, um Ihnen Ihre Illusionen zu nehmen und Ihnen ein realistischeres Bild von Ihren Bedürfnissen zu verschaffen.

Eine Anfängerübung

Viele Menschen schlafen zuviel oder zuwenig. Wenn Sie Ihre richtige Schlafdauer ermitteln wollen, können Sie folgende kleine Übung versuchen. Beginnen Sie mit Ihrer üblichen Schlafdauer – und reduzieren Sie sie um 15 Minuten. Schlafen Sie eine Woche lang jede Nacht nur so lange. Dann reduzieren Sie um weitere 15 Minuten. Nach einer Woche schlafen Sie nochmals 15 Minuten weniger. Paradoxerweise stellen Sie möglicherweise fest, daß Sie wacher sind, wenn Sie weniger schlafen. Es besteht kein Zweifel daran, daß zuviel Schlaf den Geist benommen macht. Wenn Sie die für Sie richtige Schlafdauer ermittelt haben, werden Sie es wissen: Am Morgen werden Sie erfrischt erwachen, und am Abend werden Sie mit einer angenehmen Schwere von Augen und Gliedmaßen zu Bett gehen. Wenn Sie Ihren Schlaf um weitere 15 Minuten kürzen, wird sich dieses Wohlbefinden verringern. Dann kehren Sie einfach zu ihrer früheren, idealen Schlafdauer zurück.

Vorbereitung auf den Schlaf

Ich würde gern noch einmal kurz auf Shakespeares Formulierung zurückkommen, daß der Schlaf »der zweite Kurs der großen Natur« ist. Die Menschen haben den Schlaf stets auf diese Weise betrachtet – nicht so sehr als eine Fortsetzung des Tages, sondern als ein vollständig neues Reich mit seinen eigenen Landschaften, Einwohnern und Gesetzen. Wie man sich für den Schlaf bereitmacht, hat deshalb große Ähnlichkeit mit der Vorbereitung auf eine Reise. Sie besteht aus zwei Stadien: Zuerst bringt man seine alten Angelegenheiten ins reine, dann packt man die Koffer für unbekannte neue Häfen. Der erste Schritt beim Zubettgehen besteht also darin, daß wir die Geschäfte des Tages zum Abschluß bringen.

Gewöhnlich beginnt man damit bald nach dem Abendessen. Die Arbeit des Tages ist getan, und es ist an der Zeit, in einen anderen Seinsmodus zu schlüpfen. Das Abendlicht weist einen sanften Schimmer auf, eine seidige Qualität, die daher rührt, daß die Strahlen der untergehenden Sonne – bevor sie in einem flachen Winkel auf uns treffen – eine immer längere Strecke durch die Atmosphäre zurücklegen müssen, die ihre Brillanz dämpft und ihnen viel von ihrer Intensität raubt. Alles Leben, das vom Rhythmus der Sonne abhängig ist, reagiert entsprechend. Unsere Körperfunktionen verlangsamen sich, wir werden besinnlicher, der Geist öffnet sich einer gemesseneren, ruhigeren Kadenz. Das ist die Zeit für häusliches Glück: Zeit zum Lesen, zum Nähen, zum Musikhören. Wenn man den Tag auf kontemplative Weise beschließen will, ist kaum Raum für Fernsehen oder andere Reize, die die Sinne aufpeitschen. Carol und ich haben vor fünf Jahren beschlossen, den Fernseher ausgeschaltet zu lassen, und wir haben es nicht einen Augenblick lang bereut. Wenn wir auch ab und zu eine gute Sendung vermissen, wird dieser Verzicht durch die Zeit, die wir jeden Abend miteinander verbringen – mit Gesprächen, Lesen, Spielespielen und Spazierengehen –, mehr als wettgemacht.

Die Religionen der Welt haben über das Schlafengehen nur wenig zu sagen – gewiß weitaus weniger als übers Aufwachen. Das liegt zweifellos an den Anforderungen der traditionellen Lebensweise: Man arbeitete, bis die Sonne unterging, aß ein bescheidenes Mahl, während die Dunkelheit sich verdichtete, und dann schlüpfte man unter die Decken – bereit, sich mit der ersten Morgendämmerung wieder zu erheben. Es ist offensichtlich, daß die künstliche Neuordnung des Tagesablaufs, die durch das elektrische Licht und andere technische Veränderungen notwendig wurde, neue Formen gebracht hat. Zum Glück haben einige klösterliche Gemeinschaften konkrete Programme zur Beschließung eines Tages entwickelt, die uns von großer Hilfe sein werden, wenn wir die spirituelle Bedeutung dieser letzten, bedeutenden Phase des Tageszyklus verstehen wollen. Lassen Sie uns deshalb einen Blick auf die Nonnen der St. Scholastica Priory werfen – des Schwesterordens der Mönche von St. Mary's Monastry –, die uns in die Spiritualität des Aufwachens eingeführt haben.

Kontemplative Nahaufnahme: Abend in der St. Scholastica Priory

Der Abend beginnt in der Benediktinerinnengemeinschaft der St. Scholastica Priory mit einem Abendessen im Refektorium. Die Nonnen nehmen ihr gemeinsames Mahl schweigend ein, während eine Schwester laut aus einem geistlichen Buch vorliest. Diese Atmosphäre der stillen Sammlung bestimmt auch die folgenden Stunden. Sobald das Mahl – das letzte Essen des Tages – beendet ist, verteilen die Nonnen sich. Einige von ihnen ziehen sich zur persönlichen Betrachtung in ihre Zellen zurück, andere versammeln sich zu einem ruhigen Gespräch. Diese Zeit der »Rekreation« – frei von den weltlichen Zeitvertreiben, die so viele von uns fesseln – dauert nur eine halbe Stunde. Und doch ist es eine wirkliche Erholung – eine Gelegenheit für die Nonnen, nach einem Tag der harten körperlichen, mentalen und spirituellen Arbeit ihre Nerven zu entspannen.

Nach der Rekreation folgt die Komplet, das letzte Gebet der Horen und das Kronjuwel unter den Schätzen der abendlichen Aktivitäten. Die Komplet ist das Spiegelbild der Vigilien, über die wir in Kapitel 2, »Aufwachen«, gesprochen haben. Während die Vigil in der Dunkelheit beginnt und im Morgengrauen endet, beginnt die Komplet (mit jahreszeitlich bedingten Schwankungen) in der Abenddämmerung und endet in der Dunkelheit. Sie beschließt die Geschäfte des Tages und führt in die Mysterien der Nacht ein. Für viele Nonnen handelt es sich um die schönste aller Horen, eine blendend orchestrierte Mischung aus Psalmen, Andachten und Segnungen, die den Körper entspannen, den Geist beschwichtigen und die Seele mild stimmen.

Ich bat Mutter Mary Clare, O. S. B., Priorin des St. Scholastica, mir ihre Gedanken zur Komplet mitzuteilen. Wir unterhielten uns in dem kleinen Besuchszimmer des Klosters, wo sie mich in typisch benediktinischer Gastfreundschaft mit einem Mini-Bankett aus Tee, Keksen, Plätzchen und Naschwerk empfing. Nach wenigen Minuten des Genusses verspürte ich den Wunsch, mich an Ort und Stelle zusammenzurollen und ein Nickerchen zu machen. Hier war, dachte ich, in der Tat eine Frau, die sich auf die Geheimnisse des Schlafs verstand.

Nach Mutter Mary Clare ist die Komplet ein Ende »der Kette von Gebeten, die das Leben zusammenhalten«. Wie Mutter Mary Clare sagt, besteht die Komplet – ebenso wie die übrigen Stundengebete – großenteils aus dem Singen von Psalmen. »Der Psalter«, sagt sie, »enthält alles, was wir zu Gott sagen müssen. Die Psalmen werden verbal ausgedrückt und kontemplativ gesungen. Sie sind nicht nur Worte – sie drücken das Verlangen des Herzens aus und schaffen eine Union zwischen uns und Gott. Durch die Psalmen vereinigen wir uns mit Christus.«

Wie bereits in Kapitel 2, »Aufwachen«, erwähnt, verlangt der heilige Benedikt, daß wir uns »unseres Platzes im Angesicht Gottes und seiner Engel bewußt« sind. »Wir wollen uns singend erheben, auf daß unsere Herzen und unsere Stimmen harmonisieren.«[5] Das ist ganz schön viel verlangt, wie ich Mutter Mary Clare gegenüber erwähnte. Indem sie auf meinen Einwand einging, gab sie mir drei Tips, wie man die Komplet (oder entsprechend jedes Gebet) beten kann:

- *Haben Sie Geduld.* Man braucht Zeit, um sich an das Stundengebet mit seiner großen Vielfalt an Gebeten und Segen zu gewöhnen. Manche Menschen finden die Anordnung von Psalmen besonders irritierend, sowohl wegen ihres Inhalts (einige

»Fluch«-Psalmen könnten die heutige Empfindlichkeit stören) als auch wegen ihres Stiles (sie wurden für eine orale Kultur konzipiert und enthalten aus diesem Grund sprachliche Formen und Redewendungen, an die man sich erst gewöhnen muß). Vertrauen Sie der Tradition; diese Gebete sind nicht ohne Grund bereits seit mehreren Jahrtausenden im Gebrauch.

- *Rechnen Sie mit trockenen Passagen.* Es kann vorkommen, daß die Psalmen ihre Bedeutung verlieren. Halten Sie durch; Nüchternheit spielt eine Rolle im Gebet wie auch im alltäglichen Leben. Diese ermüdenden Stellen enthalten ihre eigenen Lektionen und Belohnungen.
- *Erwarten Sie kein Feuerwerk.* »Die Psalmen«, sagt Mutter Mary Clare, »sollen weder charismatisch sein noch Gipfelerlebnisse vermitteln.« Sie stellen Möglichkeiten dar, wie man Gott loben, danken, bitten, verherrlichen und anbeten kann. Auf der anderen Seite sind die Psalmen, wie sie betont, »niemals langweilig oder Routine«. Wenn sie vom Rezitieren der Psalmen spricht, ist sie im Gegenteil sichtbar Feuer und Flamme. Es überrascht mich nicht, als sie erklärt: »Die Psalmen sind mein ganzes Leben.«

Für alle, die sich näher für das nächtliche Stundengebet der Komplet interessieren, folgt hier eine Sammlung der wichtigsten Palmen und Gebete dieser Hore. Im Idealfall werden sie gemeinsam gesungen, aber man kann sie auch für sich allein beten (im St.-Scholastica-Kloster werden die meisten Gesänge in der lateinischen Sprache abgehalten, deren regelmäßige Tonfolgen und ruhige Klarheit zu einer ausgeglichenen Atmosphäre der Kontemplation beitragen). Bitte blättern Sie zu Kapitel 2 zurück, wo Sie spezielle Ratschläge zu der Frage finden, wie man das Brevier liest.

Psalm 86, 1–7

Neige, Jahwe, dein Ohr und erhöre mich, denn ich bin elend und arm.

Bewahre meine Seele, dir bin ich zu eigen; hilf deinem Knecht, der hoffet auf dich.

Mein Gott bist du; o Herr, sei mir gnädig; ich rufe zu dir ohne Unterlaß.

Erfreue deines Knechtes Gemüt; zu dir, o Herr, erhebe ich meine Seele.

Denn du, o Herr, bist gütig und milde; für alle, die dich rufen, voller Erbarmen.

Vernimm, Jahwe, mein Gebet, merk auf meine flehende Stimme.

Ich rufe zu dir am Tag der Bedrängnis; ich weiß, du wirst mich erhören.

Psalm 91, 1–5, 11, 14–16

Wer wohnet im Schutze Eljons, wer weilet im Schatten Schaddais, der spricht zu Jahwe: du meine Burg, meine Zuflucht!

Mein Gott, auf den ich vertraue!

Denn er befreit dich aus der Schlinge des Jägers, der sucht das Verderben.

Mit seinen Flügeln beschirmt er dich, unter seinen Fittichen bist du geborgen, seine Treue ist dir ein schützender Schild.

Du mußt nicht fürchten das nächtliche Grauen, nicht am Tage den fliegenden Pfeil …

Denn er entbietet für dich seine Engel, dich zu behüten auf all deinen Wegen.

Er war mir treu, so will ich ihn retten; ich will ihn schützen, denn er kennt meinen Namen.

Ruft er mich an, so höre ich ihn, in allen Nöten bin ich ihm nahe, ich befreie ihn und bring' ihn zu Ehren.

Ich verleihe ihm die Fülle der Tage und lasse ihn schauen mein Heil.

240

Schriftlesung (1. Korinther 13, 1–3, 13)

Wenn ich mit Menschen-, ja mit Engelszungen rede, habe aber
die Liebe nicht, so bin ich ein tönendes Erz und eine gellende
Schelle.

Und wenn ich die Prophetengabe habe und alle Geheimnisse weiß
und alle Erkenntnis besitze und wenn ich allen Glauben habe, so
daß ich Berge zu versetzen vermöchte, habe aber die Liebe nicht,
so bin ich nichts.

Und wenn ich all meine Habe zu Almosen mache und wenn ich
meinen Leib hingebe zum Verbrennen, habe aber die Liebe nicht,
so nutzt es mir nicht.

Nun aber bleiben Glaube, Hoffnung, Liebe, diese drei; am größten
jedoch unter ihnen ist die Liebe.

Aus den Evangelien (Lukas 2, 29–32)

Beschütze uns, Herr, wenn wir wachen, und bewache uns, wenn wir
schlafen, auf daß wir in Christo erwachen und in Frieden ruhen.

Nun entlässest du deinen Diener, Herr, nach deinem Worte in
Frieden;

denn meine Augen haben dein Heil geschaut,

das du bereitet hast im Angesicht aller Völker,

ein Licht zur Offenbarung für die Heiden und zur Verherrlichung
des Volkes Israel.

Schlußgebet

Wir beten zu dir, Herr, laß deine heiligen Engel über uns wachen
bei Nacht und laß deine Liebe immer mit uns sein, durch Christus,
unseren Herrn, amen.

Segen

Möge Gott uns eine friedvolle Nacht bescheren, einen friedvollen
Tod und vollkommenen Frieden hernach.

Nach der Komplet beginnt das Große Schweigen. Dabei handelt es sich um einen Zeitraum von etwa zwölf Stunden – bis nach der Messe am nächsten Morgen –, in dem absolutes Schweigen herrscht. Zu dieser strengen Regel schreibt der heilige Benedikt nur: »Mönche sollten sich bemühen, sowenig wie möglich zu sprechen, besonders aber bei Nacht ... Sie sollen die Komplet sprechen, danach sollte niemand reden.«[6] Im Kloster wird das Große Schweigen wörtlich genommen. Alle unwichtigen Unterhaltungen werden beendet. Telefone werden ausgeschaltet, Schreibmaschinen fortgestellt; kein unnötiges Geräusch – sei es menschlich, mechanisch oder elektronisch – stört die Stille. Statt dessen wenden die Nonnen sich dem stummen Lesen oder Beten zu, oder sie suchen die Hauskapelle auf.

In diesem Schweigen erlebt eine Nonne das Leben, wie es ist – ohne den Puffer der Worte. Als Ergebnis erblüht die innere Welt. »Der heilige Benedikt ermutigte diejenigen, die in Klöstern lebten, zu studieren und die Stille zu lieben. Das gehört zu unseren Übungen«, sagt Mutter Mary Clare. »Wir sind in Schweigen und Dunkelheit gehüllt. Wir verleugnen unsere Stimmen, und wir entdecken die Tiefen des Kosmos und die Unermeßlichkeit Gottes.« Aber sie fügt hinzu, daß selbst die Stille ihre Grenzen hat: »Schweigen ist relativ. Schweigen ist eine Hilfe bei der Liebe. Das eine Absolute ist Liebe.« Und was, frage ich sie, ist die Folge dieses lang andauernden Eintauchens in die Welt des Schweigens? »Die Nacht ist geheiligt wie auch der Tag«, erwidert Mutter Mary Clare. »Sogar unser Schlaf ist geheiligt. Wir schlafen in den Armen Gottes ein.«

Schlafen gehen:
Eine spirituelle Ernte

Übungen und Gebete zur Schlafenszeit

In vielen Kulturen erleichtern abendliche Rituale den Übergang in den Schlaf. Diese Praktiken können so komplex und kompliziert wie eine Schweizer Uhr werden – besonders dann, wenn Kinder im Spiel sind. John, mein Zehnjähriger, bereitet sich aufs Zubettgehen vor, indem er noch eine Kleinigkeit ißt, die Beleuchtung des Wüstenspringmaus-Terrariums ausschaltet, ins Bad geht, sich auskleidet und den Pyjama anzieht, sich die Zähne putzt, noch ein wenig im Bett liest und betet. Er ist sehr geschickt, wenn es darum geht, diese Routine in die Länge zu ziehen. Meine Frau und ich ermuntern ihn zwar, aber wir bedrängen ihn nicht, denn wir wissen, daß er sich in einem sehr realen Sinn auf eine *Inner-space-Reise* vorbereitet. Sogar Andy, unser Zweijähriger, hat einen festen Ablauf, der darin besteht, daß er den Fischen in unserem Salzwasser-Aquarium gute Nacht sagt und sie füttert.

Es folgt eine Sammlung von Ritualen zur Schlafenszeit, Gebeten und Praktiken aus verschiedenen Religionen.

Islam

Der große islamische Weise Abu Hamid Muhammad al-Ghazali (1059–1111) erinnert uns daran, daß der Schlaf dem Tod ähnlich ist, und er rät uns, auf der rechten Seite zu schlafen, weil auch die Toten in dieser Lage beerdigt werden. Der Schlaf gemahnt nicht nur an den Tod, er kann dem Tod sogar die Tore öffnen. Die Möglichkeit, daß wir im Schlaf sterben, wird in Abendgebeten der ganzen Welt gewürdigt. Al-Ghazali verlangt, daß wir mit reinem Herzen und reinem Gewissen schlafen gehen; am besten mit einer letzten Willenserklärung – einem Testament – unter dem Kopfkissen. Das Bett ist eine Stätte des Schlafes und nicht der Faulheit, sagt al-Ghazali. Acht Stunden Schlaf reichen aus (»Es ist genug, wenn du – bei einem Lebensalter von 60 Jahren – zwanzig Jahre oder ein Drittel verlierst«). Darüber hinaus verlangt er, daß wir in der Mitte der Nacht erwachen und beten.

Al-Ghazali schlägt das folgende Abendgebet vor, das man unmittelbar, bevor man den Kopf auf das Kissen bettet, sprechen soll:

In Deinem Namen, Herr, lege ich mich zur Ruhe, und in Deinem Namen werde ich mich erheben ... O Gott, Du bist der Erste, und vor Dir ist nichts; Du bist der Letzte, und nach Dir ist nichts; Du bist der Höchste, und über Dir ist nichts; Du bist der Tiefste, und unter Dir ist nichts ... Wecke mich, o Gott, zu der Stunde, die Dir am genehmsten ist, und benutze mich zu den Werken, die Dir am angenehmsten sind, auf daß Du mich Dir immer näher bringst ...[7]

Judaismus

Viele Juden rezitieren das folgende Gebet, teilweise oder vollständig, bevor sie sich zur Nachtruhe begeben:

Gelobt seiest Du, Herr, unser Gott, Herrscher des Alls, der bewirkt, daß die Bande des Schlafs meine Augen umfangen und Schlummer auf meine Lider fällt. Möge es Dir gefallen, o Herr, mein Gott und Gott meiner Väter, in einer Gegenwart zu wirken, daß ich mich in Frieden niederlege und in Frieden wieder erhebe; und laß nicht zu, daß böse Träume oder Gedanken mich plagen, sondern schenke mir eine ruhige und nicht unterbrochene Ruhe in Deiner Gegenwart, und erhelle meine Augen wieder, es sei denn, ich schlafe den Schlaf des Todes. Gelobt seiest Du, o Herr, der Du in deiner Glorie dem ganzen All Licht gibst.[8]

Christenheit

Es folgen zwei christliche Nachtgebete, eines von
einem unbekannten Dichter, das andere von einem viktorianischen
Meister der englischen Prosa verfaßt:

Da ich mich nun zum Schlafen will legen,
Bitte ich Gott, meine Seele zu pflegen.
Und soll ich vor dem Morgen sterben,
Bitte ich Gott, meine Seele zu bergen.

Möge Er schützen uns den ganzen Tag, bis die Schatten länger
werden, und der Abend kommt, und die emsige Welt stille wird, und
das Fieber des Lebens überstanden, und unsere Arbeit getan ist!
Dann möge Er in Seiner Gnade uns einen sicheren Hort schenken,
und eine heilige Ruhe, und endlich Frieden.

John Henry Newman

Die Prüfung des Gewissens

In vielen religiösen Traditionen gehört eine Prüfung des Gewissens zu den Vorbereitungen auf den Schlaf (das ist
übrigens auch ein ständig wiederkehrender Teil der Komplet). In
der Regel gehört zu der Gewissensprüfung eine mentale Inventur
der Ereignisse des Tages, mit besonderem Augenmerk auf alle Fälle,
wo wir uns anderen oder uns selbst gegenüber nicht richtig verhalten
haben. Wir beichten unsere Fehler und nehmen uns vor – sanft, aber
doch fest –, es morgen besser zu machen.

Sharon Salzberg über buddhistische Übungen vor dem Schlafengehen

Sharon Salzberg, Mitbegründerin des Insight Meditation Center in Barre, Massachusetts, beschreibt zwei einfache buddhistische Abendübungen:

- *Grenzenlose Metta-Praxis* (eine detaillierte Besprechung der *Metta*-Praxis finden Sie in Kapitel 6, »Zusammensein mit anderen«). Wenn Sie schlafen gehen, sagt Salzberg, möchten Sie vielleicht die *Metta*-Praxis modifizieren und sie auf eine »globale und grenzenlose Weise« anwenden. Statt Ihr Wohlwollen und Ihr Mitleid auf ein bestimmtes Lebewesen zu richten, schlägt sie vor, diese Gedanken auf die ganze Welt und alle empfindungsfähigen Wesen zu richten.
- *Achtsamer Übergang in den Schlaf.* Salzberg berichtet, daß Buddhisten in Burma manchmal gefragt werden, ob sie beim Einatmen oder beim Ausatmen in den Schlaf fallen. »Das Motiv«, sagt sie, »ist der Wunsch, eine derart vorzügliche Achtsamkeit zu entwickeln, daß man sich sogar solcher Dinge bewußt ist« – eines physiologischen Ereignisses, das dem Bewußtsein im Normalfall nicht zugänglich ist. »Ich steige in einen Zug voller Gedanken«, fügt Salzberg hinzu, »ich flute meinen Kopf mit Gedanken, und das läßt mich einschlafen. Aber der Vorschlag lautet hier ja, in Schlaf zu fallen, während man achtsam ist. Dann sind Sie auch im Schlaf achtsam.«

Die Welt der Träume

Vor 20 Jahren träumte ich folgenden Traum: Ich stand in einem großen Saal mit Marmorfußboden, der an einen Ballsaal erinnerte, recht weit hinten in einer Reihe von Menschen, die so lang war, so weit das Auge reichte. Während die Prozession sich millimeterweise vorwärts bewegte, konnte ich endlich den Ehrengast ausmachen, den wir empfangen wollten. Er begrüßte jeden der Anwesenden mit einer Umarmung. Es war Papst Johannes Paul II., der frisch gewählte Pontifex der römisch-katholischen Kirche. Nach, wie mir schien, unendlich langer Wartezeit war ich an der Reihe, vom Papst begrüßt zu werden. Er lächelte wohlwollend, beugte sein graues Haupt, näherte seinen Mund meinem Ohr und flüsterte mir – in einem Satz von nicht mehr als neun oder zehn Wörtern – das Geheimnis des Lebens zu.

Freude durchflutete mich von Kopf bis Fuß. Keine Zweifel mehr – keine Befürchtungen, kein Kummer: Endlich hatte ich das große Geheimnis erfahren, nach dem die Menschheit schon seit vielen Jahrtausenden sucht. Ich beschloß, die Worte des Papstes niemals zu vergessen – dann wachte ich auf.

Unnötig zu sagen, daß ich umgehend vergaß, was Johannes Paul mir enthüllt hatte. Oh, ich bemühte mich schon, mich zu erinnern. Tagelang zerbrach ich mir den Kopf, um mir jene goldenen Worte ins Gedächtnis zu rufen. Ein- oder zweimal fühlte ich sie auf meiner Zungenspitze. Aber sie formten sich niemals mehr. Trotzdem bleibt mir der Traum präsent – verbunden mit der Gewißheit, daß ich für einen Augenblick in das Geheimnis des Lebens eingeweiht war.

Fast jeder hatte einmal die eine oder andere Version eines solchen Traumes; eine Vision, die – oft auf unerwartete Weise – unser Leben definiert oder transformiert. Aber nicht alle Träume sind Träger einer solchen Bedeutungslast. Vergil beobachtete vor rund 2000 Jahren:

Mein Traum vom Papst war, wie ich glaube, ein Traum des »transparenten Horns«. Solche Träume sind selten – sie machen nur einen unendlich geringen Teil unseres Traumlebens aus. Ein großartiges Beispiel für den Unterschied zwischen transparentem Horn und poliertem Elfenbein finden wir in Charles Dickens' *Weihnachtslied*. Als Ebenezer Scrooge den Geist von Jacob Marley zum ersten Mal erblickt, tut er ihn als »ein unverdautes Stück Fleisch, einen Klecks Senf, eine Käsekrume, ein nicht durchgebratenes Stück Kartoffel« ab.[9] Aber der weitere Verlauf der Handlung belehrt uns darüber, daß Scrooges Traum aus transparentem Horn geschnitzt war und daß seine Vision Wunder wirken wird.

Diese Träume können – wie jeder weiß, der sie schon einmal hatte – unser Leben nachhaltig beeinflussen. Ein berühmtes Beispiel aus dem antiken Griechenland hängt mit Äskulap zusammen, dem Gott der Heilkunst. Äskulap erschien jahrzehntelang einem Mann namens Aristides im Traum und bot ihm detaillierte medizinische Ratschläge an. Aristides war so freundlich, umfangreiche Aufzeichnungen zu hinterlassen, in denen er mehrere hundert dieser Träume beschrieb – und was danach geschah. Dieses Dokument bestätigt, daß der nächtliche Rat des Äskulap eine eindrucksvolle Erfolgsrate aufzuweisen hatte, sogar bei so komplizierten Leiden wie Taubheit und Tumoren. Träume aus transparentem Horn können sogar ganze Volksstämme anleiten. Die Senoi aus Malaysia regeln ihr Alltagsleben anhand ihrer Träume. Eine Ethnologin berichtet: »›Was hast du letzte Nacht geträumt?‹ [ist] die wichtigste Frage im Leben der Senoi.« Diese Träume, fügt sie hinzu, lassen Freundschaften entste-

248

hen und beenden sie, gestalten religiöse Rituale und bestimmen den Platz, wo ein Haus gebaut wird. Ähnlich ist für die Beaver im nordwestlichen Kanada der Schlaf das Tor zur absoluten Wirklichkeit, denn in Träumen entdeckt ein Beaver-Mann sowohl seine Medizin als auch die wahre Bedeutung des Lebens. »Das Wissen, das durch Träume kommt«, schreibt die Ethnologin Robin Ridington, »ist absolut, weil es von einer Ebene der symbolischen Assoziation kommt, die tiefer ist als das Bewußtsein.«[10]

Aber wie sollen wir uns der Welt der Träume nähern? Sicher ist, daß wir zwischen Träumen aus transparentem Horn und Träumen aus Elfenbein unterscheiden müssen. Befinden wir uns einmal im Reich des Horns, sollten wir lernen, durch die Transparenz die dahinterliegende Wirklichkeit zu erkennen. Es gibt auf diesem Gebiet keine vorgeschriebenen Regeln. Es hängt alles von unserem Unterscheidungsvermögen ab, das wiederum unserer spirituellen Reife entspricht.

Der einzige praktische Rat, den ich Ihnen anbieten kann, ist dieser: Führen Sie ein Traumtagebuch. Deponieren Sie einen Stift und einen Schreibblock neben Ihrem Bett, und schreiben Sie Ihre Träume auf, sobald Sie erwachen. Es ist verblüffend, wie rasch Träume verschwinden, wenn wir sie nicht aufschreiben – als verbände sie eine Schnur mit einem Wächter des nächtlichen Reiches, der sie – wütend über ihr Entkommen – zurückzerrt. Sie werden sich wahrscheinlicher an Ihren Traum erinnern, wenn Sie ihn mit geschlossenen Augen rekapitulieren, bevor Sie sich aufsetzen. Greifen Sie nach jedem winzigen Bruchstück, an das Sie sich erinnern können – vielleicht gelingt es Ihnen, Ihren Traum wie den Faden der Ariadne aufzuwinden und an den Kern der Vision zu gelangen. Führen Sie Ihr Tagebuch konsequent. Zumindest werden Ihnen die Übungen, alles sorgfältig aufzuschreiben, helfen, sich genauer an Ihre Träume zu erinnern. Und Sie werden im Besitz von Aufzeichnungen sein, auf die Sie noch Tage oder Jahre später zurückgreifen können. Sie verfügen über eine Spur von Ihrem

249

jüngeren, unterbewußten Selbst – es ist vielleicht kein so handfestes Beweisstück wie Ihre bronzenen Babyschuhe, aber ebenso faszinierend.

Ein Gedanke zur guten Nacht

Wenn wir das Licht ausschalten, beenden wir den Zyklus des Tages. Morgen wird die Welt wiedererstehen – werden auch wir dort sein, um sie zu begrüßen? Vielleicht beansprucht uns im Laufe der Nacht der Tod für sich. Lassen Sie uns mit der Bereitschaft zur Ruhe gehen zu begrüßen, was auch immer kommen mag – diese Welt oder die nächste. Diese Bereitschaft führt uns an den Beginn dieses Buchs zurück, wo wir über die Praxis des Gedenkens an den Tod sprachen. Nur dann, wenn wir unserer Sterblichkeit eingedenk sind und sie als unseren Berührungspunkt mit einem Mysterium betrachten, das weit größer als wir ist, erlangen wir unsere volle Größe als Menschen. Nur im Wissen um den Tod können wir das Leben voll ausschöpfen.

Und sollten wir zu der großen Schar von Menschen gehören, die morgen früh erwachen – wie werden wir darauf reagieren? Werden wir jubeln, wie Ebnenezer Scrooge, und ausrufen: »Ich bin nicht mehr der Mann, der ich war«? G. K. Chesterton hat eine kluge Beobachtung in bezug auf das kommende Jahr gemacht, die sich ebensogut auf jeden neuen Morgen unseres Lebens anwenden läßt:

Die Sache mit dem Neuen Jahr ist nicht die, daß wir ein neues Jahr haben werden. Sie besteht darin, daß wir eine neue Seele und eine neue Nase haben werden, neue Füße, eine neue Wirbelsäule und neue Augen. Außer, ein Mann geht von der seltsamen Annahme aus, daß er nie zuvor existiert hat, dann ist es so gut wie sicher, daß er auch nachher niemals existieren wird.

Wenn die Sonne an einem neuen Tag aufgeht, geht sie über unserem neuen Leben auf. Die Welt wurde saubergeschrubbt, und die gesamte Schöpfung wartet auf unsere Reaktion. Wir bringen unsere Verantwortlichkeiten und unsere Beziehungen mit uns – was wir daraus machen, liegt an uns.

Nur der Tag dämmert herauf, für den wir wach sind. Es dämmert soviel Tag herauf, wie wir wollen.

Henry David Thoreau

Teil 2:
Leben

Generationen

Bill Aron

Kapitel 10
Einführung: Übergänge im Lebenszyklus

Gestern entdeckte ich in einer alten Zeitung eine Anzeige für einen Film mit dem Titel *Jack.* Der Film handelte von einem Jungen mit einer furchtbaren und seltenen Krankheit, die vorzeitiges Altern zur Folge hat. Der Junge wurde von Robin Williams gespielt, dessen bewegliche Gesichtszüge ihn für diese Rolle geeignet machten. In der Anzeige wird dieser Umstand ausgenutzt: Williams' Gesicht nimmt den Vordergrund ein, sein Ausdruck ist eine hervorragend gespielte Mischung aus Verwunderung, Entsetzen und schelmischem Vergnügen. Als ich diese Gesichtszüge studierte, in denen die Altersfalten mit einem unschuldigen, jungenhaften Grinsen kollidieren, wurde mir mit einem Mal klar, daß wir uns gern Filme anschauen, die Varianten in den normalen menschlichen Lebenszyklus einbringen. Ich denke an *Big,* in dem Tom Hanks einen Jungen spielt, der im Körper eines Mannes gefangen ist; an *Freaky Friday* (dt.: »Annabelles größter Wunsch«), in dem eine Jodie Foster im Teenageralter ihre Identität mit ihrer Mutter vertauscht; an *Cocoon,* in dem Achtzigjährige den Jungbrunnen entdecken; an *Heaven Can Wait* (dt.: »Der Himmel soll warten«), an *A Guy Named Joe* und viele andere Filme, in denen die Auslöser einer biologischen Kapriole von Außerirdischen über die Reinkarnation oder einen Zauberbann bis hin zu einem Eingreifen des Himmels reichen.

Weshalb genießen wir solche Filme? Zum Teil liegt dies am Nervenkitzel des Unbekannten. Welcher Mann hätte sich nicht schon einmal gefragt, wie es wäre, einen Tag lang eine Frau zu sein, wie sie Steve Martin in *All of Me* spielt? Und welche Frau würde sich nicht danach sehnen, sich ihre High-School-Jahre mit Hilfe des Wissens einer Erwachsenen zu erleichtern, wie es Kathleen Turner in *Peggy Sue Got Married* (dt.: »Peggy Sue hat geheiratet«) macht? Ersatz-Erfahrungen haben ihren Reiz. Aber ich habe den Verdacht, daß wir uns an der Qual erfundener Figuren weiden können, reicht als Erklärung des Erfolgs solcher Filme nicht aus. Der wirkliche Grund zeigt sich erst, wenn wir sehen, wie diese Filme enden: Der Junge verliert seinen Bart und wird wieder ein glattgesichtiger Knabe; und auch das in seine Mutter mutierte Mädchen verwandelt sich zurück. Die natürliche Ordnung wird wiederhergestellt. Ich glaube, wir schauen uns aus demselben Grund solche Filme an, aus dem wir uns auch den Hals verrenken, wenn wir an einer Unfallstelle vorbeifahren oder heimlich die Anzeigen am Schwarzen Brett eines Supermarkts studieren: Indem wir nach dem Unnormalen im Leben anderer Menschen Ausschau halten, bestätigen wir uns die Normalität unseres eigenen Daseins. »Gott sei Dank ist *mir* das nicht passiert ...«

Wir sehnen uns nach dieser Normalität, nach einem ordnungsgemäßen Ablauf unseres Lebens. Wir mögen vielleicht nicht auf einem Superexpreßzug durchs Leben fahren, wie es mit Robin Williams in *Jack* geschieht, oder zwanzig Jahre lang schlafen, wie Robert de Niro in *Awakenings* (dt.: »Zeit des Erwachens«) – Hollywood mag grelle Farben auf einer großen Leinwand –, aber kleinere Störungen des Lebenszyklus finden ständig statt und reißen uns unvermeidlich aus der gewohnten Ordnung. Ein Kleinkind stirbt, und wir weinen; eine achtzigjährige Großmutter kauft sich einen tiefliegenden Sportwagen oder ein tief ausgeschnittenes Kleid, und wir erröten. Wir haben ein Gefühl für das »richtige« Verhalten in jedem Lebensalter. Der menschliche Lebenszyklus geschieht – wie wir glauben – von Stufe zu Stufe, nach einem Gesetz oder Plan oder rein zufällig, und jede Stufe ist ein unverzichtbarer Schritt zu unserer körperlichen oder spirituellen Reife.

256

Kinder bringen keine Neunzigjährigen zur Welt; wir machen die Pubertät nicht in unseren mittleren Jahren durch. »Alles hat seine Stunde, und eine Zeit (ist bestimmt) für jedes Vorhaben unter dem Himmel« (Prediger 3, 1).

Das heißt nicht, daß die Lebensstufen in allen Kulturen gleichartig verlaufen. Shakespeare erklärt in »Wie es euch gefällt« (II. Akt, 7. Szene): »Ein Mann spielt viele Rollen in seiner Zeit / Seine Akte sind sieben Alter.« Diese sieben Alter beginnen mit dem »Klein-kind / Wimmernd und speiend in der Amme Arm« und enden mit der »letzten Szene von allen … reines Vergessen / Ohne Zähne, ohne Augen, ohne Geschmack, ohne alles«. Ein Traktat aus der jüdischen Mischna – unter dem Titel *Pirke Aboth* bekannt – zählt 14 unterscheidbare Schritte auf:

Mit fünf Jahren ist man bereit für die Schrift, mit zehn Jahren für die Mischna, mit dreizehn für die Gebote, mit fünfzehn für den Talmud, mit achtzehn für die Ehe, mit zwanzig für die Rechtschaffenheit, mit dreißig für die volle Kraft, mit vierzig für kritisches Urteil, mit fünfzig für Beratung, mit sechzig für das Alter, mit siebzig für graue Haare, mit achtzig für »Arbeit und Kummer« … mit neunzig für Altersschwäche, mit hundert ist er so, als wäre er tot und vergangen und aus der Welt verschwunden.[1]

Das hinduistische Indien verringert die Lebensstufen auf vier, mit dem Namen Ashrama, von denen jede ihre eigenen Verpflichtungen, Versuchungen und Belohnungen aufweist: Brahmachari (Studierender), dazu gehören Keuschheit und die Anweisungen eines Gurus; Grihastha (Haushälter), dazu gehören die Ehe und Kinder aufziehen; Vanaprastha (Eremit), dazu gehört ein Leben des einsamen Gebets im Wald; Sannyasin (Entsagender), dazu gehört ein Leben als obdachloser Bettler, das nur Gott geweiht ist.

Bitte beachten Sie, daß in dieser Aufteilung nicht von Kindheit, Adoleszenz und anderen Lebensstufen die Rede ist, die in der westlichen Psychologie und in der modernen Pop-Kultur von Bedeutung sind. Selbst das Ende des Lebenszyklus – der Tod selbst, ein Zustand, dessen Realität außer Frage steht, wie man meinen sollte – erfährt in den verschiedenen Kulturen eine radikal verschieden geartete Definition. Aus der medizinischen Sicht der modernen Zivilisation tritt der Tod ein, wenn die Gehirnaktivität erlischt. Aber bestimmte Agrarkulturen in Griechenland räumen dem Tod erst dann sein Recht ein, wenn ein Leichnam ein ganzes Jahr lang kalt und reglos war. Dann wird er ausgegraben, in einem Umzug ums Dorf getragen und danach zum zweiten Mal beerdigt – diesmal für die Ewigkeit.

Noch erstaunlicher ist es, daß einige Lebensstufen, deren Existenz wir aus eigener Erfahrung bestätigen können, möglicherweise nicht mehr als erst vor kurzer Zeit eingeführte gesellschaftliche Erfindungen sind. Der Historiker Philippe Ariès hat überzeugend dargelegt, daß die komplexe Lebensstufe, die wir die Kindheit nennen, voll und ganz ein Produkt des Europa des 17. Jahrhunderts ist. Vor der Renaissance wurden Kinder – wie in einigen Kulturen heute noch – als kleine, unfertige Erwachsene betrachtet. Aber wie dem auch sei – Tatsache ist, daß, während ich diese Sätze niederschreibe, in weniger als einer Woche Weihnachten ist und unzählige Kinder auf der ganzen Welt mit angehaltenem Atem das Christkind oder St. Nikolaus' mitternächtlichen Besuch erwarten. Hierzulande scheint die Kindheit zu bleiben. Nachdem Paul und ich Beschreibungen des Lebenszyklus in mehreren Kulturen der Welt studiert haben, sind wir zu folgendem grundlegendem Schema gelangt:

Geburt
Kindheit
Reife
Heirat und Familie
Alter
Tod

Natürlich läßt diese kurze Liste alle möglichen Ergänzungen und Streichungen zu. Für viele Menschen beginnt die Stufe, die wir als Geburt bezeichnen, mit der Empfängnis; für andere ist der Tod nur ein Tor, und der Lebenszyklus setzt sich in jenseitigen Gefilden fort. Auch die Definitionen von Ehe und Familie stehen keineswegs fest. Und was das Alter betrifft – nun, für ein Kind wankt ein vierzigjähriger Mensch bereits am Rande des Grabes, während für manchen Siebzigjährigen das Alter mit Achtzig beginnt. Trotzdem, alles in allem glauben Paul und ich, daß der oben schematisierte Lebenszyklus die meisten Verschiebungen verkraften kann und als grundlegender Plan des menschlichen Lebens im allgemeinen tauglich ist.

Trotz zum Teil erheblicher Abweichungen in Struktur und Inhalt enthalten fast alle Modelle des menschlichen Lebens folgende Prinzipien:

1. *Jede Phase des Lebens weist ihre eigenen Gefahren und Belohnungen auf.* Der Psychoanalytiker Erik Erikson hat sich am eingehendsten damit befaßt. Er teilt den Lebenszyklus in acht Stufen ein und macht in jeder von ihnen eine Aufgabe namhaft, die zu bewältigen, eine Unart, die zu vermeiden, und eine Tugend, die zu kultivieren ist. Nach Erikson muß ein Säugling Vertrauen lernen, den Rückzug vermeiden und die Hoffnung pflegen; Kinder im Krabbelalter müssen Autonomie lernen, Zwanghaftigkeit vermeiden und ihren Willen pflegen. In diesem Stil geht es weiter – bis zum älteren Menschen, der seine eigene »Integrität« entdecken, die Verachtung anderer vermeiden und die Weisheit kultivieren muß. Eriksons Modell ist, je nach den Erwartungen der jeweiligen Kultur und der individuellen Einstellung zur Psychoanalyse, für Korrekturen anfällig, aber seine Grundidee klingt vernünftig: Daß wir unser ganzes Leben lang wie die Helden der Alten Drachen erschlagen und Schätze heben müssen, bevor wir im Triumphzug nach Hause zurückkehren können.

Nicht jeder begegnet seinen Herausforderungen erfolgreich. Wir alle sind schon Menschen begegnet, die in früheren Stufen steckenblieben – das vierzehnjährige Mädchen, das Daumen lutscht oder der fünfzigjährige Mann, der sich in Discos für Teenager herumtreibt. Wir alle kennen Menschen, die eine falsche Abbiegung genommen haben und Eriksons »Unarten« zum Opfer fielen: den verbitterten Pensionär, die zurückgezogen lebende Tante, das Kind, das alle Spiele langweilig findet. In gewissem Umfang hängt die Frage, ob wir erfolgreich durchs Leben steuern, davon ab, ob wir jeden Tag in der richtigen Geistesverfassung begrüßen – eine Aufgabe, die im ersten Teil dieses Buchs besprochen wurde. Aber in jeder Lebensphase können auch einzigartige Ereignisse stattfinden – beispielsweise eine Geburt –, für die spezielle Vorbereitungen nötig sind und sachlicher oder fachlicher Rat eingeholt werden kann. Der zweite Teil dieses Buchs befaßt sich eingehender mit diesen besonderen Momenten des Lebens.

2. *Die Übergänge von einer Stufe des Lebens zur nächsten sind Zeiten der Versprechen und der Gefahren.* Diese wichtige Erkenntnis verdanken wir Arnold von Gennep, dem Ethnologen, der als erster eingehend die Lebenszyklen studierte und für jene religiösen Zeremonien, die einen Übergang zwischen den Stufen des Lebens markieren – Eheschließungen, Begräbnisse und dergleichen –, den Begriff *Übergangsriten* geprägt hat.

Diese Riten verfolgen mehrere Zwecke. Denken Sie zum Beispiel an eine typische christliche Hochzeitszeremonie. Blumen, Musik, Liturgie, Kirchenbaukunst, Priesterkleidung, selbst das Werfen von Reis (durch das die Gemeinschaft ihre Fruchtbarkeit auf das Paar überträgt) – sie alle bergen eine vielfältige Fracht an Symbolik und Bedeutung in sich. Das Ritual verbindet Braut und Bräutigam mit universalen spirituellen Wahrheiten und mit der Gemeinschaft, in der diese Wahrheiten einen konkreten Ausdruck finden. Im zweiten Teil dieses Buchs werden Sie vielen

260

solcher Rituale begegnen. So, wie wir die Meditation als die grundlegende spirituelle Übung des Tagesablaufs verstehen, können wir das Ritual als die grundlegende spirituelle Übung des Lebenszyklus bezeichnen.

3. *Der Lebenszyklus ist, wie aus dem Ausdruck hervorgeht, ein Kreis.* Wenn man fünfzehn Jahre alt ist, erstreckt sich das Leben in gerader Linie vor einem – wie eine Autobahn zu Reichtum und Ruhm. Aber während wir reifer werden, reift auch unser Verständnis. Früher oder später dämmert es uns, daß unsere Lebensbahn alles andere als eine gerade Strecke ist. Wir laufen im Zickzack, werden auf uns selbst zurückgeworfen, verheddern uns, bis wir weder ein noch aus wissen, wir schlagen neue Richtungen ein. Wenn wir uns dem Tod nähern, entdecken wir vielleicht, daß die beiden Enden des Lebens einander treffen. Gewiß ist Kleinkindern und alten Menschen eine gewisse Hinfälligkeit und Abhängigkeit gemeinsam – und sogar die Neigung, unversehens einzunicken. Der Lebenszyklus (von griech. *kyklos:* Kreis) endet, wo er begonnen hat. Darüber hinaus kann man sagen, daß von einer Stufe des Lebensweges zur nächsten ein »Recycling« des Materials stattfindet – ein Erwachsener erblickt nicht voll ausgebildet das Licht der Welt, wie Athene aus dem Haupt des Zeus hervorging, sondern entwickelt sich auf natürliche Weise aus dem Strecken seiner Glieder und dem Wachstum der Muskeln in der Adoleszenz. Unser Leben ist ein Ins-Sein-Kommen – eine schrittweise Enthüllung unseres wahren Selbst.

Spirituelle Wiedergeburt

Worin besteht der Sinn dieses Ins-Sein-Kom-
mens? Thomas Carlyle drückt es wie folgt aus:

*Laßt uns all das werden, was sein zu können wir geschaffen wurden;
uns, wenn möglich, zu unserer vollen Größe ausdehnen, und uns
schließlich in unserer eigenen Gestalt und Statur zeigen – wie auch
immer sie aussehen mag.*

Hier begegnen wir dem großen Paradoxon der Menschwerdung:
Wir alle müssen, um »all das [zu] werden, was sein zu können wir
geschaffen wurden«, unseren Lebenszyklus umkehren; gegen den
Fluß schwimmen; den Film rückwärts laufen lassen – und wieder
Kind werden; ja, sogar sterben und wiedergeboren werden.
Die bekannteste Zusammenfassung dieser erstaunlichen Lehre – die
übrigens in fast allen Religionen zu finden ist – steht im Matthäus-
evangelium:

*In jener Stunde traten die Jünger an Jesus heran mit der Frage:
»Wer ist wohl der Größte im Himmelreich?« Da rief er ein Kind
heran, stellte es in ihre Mitte und sprach: »Wahrlich, ich sage euch,
wenn ihr nicht umkehrt und werdet wie die Kinder, so werdet ihr
nicht in das Himmelreich eingehen.«* (Matth. 18, 1–3)

Dieser Rat scheint mit einer anderen, geheimnisvollen Lehre Jesu
zusammenzuhängen:

*»Wahrlich, wahrlich, ich sage dir: Wer nicht von oben her geboren
wird, kann das Reich Gottes nicht schauen.«
Nikodemus sagte zu ihm: »Wie kann ein Mensch geboren werden,
wenn er ein Greis ist? Kann er etwa zum zweiten Mal in den Schoß
seiner Mutter eingehen und geboren werden?« Jesus antwortete:*

262

»Wahrlich, wahrlich, ich sage dir: Wer nicht aus Wasser und Geist geboren wird, kann nicht in das Reich Gottes eingehen.« (Joh. 3, 3–5)

Wir müssen sterben und wiedergeboren werden. Wir müssen unsere Lebensweise, die uns gefangenhält, die uns gebannt hat, die uns zurückhält, aufgeben. Fast allen Kulturen ist diese Vorstellung in der einen oder anderen Form vertraut. Indische Brahmanen nennen sich selbst »zweimal geboren«. Sie erfahren durch die Upanayana-Zeremonie eine zweite Geburt in ein neues, inneres Leben. In buddhistischen Texten ist wiederholt von einer spirituellen Wiedergeburt die Rede – von etwas, das zuweilen als ein »Durchbrechen der Eierschale« bezeichnet wird. In einigen afrikanischen Kulturen – zum Beispiel entlang der Loango-Küste – werden Jungen im Alter zwischen zehn und zwölf Jahren symbolisch begraben. Sie werden weiß angemalt, wie Geister, dann kehren sie ins Leben zurück, um die esoterischen Überlieferungen und die heilige Sprache ihres Volkes zu erlernen.

Die Vorstellung einer zweiten Geburt taucht auch in nicht ausgesprochen religiösen Bereichen auf. Denken Sie zum Beispiel an die Zwölf Schritte der Anonymen Alkoholiker. Um was sonst handelt es sich bei diesen Schritten, wenn nicht um die Verschreibung eines spirituellen Todes, gefolgt von einer spirituellen Wiedergeburt? Besonders wichtig sind die ersten drei Schritte, durch die der Alkoholiker den Tod in seinem bisherigen Leben erleidet und eine Wiedergeburt in Gottes zärtlicher Liebe anstrebt, indem er die Offenheit, die Abhängigkeit und das Vertrauen eines neugeborenen Kindes wiedererlangt:

1. Wir gaben zu, daß wir dem Alkohol gegenüber machtlos sind – und unser Leben nicht mehr meistern konnten.
2. Wir kamen zu dem Glauben, daß eine Macht, größer als wir selbst, uns unsere geistige Gesundheit wiedergeben kann.

3. Wir faßten den Entschluß, unseren Willen und unser Leben der Sorge Gottes – wie wir ihn verstanden – anzuvertrauen.[2]

Wenn wir wiedergeboren werden, sind wir Kinder. Jede Tradition hat ihre kindhaften Weisen: Mullah Nasr Edin, der Baal Schem Tov, Ramakrishna, der Myokonin. Was meinen wir damit, wenn wir diese Weisen »kindhaft« nennen? Das Adjektiv hat nichts mit der dunkleren Seite der Kindheit zu tun, mit der unablässigen Ego-Befriedigung – dem ständigen Refrain des »ich, mir, mein«, den wir bei Kindern störend finden und bei Erwachsenen (denen wir vorwerfen, daß sie sich »wie schlecht erzogene Kinder« gebärden) inakzeptabel. Was wir bei diesen Weisen lieben, ist ihr Eifer, ihre Unschuld, ihre Bereitschaft zu staunen, ihre rückhaltlose Offenheit dem Leben gegenüber. Franz von Assisi küßte Lepröse und las Vögeln vor; wer sonst als ein Kind – oder ein großer Heiliger – würde so handeln? Ostasiatische Buddhisten sprechen vom »Geist des Anfängers« – desjenigen, der sich allem mit einem frischen, offenen Geist nähert. »Wie die Kinder« zu werden, wie Jesus es verlangte, heißt, das Urvertrauen, das wir zu Beginn unseres Lebens besaßen, wiederherzustellen.

Die Sinfonie des Lebens besteht aus zwei miteinander verwobenen Melodien: Eine singt vom Werden, vom Erringen, vom Erfolg, vom Machen, davon, daß man dieser Welt seinen Stempel aufprägt; die andere singt vom Sein, vom Hinnehmen, von Ergebung, von der Selbstauslöschung, um Platz für Gott zu schaffen. Es muß nicht zu einem Konflikt zwischen diesen beiden Melodien kommen, zwischen dem äußeren Lebenszyklus, in dem wir immer älter werden – von der Kindheit zum Erwachsenenalter und vom Erwachsenenalter zum Alter –, und dem inneren Lebenszyklus, in dem wir immer jünger werden, immer beweglicher, immer lernbereiter. Unsere Aufgabe besteht darin, daß wir beides vereinigen. Das Resultat, so können wir zuversichtlich hoffen, wird eine Musik sein, die des Anhörens, und ein Leben, das des Lebens wert ist.

Kapitel II
Geburt

Eine Freundin meiner Frau, die ich Sophie nennen möchte, schwört, daß die folgende Geschichte wahr ist: Sie war mit ihrem ersten Kind schwanger. Sie wand sich in Schmerzen und sehnte sich nach Erleichterung, als sich plötzlich der Himmel über ihr öffnete und die Geheimnisse des Kosmos vor ihr enthüllt wurden. In einem kurzen Augenblick erfuhr sie von der wahren Natur aller Dinge und schaute Gott von Angesicht zu Angesicht. Dann bewölkte sich die Vision, und Sophies neu erworbenes Wissen verschwand. »Warum?« schrie sie. »Warum wird mir all das gezeigt und dann wieder von mir genommen?« Die Antwort kam: Daß diese Enthüllung allen schwangeren Müttern zuteil wird, damit sie ihre Kinder unter dem unsichtbaren Einfluß des Geschauten erziehen, auch wenn sie die Einzelheiten vergessen haben.

Nach einer talmudischen Legende begleitet im Augenblick der Empfängnis ein Engel die Seele von ihrem Wohnsitz im Himmel in den Mutterleib und vereinigt sie mit dem Embryo. Der Engel belehrt das neue Wesen über die Geheimnisse der Welt, trägt es in den Himmel und in die Hölle, damit es die Höhen und Tiefen der Schöpfung kennenlernt, zeigt ihm die Erscheinungsweisen der Schönheit, der Wahrheit und der Güte, und er offenbart ihm sein künftiges Leben auf der Erde in allen Einzelheiten – sogar den Ort und die Zeit seines Todes. Während das Kind im Mutterleib heranwächst, sinnt es über die geschauten Wunder nach. Dann – im Augenblick der Geburt – berührt der Engel den Mund des Kindes und löscht all seine Erinnerungen an die wunderbaren Enthüllungen.

265

In diesen beiden parallelen Erzählungen erhaschen wir einen Blick auf das unauslotbare Geheimnis der Geburt; ein so tiefgreifendes Ereignis, das Mutter und Kind ein Wissen vermittelt, das wir gewöhnlich als göttlich bezeichnen. Dann wird das Wissen auf dramatische Weise wieder fortgenommen (ein Akt, der meinem Empfinden nach großes Mitgefühl verrät, denn wer könnte es ertragen, die ehrfurchtgebietenden Geheimnisse des Kosmos zu kennen oder den Zeitpunkt und die Umstände des eigenen Todes?). Und doch bleiben uns Spuren des Numinosen. In ähnlicher Weise, wie wir an Pilgerstätten in Indien noch heute die Fußspuren des Buddha sehen können, obwohl er vor langer Zeit gestorben ist, bleiben die Spuren des göttlichen Wissens, die Wasserzeichen des Heiligen, für immer in den Herzen von Mutter und Kind:

Nicht in völligem Vergessen,
Und nicht in äußerster Nacktheit,
Sondern in Wolken von Glorie gehüllt
Kommen wir von Gott, der unser Heim ist.

William Wordsworth
Intimations of Immortality

Wir kennen die genaue Zusammensetzung dieser »Wolken von Glorie« nicht; unser Wissen von der Abstammung des Menschen steckt noch in den Kinderschuhen. Wir müssen ehrlicherweise zugeben, daß wir über die wahre Natur des Todes so gut wie nichts wissen. Die Herkunft eines jeden menschlichen Wesens – von Ihnen und von mir und von dem Gemüsehändler die Straße hinunter – ist so geheimnisvoll wie der Ursprung des Lebens selbst. Schon die Geburt des Universums ist ein Geheimnis; die grundlegendste aller Fragen – die Leibniz so hübsch formulierte: »Warum ist etwas, statt daß nichts wäre?« – ist ebenso ungelöst wie zuvor.

266

Das einzige, was wir mit Sicherheit sagen können, ist, daß jede Geburt ein Augenblick von großer Bedeutung ist. Dabei spielt es keine Rolle, ob das Neugeborene von hohem oder niedrigem Stand ist. Viele Religionen feiern die Geburt eines Gottes, eines Weisen, eines Heiligen oder Religionsstifters, und statten ihn oft mit wunderbaren Begleiterscheinungen aus. So erklärt Ashvaghosha, ein indischer Dichter des ersten und zweiten Jahrhunderts, bei seiner Beschreibung der Geburt des Buddha: »Seine Glieder schimmerten im seidigen Glanz des kostbaren Goldes und erhellten die ganze Umgebung.«[1] Lukas berichtet über das Zeugnis von Schafhirten bei der Geburt Christi, daß plötzlich »eine Menge himmlischer Heerscharen« vom Himmel her erschienen, die Gott lobten und priesen (Lukas 2, 13).

Aber das wahre Wunder der Geburt besteht – wie jede neue Mutter und jeder frischgebackene Vater bescheinigen wird – darin, daß jedes Kind uns das gleiche Gefühl eines Wunders einflößt – den Eindruck, daß der Himmel sich zur Erde niederbeugt und sie küßt. Der Mysterienschreiber Janwillem van de Wetering, der sein Leben lang den Zenbuddhismus studierte, bemerkte einmal mir gegenüber: »Immer, wenn ein Kind geboren wird, glaube ich, es könnte dasjenige sein, das die Welt retten wird.«

In unsere Elternfreude spielt zweifellos Tierisches (oder zumindest Säuge-Tierisches) hinein, denn auch Eichhörnchen und Schimpansen, Antilopen und Zebras hüten ihre Nachkommen wie ihre Augäpfel. Aber unsere Freude hat noch einen weiteren Grund, der uns Menschen vorbehalten ist. Die Menschen haben – darin sind sich alle Religionen einig – eine einzigartige Stellung im Kosmos inne. Der Buddhismus lehrt, daß alle Lebewesen als Menschen wiedergeboren werden müssen, bevor sie Erleuchtung erlangen können; das Christentum lehrt, der Mensch sei »nach Gottes Bild« erschaffen worden. Mit anderen Worten: Die Geburt eines Menschen ist heilig.

Deshalb gilt die Geburt als Anlaß zu einer großen Feier und als eine

Zeit, in der unsere Beziehung zu den heiligen Gesetzen, die den Kosmos regieren, durch kontemplative und rituelle Praktiken erneuert wird. In den meisten Kulturen dauern diese Feierlichkeiten Monate oder sogar Jahre. Das Herauskommen des Kindes aus dem Mutterleib ist das zentrale Ereignis einer langen Feier voller spiritueller Aktivitäten, die vom Augenblick der Empfängnis bis zu den letzten Riten der Kindheit andauern. Vorgeburtliche Praktiken bei den Chinesen und bei den Ibo, Namengebungsfeiern bei den Sikhs und bei den Eskimos, der hübsche jüdische Brauch, den »Wimpel« zu weben – all das gehört zu dem spirituellen Schatz der Menschheit, der mit der Geburt zusammenhängt und von dem auf den folgenden Seiten noch eingehender die Rede sein wird. Auch wenn unsere Diskussion rund um die Geburt mit dem Ausklang der Säuglingszeit endet – mit dem ersten Geburtstag, wenn das Kind ins Krabbelalter kommt –, glaube ich eigentlich, daß es sich hier um eine künstliche Zäsur handelt. Tatsächlich ist keiner von uns schon voll und ganz geboren worden. Wir bewegen uns zwischen Dunkelheit und Licht, zwischen Empfängnis und Verwirklichung. Zeuge bei einer Geburt zu sein heißt auch, etwas über das Mysterium unseres eigenen Lebens zu erfahren, das darum kämpft, sich zu entfalten.

Kontemplative Nahaufnahme: Mirabai, Nora und Libby

Paul berichtet über die Erfahrungen junger Frauen auf der Suche nach einer bewußteren und erfüllenderen Kindergeburt.

Eine Kindergeburt ist ein heiliger Vorgang, der deinen Körper reinigt.

Nora

Die Schwangerschaft und das Gebären sind eine Reise zu anderen Ufern.

Mirabai

Eine Geburt konfrontiert uns mit einem tiefen Mysterium: wie aus einem Menschen zwei werden – und aus zweien einer.

Libby

Meine Tochter Karen wurde vor 33 Jahren geboren. Als sie zur Welt kam, rief ihre Mutter mit der exquisiten Logik eines Menschen, der über die Ebene der bloßen Freude hinausgetragen wird, aus: »Es ist … es ist … ein Baby!« Der Arzt legte Karen in meine Arme. Es war eine Geburt ohne Narkose gewesen, wie man sie zur damaligen Zeit – als werdende Mütter routinemäßig in einen Dämmerzustand versetzt wurden – als ein wenig experimentierfreudig betrachtete. Die Mütter erwachten aus der Narkose mit einem Baby neben sich, ohne eine Erinnerung an die Geburt zu haben.

Der Kampf der Frauen, ihre Kinder auf eine emotional und spirituell erfüllende Weise zur Welt zu bringen, war hart und oft einsam. Aber ein kontemplativer Ansatz bei Schwangerschaft und Geburt war wie ein anschwellender Fluß, der von einer Vielzahl weltlicher und religiöser Quellen der Inspiration und Praxis gespeist wurde.

Dies ist eine Geschichte über einige Frauen, die Methoden ausprobiert haben, der Geburt ihrer Kinder eine erhöhte Achtsamkeit entgegenzubringen und sie als eine Zeit zu betrachten, in der – wie es in einer Tradition ausgedrückt wird – »das Buch des Lebens aufgeschlagen« ist. Aber während der Schwangerschaft sinnen viele Frauen nicht nur über die Geburt nach, sondern auch über den Tod. Geburt und Tod sind intime Partner im Tanz des Denkens, und auf eine seltsame wie wunderbare Weise lehrt das eine den anderen die Schritte. Als Beweis mögen die Erlebnisse eines jungen britischen Stabsarztes namens Grantly Dick-Read dienen, der das berüchtigte Blutbad von Gallipoli im Ersten Weltkrieg mitmachte.

Dr. Dick-Read überlebte den Krieg – wenn auch nur knapp – und wurde der Begründer der Bewegung »Natürliche Geburt«. Was er in den Schützengräben über Angst und Tod gelernt hatte, übertrug er in Lektionen über Achtsamkeit auf die Entstehung neuen Lebens. Auf die Gefahr hin, dem Umfang und dem Schmerz des Wahnsinns nicht gerecht zu werden, den er durchlebt hatte, kann man einige Ereignisse herausgreifen, die sein Denken transformiert haben.

Der erste dieser Vorfälle ereignete sich in Gallipoli, wo er in seinem Lazarett von Hunderten verwundeter Männern umringt war, die in der Nachtluft froren und starben. »Von Zeit zu Zeit«, erinnert er sich in seinen Memoiren, »schien der Tod seine Hand aus dem Nichts hervorzustrecken und mal diesen, mal jenen Mann zu ergreifen.«[2] Als er einmal in Rufweite seiner Helfer auf einem Sandhaufen saß, um sich auszuruhen, überkam ihn plötzlich ein Gefühl »extremen Alleinseins«. Wieder zu Hause – als Anstaltsarzt in einem Londoner Hospital –, sollte er sein tiefes Verständnis für Angst, Anspannung und Einsamkeit (sowie das Mitleid, das aus seinen eigenen Erfahrungen hervorgegangen war) Frauen entgegenbringen, die vor der Entbindung standen.

»Vielleicht ist das der Grund dafür«, schrieb er, »daß ich erschauere, wenn ich an den Türen der Stationen vorbeikomme, wo sie liegen – allein – und die ersten Wehen durchmachen, ohne zu begreifen, was geschieht, und voller Furcht auf die stärkeren Schmerzen warten, die ihnen noch bevorstehen.«

Dr. Dick-Read hatte eine zweite Schlachtfeld-Erfahrung, der er weitere Einsichten in den Geburtsvorgang verdankte. In Belgien kam eine junge Frau auf der Suche nach ärztlicher Hilfe in den britischen Schützengraben. Sie war »hochschwanger«. Als er sie sich auf eine Tragbahre legen ließ und sie untersuchte, war er zutiefst betroffen, weil sie keinerlei Unbehagen zeigte. »Sie schien sich des ganzen Kriegslärms um uns herum nicht bewußt zu sein«, erinnert er sich. Als das Baby geboren war, setzte sich die junge Frau auf der Bahre auf, lachte und nahm ihr Baby in die Arme. Der Arzt kann »diesen Ausdruck der Freude auf ihrem Gesicht nicht vergessen«.

Auch dem zeitgenössischen Leser als Angehörigem einer Kultur, die allmählich die dynamische Beziehung zwischen Geist, Körper und Seele anerkennt, müssen Dr. Dick-Reads Einsichten recht ungewöhnlich erscheinen. Er fand nicht nur sozusagen ein Stück Himmel in der Hölle, sondern er wurde sich darüber hinaus der Beziehung zwischen den Gefühlen einer Mutter und der Frage bewußt, wie sich ihr Körper in extremen Situationen während der Wehen verhält. Und er erkannte, daß die Mutter bei klarem Bewußtsein und mit allen Sinnen an der Geburt beteiligt sein muß, wenn die Geburt »natürlich« sein soll. Ihr Denken und ihre positiven emotionalen Reaktionen unterstützen die physiologischen Prozesse. Angst und Furcht hingegen führen zu unerwünschten Muskelanspannungen und Widerständen im Körper der Mutter. Es scheint so, als hätte die Natur einen subtilen Geburtsplan entworfen, der am besten funktioniert, wenn Gefühl und Geist der Mutter durch bedingungslose Liebe, durch Wärme, Freude und Achtsamkeit unterstützt werden.

Die Gegenkultur der sechziger Jahre – von hinduistischen und buddhistischen Traditionen beeinflußt und auch einheimischen Praktiken und Geburtshilfemethoden gegenüber aufgeschlossen – begann die Bedeutung der Achtsamkeit auch während der Schwangerschaft und bei der Geburt zu erkennen. Mirabai Bush, die mehrere Jahre lang in Indien gelebt hatte, führte ein Tagebuch, als sie 1971 mit ihrem Sohn Owen schwanger war. Diese Seiten zeugen von einer Entwicklung, die von einer ins Psychologische zielenden Aufmerksamkeit (von Geburts-Pionieren wie Dr. Dick-Read propagiert) bis hin zur rein spirituell ausgerichteten Achtsamkeit reicht.

Auf einer Seite mit der Überschrift »Meditation« schreibt Mirabai:

In der Schwangerschaft ist Meditation einfach.
Man tut ohnehin nur wenige Dinge am Tag,
Also kann man sie leicht bewußt machen.
Meditation ist leichter, wenn du schwanger bist,
Weil dein Körper sich selbst besänftigt und
Seine Energien auf die Geburt richtet.
Durch Meditation erschaffst du
Einen spirituellen Mutterleib,
Der die körperliche Gebärmutter umgibt und schützt.
Er muß ständig neu erschaffen werden.
Bewahre deine Würde.
Du mußt nirgendwohin gehen,
Also gehe langsam und würdevoll.
Zehen bilden sich,
Ein Herz schlägt,
Haare kräuseln sich,
Arme und Ellbogen und Finger und ein runder
    Buddha-Bauch
Alles geschieht so, wie es sein muß.

»Schwangerschaft und die Geburt des Kindes«, schreibt Mirabai, »sind ein natürliches Ritual – ein Vehikel, das dich von einem Bewußtseinszustand in einen anderen transportiert. Es ist eine Reise an ein anderes Ufer, und wenn du am Ende anlangst, ist es der Anfang … Je vollständiger du an der Geburt teilnimmst, desto bewußter und achtsamer und präsenter bist du während des Rituals; desto klarer siehst du den Schmerz und die Zweifel und Ängste, und wie sich der Glaube und die Liebe und die Stärke manifestieren – desto bereiter bist du für das Kind.«

Die physiologischen Schocks und die hormonellen Umstellungen bei Schwangerschaft und Geburt scheinen die unergründliche Methode der Natur zu sein, Frauen nicht nur auf den körperlichen Akt der Geburt, sondern auch auf eine Initiation in das Geheimnis der tieferen Bedeutung des Lebens vorzubereiten. Das Hervorkommen eines neuen, lebenden Körpers aus dem Körper eines anderen Menschen ist nicht nur die Geburt eines Kindes, sondern auch eine Erleuchtung. Das spirituelle Wesen der Verwandtschaft, der Kern des Ich und des Du, kann nun klarer und unmittelbarer verstanden werden. Nach jüdischer Sitte sind die Tage zwischen Rosh Hashanah und Yom Kippur eine Zeit, in der das Buch des Lebens aufgeschlagen ist. Unsere Tafel wurde ausgewischt, und wenn wir es wünschen, schreibt Gott einen neuen Anfang darauf. Auch während der Schwangerschaft und der Geburt ist das Buch des Lebens aufgeschlagen, und wir haben die Chance, die Welt auf eine neue Art zu sehen und in ihr zu handeln. Das gilt auch für den Vater und andere Mitglieder der Familie.

Wie können die neue Mutter und ihre Familie diese goldene Gelegenheit wahrnehmen? Eine Möglichkeit besteht der Psychologin Libby Colman zufolge darin, daß wir Schwangerschaft, Geburt und die Zeit nach der Entbindung auf kontemplativere Weise betrachten – mit dem Ergebnis einer größeren Klarheit und Ausgeglichenheit.

Drei Jahrzehnte Arbeit mit werdenden und frischgebackenen Müttern haben ihr ihre eigene Erfahrung bestätigt, daß Schwangerschaft, Geburt und die Zeit nach der Entbindung Gelegenheiten für die betroffene Frau darstellen, ihr Maß an Achtsamkeit zu erhöhen, ihre Ansichten über Sinn und Bedeutung der Welt zu ändern und ihre Widerstandskraft bei künftigen Verletzungen zu verbessern. Meditative Übungen können darüber hinaus die ängstlich besorgten Versuche der Mutter verringern, alles zu kontrollieren, und ihr helfen, sich dem Fluß der Ereignisse – von der Schwangerschaft über die Geburt bis zu der Zeit nach der Entbindung – zu überlassen.

Zu dem, in welcher Welt eine Frau von den früheren Stadien der Schwangerschaft profitieren kann, gehört nach Libbys Ansicht eine gelassene Aufmerksamkeit für die Veränderungen, die in ihrem Körper stattfinden. Während einer solchen versunkenen Betrachtung kann eine Frau empfindsamer für die anfängliche Schwellung ihrer Brüste oder für das prickelnde Gefühl in ihren Brustwarzen werden. Wenn sie diese Aufmerksamkeit für die Vorgänge in ihrem Körper in eine gesunde Perspektive rückt, kann sich daraus eine positive Richtung für ihre gesamte Lebensreise ergeben.

Zu Beginn der Schwangerschaft fühlt sich der Fötus für die Frau eher wie ein Organ ihres eigenen Körpers an. Die frühen Bewegungen des Fötus werden oft als »Schmetterlingsflattern« oder das »Umherschwimmen eines kleinen Fisches« beschrieben. In späteren Stadien der Schwangerschaft kann sie einzelne Glieder des Kindes spüren und ein schärferes Bewußtsein für ein anderes Lebewesen haben. Eigentlich hat nun ein Dialog mit dem Baby begonnen, der von der Achtsamkeit der Mutter geformt werden kann.

Libby erinnert sich an die Zeit, als sie mit ihrem dritten Kind schwanger war, und an ihren Weg ins Krankenhaus: »Wir hielten an einem Aussichtspunkt in der Nähe der Golden Gate Bridge an. Das Panorama war besonders geeignet: Die Bucht kam mir wie ein Uterus vor, die Brücke wie der Geburtskanal – alles fließend und offen. Aber dann kam ein Tanker, und ich wurde von der Vorstellung überwältigt, daß der Tanker der Brücke zustrebte wie das Kind der Außenwelt, und ich mich besser beeilen sollte, ins Krankenhaus zu kommen, weil mein Baby gleich hier im Auto zur Welt käme, wenn ich wartete, bis der Tanker unter der Brücke durchfuhr.«

Libby schlägt vor, Tagebuch zu führen, so daß man die Bilder, die in Träumen oder bei der Meditation auftauchen, festhalten und über sie nachdenken kann: »Sie werden Ihr inneres Heranreifen als Elternteil nachvollziehen können. Für die Bilder offen zu sein, die Ihr eigenes Inneres hervorbringt, ist die wirksamste Übung während der Schwangerschaft.«

Einige Frauen beschreiben die Geburt als einen Vorgang, der sie an den Rand drängt und sie zwingt, eine Art Sprung des Glaubens auszuführen. Nora Bateson, seit kurzem Mutter, erinnert sich an einen solchen Augenblick: »Es war in der entscheidenden Geburtsphase. Ich war sehr erschöpft, fühlte mich sehr elend und verletzt. Ich wünschte mir nur, daß jemand für eine Weile übernehmen könnte; oder daß ich mir einen Tag Urlaub nehmen könnte; oder daß es eine andere Möglichkeit gäbe, die Reise zu beenden, ohne diese Sache durchmachen zu müssen. Dann wurde mir klar, daß es nur einen Ausweg gab, und das war durch die Tür, vor der ich stand; unschlüssig. Hindurchzugehen bedeutete, daß ich die letzten Fäden meines alten Lebens loslassen mußte – den Schmerz durchmachen, das Chaos durchmachen und dem natürlichen Prozeß vertrauen mußte. In diesem Moment fühlte ich mich plötzlich mit allen anderen Frauen in der Geschichte verbunden. Niemand außer mir und dem Baby konnte die Arbeit tun, aber ich war nicht allein. Die Erfahrung ist mir geblieben, und ich kann jederzeit auf sie zurückgreifen.«

Nora brachte ihr Kind zu Hause zur Welt. Dan, ihr Mann, stand ihr zur Seite. Sie hatte Hilfe von einer Hebamme, und ihre Familie und Freunde umstanden sie. »Ich wollte so viel Offenheit wie möglich«, sagt sie. »Und ich wollte die Geburt mit anderen teilen, um eine Gemeinschaft um die Geburt des Babys zu schaffen.«

Später hat Nora verstehen gelernt, daß die Art und Weise, wie sie sich die Geburt ihrer Tochter Sahra wünschte, jenes Ereignis widerspiegelte, das sie in ihrer Jugend am nachhaltigsten beeindruckt hatte: den Tod ihres Vaters. Der krebskranke Gregory Bateson hatte eine chemische Behandlung, die sein Leben hätte verlängern können, zugunsten seiner geistigen Klarheit bis zum Ende abgelehnt. »Er starb einen bewußten Tod. Sein Tod war eine Botschaft, offen für alle. Er veränderte das Leben einiger Menschen. Es war ein heiliges Ereignis.«

Wenn eine Frau Schwangerschaft, Geburt und die Zeit nach der Entbindung als heilig behandelt, bedeutet dies, daß sie diesen Dingen ihre Zeit und ihre Aufmerksamkeit widmet. »In unserer Kultur ist es schwierig, die Zeit zu finden, einfach in seiner Schwangerschaft zu sein«, sagt Nora. »Die einzige wirkliche Tradition, die wir haben, ist das Babybad und die Babyausstattung.

Das Wichtigste, was ich während der Schwangerschaft tat – das Beste, was ich tat –, war, auf meinem Bett zu sitzen, aus dem Fenster zu schauen und absolut nichts zu tun. Ich habe nicht gelesen, nicht geschrieben, nicht versucht, an irgendeinen ekstatischen Ort zu gelangen. Ich saß nur still. War nur in Ruhe dort. Das hat die Kommunikation zwischen mir und dem Baby wirklich geöffnet.«

Für eine Frau, die zum ersten Mal Mutter wird, ist die Geburt eine große Unbekannte. Es gibt keine Möglichkeit, diese Erfahrung zu proben, aber Nora glaubt, daß Mütter die Schwangerschaft als eine Zeit nutzen können, in der sie mit der Quelle des Friedens in sich selbst vertrauter werden können. Yoga und Atemübungen können dabei besonders hilfreich sein, die körperlichen Schmerzen und die Angst zu verringern.

Libby Colman sagt: »Im Frühstadium der Schwangerschaft entdecken viele Frauen, daß ihre Angst von ihrer Beziehung zu ihrem eigenen Körper und der Furcht davor herrührt, daß Ihr Körper außer Kontrolle gerät. Demnach bietet sich hier eine Gelegenheit für die Frau, über ihr Körperbild und über ihr Bedürfnis zu meditieren, alles zu kontrollieren, statt sich den natürlichen Veränderungen zu unterwerfen.«

Um während der Schwangerschaft, bei der Geburt und in der Zeit danach voll präsent zu sein, war Nora gezwungen, sich genau anzuschauen, was sie »den Wahnsinn des täglichen Lebens« nennt. Sie entschied sich dafür, nicht ihren gewohnten Beschäftigungen nachzugehen, sondern ihre Zeit dem Baby zu widmen: »Was soll's, wenn der Abwasch liegenbleibt. Dies ist ein Augenblick des Friedens, und er ist von unschätzbarem Wert.« Noras Patentante hatte ihr geraten: »Tue und sage nichts in diesem Haus, was du nicht auch in einem Gotteshaus tun oder sagen würdest.« Nora spürte, daß ihr

276

Baby das Haus mit der gleichen Heiligkeit erfüllte, die sie an einem Ort des Gottesdienstes gefühlt hatte.

Nora entwöhnt Sahra und ist wieder schwanger. Sie trifft sich regelmäßig mit anderen Müttern in einer pränatalen Gruppe. »Wir haben vier Stunden, in denen wir nichts weiter sind als nur schwanger. Im Abenteuer der Schwangerschaft und der Geburt ist es so leicht, sich in medizinischen Detailfragen zu verlieren und sich von der inneren Arbeit ablenken zu lassen. Das ist die Arbeit, die den Geist berücksichtigt und ihn nährt.«

Geburt: Eine spirituelle Ernte

Pränatale spirituelle Praktiken

Ich habe dieses Kapitel mit zwei Geschichten eingeleitet: eine davon handelte von meiner Freundin Sophie und ihrer himmlischen Vision; die andere von den Abenteuern der Seele, die nach einer talmudischen Legende in den Embryo eingeht. Diese Geschichten lassen vermuten, daß die neun Monate, die der Geburt vorausgehen, spirituell bedeutsam und eine kostbare Zeit für das Kind und die Mutter sind. Viele religiöse Kulturen berücksichtigen diese Zeit in einer Reihe komplizierter Vorschriften und Verordnungen, die für das Leben im Mutterleib gelten. So glauben zum Beispiel die Ibo, daß, wenn eine schwangere Frau Schnecken ißt, ihr Kind mit schwachen Nasenschleimhäuten zur Welt kommt. Die Malaysier glauben, daß Mißhandlungen, die der Vater während der Schwangerschaft der Mutter ausführt, zu Mißbildungen beim Kind führen.

Einige pränatale Tabus – zum Beispiel das Verbot der Ibo, Schnecken zu essen – gründen sich möglicherweise auf direkte Beobachtungen, wie sich die Art der Ernährung einer schwangeren Frau auf ihr Kind auswirkt. Andere Tabus – wie der in der ganzen Welt verbreitete Glaube, daß eine schwangere Frau, die einen Leichenzug erblickt, eine Fehlgeburt riskiert – lassen sich eher als Sympathiezauber erklären. Aber was ist das? Wenn wir auch bezweifeln mögen, daß der auf eine Höhlenwand skizzierte Jagderfolg reiche Beute bei der wirklichen Jagd garantiert, wie die Künstler von Lascaux glaubten, können wir den Genius der Vision erkennen, der diesen Zeichnungen zugrunde lag und der noch vom inneren Zusammenhang der ganzen Schöpfung wußte. Sympathetische Magie mag eine zweifelhafte Wissenschaft, mag Aberglaube sein, aber sie zeugt von einem akuten Gespür für die symbolische und analoge Verwandtschaft aller Geschöpfe.

Die Chinesen in den ländlichen Gebieten von Taiwan glauben, daß Tai Shen, die Gottheit der Schwangerschaft und der Geburt, sich im Schlafraum jeder werdenden Mutter niederläßt und dort bis zum Augenblick der Geburt bleibt. Kann es einen gelungeneren Ausdruck der spirituellen Natur der Schwangerschaft geben? Diese Vorstellung weist zumindest darauf hin, daß wir den Wahrnehmungen schwangerer Frauen Respekt zollen sollten, denn sie verweilen in einem besonderen Reich, in dem spezielle Arten des Wissens und Erfahrens herrschen.

Couvade

Wenn Sie Zeuge sein wollen, wie ein erwachsener Mann sich windet, erzählen Sie ihm von der Couvade (Männerkindbett; von frz. *couver,* »brüten«, abgeleitet). Die Wirkung ist ganz außerordentlich. Der Mann zuckt zusammen, stöhnt, ereifert sich; vielleicht schießt er auch pfeilschnell aus dem Raum. Kein Thema mit Ausnahme der Kastration führt zu einem ähnlich dramatischen Effekt. Aber auch wenn diese Sitte Macho-Gemütern Unbehagen bereiten mag, ist sie weltweit verbreitet. Die Details sind von Kultur zu Kultur unterschiedlich, aber der Kern bleibt derselbe: Der Vater legt sich vor der Geburt seines Kindes zu Bett und drückt mit seiner Mimik die Wehen- und Geburtsschmerzen der Mutter aus. Es folgt

eine Beschreibung einer Couvade, wie sie in Britisch-Guyana ausgeführt wird:

*Sobald das Kind geboren ist, legt sich der Vater in seine Hängemat-
te, enthält sich jeder Art von Arbeit, des Fleischgenusses und aller
übrigen Nahrung mit Ausnahme einer dünnen Manioksuppe, er
wäscht sich nicht, berührt vor allem keine Waffen, raucht nicht und
läßt sich von allen Frauen füttern und bemuttern ... Das hält viele
Tage lang an, manchmal sogar Wochen.*[3]

Ich habe nicht die Absicht, Lesern dieses Buchs zu raten, daß sie
sich einer Couvade unterziehen. Das entspräche nicht nur ganz und
gar nicht dem kulturellen Kontext der meisten modernen Männer –
es wäre auch im günstigsten Fall nur ein künstliches Aufoktroyie-
ren – als pfropfte man einer Ulme einen Eichenzweig auf. Aber
ebenso wie die oben beschriebenen pränatalen Regelungen entstand
auch die Couvade aus einer ungewöhnlichen Achtsamkeit für die
spirituelle Macht der Kindesgeburt. Zumindest zeigt sie:

• Die tiefe Beziehung zwischen Vater und Mutter, in der sich der
  Vater auf jede erdenkliche Weise an Schwangerschaft, Wehen
  und der Geburt beteiligt. (Ich sollte hier – was mir nicht ohne
  ein gewisses Unbehagen möglich ist – das Vergnügen meiner
  Studentinnen am Smith College erwähnen, wenn ich im Zuge
  meines Kurses über die Religion der amerikanischen Urein-
  wohner eine Praxis unter den Huichol in Mexiko beschreibe:
  Während der Geburt eines Kindes sitzt der Vater unter dem
  Vordach seines Hauses und hat eine Schnur um seinen Hoden-
  sack gebunden. Die gebärende Frau umklammert das Ende der
  Schnur und zieht bei jeder Wehe daran, damit ihr Mann an ihren
  Schmerzen teilhat.)
• Die ebenso tiefe Beziehung zwischen Vater und Kind, in der
  – wie wir im Fall der Couvade in Britisch-Guyana gesehen

haben – der Vater zur selben Zeit und auf dieselbe Weise genährt und umhegt wird wie sein Kind. Obwohl sie verschiedene Körper haben, haben Vater und Kind auf diese Weise von der Geburt des Kindes an parallele Erfahrungen (ein schwächeres, aber gut ersonnenes Gegenstück zum Säugen, an dem Mutter und Kind beteiligt sind).

Es wäre unrealistisch zu erwarten, daß die Couvade im 21. Jahrhundert eine weitverbreitete Form väterlicher Teilnahme bei Schwangerschaften wird. Ein heutiger Vater würde eher in Gestalt eines Wehen-Trainers an der Geburt teilnehmen. Aber die Absicht hinter diesen Praktiken bleibt dieselbe: Den Vater in jenem heiligen Kreis der Intimität willkommen zu heißen, in dem Mutter und Kind bereits weilen. Aus diesem Grund werden die Couvade und verwandte Praktiken immer geschätzt werden.

Spirituelle Praktiken nach der Entbindung

Nachgeburtliche Praktiken markieren und weihen – ebenso wie die Vorbereitungen auf die Geburt – die Geburt eines neuen menschlichen Wesens. Es gibt Unterschiede zwischen den Traditionen, aber fast alle Religionen legen großes Gewicht auf zwei besondere Ereignisse: die Namengebung und den Eintritt in die Gesellschaft.

Namengebung

Nichts ist wichtiger als Namen. Mein Sohn Andy, jetzt zwei Jahre alt, wandert im Haus umher, deutet auf Gegenstände und schmettert aus voller Kehle ihre Namen heraus, als nähme er an einem begeisterten religiösen Ritual teil. Wenn er seiner Mutter ansichtig wird, ruft er ekstatisch: »Momma! Momma! Momma!« Entsprechendes gilt für »Daddy!« und »Da!« (John) und »Pooh!«

280

und »Yerbil!« (Yerbil = Gerbil: Wüstenspringmaus) sowie andere Mitglieder unseres volkreichen Haushalts. Bei anderen Gelegenheiten singt er unsere Namen auch, wenn wir nicht dort sind – nicht als Herbeirufung, sondern als ein Mantra, das sein rastloses Umherwandern begleitet. All dies ist das Rohmaterial jeder echten Religion (re-ligare: zurück- oder wieder-verbinden). Indem er Namen rezitiert, macht Andy sein inneres Sein an der Außenwelt fest und vereinigt beides zu einem bedeutsamen Ganzen.

Namen binden uns nicht nur an die Welt – sie bestätigen uns auch die Existenz dieser Welt und aller Dinge in ihr. In der Mythologie der Pueblo-Indianer denkt Thought Woman die Welt ins Dasein und benennt augenblicklich ihre Inhalte mit Namen. Auf diese Art bestätigt und definiert sie alle Dinge. In der Schöpfungsgeschichte beginnt und beschließt Gott die Sieben-Tage-Arbeit der Schöpfung mit der Namengebung. Nichts ist real, bis es einen Namen und damit seine eigene Identität in der Vielzahl der Dinge empfängt.

Namen enthalten mehrere Bedeutungsebenen. Als eine Freundin ankündigte, daß ihr neugeborener Sohn Fred genannt würde, fragte jemand: »Und – ist er genau wie ein Fred?« In dieser Frage kommt eine der geheimnisvollsten Kräfte eines Namens zum Ausdruck: Obwohl es Freds in allen Formen und Größen gibt, beschwört der Name Fred bei den meisten von uns ein bestimmtes Bild herauf; eine Vorstellung von einer »Fredheit«, die allen Freds, die wir kennen oder von denen wir gehört haben, gemeinsam ist: eine Fred-hafte Art des Seins, die dieses Neugeborene ebenso sicher formen wird, wie sie Fred MacMurray, Fred (Mr.) Rogers und all die anderen gefeierten Freds der Geschichte geformt hat. Man fragt sich, wie Friedrich Nietzsche sich entwickelt haben würde, wenn seine Eltern ihn »Fred« genannt hätten – oder besser noch »Freddy«. N. Scott Momaday erinnert sich daran, daß sein Großvater einmal sagte: »Das Leben eines Mannes entsteht aus seinem Namen – in derselben Weise, wie ein Fluß aus seiner Quelle entsteht.«[4]

Die spirituelle Bedeutung der Namen anzuerkennen macht ihre

Auswahl kaum leichter. Allgemein möchte ich empfehlen, jeden Hinweis zu nutzen, der sich zeigen mag. Als die Geburt unseres ersten Sohnes bevorstand, befolgten meine Frau und ich eine hiesige Sitte und stellten eine lange Liste mit in Frage kommenden Namen zusammen. Diese Liste liegt jetzt, da ich diesen Text schreibe, vor mir auf dem Schreibtisch. Einige der Namen auf ihr finde ich heute wenig überzeugend – Bartholomew? Nehemiah? –, während andere, wie zum Beispiel William oder Michael, immer noch richtig klingen. Meine Frau und ich haben uns endlos den Kopf zerbrochen, ohne zu einem Entschluß zu gelangen – außer, daß es ein Name aus der Bibel sein sollte. Zu unserer Freude kam die Lösung in klassischer biblischer Manier zu uns – in einem Traum. Meine Mutter rief eines Morgens an und sagte, unser bald zu erwartender Sohn sei ihr im Schlaf erschienen und habe verkündet: »Mein Name ist John.« Also wurde er John, und John ist er geblieben. Es spielt keine Rolle, daß John in unserer Familie ein beliebter Name ist, den mein Großvater mütterlicherseits und einer meiner Onkel mütterlicherseits tragen; daß er »Gott ist gnädig« bedeutet und daß es der Name von Heiligen und Weisen ist, deren Andenken wir ehren, und von Freunden, deren Gesellschaft wir genießen. Der Name mag gewöhnlich sein, aber jetzt, da John ihn trägt, ist es unverwechselbar *sein* Name.

Jede Tradition hat ihre eigene Methode der Namengebung von Kindern. Bei den Eskimos wird der Name bei der Geburt gegeben. Eine vertrauenswürdige Verwandte rezitiert während der Wehen der Mutter in Frage kommende Namen. Sobald der richtige Name ausgesprochen wurde, verläßt das Baby den Mutterleib. Die Schwarzfuß-Indianer entscheiden sich für Namen, in denen die Umstände der Geburt zum Ausdruck kommen. Traditionsbewußte Sikhs wählen den Namen des Kindes an einem *Gurdwara* (Ort der Verehrung) wie folgt aus: Ein heiliger Mann spricht ein Gebet, dann öffnet er das heilige Buch der Sikhs aufs Geratewohl. Der erste Buchstabe des ersten Wortes auf der linken Seite des aufgeschlagenen Buchs wird der erste Buchstabe des Namens, den das Kind erhält.

Vielleicht fragen Sie sich nun, was wir aus solchen Riten einer fremden Kultur lernen können. Was können sie uns über die Namengebung *unserer* Kinder lehren?

Die Antwortet lautet, glaube ich: Wir können viel daraus lernen. Vielleicht entdecke ich, daß es in meiner eigenen Tradition ein Namengebungs-Ritual gibt, von dem ich nichts gewußt habe und das ich zur großen Freude meiner Familie wiederbeleben kann. Oder ich finde heraus, daß eine andere Tradition ein Ritual zu bieten hat, das ich übernehmen kann, ohne seine Integrität zu verletzen (so spricht zum Beispiel nichts dagegen, daß ich, obwohl ich einer anderen Tradition entstamme, die Sikh-Methode der Namensauswahl mit ihrem Element des Zufalls verwende – was in Wirklichkeit von Vertrauen zur göttlichen Vorsehung zeugt). Eskimo-, Sikh-, und Schwarzfuß-Rituale unterscheiden sich stark voneinander, aber *ein* spirituelles Prinzip – nämlich daß scheinbar zufällige Faktoren in Wirklichkeit von größter Bedeutung sein können – ist ihnen allen gemeinsam. Das Geheul eines Wolfes, ein Buchstabe aus einer heiligen Schrift, die Übereinstimmung mit dem Zeitpunkt, an dem das Baby den Mutterleib verläßt – jedes Kriterium ein Zeichen, scheinbar zufällig, in Wahrheit aber bedeutsam –, das die wahre Natur des Kindes und seinen passenden Namen enthüllt.

Also kann ich bei der Geburt meines eigenen Kindes Gebrauch von diesem Prinzip machen und auf Zeichen achten, die mir helfen, den richtigen Namen auszusuchen. Die Auswahl kann durch einen Traum entschieden werden oder gemäß der Familientradition erfolgen – oder indem man ein geliebtes Buch aufs Geratewohl aufschlägt. Der Schlüssel ist, so offen wie möglich für das Leben meines Kindes zu sein, für das Leben der Namen und für die geheimnisvolle Beziehung zwischen beidem.

Die Einführung in die Gemeinschaft

Das Ritual der Einführung in die Gemeinschaft – eine Kinder-Version des Debütantinnenballs – stellt das neugeborene Kind der Gesellschaft und dem Göttlichen vor. Oft verbindet sich diese Zeremonie mit der Namengebung. Zum Beispiel stellen einige Muslime das neugeborene Kind der Familie und Freunden durch das *Agigah* vor, ein von symbolischen Handlungen strotzendes, kombiniertes Ritual der Namengebung und der Einführung in die Gesellschaft. Dazu gehört, daß dem Kind der Kopf geschoren wird, zum Zeichen seiner Nacktheit vor Gott. Dann wird das geschorene Haar gewogen und Gold vom gleichen Gewicht unter die Armen verteilt, und man steckt dem Kind ein Stück Dattel in den Mund, das die Süße Gottes symbolisiert. In ähnlicher Weise halten die Wolof in Afrika eine Woche nach der Geburt des Kindes eine Zeremonie der Namengebung und der Einführung in die Gesellschaft ab. Sie beginnt genau zum selben Zeitpunkt des Tages, an dem eine Woche zuvor die Geburt stattgefunden hatte. Wie das Timing dieser Zeremonie erkennen läßt, steht sie für eine zweite Geburt – diesmal in das gesellschaftliche und das spirituelle Leben.

Zu den bekanntesten Zeremonien zur Einführung in die Gesellschaft gehört das jüdische *Brit Milah,* das Beschneidungsritual. Es wird acht Tage nach der Geburt ausgeführt und führt den kleinen Jungen in seine Gemeinschaft und in den jüdischen Bund mit Gott ein. Bei aller Blutigkeit birgt das *Brit* ein reiches Maß an Numinosem in sich. Neben den Teilnehmern an der Zeremonie steht ein leerer Stuhl. Er ist dem Propheten Elija vorbehalten, der unsichtbar als Stellvertreter Gottes teilnimmt und als spiritueller Beschützer des Kindes fungiert. Das *Brit* ist voller Segen, die dem Wissen um die ewige Präsenz Gottes entspringen:

Gelobt seiest du, o Herr, unser Gott! König des Alls, der du uns mit deinen Geboten geheiligt und uns die Beschneidung geboten hast.

Gelobt seiest du, o Herr, unser Gott! König des Alls, der du uns mit deinen Geboten geheiligt und uns geboten hast, [das Kind] in den Bund Abrahams, unseres Vaters, einzuführen.

Gelobt seiest du, o Herr, unser Gott! König des Alls, der du uns am Leben hältst und bis in diese Zeit gebracht hast.

Wie Abram in der Bibel anläßlich seiner Beschneidung von Gott den Namen Abraham erhielt, so empfängt das Kind gleich nach der Beschneidung seinen hebräischen Namen. Durch die Wiederaufführung der Beschneidung Abrahams bestätigt das *Brit* den ursprünglichen Bund zwischen Gott und seinem Volk und taucht auf diese Art das Kind in den großen Strom der jüdischen Geschichte und des jüdischen Glaubens ein.

Der Wimpel

Zu den wundervollen Sitten bei den Juden Westeuropas gehört der Umgang mit dem Wimpel – jenem Stück Stoff, in das man das Kind während der Beschneidung einhüllt. Nach dem *Brit Milah* wird der Wimpel gereinigt, zerschnitten und zu einem 3,6 Meter langen Streifen zusammengenäht, den die Mutter oder Großmutter des Kindes mit seinem Namen, dem Datum seiner Geburt, dem Tierkreiszeichen und guten Wünschen für ein Leben mit der Thora, eine glückliche Ehe und gute Taten bestickt. Diese Stickereien können sehr kunstvoll geraten, so daß der Wimpel einer Kreuzung aus einem mittelalterlichen Gobelin und einem Seelen-Gemälde der Shaker ähnelt. Am oder um den ersten Geburtstag des Kindes bringen die Eltern den Wimpel in die Synagoge, wo er als rituelles Gebinde um die Thorarollen gewickelt wird, während Gebete gesprochen werden, in denen man Gott bittet, das Kind mit Reinheit, Güte, Stärke und Liebe zu segnen. Dann wird der Wimpel der Synagoge geschenkt.

Wie alle diese Rituale spüren lassen, reagieren wir auf die Geburt eines Kindes mit einer Wiedergeburt in unserem eigenen Leben – mit einer freudigen Woge von Kreativität und Feiern. Die verschiedenen Kulturen feiern diese Erneuerung auf unterschiedliche Weisen; die Vielfalt der Symbole, Rituale und anderer Praktiken, die mit der Geburt zusammenhängen, ist schwindelerregend. Wie wir sehen werden, wiederholt sich dieses Muster des Überflusses bei jeder Lebensstufe. Und immer können diese Praktiken uns vieles lehren. Wir wollen all die in diesem Kapitel erwähnten Zeremonien, Riten und Praktiken noch einmal vor unseren geistigen Augen Revue passieren lassen. Wir werden feststellen, daß in ihnen allen gewisse Wahrheiten über die menschliche Geburt enthalten sind:

- Die Geburt bedeutet zwischen zwei und zwanzig Stunden Wehen. Sie erstreckt sich über viele Monate vor und nach der Entbindung.
- Die Geburt betrifft nicht nur die Mutter und ihr Kind, sondern auch den Vater, die weitere Familie, ja, die ganze Gesellschaft.
- Ganzheitlich gesehen ist die Geburt mehr als das Geborenwerden eines neuen Menschen; sie ist ein Mittel, durch das Eltern, Freunde und die Gesellschaft ihre Bindungen an das Heilige und an ihre Mitmenschen erneuern. *Die Geburt eines Kindes kann eine Wiedergeburt für uns alle sein.*

Kapitel 12
Kindheit

Wie eine Freundin mir erzählte, hat ihre achtjährige Tochter vor kurzem das Cellospielen zu erlernen begonnen. Pflichtschuldigst hatte sie Privatstunden für das Kind vereinbart, und ein paar Wochen später fuhr sie mit ihrer Tochter und dem Cello im Schlepptau zu einem von Rosenbüschen und Rhododendronsträuchern umgebenen Ranchhaus in tadellosem Zustand in einem der wohlhabenden Vororte Bostons. Die Cellolehrerin bat sie ins Haus, entschuldigte sich für eine Minute und ließ meine Freundin und ihre Tochter allein in einem großen, verschwenderisch möblierten Wohnzimmer. Das kleine Mädchen betrachtete den polierten Parkettboden, den gläsernen, mit Blumenvasen und einigen Magazinen bestückten Couchtisch, die akkuraten Vorhänge mit Spitzenbesatz an der Verandatür, die marokkanischen und türkischen Teppiche, die kostbaren Vasen auf dem Kaminsims. Dann wandte sie sich ihrer Mutter zu, zog die Nase kraus und sagte: »Hmmm … keine Kinder.«

Diese Anekdote verrät uns eine Menge über die kindliche Beobachtungsgabe. Sie verrät uns sogar noch mehr über die kindliche Auffassungsgabe, was das Leben angeht. Kinder sind vital, dynamisch, voller Saft und Kraft; Kinder sind unordentlich, störend; Kinder sind real. Jeder, der viel Science-fiction liest, wird früher oder später dieselbe Beobachtung machen wie die Tochter meiner Freundin: »Hmmm … keine Kinder.« Oft fehlen Kinder ganz oder beinahe – wie in der Beschreibung der eleusischen Eloi in dem Roman »Die Zeitmaschine« (in dem Wells zwei dürftige Sätze an Kinder verschwendet), oder sie sind programmiert und in Kategorien eingeteilt, bis sie nicht länger Kinder sind – wie in Skinners »Walden II«. Kinder widerlegen alle Erwartungen: Ein langsamer Lerner auf der Grundschule wird Gehirnchirurg, und der beste Violinist im High-School-Orchester endet als Sänger in einem Gefängnischor.

In dieser Quecksilbrigkeit finden wir die Essenz des spirituellen Lebens der Kinder. Geben Sie einem Kind einen Stock, und er wird zu einem Strahlengewehr; zeigen Sie ihm eine Eidechse, und es sieht einen Drachen. Der Hinduismus feiert Krishna, den blauhäutigen Gott, der als junger Mann südlich von Delhi die Herzen der Milchmägde stahl – und den Butterdieb, das cherubim-gesichtige Kleinkind, das Butter aus dem Küchenschrank seiner Mutter stibitzte. Nach John Stratton Hawley ist Krishna »ein Gott der Liebe, und Liebe ist das Herz dieser Geschichte. Die Butter ist Liebe.« Und weshalb stiehlt Krishna Liebe? »Gott ist nicht begrenzt, und Liebe ebenfalls nicht.«[1] Kinder reißen alle Grenzen ein; sie leben ohne die Ketten, die wir Erwachsenen uns selbst anlegen und mit Stolz tragen.

Wie die Legende um Krishna andeutet, besitzen Kinder die Weisheit aller Altersstufen in geheimnisvoller, unfertiger Form: »Wahrlich, ich sage euch, wer das Reich Gottes nicht annimmt wie ein Kind, wird nicht hineingelangen.« (Markus 10, 15) Wallace B. Clift nennt das Kind folgerichtig ein Bild der Ganzheit. Aber es handelt sich nicht um eine statische Ganzheit – das Kind backt im Ofen, und unsere gesamte Kochkunst ist vonnöten, damit das Ergebnis gut wird. Die Kindheit hat keine radikalen Übergänge, wie wir sie bei der Geburt, der Pubertät oder der Heirat erleben. Nur wenige Religionen – wenn überhaupt eine – verfügen über Rituale zur Markierung verschiedener Stufen der Kindheit. Vielmehr ist die Kindheit eine Zeit der allmählichen Entwicklung, des schrittweisen Zuwachses an Kraft, Wissen und Verständnis.

Wie sollen wir diese sanfte Entfaltung fördern? Dieses Problem ist, wie ich glaube, die schwierigste und wichtigste Aufgabe im

288

menschlichen Leben. Auf der einen Seite müssen wir lernen, die natürliche Spontaneität, Frische und Einsicht der Kinder zu ermutigen. Wir müssen sie sein lassen, was sie sind, ohne übertriebene Erwachsenenbeschränkungen. Andererseits müssen wir lernen, wie wir die Kinder richtig trainieren, um das Beste aus ihren inneren und äußerlichen Anlagen zu machen. Wir müssen sie lehren zu werden, was sie nicht sind, indem wir ihnen das Wissen der Vergangenheit übergeben. Ich beschreibe einen Prozeß des Loslassens und Zügelns, des Befruchtens und des Zurechtstutzens – kurz, der kultivierten Erziehung. Wie jeder Vater und jede Mutter weiß, weist dieses Geschäft viele unerwartete Entwicklungen und Fallstricke auf. Man braucht eine gute Taschenlampe, um seinen Weg auszuleuchten. Wie wir in Teil I besprochen haben, ist der Name dieser Taschenlampe »Aufmerksamkeit«. Das gilt für alle Menschen, aber vielleicht ganz besonders für Kinder. Es gibt keine wichtigere Arbeit für einen Erwachsenen, als ein Kind Aufmerksamkeit zu lehren. Ohne Aufmerksamkeit kann kein Kind spielen, kann kein Kind beten und kann kein Kind lieben. »Nicht nur die Liebe Gottes hat Aufmerksamkeit für ihre Substanz«, schreibt Simone Weil, »die Liebe unseres Nachbarn, von der wir wissen, daß es dieselbe Liebe ist, besteht aus derselben Substanz.«[2]

Mit Rücksicht auf die Aufmerksamkeit der Kinder empfehlen sich gewisse Vorsichtsmaßnahmen. Wir sollten ein wachsames Auge auf die Fernsehprogramme werfen – auch dann, wenn sie angeblich für Kinder geeignet sind, weil die Fernsehbilder so rasch vorbeiflimmern, daß das Kind keine Zeit hat, sie aufzunehmen und zu verdauen. Wir sollten die Kinder vor Computer- und Videospielen schützen, die sie mit Ersatzerfahrungen für das reale Leben abspeisen. Statt dessen sollten wir die Kinder ermutigen, Bücher zu lesen, weil Lesen die Vorstellungskraft anregt. Wir sollten sie zum Malen, Bauen, Tanzen, Kochen, Musizieren und anderen Formen des aktiven Engagements mit der Welt ermutigen. Es ist nicht unser Ziel, die Kinder mit Anregungen zu bombardieren – wenn es darum ginge, würde es genügen, sie einfach mit einer Platine zu verdrahten, die direkt das Gehirn stimuliert. Auch ist es nicht unsere Absicht, sie in Wohlbefinden einzulullen – wäre dem so, könnten wir Beruhigungsmittel unter ihre tägliche Nahrung mischen. Unser Bestreben muß sein, jedes Leben zu einer epischen Reise von Wirklichkeit zu Wirklichkeit zu gestalten: unsere Kinder zu lehren, zwei Stöcke zu nehmen und ein Feuer mit ihnen anzuzünden; zwei Wörter zu nehmen und ein Gedicht aus ihnen zu formen; die Erde zu nehmen und einen Himmel aus ihr zu machen.

Kontemplative Nahaufnahme: Dem inneren Leben vertrauen

»Jedes Kind ist eine Idee Gottes«, schreibt Eberhard Arnold, ein Gründer der protestantischen spirituellen Gemeinschaft, die als Bruderhof oder Brüdergemeinde bekannt ist. Er erklärt diese kühne Behauptung:

Gott weiß, wofür dieses Kind bestimmt ist. Er hat eine Vorstellung von ihm in aller Ewigkeit, und daran wird er festhalten. Der Dienst, den Eltern, Lehrer und die Gemeinschaft dem Kind leisten müssen, ist es, ihm zu helfen, das zu werden, was es nach Gottes ursprünglicher Idee werden soll ...[3]

Wie auch immer unser Gottesverständnis aussehen mag – Arnolds Aussage klingt wahr. Das Kind hat ein inneres Leben – geboren im Heiligen (»wandernde Wolken der Glorie«) und einer unbekannten Bestimmung entgegenstrebend. Unsere Aufgabe ist es, dieses innere Leben zu fördern, diese kostbare Saat zur spirituellen Ernte reifen zu lassen. Die Azteken Mexikos hatten einen besonderen Ausdruck dafür: »Sein Gesicht finden, sein Herz finden.« Lassen Sie uns einige der Wege erforschen, auf denen dies möglich ist.

Das Höchste

Die meisten von uns glauben, daß Kinder ein besonderes Verhältnis zum Göttlichen haben. Wir sehen dies an ihrer
Spontaneität, an ihrer Fähigkeit zu staunen, an ihrer rein zeitlichen
Nähe zum Ursprung des Lebens und somit zu dem Mysterium, aus
dem es entstand. Die Brüdergemeinde ist sich dieses göttlichen
Impulses in den Kindern sehr bewußt. Wie die Amish, mit denen
sie spirituell eng verwandt sind, schätzen sie große Familien – ein
Besuch bei einer der in den Vereinigten Staaten und in Kanada
verstreuten bäuerlichen Siedlungen des Bruderhofs ist wie ein Blick
auf die Welt, wie sie vor dem weitverbreiteten Einsatz der Mittel
zur Geburtenkontrolle war – und haben deshalb viele Erfahrungen
in dieser Hinsicht.

Die Erziehung eines Kindes, lehrt der Bruderhof, muß mit der Entwicklung seines inneren Lebens übereinstimmen. Arnold schreibt:
»Wir dürfen [dem Kind] nichts aufzwingen, das nicht in es hineingeboren ist, in seinem Inneren erweckt wurde oder ihm gänzlich neu
von Gott gegeben wurde.«[4] Das pädagogische Ziel ist es: »Das Kind
zu dem Wesentlichsten und Höchsten zu erwecken, das im Innersten
seines Herzens lebt.«[5] In die Alltagspraxis übertragen ergibt sich
daraus der folgende dreiteilige Prozeß:

- *Vertrauen in das Kind.* Eltern und Lehrer müssen unbeding-
  tes Vertrauen in die wesensmäßige Güte des Kindes haben.
  Sie müssen das Kind als kostbare Manifestation der Liebe
  Gottes betrachten. Das bedeutet nicht, daß wir beim Kinder-
  erziehen die Zügel schleifen lassen sollen – Kinder können
  ebenso frech wie charmant sein. Die Aufgabe der Eltern besteht darin, dem Guten in den Kindern zum Sieg zu verhelfen,
  indem sie eine Atmosphäre der Liebe und Achtung fördern.
  »Liebe für das Kind bekräftigt und bestärkt diese Kindlichkeit
  und fördert sie ständig mit der Kraft des Guten, so daß das Kind

nicht Opfer einer bewußt schlechten Tat wird«, schreibt Arnold.[6]

- Vertrauen in die Familie. Für den Bruderhof ist die Familie der Mittelpunkt im Leben des Kindes – die primäre Kultur, in der das Kind wachsen und gedeihen wird. »Das Sein des Kindes wurzelt im Zuhause und im Vater und in der Mutter«, behauptet Arnold.[7] Den Eltern wurde eine heilige Aufgabe übertragen, nämlich, die Entwicklung eines neuen Menschenlebens zu geleiten. In einem Heim voller Liebe wird dieses Geleiten Sicherheit, Glück und Ehrfurcht vor dem Leben im Kind fördern.

- Vertrauen in die Gemeinschaft. Der Bruderhof führt die Kinder von den ersten Lebenstagen an in das Gemeinschaftsleben ein. Kein Kind wird isoliert aufgezogen; selbst Säuglinge verbringen ihre Zeit mit anderen Säuglingen und lernen, gemeinsam zu spielen, zu essen und die Umgebung zu erkunden. Diese Betonung eines gemeinsamen Lebens wird während der gesamten Zeit der Erziehung des Kindes beibehalten. Im Kindergarten (der zwei Jahre dauert) und in der Grundschule feiern die Kinder gemeinsam religiöse Feste, gärtnern gemeinsam und machen gemeinsam Musik. In der Naturkunde wird ihnen beigebracht, daß alle Lebewesen eine Gemeinschaft bilden. Der Unterricht in Töpferei und Mathematik, in Schreiben und der Bearbeitung von Holz lehrt sie die Gemeinschaft bei der Ausübung aller möglichen Fähigkeiten des Menschen.

Diese Betonung des Vertrauens ist natürlich nicht auf den Bruderhof beschränkt. Traditionsbewußte Quäker zum Beispiel halten sich an ähnliche Grundsätze und Praktiken. Eine Variante des Bruderhof-Glaubens, daß das Kind »eine Idee Gottes« ist, finden wir in der zentralen Lehre der Quäker vom »inneren Licht«, die Isaac Pennington, ein bekannter früher Quäker, als dasjenige definierte, »was von Gott aus ins Herz scheint, worin Gott den Menschen nahe ist und worin Menschen Gott suchen und ihn finden können«. Eine Lehre, die den Gläubigen auf natürliche Weise zu Meditation und Gebet einlädt.8 Die Praxis, seinem inneren Licht zu folgen, schenkte vielen Quäker-Kindern einen verläßlichen moralischen Kompaß, wie ein Text aus dem 19. Jahrhundert bestätigt:

Ich konnte mit Dankbarkeit im Herzen sagen, daß der Herr mein Morgenlicht war, denn ich erinnere mich gut daran, schon sehr früh in meinem Leben mit diesem Licht begünstigt worden zu sein – als Mahner bei Sünden, selbst bei kindlichen Verstößen und Ungehorsam gegenüber elterlichen Anordnungen. Als ich noch sehr jung war, verhielt es sich bei mir so, daß ich erneut empfindsam für die Liebe dessen gemacht wurde, der uns von Beginn an liebt … Ich bin sicher, wenn Kindern die Notwendigkeit eingeprägt würde, dem inneren Mahner zu folgen, würden sie nicht so häufig ihr Herz verhärten, wenn sie aufwachsen.9

Wie der Bruderhof begreifen auch die Quäker, daß das innere Licht nicht in einem Vakuum leuchten kann. Das Gute im Kind muß in jedem Augenblick gefördert werden. Rufus Jones, der große Führer der Quäker in ihren frühen Jahren, ist ein gutes Beispiel dafür, wie leicht dies durch regelmäßige kontemplative Praktiken möglich ist:

Ich wurde vom Morgen bis zum Abend vom Tau der Religion benetzt. Wir aßen niemals ein Mahl, dem nicht dankbares Schweigen vorausgegangen wäre; wir begannen nie einen Tag ohne eine Familienversammlung, bei der Mutter ein Kapitel aus der Bibel vorlas; danach folgte ein einflußreiches Schweigen. Diese Schweigeperioden, in denen alle Kinder unserer Familie aus einer Art Ehrfurcht verstummten, haben sehr zu meiner spirituellen Entwicklung beigetragen. Im Haus und außerhalb wartete Arbeit auf uns, und doch saßen wir dort stumm und still und taten nichts. Ich entdeckte sehr

293

rasch, daß wirklich etwas geschah. Wir stimmten uns jeder auf seine Art auf jenen Ort ein, von dem lebendige Worte kommen und oft tatsächlich kamen. Irgendeiner senkte den Kopf und sprach mit Gott, so einfach und still, daß Er niemals sehr weit fort zu sein schien. Die Worte halfen, das Schweigen zu erklären. Nun fanden wir, was wir gesucht hatten.10

Die Kinder groß singen

Die Papago-Indianer Nord-Arizonas sagen, daß sie »das Korn groß singen«. Sie verstehen darunter ein Ritual mit Gesang und Gebet, was eine gesunde alljährliche Kornernte gewährleistet. Ich glaube, das ist es auch, was wir mit Kindern tun, wenn wir offen für ihre Bedürfnisse sind und Aufmerksamkeit und Liebe im Überfluß für sie haben. Wir singen die Kinder groß. Der Bruderhof und die Quäker bieten einige Möglichkeiten, wie man das innere Leben der Kinder fördern kann. Um von weiteren Anregungen zu erfahren, wollen wir uns nun Kulturen nordamerikanischer Ureinwohner zuwenden.

Bis zum letzten Jahrhundert fand die spirituelle Unterrichtung bei den Ureinwohnern Amerikas stets durch mündliche Weitergabe – von Angesicht zu Angesicht – statt. Das Lehren geschah unmittelbar, war flexibel und spontan und somit für die unstete Aufmerksamkeit der Kinder besonders geeignet. Oft wurde erwartet, daß das Kind durch seine eigene Initiative lernte. Der Ethnologe Thomas Buckley fragte einen älteren Kanumacher der Yurok, ob er eine Lehrlingszeit absolviert hätte. Der Mann erwiderte:

Nein, keiner hat mir was beigebracht. Ich hab' einfach zugesehen und es mir gemerkt. So hast du immer gelernt – du hast zugesehen und es dir zusammengereimt und bist gegangen und hast es gemacht. Keiner hat es dir beigebracht.11

294

Buckley wies darauf hin, daß der Unterricht für den älteren Yurok aus mehr als der Fertigkeit bestanden hatte, ein Kanu zu machen. Er hat aus eigener Kraft Sachverhalte verstehen gelernt, Ursache und Wirkung, Beziehungen – Lektionen von höchster Wichtigkeit. Selbst wenn ein Erwachsener in den Lernprozeß eingreift, wird von dem Kind vielleicht erwartet, daß es die Lektion für sich selbst herausfindet. Buckley zitiert einen anderen Yurok, der sich daran erinnert, wie er seine Furcht vor dem Meer überwand:

Ich hatte Angst vor dem Ozean. Ich war so geboren worden, nehme ich an. Als ich ungefähr elf war, ließ mein Onkel mich auf einen großen Balken Treibholz setzen, der in der Bucht im Sand steckte und weit über die Brandung hinausragte. Ich wollte sofort wieder zurück, aber er zwang mich zu bleiben. Ich saß die ganze Nacht dort. Langsam begann ich, Wasser wirklich zu sehen – zu sehen, was daran wichtig war. Und als ich das sah, fing ich auch an, meine Angst davor realistischer zu betrachten … Ich studierte das Wasser, und ich studierte die Angst – und dann schwamm ich ein gutes Stück.[12]

Bei den Indianern der Great Plains beteiligen sich die Kinder an den Aktivitäten, die darauf abzielen, bestimmte gewünschte geschlechtsspezifische Eigenschaften herauszubilden. So erwartete man – zumindest in früheren Zeiten – von Jungen von den frühesten Jahren an, daß sie fasteten, ins Eiswasser sprangen und ohne Schlaf auskamen. Auf diese Weise bildeten sich Mut und Kraft heraus – Eigenschaften, die die Jungen im späteren Leben zu großen Kriegern machten. Mädchen erlernten die häuslichen Fertigkeiten, die von ihnen erwartet wurden, und weibliche Tugenden wie Aufrichtigkeit und Höflichkeit. Auch sie unterzogen sich Strapazen, um ihre Zähigkeit und ihren Mut zu stärken.

Kindheit: Eine spirituelle Ernte

Der Reiz des Unbekannten:
Ein Gespräch mit Richard Lewis

Um mehr über das spirituelle Leben der Kinder zu erfahren, sprach ich mit Richard Lewis, Direktor und Gründer des Touchstone Center, eines gemeinnützigen Unternehmens in New York City, das seit nunmehr fast dreißig Jahren die innere Welt des Kindes untersucht. Lewis, ein freundlicher Herr, der ein wenig verschroben wirkt, lachte, als ich ihn bat, mit einer Definition der Kindheit anzufangen. »Sie ist oft nur eine romantische Vorstellung«, sagt er. »Die Leute betrachten die Welt der Kindheit als paradiesisch. Aber in Wirklichkeit ist der Wachstumsprozeß kein Honigschlecken. Schauen Sie sich einen Säugling an – sehen Sie, wie er zu kämpfen hat, um nur zu überleben.«

Die Romantisierung ist laut Lewis zum Teil eine Folge der Ignoranz. Wir wissen sehr wenig über das innere Leben eines Kindes. »Es ist ein sehr schwieriges Untersuchungsgebiet«, sagt er, »weil wir mit den Kindern nicht über alles reden können, was in ihrem Inneren geschieht. Wir haben es mit einem Mangel an Vokabeln und Artikulationsmöglichkeiten zu tun. Unermeßliche Bereiche im Kind bleiben unbekannt.«

Das ist der Punkt, an dem Lewis' eigene Arbeit beginnt, sein Versuch, diese fast unzugänglichen Gebiete in der Psyche des Kindes zu erkunden, die mit Kreativität, Sensitivität und Spiritualität zu tun haben. Wie Lewis andeutete, ist diese Arbeit mit einem inneren Widerspruch behaftet: »In den Schulen liegt die Betonung nicht auf dem inneren Leben des Kindes, sondern auf dem Gelernten. Diese Arten des Fühlens, die das innerste Wesen des Menschen ausmachen, sind nicht Gegenstand der Pädagogik. Lehrern ist der Zutritt zu diesen Bereichen untersagt.« Die Ironie, sagt Lewis, ist, daß Kinder sehr positiv reagieren, wenn man sich die Mühe macht, ihnen Fragen über sie selbst zu stellen: »Kinder sind erfreut, wenn Sie mit ihnen über die wunderbaren Eigenschaften ihres eigenen Denkens sprechen. Vielen Kindern wurde gesagt, daß sie keine guten Schüler oder nicht sehr schöpferisch sind. Sprechen Sie zu ihnen über das Wunder ihres eigenen Denkens, und ihre Vorstellung von sich selbst ändert sich.«

Nach Lewis ist es die Pflicht aller Eltern, ihre Kinder zu ermutigen, daß sie ihre innere Welt entdecken und enthüllen. »Sie müssen ein Kind loben, wann immer seine innere Welt hindurchschimmert. Bei jedem Zollbreit des Weges müssen Sie sagen: ›Das ist wundervoll, was du da gemacht hast. Ich weiß es zu würdigen.‹« Lewis gibt zu bedenken, daß Begeisterung sich nicht vortäuschen läßt. Kinder sind sehr empfindsam für die Stimmungen Erwachsener; ein Mangel an elterlichem Interesse fällt ihnen sofort auf. Die einzige Lösung besteht darin, daß wir uns dem Leben des Kindes hingeben. Lewis glaubt, daß diese Ergebenheit reiche Belohnung bringt. »Es ist eine sehr demütige Tat, denn sie zieht uns auf die Ebene des Kindes hinab. Das ist von großem Nutzen für uns, denn es bringt uns mit dem Leben an sich in Berührung – und besonders mit jenen Aspekten des Lebens, die wahrzunehmen wir uns gewöhnlich nicht die Zeit nehmen.«

Aber nicht nur die Eltern müssen das spirituelle Leben der Kinder fördern – auch die Kinder selbst müssen ihren inneren Garten pflegen. Das geschieht durch Spielen. Lewis definiert das Spiel als »den Kern jener Fähigkeit eines Kindes, seine eigene Methode zu entdecken, die Welt zu betrachten«. Aber es muß das richtige Spielmaterial vorhanden sein. Lewis glaubt, daß vorgefertigte Spielzeug-Sets die Kreativität zerstören, die sich im richtigen Spiel zeigt. Sie können ebenso geisttötend wie Fernsehshows sein. Er runzelt die Stirn über die riesigen Spielzeuggeschäfte, die das Spielen »materialistisch« gemacht haben, und er kritisiert den Film Toy Story, weil er die Anhäufung von Produkten feiert, die weder inspirieren noch lehrreich sind. Ich erwähne, daß mein Sohn John, wenn er ein neues Lego-Set bekommt, das darauf abgebildete Raumschiff oder Unterseeboot baut, aber dann sofort wieder abreißt, um aus den Steinen Gebilde seiner eigenen Vorstellung zu bauen. Das ist es, sagt Lewis zustimmend, wie die Imagination eines Kindes angeregt wird. Er schlägt vor, daß die Eltern im ganzen Haus einfache Dinge – Stöcke, Bausteine, Knöpfe – herumliegen lassen sollen. Im Handumdrehen würden die Kinder Märchenschlösser aus ihnen errichten.

Ein weiteres wichtiges Instrument der Erziehung ist – wie wir bereits in Kapitel 7 sahen – das Geschichtenerzählen. Lewis ermutigt die Kinder zum Geschichtenerzählen, aber er fügt hinzu, daß es oft die Geschichte des Kindes ist, die man hören muß. »Es ist wichtig«, sagt er, »zuzuhören, was das Kind uns als seine Geschichte erzählt. Diese Geschichte ist oft sehr fragmentarisch – ein paar Sätze, eine Handvoll Hinweise. Aber die Kinder haben Angst, sie uns mitzuteilen.« Deshalb ist Geschichtenerzählen so wichtig, sagt er, weil es eine Möglichkeit bietet, die tatsächlichen Verhältnisse zu entdecken. »Haben Sie bemerkt, wie Kinder eine Geschichte immer fortführen, indem sie ›und‹ sagen? Das ›und‹ ist eine Brücke von einem Ereignis zum anderen. Ich glaube, eine Geschichte ist eine andere Art von ›und‹ für ein Kind; es ist eine Methode, die verschiedenen Teile seines Lebens miteinander zu verknüpfen. Das Geschichtenerzählen stellt für Kinder eine Methode dar, Verhältnisse lebendig werden zu lassen und sie gleichzeitig erklären zu helfen.«

Andererseits glaubt Lewis, daß Erklärungen schaden können, weil sie das Staunen eines Kindes blockieren. »Zu den großen Dingen, die ich in Verbindung mit dem Älterwerden bemerkt habe«, sagt er, »gehört, daß man dahin kommt, sich an dem wunderbaren Unbekannten zu erfreuen, das uns umgibt. Der Bereich des Unerforschten wird immer größer. In der Schule lernen die Kinder immer nur Bekanntes. Ich möchte ihnen zeigen, daß das Unbekannte ebenso aufregend ist.« Lewis' lebenslange Liebe zu Basho, Issa und anderen Zen-Lyrikern scheint dazu zu passen; in ihren Haikus findet er die Spontaneität und Aufgeschlossenheit der Kindheit, die bis ins hohe Alter beibehalten werden. Die chinesische und japanische Kultur, sagt Lewis, haben eine sinnvolle, nützliche Sicht der Kindheit: »Sie ist kein Übergangsstadium zum Erwachsensein, sondern ein dauernder Bestandteil des Lebens. Wenn Sie älter werden, verlassen Sie die Kindheit nicht – sie bereiten sie neu auf. Älterwerden heißt, die tieferen Aspekte der Kindheit zu durchleben. Die Kindheit ist kein Lebensabschnitt, sondern eine Lebensweise.«

Das innere Leben trainieren

So, wie eine Kletterrose ein Spalier braucht, sind Kinder auf eine Tradition angewiesen, die sie auf ihrer Entwicklungsreise stützt. Lassen Sie uns nun einen Blick auf zwei traditionelle Ansätze der offiziellen spirituellen Unterrichtung eines Kindes werfen.

Das Leben der Thora

Hinukh, das hebräische Wort für Erziehung, bedeutet nicht nur Unterweisung, sondern auch Weihe. Erziehen heißt heiligen. Wenn Juden ein Kind erziehen, geleiten sie es in die heiligen Bereiche des Glaubens. Rabbi Hayim Halevy Donin hat vier Wege ermittelt, auf denen dieses Ziel erreicht werden kann:

1. Indem man die ethischen Grundsätze des jüdischen Glaubens lehrt.
2. Indem man die aktive Befolgung der jüdischen Gebote lehrt.
3. Indem man einen Sinn für die Solidarität mit allen Juden einflößt.
4. Indem man die Thora lehrt (die Bibel, wie sie von rabbinischen Autoritäten interpretiert wird).13

Die traditionelle jüdische Erziehung – traditionsgemäß auf Jungen beschränkt, was sich ändert – ist vor allem auf die unmittelbaren Bedürfnisse der Kinder zugeschnitten, aber sie betont auch die Notwendigkeit, einen Beruf zu erlernen. Wie der Talmud uns gemahnt:»Ein Vater ist verpflichtet, seinen Sohn ein Handwerk zu lehren. Wer dies versäumt, lehrt ihn das Stehlen.«14 Aber die oberste Sorge der Eltern und der Gemeinde ist es, die Gotteserfahrung der Kinder zu vertiefen und zu erweitern. Die religiöse Instruktion beginnt sofort nach der Geburt. An den sieben Tagen zwischen Geburt und Beschneidung besuchen Schulkinder das Neugeborene in seinem Heim und rezitieren das Shema, das eigentliche jüdische Glaubensbekenntnis, und versenken damit die Essenz des Judaismus in die erwachende Psyche des Säuglings.

Die jüdische Erziehung wirft stets ein Auge auf die persönlichen Bedürfnisse und Fähigkeiten sowie den gesellschaftlichen Platz des Kindes, in Übereinstimmung mit der Verfügung in den heiligen Schriften:»Weise den Knaben ein in den Weg, den er gehen soll...« (Sprüche 22, 6). Gewöhnlich lehrt die Mutter die häuslichen Gebete wie das Shema, den Tischsegen und dergleichen, während der Vater ihm die Grundvoraussetzungen der Gelehrsamkeit wie Lesen und Schreiben beibringt – und den gemeinsamen Gottesdienst sowie Bedeutung und Praxis der Feste, Feiern und Rituale.

Der Stolz auf die Auserwähltheit gehört zum Thora-Studium. Die Mutter singt schon dem Säugling Wiegenlieder vor, die ihn auffordern, ins Haus ihres Lehrers zu eilen und die Thora zu studieren. Nach dem Pirke Aboth (Sammlung von Sprüchen und Aphorismen sowie ethischen, gesetzlichen und religiösen Prinzipien) ist das Thora-Studium der wahre Grund für unsere Existenz. Die Unterrichtung in der Thora führt zum vollkommenen Glücklichsein (»Wer da das Joch der Thora auf sich nimmt, wird ... vom Joch irdischer Sorgen befreit«).15 Die Thora ist der Grundstein der Kultur – sie bringt uns in die Gegenwart Gottes. Das formale Thora-Studium beginnt mit fünf oder sechs Jahren und verlangt eine

300

außerordentliche Konzentration von den Kindern. Es wird großer Wert auf Textanalysen und außergewöhnliche Gedächtnisleistungen gelegt. Die Kinder lernen Hebräisch, studieren die Mischna und den Talmud, um letzten Endes – wie man hofft – Lehrer der nächsten Generation zu werden und nicht nur die sachlichen Fertigkeiten, sondern auch die Essenz der Weisheit der Tradition weiterzureichen.

Das Reich der Tugend

Für hundert Generationen – bis zur maoistischen Revolution – war die Kindererziehung in China von Respekt gegenüber den Eltern geprägt. Dieser Respekt umfaßte eine Vielzahl unterschiedlicher Verhaltensweisen. Ein früher konfuzianischer Text mit dem Titel Über den Respekt gegenüber den Eltern ist in Form eines Dialoges zwischen Konfuzius und seinem Schüler Tseng-tzu abgefaßt. Konfuzius macht kein Hehl daraus, daß der Respekt gegenüber den Eltern eine gesellschaftliche Notwendigkeit darstellt; er nennt ihn »die Wurzel der Tugend und die Quelle der Zivilisation«.6
Gegenseitiger Respekt zwischen Eltern und Kindern, so sagt Konfuzius zu seinen Schülern, ist ein Modell für alle menschlichen Beziehungen, auch außerhalb der Familie. Jede Gesellschaftsschicht – Adelige, Minister, Gelehrte, Bürger – praktiziert im Idealfall eine Form des kindlichen Respekts. Er ist in der Tat der vollkommene Ausdruck der gegenseitigen Abhängigkeit aller Phänomene im Kosmos. Kindlicher Respekt ist »das Muster des Himmels, der Standard auf der Erde«.7
Könige respektieren ihre Väter und dienen so dem Himmel. Kinder respektieren die Älteren, und als Folge davon respektieren die Älteren die Jüngeren. Sogar die Geister Verstorbener und Naturgeister reagieren positiv auf Vertrauen und Respekt. Tugenden herrschen in jedem Reich.
Das ist zweifellos ein bewundernswertes abstraktes Porträt der

Gesellschaft – aber wie nimmt es sich auf der Leinwand des wirklichen Lebens aus? Konfuzius versteht unter kindlichem Respekt einen fünf Stufen umfassenden Prozeß, der ein Leben lang andauert – und in dessen Verlauf ein Kind seine Eltern liebt, ihnen Freude bringt, sie pflegt, wenn sie krank werden, um sie trauert, wenn sie sterben, und nach dem Tod für sie betet. Das Li Ki, oder »Buch der Riten«, führt diese Verpflichtungen ebenso wie jeden anderen Aspekt der Reifung eines Kindes an. Mit sechs Jahren lernen Kinder die Zahlen und die Himmelsrichtungen. Mit acht lernen sie, hinter den Eltern herzugehen. Mit neun begreifen sie den Kalender. Mit zehn werden die beiden Geschlechter getrennt und unterschiedlich erzogen: Die Jungen erlernen Musik und Tanz – die Mädchen Nähen und Weben.

Diesen genauen Lebensregeln entsprechen noch genauere Verhaltensregeln. Ein im 13. Jahrhundert von den Schülern des Chu Hsi geschriebenes Lehrbuch schreibt das richtige Verhalten von Schülern für jeden Moment des Tages und für jede nur vorstellbare Beschäftigung vor – von der Bekleidung (»Selbst an den heißesten Tagen des Sommers solltest du nicht nach Lust und Laune deine Strümpfe oder Schuhe ausziehen«)[18] bis zur Körperhaltung (»Tritt nicht auf Türschwellen. Hinke nicht. Lehne dich nirgendwo an«).[19] Man muß sich einmal vorstellen, ein solches Regelbuch würde in einer modernen Hochschule gelesen!

Was bewirkt dieses außerordentliche Gewicht von Regeln? Nach Konfuzius und seinen Nachfolgern nichts Geringeres als spirituelle Einsicht und moralische Aufrichtigkeit. »Allgemein gesagt«, heißt es in einem konfuzianischen Text, »ist es die Beherzigung dieser zeremoniellen Gewohnheiten, die einen Mann ausmacht.«[20] Die Chinesen der klassischen Zeit benutzten Jade, ein kostbares Mineral, das in Höhlen und Drachenlagern gefunden wurde, als Metapher für die menschliche Seele. »Ungeschnittener Jade kann kein nützliches Gefäß sein, und wenn Menschen nicht lernen, kennen sie den Weg nicht«, heißt es in einem altehrwürdigen Text.[21] Indem man den Jade schneidet – indem man die Person durch intensive Indoktrination im rechten Anstand formt –, kann das Leuchten dieser kostbaren Substanz – die Schönheit der wahren Natur des Menschen – sichtbar werden. »Wenn du die oben genannten Regeln genau befolgen kannst«, schließt eine konfuzianische Abhandlung über Erziehung, »näherst du dich dem wahren Reich der Tugend.«22

Klassische jüdische und konfuzianische Erziehungssysteme mögen einigen von uns streng, hart und insensibel für das innere Leben des Kindes vorkommen – aber ist es tatsächlich so? Gewiß unterscheiden diese Ansätze sich von der sanften Massage der Kinderseele, wie sie manche westlichen Pädagogen fordern. Aber ihre Strenge, die sich in der Betonung des mechanischen Lernens und der Befolgung moralischer Gebote zeigt, bringt ihre eigenen Belohnungen mit sich. Diese alten pädagogischen Systeme lehren uns zumindest:

- Tiefen Respekt gegenüber den intellektuellen Fähigkeiten eines Kindes. In der jüdischen und in der chinesischen Tradition wird von einem Kind erwartet, daß es mit einer Geschwindigkeit und Gründlichkeit lernt, die viele moderne Hochschüler verzweifelt zum Aufgeben zwingen würde. Noch heute schaffen es Millionen junger Muslime in Ägypten und Saudi-Arabien, den gesamten Koran auswendig zu lernen. Als Ergebnis befinden sich die spirituellen Texte, die die Kultur formen, nicht außerhalb des Gehirns – wie zum Beispiel im Bücherregal im eigenen Haus oder in der Schulbücherei –, sondern werden Teil des Wissensschatzes, der dem Kind selbst gehört – ein Schatz, der im Zentrum seines eigenen Seins ruht. Verlangen die Erziehungssysteme traditioneller Kulturen zuviel von den Kindern, oder verlangen wir zuwenig?
- Tiefen Respekt gegenüber dem Gefühl für Verantwortung und Urteilsvermögen des Kindes. Statt Ausreden für schlechtes Benehmen anzufertigen, erwarten diese klassischen Gesell-

schaften gutes Benehmen und stellen eindeutige Regeln des gemeinschaftlichen Lebens auf. Um die Frage nochmals zu stellen: Verlangen sie zuviel von ihren Kindern, oder sind wir zu nachsichtig?

Kein Zweifel, wir müssen einen goldenen Mittelweg finden. Die Lehren des Bruderhofs, der Quäker, der Juden und der Chinesen tragen Teile zu diesem Puzzle bei. Indem wir diese Teile zusammenfügen und die Balance zwischen Vertrauen und Indoktrination, zwischen Honig und Wermut finden, werden wir lernen, die Kindheit sowohl zu einer Zeit der Freude als auch zu einem geeigneten Vorspiel zum Erwachsensein zu gestalten.

Der häusliche Altar

Das gemeinsame spirituelle Leben von Eltern und Kind beginnt zu Hause. Das gilt auch dann, wenn das Kind an einem Religionsunterricht teilnimmt. Als Beispiel dafür mag die Geschichte meiner Freunde Dechen und Eileen dienen, die ihre Kinder Jigmed und Pema gemäß den Prinzipien und Praktiken des tibetischen Buddhismus erzogen haben. Die Kinder haben schon von klein auf gemeinsam mit ihren Eltern tibetische Tischgebete gesprochen. Dechen singt sie oft in Schlaf, indem er buddhistische Mantras rezitiert. Als die Kinder älter wurden, beteten sie jeden Morgen und Abend vor dem Familienaltar – mit Verbeugungen und Gesängen. Außerdem waren – wie Eileen glaubt – die Antworten von größter Bedeutung, die sie und Dechen auf die unvermeidlichen Fragen kleiner Kinder gaben: »Warum bin ich hier?« – »Was geschieht nach dem Tod?« – »Wo ist das Universum zu Ende?« Statt verzweifelter Blicke, betretenen Schweigens oder einer barschen Antwort wie »Das weiß niemand« – für viele kleine Kinder eine schreckliche Auskunft – reichten Dechen und Eileen ihren Kindern einen traditionellen Anker – aus der buddhistischen Lehre und eigenen Einsichten geschmiedet.

Jede Tradition bietet dieselbe Gelegenheit, Kinder in die Sicherheit spirituellen Wissens und in die Glückseligkeit spiritueller Praktiken zu hüllen. So pflegte meine Frau John jede Nacht mit dem Salve Regina, dem letzten Gebet der Komplet, in den Schlaf zu singen. Heute genießt er seine eigene abendliche Routine – ein Gemisch aus traditionellen Gebeten und seinen eigenen Wünschen für die Mitglieder der Familie und für Freunde –, während der kleine Andy noch beim Salve Regina einschläft. Unsere jüdischen Freunde achten darauf, daß ihre Kinder jeden Morgen und Abend das Shema rezitieren. Unsere indianischen Freunde begleiten ihre Kinder mit Gebeten ihrer eigenen Traditionen.

Die vielleicht sicherste, bestimmt aber die behaglichste Art, die Spiritualität der Familie zu fördern, geschieht durch Lesen. Es gibt einen wunderbaren Moment in der 1984er Version von The Razor's Edge, als Larry Darrell – ein junger Mann auf der Suche nach Erleuchtung – sich mit einem Kumpel, der soeben eine Schicht Knochenarbeit im Erdinnern hinter sich hat, auf ein Gespräch über Bücher einläßt. Die Unterhaltung wendet sich religiösen Texten zu. Plötzlich wendet sich der ältere Mann – dessen massiges, kohlenstaubgeschwärztes Gesicht eher an einen Fan von Show-Ringkämpfen als einen eifrigen Beter denken läßt – mit ungläubigem Ausdruck an Larry. »Was«, ruft er, »Sie haben niemals die Upanischaden gelesen?«

Nein. Larry hat diese wunderbaren vedischen Schriften nie gelesen. Hätte er es getan, so legt der Film uns nahe zu vermuten, würde er wohl kaum die Welt nach Bruchstücken der Weisheit durchsuchen. Lesen ist, wie wir im Kapitel über »Worte« bereits sahen, der Königsweg zur Kontemplation. Wer könnte die außergewöhnlichen Gnaden ausloten, die das Lesen von Auszügen aus heiligen Schriften vom frühesten Alter an in das Herz eines Kindes senken kann? Zumindest gründet eine solche Lektüre das Kind in einer spirituellen Realität und stattet es mit einem kraftvollen Nährboden für das Gedeihen von Meditation, Achtsamkeit und Gebet aus.

Natürlich muß die Lektüre nicht auf heilige Schriften beschränkt sein. Der kürzeste Weg zum Herzen eines Kindes verläuft über eine verdammt gute Geschichte. Vor ein paar Jahren haben Carol und ich John die Narnia-Chronicles von C. S. Lewis laut vorgelesen. Während die Erzählung gedieh, traten große Wahrheiten zutage – der ewige Konflikt zwischen Gut und Böse, die Macht des Glaubens – und senkten ihre Saat in John. Eine andere Frucht, gleichermaßen nahrhaft, erwächst aus selbst erdichteten Geschichten. Seit mehreren Jahren schon ist John – und seit kurzem auch Andy – jeden Morgen zu Carol und mir ins Bett geklettert, wo ich ihnen aus dem Stegreif eine »Ein-Minuten-Geschichte« über die Abenteuer von Egbert, dem Ei, Roberto, dem Zauberkaninchen, und ihresgleichen erzähle. Wenn ich ihnen diese Geschichten erzähle, sehe ich das Staunen der Kinder lebendig werden, und ich vermittle ihnen die Überzeugung, daß das Leben bei all seinen Turbulenzen auch seine Gesetze und einen Sinn hat.

Die Pflichten der Eltern

Die Kindererziehung umfaßt die Entwicklung der Eltern wie auch der Kinder. Ich halte einen liebgewonnenen titellosen Amish-Text in Händen, geschrieben im späten 19. Jahrhundert und in einer deutschsprachigen Zeitschrift veröffentlicht.23 In ihm werden mehrere Gründe dafür genannt, weshalb Erziehung fehlschlägt und Kinder ungehorsam aufwachsen. Diese Arbeit, die ich mehrmals gelesen habe, als ich meine Kinder aufzog, gibt einen großen Teil der Schuld am Versagen der Kinder den Eltern – zu Recht, wie ich meine. Es werden drei Hauptarten aufgezählt, wie Eltern ihren Kindern gegenüber versagen:

- Eltern verhalten sich widersprüchlich. Versprechen werden gemacht und nicht gehalten; Strafen werden angekündigt und widerrufen; Regeln werden je nach Laune verändert.
- Eltern versäumen es, die tieferen Gründe für ihre Handlungsweise zu erklären. Wie die Amish es sehen, bestehen Regeln aus dem gleichen Grund, weshalb wir eine Haut aufweisen – weil alles Geschaffene eine Umgrenzung braucht.
- Eltern versäumen es zu beten. Regeln, so sagen die Amish, brauchen die Unterstützung durch Gott und durch die Eltern. Gebete und Arbeit retten uns.

Diese drei Punkte beruhen, wie mir scheint, auf einer fundamentalen Prämisse: Daß das spirituelle Leben der Kinder vom spirituellen Leben der Eltern abhängt. Wie Alexander Elchaninov schreibt: »In der Erziehung der Kinder ist es das Wichtigste, daß sie ihre Eltern ein intensives inneres Leben führen sehen.«24 Wenn wir aufrichtig, ehrlich, großzügig und offen für das Spirituelle sind, werden es unsere Kinder genauso sein. Das Kind muß durch das Beispiel seiner Eltern begreifen, daß die einfachsten Dinge – das Aufräumen eines unordentlichen Schlafzimmers oder die pünktliche Erledigung der Hausarbeit – von größter Wichtigkeit sind. Wenn Eltern und Kinder gemeinsam an einer regelmäßigen religiösen Praxis teilnehmen – sei es der Besuch einer Kirche, einer Synagoge oder eines Tempels, oder auch nur ein Augenblick der stillen Besinnung vor dem Essen –, um so besser. Unsere Kinder sollen statt vor Zorn geballte Fäuste zum Gebet gefaltete Hände erblicken.

Kapitel 13
Mündig werden

Professor Zaleski«, fragte die junge Frau, »wie haben Sie den Übergang in die Mündigkeit gefeiert?«

Die Frage kam von einer Oberstufenschülerin am Smith College; einem der hellsten Köpfe in meinem Kurs über die Religionen der amerikanischen Ureinwohner. Ich hörte in ihrer Stimme einen wehmütigen, beinahe verzweifelten Ton.

Wie habe ich meinen Übergang gefeiert? Ich begriff den Zusammenhang der Frage mit unserem Unterricht. Wir hatten über das Kinaalda gesprochen – die Pubertätsriten bei den weiblichen Navajo-Indianern. Diese fröhliche Zeremonie mit ihren Tänzen, ihrer Musik und ihrem Zuckerwerfen hatte meine Schülerinnen begeistert. Hier, so hatten sie gefühlt, war ein Ritual, das einen Sinn ergab – eine Anerkennung der neugefundenen Kraft, Leben zu schaffen, Kinder auszutragen. Dann hatte ich sie gefragt, welche vergleichbaren Zeremonien sie aus ihrem eigenen Leben nennen könnten, und ich hatte gesehen, wie ihre Gesichter vor Enttäuschung lang wurden.

Wie hatte ich mein Mündigwerden gefeiert? Ich warf einen Blick aus dem Fenster und erblickte in der Ferne die kleinen Gestalten anderer Schülerinnen, die sich am Ufer des Paradiessees im Frühlingsgras breitgemacht hatten oder sich in die Riemen der weißen Ruderboote legten, die den Mill River befuhren. Vor fünfzig Jahren wären viele dieser jungen Damen Debütantinnen gewesen – Teilnehmerinnen an einem glanzvollen Ereignis, das sie zugleich in die vornehme Gesellschaft eingeführt und als heiratsfähig deklariert hätte. Das, so dachte ich, war noch eine Zeremonie des Mündigwerdens, die Stil hatte. Aber heute? Ich dachte an meine eigene Pubertät zurück. Gab es bei mir ein Ritual beim Übergang zum Erwachsenwerden? Mein erster Schluck Budweiser? Mein erster Zug an einer Camel? Mein erster Blick in den »Playboy«? Die erste Nacht, die ich fern von Familie und Zuhause verbracht hatte, in einem kalten, eintönigen Zeltlager mit den Pfadfindern – ein Abenteuer, das vorzeitig beendet wurde, weil Millionen Spannerraupen von den Bäumen auf unser Lager herunterregneten?

Wie habe ich meinen Übergang gefeiert? Ich beichtete meinen Schülerinnen die traurige Wahrheit.

»Ich habe ihn gar nicht gefeiert.«

Nichts entlarvt die spirituellen Mängel unserer Zeit deutlicher als das Fehlen einer Zeremonie, bei der wir unser Mündigwerden feiern. Für die meisten von uns ist der Übergang von der Kindheit zur Pubertät eine Studie in Sachen Chaos – eine Serie ungeplanter und oft schmerzhafter Ereignisse. Die erste Zigarette im Gebüsch; eine Spritztour im Wagen der Eltern; eine hastige und ungeschickte Fummelei in der letzten Reihe des Kinos. Das alles sind sozusagen Übergangsriten, aber sie sind von jedem spirituellen Sinn entblößt.

Um wieviel anders ist es in einer traditionellen Kultur! Bei den Maori Neuseelands, den !Kung San der Kalahari, den Navajo des amerikanischen Südwestens erfüllen Übergangsriten noch immer ihren Sinn und bringen einen Sack voll Segnungen mit sich. Junge Männer oder Frauen treten unter Anleitung älterer in die Erwachsenengesellschaft ein, die ihnen bei jedem Schritt praktischen Rat und liebevolle Hilfe bieten. Die Gemeinschaft als Ganzes hat ebenfalls ihren Nutzen, denn Übergangsriten bestätigen ihre spirituelle Herkunft und Bestimmung – ihre intime Beziehung zum Göttlichen.

Das Fehlen an spirituellen Übergangsriten in unserer Zivilisation hat bereits schreckliche Folgen gezeigt, die am deutlichsten anhand ernsthafter Störungen des normalen Lebenslaufs erkennbar

sind. Die Kinder werden ohne Anleitung dem Reifungsprozeß überlassen, und die Resultate sind leicht zu erkennen. Einerseits gibt
es unzählige Menschen, die eine verlängerte Adoleszenz durchmachen und sich ziellos durch ihre späten Zwanziger- und frühen
Dreißigerjahre treiben lassen – glücklich darüber, ewige Studenten
zu sein, oder eine Folge niedriger, schlechtbezahlter Jobs mit gerin-
ger Verantwortung anzunehmen. Auf der anderen Seite leiden viele – oft sind es dieselben, die auch Bummelanten wurden – unter
ihrem frühen Beginn der Pubertät; sie spucken mit zehn Jahren
schmutzige Wörter aus, rauchen mit elf Hasch und haben Sex mit
zwölf.

Glücklicherweise gibt es immer noch hier und da Reservate der
Gesundheit. Viele Juden feiern das Bar-Mizwa – den einzigen religiöse Übergangsritus, der in Amerika immer noch weit verbreitet
ist. Aber auch hier zeichnet sich ein Ende ab. Das Bar-Mizwa ist
Männern vorbehalten; Versuche, eine weibliche Version zu schaffen – Bat-Mizwa –, waren nicht sonderlich erfolgreich. Und wie der
jüdische Gelehrte Miles Krassen weiter unten zeigen wird, ist das
Bar-Mizwa-Fest in vielen Gemeinden seines numinosen Myste-
riums entkleidet und in ein weiteres gesellschaftliches Ereignis
unter vielen verwandelt worden – wenn auch eines mit großartigen
Proportionen.

Was also wäre in bezug auf dieses rituelle Vakuum zu tun? Auf den
folgenden Seiten finden Sie eine Zusammenstellung von Übergangsriten aus Kulturen der ganzen Welt. Diese Rituale sind noch
immer üblich, und nicht selten wetteifern sie in Aufwand und
Gepränge mit den vertrauteren Zeremonien anläßlich Geburt, Heirat
und Tod. Dabei spielen diese Riten eine bedeutende Rolle im
Lebenszyklus; in der Tat würde manch ein Teilnehmer nachdrücklich betonen, daß er ohne dieses Ritual zum Mündigwerden niemals
erwachsen geworden wäre.

Andererseits wäre wenig gewonnen, würde man diese Zeremonien
sklavisch imitieren. Sie sind untrennbar mit einer bestimmten Kul-

tur oder Religion verbunden. Vor kurzem haben amerikanische Indianer einen Proteststurm gegen nichtindianische New-Age-Esoteriker vom Zaun gebrochen, die sich mit Trommel und einem qualmenden Stock in der Hand, um die Moskitos zu vertreiben, auf eine den Lakota-Sioux, den Ojibway und anderen Ureinwohnern Amerikas abgelauschte »Visionssuche« in die Wüste oder auf die Berge begeben. Für viele Indianer riecht dies nach kultureller Entweihung. Wie auch immer es um die Rechtmäßigkeit dieser Anschuldigung bestellt sein mag – eines scheint gewiß: Wenn ich, ein weißer Amerikaner der Mittelklasse, plötzlich für ein Wochenende zum Beispiel nach Navajo-Manier zu leben beschlösse, würde ich nur einen Narren aus mir machen.

Dennoch glaube ich, daß das Studium der Übergangsriten anderer Kulturen sehr lohnend sein kann. Zumindest kann die Bedeutung dieser Praktiken eine spirituelle Revolution in unserem Leben auslösen. Die Visionssuche zum Beispiel spricht beredt von der Notwendigkeit, ein Licht zu finden, das unseren Weg beleuchtet – einen tieferen Sinn im Leben, der ihm Authentizität und Bedeutung verleiht. Wenn ein Lakota-Sioux nach einer Vision ruft, ist er der Bruder eines Griechen des klassischen Zeitalters, der das Orakel zu Delphi konsultiert; eines Hindu, der während der Upanayana-Zeremonie die heilige Schnur anlegt – das Zeichen dafür, daß er endgültig in die Brahmanenkaste aufgenommen wurde; oder eines katholischen Christen, der bei der Firmung das Salböl erhält. In all diesen Fällen öffnet der Teilnehmer sich göttlicher Anleitung und Hilfe. Das ist etwas, das wir alle tun müssen, ob wir uns auf einem einsamen Berggipfel aufhalten oder inmitten einer Kinderschar, die nach dem Essen schreit.

In Einzelfällen kann man traditionelle Übergangsriten ganz oder teilweise in andere Verhältnisse übertragen, ohne sich einer kulturellen Grenzverletzung schuldig zu machen. Zum Beispiel verlockt uns ein Element der Kinaalda-Feier bei den Navajo, bei der ein riesiger Kuchen gebacken und verzehrt wird. Dies ist ein Moment großer Glückseligkeit für alle Teilnehmer – denn wer würde nicht gern feiern? – und zudem von höchster symbolischer Bedeutung: Stückchen von diesem Kuchen werden den Haupthimmelsrichtungen und der Mutter Erde dargeboten. In unserer Kultur werden alle möglichen Anlässe – Geburtstage, Jahrestage, Beförderungen – mit einem Kuchen gefeiert. Es scheint mir leicht möglich, einen bestimmten Zeitpunkt des Übergangs in einen anderen Lebensabschnitt – vielleicht den dreizehnten Geburtstag, der den Beginn des pubertären Spießrutenlaufs kennzeichnet – mit einem Kuchen zu feiern, begleitet von Gebeten und Segenssprüchen. Ich würde gewiß nicht darauf bestehen, daß eine solche Feier an ein spezifisches biologisches Anzeichen wie die ersten Monatsblutungen geknüpft wird, es sei denn, Sie hätten Spaß daran zuzuschauen, wie das Gesicht Ihrer Tochter sämtliche Rottöne von Alizarin bis Zinnober durchläuft. Und ich würde mich auch nicht anläßlich einer solchen Feier selbst verrückt machen. Häusliche Rituale sollten einfach sein und in entspannter Atmosphäre stattfinden. Sie können ihrem Wesen nach niemals dieselbe Kraft haben wie jene, die von den Göttern selbst kommen – aber ich glaube, sie könnten ein Schritt in die richtige Richtung sein.

Ein weiterer Ansatz zu Zeremonien zum Mündigwerden, der sich bei uns zunehmender Beliebtheit zu erfreuen scheint, ist eine säkulare Abart eines heiligen Ritus. Ein Beispiel ist die moderne Begeisterung für die »Orientierung« (ein ursprünglich aus Schweden kommender Sport, bei dem die Teilnehmer darin wetteifern, sich ausschließlich mit Hilfe von Landkarte und Kompaß in unbekannten Gegenden zurechtzufinden) und andere Formen von Abenteuern in der Wildnis, wie jenes, das Outward Bound gründete (weiter unten erfahren Sie mehr über diese Programme). Diese Aktivitäten weisen – bewußt oder nicht – verblüffende Ähnlichkeiten mit der Visionssuche amerikanischer Ureinwohner auf und versprechen nach Berichten von Teilnehmern ähnliche Belohnungen. Sie erheben keinen Anspruch auf Religiosität – außer im Sinn einer gemeinsamen Wurzel –, aber sie bezeugen unseren unstillbaren Hunger nach einer Zeremonie, die jenes umstürzlerische und mysteriöse Ereignis des Übergangs vom Jungen zum Mann, vom Mädchen zur Frau markiert.

Kontemplative Nahaufnahme: Der Übergang bei den Ureinwohnern Amerikas

»Männer stammen vom Mars, Frauen von der Venus«, erklärt der Titel eines Buchs, das zur Zeit im Gespräch ist. Auch die Übergangsriten der beiden Geschlechter sind planetenweit voneinander entfernt. Allgemein gesagt kultivieren männliche Zeremonien die herkömmlichen männlichen Tugenden wie Mut und Stärke, während weibliche Riten die herkömmlichen weiblichen Tugenden wie Fruchtbarkeit und Zärtlichkeit betonen. Das erscheint uns nur vernünftig – es fällt uns schwer, uns einen weiblichen Herkules oder eine männliche Aphrodite vorzustellen. Dennoch ist diese Verallgemeinerung zu stark vereinfachend, denn alle Kulturen erkennen den Wert weiblicher Züge bei Männern und männlicher Züge bei Frauen an. Die Sioux zum Beispiel bewundern Mut bei Frauen und Mitgefühl bei Männern. Wir kommen der Sache näher, wenn wir sagen, daß Übergangsriten dem jungen Mann oder der jungen Frau – die häufig so verwirrt wie neugeborene Kinder sind – helfen, ihre unterschiedlichen, aber komplementären Rollen als Erwachsene zu definieren und auszufüllen. Mit diesem Gedanken im Hinterkopf wollen wir uns nun näher mit zwei Übergangsriten befassen – einem für Männer und einem für Frauen –, die noch heute bei den Ureinwohnern Amerikas üblich sind.

314

Eine männliche Zeremonie:
Der Ruf nach einer Vision

Der bekannteste spirituelle Ritus der amerikanischen Ureinwohner, den man bei den Eskimos im hohen Norden, den Salish an der Westküste, den Huronen im Osten und weiteren hundert Indianervölkern findet, ist die Visionssuche. Gewöhnlich, aber nicht immer, wird sie von heranwachsenden Männern unternommen. Die Details unterscheiden sich von einer Region zur anderen, aber man kann ein grundlegendes Muster erkennen: Ein Knabe geht in die Wildnis hinaus, wo er fastet und betet, bis er eine Botschaft aus der spirituellen Welt empfängt. Dann kehrt er als Mann nach Hause zurück.

Bei den Sioux können Männer und Frauen in jedem Abschnitt ihres Lebens und aus einer Vielzahl von Gründen auf Visionssuche gehen. Der Grund kann eine Krankheit, ein Problem oder einfach der Wunsch sein, den Schöpfer zu verehren. Worin auch immer das Motiv bestehen mag – das Ziel bleibt immer das gleiche: eine Begegnung mit dem Heiligen herbeizuführen –, das die Sioux Wakan nennen – das Wort ist zugleich Substantiv und Adjektiv, und so eine persönliche Verständigung mit Wakan Tanka zu erreichen – ein Begriff, der mit »Heiliger Geist«, »Das große Mysterium« oder einfach »Gott« übersetzt wurde. Petaga, ein Medizinmann der Sioux, erklärt es Arthur Amiotte, einem jungen Mann, der im Begriff ist, zu seiner ersten Visionssuche aufzubrechen, wie folgt:

Die heilige Gnade des Wakan Tanka gab uns einen Weg – denn er liebt seine Kinder und seine Schöpfung –, wie wir beten, einen Blick erhaschen und ein wenig von dem Großen Geheimnis erfahren können, das dieses Leben ist. Er hat uns einen Weg gegeben, wie wir uns immer wieder an unsere Pflichten als Ikce Wicasa – als die wahren Menschen – erinnern und was wir in diesem Leben tun

müssen, um gute Menschen, Männer, Frauen und Kinder zu sein;
wie wir uns unserer Herkunft entsinnen und unseren Schöpfer ehren
können.1

Amiotte unternahm seine Visionssuche, als er mit seinem Universitätsstudium fertig war. Aber oft findet der Ritus zu Beginn der Pubertät statt. Wie Black Elk, der große Prophet der Oglala-Sioux, es beschreibt, beginnt das Rufen (oder »das Lamentieren«) nach einer Vision, wenn ein Knabe einen Wicasa Wakan, einen heiligen Mann, um Rat fragt. Die beiden beten gemeinsam, und der Ältere beschwört alle erschaffenen Reiche – den Himmel, die Erde und das Wasser –, dem Jungen auf seiner Suche zu helfen:

All die Kräfte der Welt ... all die Dinge, die sich im All bewegen ...
all die heiligen Leute des Alls: Hört! Dieser junge Mann erbittet
eine spirituelle Gemeinschaft mit euch allen, auf daß seine Kinder
und Kindeskinder gedeihen und ein heiliges Leben führen.2

Der Knabe reinigt sich selbst und alle Gegenstände, die er mit auf seine Suche nehmen wird – Pfeife, Messer, Tabak und so weiter –, in einer Schwitzhütte. Dann wandert er an einen weit entfernten Ort, in der Regel in den Bergen, wo er sich seiner ganzen Kleidung entledigt, um Wakan Tanka im Zustand der Nacktheit, Armut und Demut gegenüberzutreten. Wir sehen hier das gleiche Motiv wie bei Moses, der bei seinem ersten Aufstieg auf den Berg Sinai seine Sandalen auszog; der Bittsteller vor Gott muß in seinem ursprünglichen Zustand sein – ein barfüßiges Kind, ungeschützt, offen für alles, was auch geschehen mag.

Nach den Vorbereitungen steigen der Knabe und sein älterer Führer den Berg hinauf zu einer Lichtung, wo sie einen Altar aus gegabelten Zweigen errichten. Dann werden fünf Pfähle aus Kirschholz aufgerichtet – einer davon in der Mitte des Platzes, die übrigen zehn Schritte entfernt in den vier Himmelsrichtungen. Um die vier Grenzpfähle werden in Form eines Rosenkranzes Tabaksbeutel gelegt, die den heiligen Raum versiegeln. Dann geht der ältere Mann fort.

Es folgen inbrünstige und unablässige Gebete, die stark an die im Kapitel »Worte« beschriebene Praxis der wiederholten Gebete wie Mantra, Dhikr oder Jesus-Gebet erinnern. Der »Lamenter«, wie Black Elk den Knaben nennt, schreitet von dem mittleren Pfahl aus in westliche Richtung. Er hält an, als er den äußeren Pfahl mit seinem Rosenkranz erreicht. Beim Gehen ruft er vielleicht aus: »O Wakan Tanka, habe Erbarmen mit mir, auf daß mein Volk lebt«[3], und betont damit die gemeinschaftliche Bedeutung seiner Handlungen; oder er schweigt. Er kehrt in der gleichen Weise zum Mittelpfahl zurück und geht von dort aus nacheinander zu den Pfählen im Norden, im Osten und im Süden. Gehen und Beten geschehen langsam und kontemplativ; ein einziger Durchgang kann eine Stunde lang dauern.

Die ganze Zeit hindurch trinkt und ißt der Lamenter nichts. Er kann rauchen, und er kann schlafen – tatsächlich kommt die Antwort auf seine Suche oft als Traum –, obwohl die Nähe des Übernatürlichen ihn wahrscheinlich wach hält. Mitten in der Nacht muß er zu einer zweiten Gebetsrunde aufbrechen – und noch einmal vor der Morgendämmerung, um den Morgenstern um Hilfe anzuflehen. In jedem Augenblick meditiert er über Sinn und Bedeutung seiner Suche. Zugleich mit seinen unablässigen Gebeten offenbart der Lamenter dann seine Gedanken, seine Einsamkeit, seinen Hunger und Durst, seine Nacktheit und seine Müdigkeit vor Wakan Tanka. Früher oder später kommt vielleicht eine Antwort, oft in Form eines Besuchs von einem Tier:

Vielleicht kommt der Gefleckte Adler aus dem Westen, der Schwarze Adler aus dem Norden oder der Nackte Adler aus dem Osten – oder sogar der Rotkopfspecht aus dem Süden zu ihm. Und auch dann, wenn zu Beginn keines dieser Tiere zu ihm spricht, sind sie wichtig und sollten beobachtet werden.[4]

Niemand weiß, was der Lamenter auf seiner Visionssuche entdecken wird. Die Sioux sagen, daß ihm die »Macht« zuteil wird, sich auf irgendeine Weise mit den göttlichen Gesetzen zu vereinigen, die den Kosmos regieren. Um dieses Ziel zu erlangen, muß sich der Lamenter mehreren weiteren einsamen Rückzügen unterziehen. Auf lange Sicht jedoch ist der Erfolg sicher. Wenn der Sucher, wie Black Elk schreibt, »immer aufrichtig ist und sich vor allen Dingen erniedrigt, wird er gewiß Hilfe erhalten, denn Wakan Tanka hilft immer jenen, die mit reinem Herzen zu ihm rufen«.5

Ein weiblicher Übergangsritus: Kinaalda

Alle Menschen erkennen die Bedeutung der ersten Periode an, die das plötzliche Auftreten der ehrfurchtgebietenden Kräfte des Kindergebärens in einem Mädchen signalisiert. Und in vielen traditionellen Kulturen wird dieses Ereignis wie das plötzliche Auftauchen eines neuen Kometen begrüßt – mit Furcht und Vorahnungen. Die betreffende Frau wird von der Gemeinschaft isoliert, während ihr Blut fließt – aus Angst, daß ihre neugewonnenen Kräfte zu Verunreinigung, Krankheit oder sogar Tod führen. Eine erfreuliche Ausnahme ist die Kinaalda-Zeremonie der Navajo-Indianer im Südwesten Amerikas. Die Navajo betrachten die erste Menstruation eines jungen Mädchens als Ausbruch der weiblichen Kraft, die der männlichen Kraft komplementär ist. Selbstverständlich gibt es Tabus. Das betreffende Mädchen darf weder Salz noch Fleisch zu sich nehmen, es darf kein Wasser berühren und so weiter. Aber diese Verbote – eine komplexe symbolische Sprache, in der die Interdependenz aller Dinge ausgedrückt wird – bestehen weniger, um eine Verunreinigung zu verhindern, als vielmehr aus Respekt vor der Kraft. Für einen männlichen Navajo wäre die Begegnung mit einer Frau während ihrer Menstruation gleichbedeutend mit der Berührung eines elektrischen Drahtes. Die Kraft ist gutartig (wo wären wir ohne Elektrizität?), aber sie könnte den Navajo überwältigen.

Die Navajo freuen sich über den Übergang eines Mädchens zur Frau; statt es in eine Isolierhütte zu sperren, wie es in so vielen anderen Kulturen üblich ist, feiern sie ein Fest. Die Feier wird auf die Pubertätsriten von Changing Woman zurückgeführt, jenem Geistwesen, das das Volk der Navajo erschaffen hat. Die erste Regel eines jeden Navajo-Mädchens wird deshalb nicht als profaner Anlaß zu Scham und Furcht gesehen, sondern als geheiligte Wiederholung der Erreichung der Pubertät einer Göttin. Als Changing Woman ihre erste Monatsblutung hatte (oder Kinaalda wurde), so heißt es im Mythos, dachten sich ihre Mit-Geister ein Ritual für sie aus. Dem Navajo-Geschichtenerzähler Frank Mitchell zufolge taten sie dies,

damit sie heilig würde und Kinder bekommen konnte, die Menschen wären und genug Verstand hätten, um selbständig zu denken, und eine Sprache, um einander verstehen zu können.6

Die Kinaalda verleiht demnach sowohl Heiligkeit als auch das Geschenk der Kultur. Der Navajo-Mythos berichtet jede Einzelheit über Changing Womans Kinaalda – von den Kleidern, die sie trug, bis zum Backrezept des zeremoniellen Kuchens. Später wurden diese rituellen Anweisungen von den ersten Navajo bei der Kinaalda-Feier befolgt. Sie werden auch heute noch beherzigt, wie Changing Woman angewiesen hat:

Von nun an werden alle Mädchen, die euch geboren werden, wenn sie zu Frauen geworden sind, zu bestimmten Zeiten Perioden haben. Wenn die Zeit kommt, müßt ihr einen Tag festlegen und das Mädchen als Kinaalda herrichten; ihr müßt diese Lieder singen und auch sonst tun, was zu dieser Zeit getan werden muß.7

319

Eine Kinaalda erstreckt sich gewöhnlich über vier Tage und Nächte und schließt mit einem Gesang, der die ganze Nacht über anhält. Das Muster verläuft gewöhnlich – ein wenig gekürzt – wie folgt:

- Tag eins: Das Mädchen legt die zeremonielle Kleidung an, zu der eine Schärpe, Halsketten und Armbänder gehören, und eine »Tante« (eine ältere Frau) bürstet ihr die Haare. Dann legt sie sich mit dem Gesicht nach unten auf einen Stapel Wolldecken, während die ältere Frau ihre Glieder und ihren Leib in die weibliche Form von Changing Woman knetet. Es folgen ein oder mehrere Dauerläufe außerhalb des Hogan (erdbedeckte Balkenhütte), um Stärke und Ausdauer zu fördern. Der Tag gipfelt darin, daß eine große Menge Korn gemahlen wird.
- Tage zwei und drei: Diese Tage sind mit weiterem Laufen und Kornmahlen ausgefüllt.
- Tag vier: Dieser Tag beginnt mit einem Lauf, aber bald wendet sich die Aufmerksamkeit dem wichtigen Ereignis zu: Die Herdgrube wird ausgehoben, der Teig hergestellt und der Alkaan, der traditionelle Kuchen, gebacken. Es folgt ein Gesang, an dem sich eine Menge Verwandte, Freunde und rituelle Sänger beteiligen und der die ganze Nacht über anhält. Die Morgendämmerung wird Zeugin eines weiteren Laufs und einer zeremoniellen Haarwäsche. Der Kuchen wird aus der Grube gehoben, in Stücke geschnitten und verteilt. Dann wird mit einer Paste aus weißem Lehm und Wasser ein Symbol des Wachstums auf den Körper des Mädchens und auf die Gesichter anderer Teilnehmer gemalt. Schließlich unterzieht sich das Mädchen einer letzten Modellierung durch die Hände ihrer Tante.

Wenn sich die Kinaalda-Zeremonien auch in Kleinigkeiten unterscheiden, so zeichnen sie sich doch alle durch eine bemerkenswerte Treue gegenüber der Original-Kinaalda von Changing Woman aus. Als Ergebnis erlangt das pubertierende Mädchen sowohl den Status eines mystischen Wesens als auch den einer fruchtbaren Frau, und die heiligen Ursprünge, die Sitten und die Bestimmung der Navajo-Indianer nehmen neues Leben und neue Bedeutung an.

Mündig werden:
Eine spirituelle Ernte

Andere Formen

Man findet die Visionssuche der Sioux und die Kinaalda der Navajo im großen und ganzen nur noch an bestimmten Stellen: im amerikanischen Südwesten bei den Navajo und in den Great Plains bei den Sioux. Andere Zeremonien des Mündigwerdens hingegen werden auf der ganzen Welt praktiziert. Manchmal ist dieser Umstand die Folge einer erzwungenen Diaspora – wie im Fall des Judaismus –, in anderen Fällen resultiert er aus missionarischem Eifer – wie im Fall des Buddhismus.

Bar-Mizwa

Wie bereits angemerkt, ist der im Westen am weitesten verbreitete Ritus des Mündigwerdens sicherlich das Bar-Mizwa, das jüdische Knaben gemäß der talmudischen Verfügung »Mit 13 ist er für die Gebote bereit« (Aboth V, 24) mit 13 Jahren feiern. In diesem Alter übernehmen Männer die Verantwortlichkeiten des religiösen Lebens Erwachsener – Fasten am Yom Kippur (»Tag der Sühne«), Tragen des Tefillin (Gebetsriemen) und so weiter.
Die jüdische Übergangsfeier unterscheidet sich in einem bedeutsamen Punkt von den entsprechenden Zeremonien der amerikanischen Ureinwohner: Der Ruf nach Visionen initiiert den Jungen fürs Erwachsenenalter und löst gewissermaßen seine Reife aus, das Bar-Mizwa-Fest hingegen trägt an sich nicht zur Förderung dieser

Entwicklung bei. Ein männlicher Jude wird mit 13 ein junger Mann – ob mit Bar-Mizwa oder ohne. Die Zeremonie dient jedoch dazu, den neuen Status des Jungen in seinen eigenen und in den Augen seiner Gesellschaft zu bestätigen.

Der Kern des Bar-Mizwa besteht darin, daß man »zum Lesen der Thora aufgerufen« ist; das heißt, daß man jeweils vor und nach der wöchentlichen Thora-Lesung in der Synagoge die Segenssprüche rezitiert. Das Skript lautet für den Knaben und für die Gemeinde wie folgt:

Vor der Thora-Lesung:
Knabe: Gesegnet sei der gesegnete Herr.
Gemeinde: Gesegnet sei der Herr, der für immer und ewig Gesegnete.
Knabe: Gesegnet seiest du, o Herr, unser Gott, König des Universums, der du uns unter allen Völkern erwählt und uns deine Thora gegeben hast. Gesegnet seiest du, o Herr, der du uns die Thora gegeben hast.

Nach der Thora-Lesung:
Knabe: Gesegnet seiest du, o Herr, unser Gott, König des Universums, der du uns die Thora der Wahrheit gegeben und ewiges Leben in unsere Mitte gepflanzt hast. Gesegnet seiest du, Herr, der du uns die Thora gegeben hast.

Während der Knabe zur Thora gerufen wird, zitiert der Vater einen Spruch aus einem alten Midrasch zur Genesis: »Gesegnet sei Er, der mich von der Verantwortung für dieses Kind befreit hat.« Von nun an ist der Knabe selbst für seine religiöse Lebensführung verantwortlich. Nach der Zeremonie hält die ganze Familie ein Gala-Fest ab, das der Sohar mit der Hochzeitsfeier vergleicht. In manchen gesellschaftlichen Kreisen wurde die Bar-Mizwa-Feier zu einer kolossalen Angelegenheit aufgebläht, mit riesigen Essensmengen,

322

knalligen Dekorationen, Berufsmusikern und dergleichen. Für andere wird dieser gutgemeinte Exzeß der tatsächlichen Bedeutung des Ereignisses nicht gerecht. Wie viele Juden, so fragen sie, kennen die Lehre, die auch im Sohar geschrieben steht, daß beim Bar-Mizwa ein zweifaches Wunder geschieht: Der Knabe erhält eine neue Seele, und zwei Wächter-Engel steigen vom Himmel herab und beschützen ihn ein Leben lang? Was kann man tun, so fragen sie weiter, um sicherzustellen, daß die Heiligkeit des Bar-Mizwa auch in der nächsten Generation erhalten bleibt? Diese Fragen, die den Fragen von Eltern in jeder Tradition gleichen – wie können wir unsere Praktiken lebendig erhalten, damit unsere Kinder sie freudig begrüßen, statt sie abzulehnen? –, geben zu ernsthaften Überlegungen Anlaß, wie Miles Krassen in dem Interview in diesem Kapitel erklärt.

Eine Anmerkung zum Bar-Mizwa

Der traditionelle Judaismus kennt keine Übergangszeremonie für Mädchen, da ein solcher Ritus weder von den talmudischen Gesetzen noch von den rabbinischen Verordnungen unterstützt würde, die das jüdische Leben bestimmen. Aber in den letzten Jahren haben einige Juden – besonders in den liberaleren Gemeinden – als weibliches Gegenstück zum Bar-Mizwa einen Übergangsritus geschaffen, der als Bat-Mizwa bekannt ist. Da Mädchen schneller reif werden als Knaben, findet diese Feier in der Regel um ihren zwölften Geburtstag herum statt. In den meisten Reform- und konservativen Synagogen ist das Bat-Mizwa-Fest in jeder Hinsicht ein Spiegelbild seines ehrwürdigen Gegenstücks – einschließlich des »Aufgerufenseins zur Thora« und der üppigen Feier hinterher. In den orthodoxen Synagogen, die das Bat-Mizwa zulassen, ist die Ähnlichkeit mit dem Bar-Mizwa insofern verringert, als das Mädchen nicht die Thora-Segen spricht.

Aus dem begrenzten Erfolg des Bat-Mizwa können wir die Spannungen ersehen, die alle zeitgenössischen Religionen aufweisen. In diesem Fall liegen sich zwei ehrenwerte Richtungen in den Haaren: auf der einen Seite das Bestreben nach vollständiger Gleichberechtigung zwischen Jungen und Mädchen; auf der anderen Seite der Wunsch, die Traditionen unverfälscht zu erhalten, die dem ganzen Leben Sinn und Bedeutung verleihen und die im Fall des Judaismus durch Jahrhunderte der Verfolgung hindurch die Grundfeste der jüdischen Identität waren. Es ist ein schmerzlicher Konflikt – und eine einfache Lösung ist nicht in Sicht. Aber zumindest sollten wir die Notwendigkeit eines feinen Gespürs beim Ausbalancieren von traditionellen Werten und modernen Erfordernissen erkennen.

Den Honig kosten:
Ein Gespräch mit Miles Krassen

Nach Miles Krassen, Assistant Professor für Religion, Judaismus und Near Eastern Studies am Oberlin College, geschieht mit dem Knaben zur Zeit seines Bar-Mizwa etwas Bemerkenswertes – etwas, das die moderne Psychologie und auch die meisten jüdischen Eltern nicht erkennen. »Erst im Alter von 13«, sagt er, »wird man verantwortlich für den Yetzer Hara, den negativen Impuls. Nach der klassischen jüdischen Psychologie gibt es in jedem Menschen eine Spannung zwischen guten und bösen Trieben. Aber wir sind nicht verantwortlich für unsere Neigung, bösen Trieben zu folgen, bis wir 13 Jahre alt sind. Bis zu dieser Zeit sind wir gewissermaßen unschuldig.«
Wenn ein Knabe sich dem Bar-Mizwa unterzieht, »nimmt er das Joch der Gebote auf sich«, wie es heißt. Nach Krassen gehört es zu dieser »tiefen Transformation«, daß er alle 613 Gesetze des klassischen Judaismus befolgt, die 365 Verbote und 248 positive Gebote umfassen. Einige rabbinische Autoritäten glauben, daß die 613 Gesetze mit den 613 Teilen des Körpers zusammenhängen, die die traditionelle jüdische Medizin aufzählt und die sich aus Sehnen, Knochen, Muskeln, dem Adersystem und so weiter zusammensetzen. Das Joch der Gebote auf sich zu nehmen könnte demnach bedeuten, daß der Körper auf geheimnisvolle Weise zu einem physio-spirituellen Ganzen emporgehoben wird.
Ist es nicht eine Ironie, frage ich, daß das Bar-Mizwa an Popularität gewonnen hat, unsere Kultur dagegen – und ein großer Teil der jüdischen Gemeinschaft – in krasser Weise säkularisiert wurde?
Krassen pflichtet mir bei und weist auf eine weitere Ironie des Schicksals hin, daß nämlich immer noch der dreizehnte Geburtstag

als angemessenes Alter für die Zeremonie betrachtet wird. »Das Bar-Mizwa stimmt nicht mit dem Erwachsenwerden in dieser Kultur überein«, sagt er, »wo Dreizehnjährige noch tief in der Kindheit stecken. In alter Zeit war ein Dreizehnjähriger ein wirklicher Erwachsener und bereit, Verantwortlichkeiten des Erwachsenen zu übernehmen.«

In Wirklichkeit haben das Bar-Mizwa und die mit ihm verbundenen Feierlichkeiten vielleicht mehr mit gesellschaftlichen Erwartungen als mit Weihe zu tun. »In der modernen Zeit ist das Bar-Mizwa zur Party geworden. In manchen Gemeinden entsinnt man sich nicht einmal der tieferen Bedeutung der Zeremonie, und gewöhnlich sind es dieselben, die auch kaum die Verpflichtungen der Gesetze auf sich nehmen.« Gleichgültigkeit gegenüber der eigentlichen Bedeutung der Zeremonie ist weit verbreitet, und sogar der betroffene Junge selbst interessiert sich kaum dafür. Krassen denkt an seine eigene Kindheit zurück: »Mein Bar-Mizwa war ein wichtiger Anlaß für die Gemeinde. Ich sprach einen Segen und las die Thora, und das hatte für meine Eltern eine Bedeutung. Aber für mich schien es das Ende der Beziehung zur Religion zu sein. Ich hatte nicht das Gefühl einer Verpflichtung Gott gegenüber.«

Und die Zukunft? Krassen hofft gewiß, daß jüdische Lehrer und Eltern die volle Bedeutung des Bar-Mizwa wieder entdecken und ihr Wissen an die Kinder weitergeben. Hoffnung gäbe es durch Wiederaufnahme der Praktiken der Vergangenheit – und zwar selbst dann, wenn als Ergebnis die Rolle des Bar-Mizwa im jüdischen Leben verringert würde. »In einer traditionellen Gesellschaft ist das Bar-Mizwa keine so große Angelegenheit, als die es oft im zeitgenössischen Judaismus behandelt wird, weil es so viele Stufen gibt, die ein Junge vor seinem Bar-Mizwa durchläuft. Zum Beispiel herrscht bei manchen Juden die Sitte, dem kleinen Jungen das hebräische Alphabet nahezubringen, indem man ihm in Honig geschriebene Buchstaben gibt. Er leckt den Honig auf und gewinnt

dadurch sozusagen einen Vorgeschmack von der Süße des hebräischen Schrifttums. Zur Zeit des Bar-Mizwa hat der Knabe bereits
etwas erreicht. Und in den Folgejahren wird er weit darüber
hinausgelangen.«

Shin-Byu

Auch der Buddhismus wartet, zumindest in seiner burmesischen Ausprägung, mit einem spektakulären Übergangsritus für Knaben auf, der unter dem Namen Shin-Byu bekannt ist. Der Kern der Zeremonie besteht, ähnlich wie bei der Kinaalda, in einer Wiederaufführung eines Heiligenlebens – in diesem Fall des Buddha. Als Vorbereitung des Shin-Byu errichtet die Familie des Knaben einen »Palast«, ein kleines Abbild der fürstlichen Wohnung, in der Prinz Siddharta, der Sohn eines indischen Fürsten, der zum historischen Buddha werden sollte, seine Kindheit verbrachte. In diesem Modellpalast – der viel kleiner als das Original, aber immer noch bewohnbar ist – besteigt der Knabe einen Thron und trägt fürstliche Kleider. Dann wandert er gemeinsam mit seiner Familie, mit Freunden und Mönchen zu einem nahe gelegenen Kloster – ein Ausflug, der an die Reisen des Buddha von dem Palast seiner Kindheit an den Ort seiner Erleuchtung erinnert.

Nach diesem Ausflug kehrt der Knabe in den Palast zurück. Dort entfaltet sich nun der zentrale Teil der Zeremonie, ein Gemisch aus geheiligten Riten und weltlichen Unterhaltungen. Die letzteren bestehen aus Scherzen, Gesängen, Predigten, die unter der Anleitung eines Zeremonienmeisters dargeboten werden. Man schert dem Knaben Kopf und Augenbrauen, um seine Ablehnung weltlicher Werte zu symbolisieren. Er rezitiert die buddhistischen Zehn Gebote, die Töten, Stehlen, sexuelle Betätigung, Lügen, Drogen, Theater, Parfüm, übermäßiges Essen, Schlafen in luxuriösen Betten und den Umgang mit Geld verbieten. Danach folgt eine Rezitation des eigentlichen buddhistischen Gelöbnisses, des Buddham Saranam Gacchami:

Der Buddha ist meine Zuflucht.
Das Dhamma ist meine Zuflucht.
Das Sangha ist meine Zuflucht.

Zum zweiten Mal, der Buddha ist meine Zuflucht.
Zum zweiten Mal, das Dhamma ist meine Zuflucht.
Zum zweiten Mal, das Sangha ist meine Zuflucht.

Zum dritten Mal, der Buddha ist meine Zuflucht.
Zum dritten Mal, das Dhamma ist meine Zuflucht.
Zum dritten Mal, das Sangha ist meine Zuflucht.

Der Knabe kehrt als mittelloser Mönch in den Palast zurück. Am folgenden Morgen erhält er einen neuen Pali-Namen und begibt sich in das Kloster, um eine gründliche buddhistische Erziehung zu absolvieren, bevor er in sein normales Leben zurückkehrt.

Wir erkennen deutliche Parallelen zwischen dem Shin-Byu und dem Bar-Mizwa. Am auffallendsten ist die gegenseitige Beeinflussung spiritueller und säkularer Elemente. Die Kosten für ein Shin-Byu sind oft so hoch, daß viele Familien sich die Zeremonie nicht leisten können. Eine weitere Parallele ist eine entsprechende burmesische Zeremonie für Mädchen – eine bescheidenere Variante der Form für die Jungen. Zur selben Zeit, zu der ihre älteren Brüder sich dem Shin-Byu unterziehen – gewöhnlich vor dem zehnten Lebensjahr –, kleiden sich auch die jungen burmesischen Mädchen in fürstliche Roben und besteigen den Thron in dem nachgebauten Palast. Der Höhepunkt ihrer Teilnahme an der Zeremonie besteht darin, daß der Zeremonienmeister ihnen die Ohren durchsticht.

Der spirituelle Status der Pubertät heute

Alle erfolgreichen Übergangsriten haben eines gemeinsam: Sie erwecken im Initianden den Sinn für das Spirituelle. Mit Hilfe dieses neuen Sinnes wird die Welt transformiert. Das Leben ist nicht länger ein Spielplatz – es ist zum Pilgerpfad geworden. Der Knabe ist nicht länger ein Knabe, sondern ein Mann. Das Mädchen ist nicht länger ein Mädchen, sondern eine Frau. Der oder die neue Erwachsene hat vielleicht einen neuen Namen erhalten, spricht eine neue Sprache, besitzt eine neue Macht über Leben und Tod (als Kinder-Gebärerin oder als Feind-Töter).

Meiner Meinung nach ist es angemessen zu sagen, daß wir diesen Erfahrungen in unserer modernen Zivilisation kaum etwas an die Seite zu stellen haben.

Die erste Lektion, die wir aus den oben beschriebenen Riten lernen können, lautet demnach: Wir müssen alles tun, was wir nur können, um die Zeremonien zu erhalten, die heute noch existieren. Wie Miles Krassen erklärt, bedeutet dies mehr als ein einfaches Zelebrieren der Riten – es bedeutet, daß wir ihren Symbolgehalt hegen und ihre verborgenen Bedeutungen aufnehmen müssen. Ein Tropfen der mit Honig geschriebenen Schrift im Mund eines Kindes ist mehr wert als tausend Predigten. Wir sollten auch für die Möglichkeit offen sein, neue Riten zu schaffen, wenn dies mit Geschick und Einfühlungsvermögen geschieht. Das erst vor kurzem aus der Taufe gehobene, auf dem festen Fundament des Bar-Mizwa gegründete Bat-Mizwa könnte den Weg weisen, denn es zeigt, wie ein neues Ritual in gewissem Umfang Erfolg haben kann, wenn es ein Bedürfnis erfüllt, das nicht einer individuellen Laune, sondern der kollektiven Weisheit der Menschen entspringt.

Tatsache ist jedoch, daß in der heutigen entritualisierten Zivilisation eine Zeremonie der Mündigwerdung für viele Menschen kein Thema ist. Was also tun? Es ist nicht alles verloren, denn die Pubertät stellt sich ohnehin ein; der Zauberstab der Zeit verwandelt jedes Kind in einen Erwachsenen. Was jedoch getan werden muß, ist, daß wir in unseren Kindern die ganzen langen Teenager-Jahre hindurch ein Gefühl für das Numinose wachhalten. Jeder Knabe, jedes Mädchen glaubt an das Wahre; unsere Pflicht ist es sicherzustellen, daß dieser Glaube nicht untergeht, wenn das Kind 18 oder 20 Jahre alt geworden ist. Deshalb ist es gewissermaßen unsere Aufgabe, einen

Zeitlupen-Übergangsritus zu schaffen, der sechs oder sieben Jahre braucht, bevor er abgeschlossen ist, und der zugleich so subtil ist, daß er sich unmerklich in die Kümmernisse der Pubertät einfügt, und doch so wirksam, daß ein Erwachsener aus ihm hervorgeht, der Ehrfurcht vor dem hat, was der Sioux-Medizinmann in seinem Gespräch mit Arthur Amiotte »das große Geheimnis, das dieses Leben ist« nannte.

Wie könnte so etwas möglich sein?

Wenn Sie Ihr Kind in einer bestimmten Tradition erziehen, besteht der erste Schritt darin, das Kind in die tieferen Ebenen dieses Glaubens und seiner Praktiken einzuführen. Öfter als einmal haben mich in meinem College-Büro Schüler aufgesucht, die mir unter Tränen ihre Entfremdung von der Religion ihrer Familie gestanden. Im Verlauf eines Gesprächs stellt sich gewöhnlich heraus, daß diese Schüler sich nicht gegen die Tradition selbst auflehnen – mit der sie kaum Bekanntschaft gemacht haben –, sondern gegen den blutarmen Schatten dieser Religion, den ihnen die Kommunion, die Konfirmation, die jüdische Schule oder ein anderer religiöser Unterricht vermittelt hat. Das Versagen darin, unseren Kindern den erstaunlichen spirituellen Reichtum der Weltreligionen vermitteln zu können, ist ein Vorwurf, den wir uns alle gefallen lassen müssen.

Der zweite Schritt – der mit dem ersten zusammenhängt – besteht darin, daß wir die Jünglinge und jungen Mädchen die komplizierte Karte der spirituellen Pfade der Welt lesen lehren.

Ich halte am Smith College Einführungskurse in die Religionen der Ureinwohner Amerikas ab, die meine Schüler mit dem Grundvokabular aller spirituellen Systeme vertraut machen, einschließlich der Mythologie, der Symbole und der Riten. Wenn ich über den sakramentalen Gebrauch der heiligen Pfeife in den religiösen Praktiken der Indianer der Great Plains spreche, kann ich in den Augen meiner Schüler ein Licht aufleuchten sehen, weil ihnen zum ersten Mal die Grundbedeutung eines Sakraments klar wird und sie dieses Wissen jetzt auf ihre eigene Religion anwenden können. Nichts kuriert spirituelle Kurzsichtigkeit besser als eine Linse, die von einer anderen Glaubensform ausgeborgt wurde.

Ein dritter Schritt besteht darin, daß wir den gutartigen, aber (für Erwachsene) lästigen pubertären Impuls als unvermeidlich hinnehmen, das Vertraute abzulehnen und das Unbekannte zu erforschen. Eine Pflanze sendet neue Ranken aus und sichert auf diese Weise ihr Wachstum; ein junger Erwachsener macht es ähnlich. Es ist natürlich bedauerlich, daß der Erforschung oft durch Mauern oder nicht eingezäunte Klippen ein Ende gesetzt ist. Aber viele Teenager führt sie auch zu Entdeckungen, die bewirken, daß sie ihre spirituelle Suche beibehalten oder sogar noch verstärken. In diesem Zusammenhang sind Praktiken besonders erwähnenswert, die den Jugendlichen der Stille und Ruhe der Natur aussetzen. Wie Norbert Boucher uns in unserer Besprechung der einfachen Vergnügen in Kapitel 5 erinnert hat, kann die Wildnis für den Jugendlichen eine natürlich gewachsene Kathedrale sein – ein geeigneter Ort, um über die Geheimnisse des Lebens nachzusinnen.

Solche Programme entstehen überall. Das bekannteste auf amerikanischem Boden wird vielleicht von Outward Bound angeboten, einer nicht profitorientierten Organisation, die ihre Methoden auf die Erfahrungen junger britischer Matrosen im Zweiten Weltkrieg zurückführt. Immer dann, wenn deutsche U-Boote britische Handelsschiffe mit Torpedos angriffen, fanden die meisten Verluste ausgerechnet unter den jüngsten und gesündesten Männern statt. Kurt Hahn, ein britischer Pädagoge, untersuchte dieses seltsame Phänomen und stellte fest, daß diese Matrosen trotz ihrer Vitalität unter Panik und Mangel an Lebenswillen litten. Aus diesen Beobachtungen heraus entwickelte er ein Programm zur Förderung von Mut, Vertrauen und Selbstvertrauen.

Heute, ein halbes Jahrhundert später, führt Outward Bound jährlich 10.000 Personen durch ein Programm, in dem es um Team-

332

work, Problemlösung und Risikobereitschaft geht. Das Ziel sind reife Erwachsene. Ein Aspekt des Programms ist das »Solo«, ein dreitägiger Aufenthalt allein in der Wildnis, der mit Schreiben, Denken und Meditieren verbracht werden soll – die Ähnlichkeit mit einem klassischen religiösen Rückzug ist nicht zu übersehen.

Eine weitere heute sehr populäre Aktivität ist das »Orientieren«. Sie besteht darin, daß die Teilnehmer – auch hier handelt es sich oft um Jungen oder Mädchen an der Schwelle zum Erwachsenwerden – sich ausschließlich mittels Kompaß und Landkarte in der Wildnis zurechtfinden. Die Herausforderungen beim Orientieren stellen, ebenso wie diejenigen von Outward Bound, Nachahmungen klassischer Initiationsriten dar: Mit Hilfe eines Fadens aus einem Labyrinth zu gelangen, sich mit Hilfe von Kompaß und Landkarte in der Wildnis zurechtzufinden und einige der Ziele zu erreichen, um die es auch bei den Übergangsriten geht. Diese Übungen sollen dem Heranwachsenden ein Gefühl von Kraft und Selbstvertrauen geben.

Bevor wir einen vierten Schritt in Richtung der Erweckung des Gefühls für das Numinose bei Heranwachsenden tun, sollten wir erkennen, daß der spirituelle Impuls besonders in den Teenager-Jahren oft getarnt auftritt. So verehrt ein junges Mädchen vielleicht nicht Gott, aber den jungen Mann, der in der Chemieklasse neben ihr sitzt. Und ein junger Mann kann möglicherweise die Darstellung eines tibetischen Zen-Meisters nicht von einer italienischen Pietà unterscheiden, aber seine Freundin ist für ihn der Inbegriff der vollkommenen Schönheit, Aufrichtigkeit und Güte. Die romantische Liebe ist nicht die einzige Verkleidung des Heiligen. Begeisterung für die Bürgerrechte, für die Umwelt, für Rock 'n' Roll – all diese Dinge können Sublimierungen der religiösen Sehnsucht sein. Wir sollten die Heranwachsenden ermutigen, wo immer das möglich ist. Es muß in jedem Augenblick unser Ziel sein, in den Jugendlichen ein Gefühl des persönlichen spirituellen Wertes für sie am Leben zu halten. Die Welt ist für alle Menschen – besonders aber für Teenager – nur eine Ausweitung ihres eigenen Herzens. Wenn junge Erwachsene ihre eigene innere Schönheit sehen, ohne Opfer narzißtischer Anwandlungen zu werden, werden sie der Welt freundlich gegenüberstehen und die Schönheit der gesamten Schöpfung würdigen.

Kapitel 14
Heirat und Familie

Als ich heute morgen im Internet surfte, stolperte ich über eine frohe Nachricht: Zuzu und Mike sind Eltern geworden. Zuzu, so berichtet CNN, brachte letzte Dienstag nacht in Lop Buri, einer 112 Kilometer nördlich von Bangkok gelegenen Stadt, einen gesunden Jungen zur Welt. Aber wieso, fragt man sich, erregte dieses gesegnete Ereignis die Aufmerksamkeit des berühmtesten Nachrichtendienstes der Welt? Aus dem einfachen Grund, weil – bitte, halten Sie sich fest – Zuzu und Mike die einzigen verheirateten thailändischen Orang-Utans sind.

Sie haben richtig gelesen: verheiratete Orang-Utans. Das Paar war im April 1996 zusammengebracht worden, als Zuzu, damals sechs Jahre alt, von Taiwan eingeflogen wurde. Und zweifellos errötete sie, wie eine Mail-Order-Braut errötet, als sie mit Mike, einem reizbaren Junggesellen, verheiratet wurde. Laut CCN war die Eheschließung »eine verschwenderische Zeremonie, über die ausführlich berichtet wurde und von der man in Thailand als von der Hochzeit des Jahres sprach«.1 Neun Monate später erreichte die Ehe einen neuen Höhepunkt des Glücks, und Zuzu und Mike befanden sich »auf dem besten Weg, eine komplette Familie zu werden«.2 Ein Foto zeigte ein Neugeborenes, die winzigen Ärmchen zur Brust der Mutter ausgestreckt. Nach CNN kamen Hunderte von Leuten, um die frischgebackenen Eltern zu beglückwünschen. Die Orang-Utan-Wärter teilten Zigarren aus, und ein Arzt erklärte: »Es gab Champagner und eine große Feier.«3

In dieser Geschichte – und besonders in unserer Reaktion auf sie – können wir einige fundamentale Wahrheiten über Ehe und Familie entdecken. Wir lächeln wohlwollend, wenn wir von der Hochzeit Zuzus und Mikes hören, denn eine Eheschließung bedeutet nur Gutes: eine Gelegenheit zur Freude, ein Zeichen der Liebe, ein Versprechen von Wohlstand. Wir lächeln auch, wenn wir von dem kleinen Orang-Utan hören, aus Gründen, die sowohl biologischer als auch spiritueller Art sind – Kinder bedeuten ein Weiterbestehen der Rasse (in diesem Fall einer stark gefährdeten Art), und Kinder können familiäres Glück bedeuten.

Zugleich zucken die meisten von uns bei dem Bericht über eine üppige Orang-Utan-Hochzeit mit Zigarren, Champagner und allem, was das Herz sonst noch begehren mag, zusammen. Wir haben den Eindruck, von einem Theaterstück zu lesen, in dem der gute Geschmack nicht immer gewahrt bleibt. Trug Zuzu ein Hochzeitskleid? War ein Pastor zugegen? Beunruhigende Berichte über prunkvolle Haustierbeisetzungen einschließlich Miniatur-Mahagonisärgen und kleinen Grabsteinen fallen uns ein. Wir schrecken vor solchen Dingen zurück, weil wir instinktiv fühlen, daß sie Menschen vorbehalten sein sollten. Die Paarung ist, wie der Tod, ein Vorrecht für alle Tiere; aber Heirat und Beisetzungen? Die Eheschließung ist ein geheiligtes Ritual – sie unterscheidet uns von den wilden Tieren und verbindet uns mit den Göttern.

Fast überall, wo wir uns der Welt der Religion zuwenden, finden wir, daß die Ehe zum Sakrament erklärt wird – als ein sichtbares Zeichen der unsichtbaren Gegenwart Gottes. Im Judaismus versetzt die Eheschließung das betroffene Paar ins Paradies zurück. Das Huppah – der Baldachin, unter dem die Trauung vollzogen wird – wurde mit einem zweiten Mutterleib verglichen, aus dem Braut und Bräutigam in das Paradies der Ehe hineingeboren werden.4 Der Ausdruck »Hochzeit« begegnet uns oft in mystischen Schriften, wo er als Metapher für die Vereinigung des Menschlichen mit dem Göttlichen sowie für die Versöhnung der Gegensätze wie kalt und heiß, Dunkelheit und Licht, aktiv und passiv, männlich und weiblich dient.

Die Ehe ist demnach eine sakramentale Vereinigung, die die Einheit Gottes mit dem Guten widerspiegelt. Aber vielleicht erscheint Ihnen dieses Porträt zu rosig. Immerhin heiraten Menschen aus sexuellen, finanziellen und Machtgründen. Aus ökonomischer Sicht gewährleistet die Ehe in Form von Mitgift und Erbe den Fluß des Geldes; vom Darwinschen Standpunkt aus reichert sie den Genpool an, verhindert Inzucht und führt zu einer gesunden Evolutionsökologie; aus politischer Sicht verbindet sie verstreut lebende Familien, beendet sie Kriege und sorgt sie für dauerhafte Allianzen.

All das ist wahr – aber nichts davon widerspricht der heiligen Bedeutung der Eheschließung. Eine Rose ist eine Rose – ob sie einen Konzertflügel oder ein Grab schmückt. Und so bleibt die Heirat ein Sakrament, ob sie spirituellen oder materiellen Zwecken dient. Außerdem sollten wir niemals vergessen, daß aus der Sicht der Tradition jede Aktivität – vom Geldverdienen bis zum Geschlechtsverkehr – einen höheren Aspekt aufweist. Das Spülen einer Gabel kann das Heilige offenbaren – das ist auch bei einer Heirat aus praktischen Gründen möglich.

Aus der Heiligkeit der Ehe ergibt sich die Heiligkeit der Familie. Diese Heiligkeit gilt für Mann und Frau, die kleinste Familieneinheit, für die größere Kernfamilie, die aus Vater, Mutter und Kind besteht, und für die weitere Familie, die alle Verwandten nah und fern umfaßt.

Die Heiligkeit von Ehe und Familie besitzt weitreichende Implikationen für das Alltagsleben. Vor allem bedeutet sie, daß für jeden von uns, sei er Ehepartner, Elternteil oder Kind, die Familie der wichtigste Schauplatz des spirituellen Wachstums ist. Die Familie ist das Labor, in dem wir die Geheimnisse der Seele entdecken. Das häusliche Leben bietet uns unvergleichliche Gelegenheiten zu Selbstreflexion und Intimität. Im heimischen Hafen genießen wir einen Grad von Offenheit und Vertrauen, wie er in der äußeren Welt nicht möglich ist. Unsere gesellschaftliche Maske verschwindet – wir haben eine größere Chance, zu uns selbst zu finden. Auf die gleiche Weise bietet Häuslichkeit viele Gelegenheiten zur Selbst-überwindung. Es ist leicht, einem Fremden gegenüber mitfühlend zu sein, aber es ist eine ganz andere Sache, dem Ehepartner gegen-über Verständnis zu haben, wenn er beharrlich ein Spülbecken voll schmutzigen Geschirrs übersieht oder wenn die Kinder wimmern und weinen. Wenn es Ihnen gelingt, sich im häuslichen Mahlstrom zu verankern, können Sie es überall.

Demnach enthält Häuslichkeit die Möglichkeit einer echten spi-rituellen Transformation. Alexander Elchaninov, ein orthodoxer Priester des 20. Jahrhunderts, betrachtet das Leben in Ehe und Familie als:

Offenbarung und Geheimnis. Wir sehen darin eine vollständige Transformation eines Menschen, die Ausweitung seiner Persönlich-keit, die Erneuerung seiner Sicht, eine neue Art seiner Wahrneh-mung des Lebens und dadurch seine Wiedergeburt in die Welt in einer neuen Fülle.5

Durch die Heirat entdecken wir das grundlegende Geheimnis ande-rer Menschen. Elchaninov fügt dem oben zitierten Loblied hinzu: »Nur in der Ehe können Menschen einander kennenlernen – das Wunder [erleben], die Persönlichkeit eines anderen zu spüren, zu berühren, zu sehen – und das ist ebenso wunderbar und einzigartig wie die Gotteserkenntnis des Mystikers.«6

Es ist eine gutbelegte Tatsache, daß Verheiratete seltener unter Herzanfällen, Depressionen und Fettleibigkeit leiden als Singles – und daß Eltern sich einer besseren körperlichen Gesundheit erfreuen als kinderlose Eheleute. Diese Segnungen sind nur die äußerlich sichtbaren Zeichen einer inneren Empfindsamkeit – ein Widerhall des tiefen Bedürfnisses der menschlichen Seele, zu lieben und geliebt zu werden. Um all diese Bedürfnisse zu erfüllen, existieren Ehe und Familie. Zugleich wissen wir nur allzugut, daß die Schei-

dungsrate bei 50 Prozent angelangt ist, daß häusliche Gewalt zu-
nimmt und daß viele Ehen nur dank des Klebebandes der Gesetze
und der Trägheit überdauern. Wir haben weitgehend darin versagt,
das Versprechen der Ehe zu halten. Was ist dieses Versagen, wenn
nicht eine Art spiritueller Schlaf – die bewußte Ablehnung, auf den
göttlichen Ruf hin aufzuwachen? Wie Elchaninov sagt:

*In der Ehe sollte die festliche Freude des ersten Tages das ganze
Leben hindurch anhalten; jeder Tag sollte ein Festtag sein; jeden
Tag sollten Mann und Frau einander als neu und außergewöhnlich
sehen. Die einzige Möglichkeit, dies zu erreichen: Beide müssen ihr
spirituelles Leben vertiefen und hart an der Aufgabe ihrer Selbstent-
wicklung arbeiten.7*

Kontemplative Nahaufnahme: Die Hochzeitsfeier

Alexander Elchaninovs oben zitierte Gedanken
über die Ehe enthüllen drei heilige Funktionen der Hochzeitsfeier
und ihrer Rolle im spirituellen Leben:

1. Die Hochzeit heiligt die Ehe, sichert ihr den Schutz des Göttlichen. Das ist die Quelle der »festlichen Freude«, auf die Elchaninov sich bezieht. Welches Paar würde sich nicht freuen in dem
Wissen, daß seine Vereinigung ebenso in ihre Seelen und in die
Annalen des Himmels wie in das Standesamtsregister einge-
schrieben ist?
2. Die Hochzeit bietet ein Modell für die Ehe, vom Siegel des
Kusses bis zum Siegel des Grabes (»die festliche Freude des
ersten Tages [sollte] das ganze Leben hindurch anhalten«). Ähnlich wie eine Morgen-Meditation den Ton für den Tag angibt –
ein Prüfstein, zu dem wir den ganzen Tag über zurückkehren

können –, so gibt die Hochzeit den Ton für das Eheleben an und versieht uns mit einem Prüfstein für die langen Jahre der ehelichen Auf und Abs.

In diesem Licht gesehen, kann man den Hochzeitstag nicht länger als »Eintags-Karneval« betrachten, dem ein Leben in trostloser Plackerei folgt. Jede Einzelheit der Feier – das Beschaffen der Nahrungsmittel, das Aufstellen der Zelte, das Einladen der Gäste, die Auswahl des Gewands, das Feiern des Rituals mit soviel Anmut, wie nur möglich ist – wird zum Muster für die Ereignisse der folgenden Jahre – für das Einkaufen und Waschen und Nähen und Planen der Eheroutine. Der Hochzeitstag ist das Leben – in einem einzigen und einzigartigen Augenblick konzentriert. Das soll natürlich nicht heißen, daß ein Hochzeitstag mit einem Gewitter, mit betrunkenen Gästen und verwelktem Hochzeitsstrauß eine mißglückte Ehe prophezeit. Es bedeutet, daß am Hochzeitstag Liebe herrschen sollte, daß Braut und Bräutigam, wenn sie die Bedeutung der Hochzeit in ihrem Herzen bewahren, den langweiligen Aspekten der Zeremonie mit Fassung und Würde begegnen.

3. Durch das Hochzeitsritual erhalten Braut und Bräutigam nicht nur Trauringe, sondern auch neue Augen, mit denen sie »einander neu und außergewöhnlich« betrachten. Diese Transformation wird durch ihre Kleidung ausgedrückt: Das Gewand der Braut wie eine riesige, weiße Blüte, der Smoking so ernst und so elegant wie ein Schwert – archetypische Symbole für den Mann und die Frau, die aus der Seele emporsteigen, um auf der Haut getragen zu werden. Auch die heilige Zeremonie selbst betont das »Außergewöhnliche« von Braut und Bräutigam. Bei der orthodoxen Hochzeit, von der Elchaninov schreibt, betrachtet das verheiratete Paar sich nicht länger als John und Jane, sondern als Alpha und Omega in einem kosmischen Drama, das in der Ur-Vergangenheit begonnen hat (die Hochzeit von Adam und Eva) und dessen letzter Akt und Höhepunkt in Gottes himmlischem Kö-

nigreich spielen wird. Bei der Eheschließung auf Java, wo Islam und Stammesreligion eine Verbindung eingegangen sind, wird diese Transformation wörtlich genommen: Am Vorabend der Hochzeit sitzt die Braut fünf Stunden lang in vollkommener Stille. In dieser Zeit steigt ein Engel aus dem Himmel herunter und tritt in sie ein, um sie an den folgenden fünf Tagen mit seiner heiligen Präsenz zu beehren. »Das ist der Grund dafür«, sagt der Ethnologe Clifford Geertz, »daß alle Bräute an ihrem Hochzeitstag soviel schöner aussehen als an anderen Tagen.«8

Sie werden in der Folge eine Reihe traditioneller Hochzeitszeremonien beschrieben finden. Ich habe die Rituale ausgewählt, die am unmittelbarsten auf die spirituellen Nöte zeitgenössischer Männer und Frauen antworten. Der hier verfügbare Raum verbietet eine detailliertere Darstellung, deshalb habe ich ein paar Aspekte hervorgehoben, die von besonderem Interesse sind. Einige Leser entdecken vielleicht bestimmte zeremonielle Elemente, die sie gern in ihre eigenen Feierlichkeiten einbauen würden. Hingegen werden alle Leser, wie ich hoffe, die Essenz des Hochzeitstags entdecken: die Liebe, die Würde und den gegenseitigen Respekt, die Ehemann und Ehefrau in ihrem künftigen gemeinsamen Leben mit all seinen Widrigkeiten einander entgegenbringen sollten.

Ein Blick auf den Polarstern: Die Hindu-Hochzeit

Im klassischen Hinduismus gilt die Heirat als das höchste Sakrament – das größte der Samskaras oder Übergangsrituale. Das Hochzeitsdatum wird von einem Astrologen bestimmt, der die Sterne konsultiert, um einen günstigen Tag zu ermitteln. Das Vertrauen auf das Horoskop ist in Indien im täglichen Leben weit verbreitet, aber in diesem Fall ist es besonders wichtig: Jede Einzelheit der Zeremonie muß mit den Bewegungen der Gestirne übereinstimmen.

Die Trauung selbst findet in einer Hütte statt, die etwa eine Woche vor der Zeremonie aus Mango- und Bananenblättern und grünen Bambusstäben (Fruchtbarkeitssymbole) errichtet wird. In dieser Hütte – einem sakralen Mutterleib, der an das jüdische Huppah erinnert – ereignet sich eine mystische Transformation, durch die Braut und Bräutigam für die Dauer der Zeremonie deifiziert, zu Göttern gemacht werden. Die genaue Art dieser Verwandlung hängt von der Region ab, in der dieser Ritus stattfindet. Manchmal wird die Braut die Göttin Parvati, ein übernatürliches Wesen von alles durchdringender Bewußtheit – die Gemahlin Shivas. Der Bräutigam wird der große Gott Shiva selbst – Herr von Schöpfung und Zerstörung.

Um ihre Vereinigung zu heiligen, führen die künftigen Gatten zehn »Gesten« aus, die Fruchtbarkeit und Wohlstand symbolisieren. Unter anderem schlürfen sie Honig, werfen Reis und teilen Geschenke aus. Eine dieser Gesten besteht in dem hübschen Brauch, »mit der Schnur zu binden«: Eine aus 24 weißen Baumwollfäden geflochtene Schnur wird der Braut und dem Bräutigam um den Hals geschlungen, um sie zu einer Einheit, einer Familie, einem Menschen zu machen.

Die Hochzeit schließt mit zwei Beschwörungsriten. Der erste besteht aus den »sieben Schritten« (Saptapadi) in den Norden des heiligen Feuers, einer Verkörperung Agnis, eines Gottes, der über die Phasen des Lebenszyklus waltet. Braut und Bräutigam machen einen Schritt gemeinsam, während er ausruft: »Mach einen Schritt mit mir, und ich gelobe, dich zu ernähren, solange du lebst; Vishnu ist mein Zeuge.« Ein zweiter Schritt folgt, bei dem die Braut ruft: »Mach einen zweiten Schritt mit mir, und ich gelobe, mich so zu verhalten, daß dein Gesicht stets vor innerer Gesundheit leuchten wird; Vishnu ist mein Zeuge.« Bei den folgenden Schritten werden Reichtum, Wohlergehen und Vieh im Überfluß versprochen. Endlich macht der Bräutigam sein größtes Versprechen:

O Freundin, mach den siebenten Schritt mit mir, und werde meine Freundin in der Wirklichkeit und folge mir.9

Die Zeremonie hat ihren Höhepunkt in einer Rückkehr in das Reich der Sterne, unter deren Einfluß die Hochzeitszeremonie begann. Braut und Bräutigam gehen in die Nacht hinaus und blicken zum Polarstern empor – zu Dhruva, dem sich niemals Bewegenden – Symbol der Unwandelbarkeit und der Treue. Der Bräutigam sagt: »Schau den Polarstern.« Die Braut erwidert: »Ich sehe den Stern.« Der Bräutigam erklärt: »Du bist treu; ich erachte dich als treu; sei mir und denjenigen treu, für die ich sorge.«10

Salben mit Öl, waschen mit Wasser: Afrikanische Hochzeiten

Die Hochzeit ist auch in afrikanischen Kulturen der zentrale Ritus. Hochzeiten bringen Kinder, Frieden zwischen Nachbarn, gemeinsamen Wohlstand, sogar ein gesichertes Leben nach dem Tod. Der in Afrika geborene Theologe John S. Mbiti beschreibt, wie ältere Afrikaner ihre Kinder mahnen: »Wenn du nicht heiratest und Kinder hast, wer wird das Trankopfer bringen, wenn du stirbst?«11
Afrikanische Hochzeiten sind unvermeidlich mit einer Vielzahl von besonderen Aktivitäten verbunden. Bei den Batoro in Uganda betreten die Frischverheirateten gegen Ende der Zeremonie einen Hof, in dem sich ein Bassin mit eiskaltem Wasser befindet, das die Schwester der Braut gefüllt hat. Braut und Bräutigam entkleiden sich und waschen einander. Sie löschen alle Spuren ihres früheren Lebens aus – darunter auch alle Sünden, die ihrem Körper noch

anhaften mögen –, bis sie so unschuldig und nackt wie neugeborene Babys sind. Ein ähnlicher Ritus ist bei den !Kung San in der Kalahari üblich. Am Morgen nach der Hochzeit salben weibliche Verwandte die Frischverheirateten mit Öl und Ocker. Öl symbolisiert Fruchtbarkeit, Ocker die Lebenskraft. Diese rituelle Ölung transformiert das Paar und versetzt es – ähnlich wie die Eiswasser-Waschung bei den Batoro – aus der unfruchtbaren, kinderlosen Welt der Unverheirateten in ein neues Reich der Nachkommen und des Überflusses.

Eine Krone aus feinem Gold:
Eine orthodoxe christliche Heirat

Eine orthodoxe christliche Heirat besteht aus zwei Zeremonien, die nacheinander ausgeführt werden. Als erstes kommt der Ritus der Verlobung, bei dem die Heirat durch Gebete, Bitten um Segen und den Austausch von Ringen besiegelt wird. Der Verlobung folgt eine bemerkenswerte Krönungszeremonie, die kein genaues Gegenstück in anderen religiösen Zeremonien hat. Das Paar schreitet zum Altar, während der Chor Psalm 128 singt, der die Freuden der Ehe preist. Nun kommt der Höhepunkt des Ritus – Braut und Bräutigam erhalten eine Krone aus purem Gold (in der russischen) oder einen Kranz aus Blumen (in der griechischen Zeremonie) aufgesetzt. Krone und Kranz – die ehelichen Gegenstücke zu den Halos (Heiligenschein) der Heiligen – enthüllen den glorreichen Status, der durch die Heirat erlangt wird, und stellen einen Vorgeschmack auf jenen »Siegeskranz der Gerechtigkeit« (2. Timotheus 4, 8) dar, der im Himmel verliehen wird. Die Heirat ist ein Zeichen der Ewigkeit – ein Widerschein des Paradieses.

Die Zeremonie endet mit zwei beachtenswerten Aktivitäten. Als erstes kommt die Teilung des Bechers, bei der Braut und Bräutigam Wein aus einem gemeinsamen Becher trinken. Von nun an werden die Ehepartner die niedrigsten und alltäglichsten Aspekte des Lebens miteinander teilen. Dann folgt der »Tanz Jesajas«, bei dem das frischverheiratete Paar dreimal um das Chorpult schreitet. Dieser »Tanz« symbolisiert den Gang des Ehelebens; ein anmutiges Schreiten durch das Jahr, bei dem das Chorpult – das Wort Gottes, seine heilige Präsenz – das Schwerkraftzentrum bildet. Der Tanz »beschreibt« einen Kreis auf dem Kirchenboden – den Zyklus des Lebens, der im Heiligen beginnt und endet.

Die Schöpfung neuer Welten: Eine jüdische Hochzeit

Der Sohar erklärt: »Gott erschafft ständig neue Welten. Auf welche Weise? Indem er bewirkt, daß Eheschließungen stattfinden.«12 Diese Aussage hat, wie ich glaube, zwei Bedeutungen, denn »neue Welten« bezieht sich auf die Vereinigung von Mann und Frau zu einem einzigen, spirituellen Menschen und auf die Kinder, die aus dieser Vereinigung hervorgehen. In beiden Fällen weiht die Eheschließung unsere grundlegendsten Schöpferkräfte – aus diesem Grund wird von allen Juden erwartet, daß sie heiraten.

Eine traditionelle jüdische Hochzeit ist ein großartiges Schauspiel, das sich vor den entzückten Augen Hunderter von Glückwunsch-Überbringern durch Dutzende von Phasen hindurch entwickelt. Einige Aspekte der Heirat sind sinnlich, andere kontemplativ. Zu jenen, die Schweigen, Stille und das Gefühl einer heiligen Präsenz betonen, gehören:

- Fasten. Braut und Bräutigam fasten während der ganzen Zeremonie. Wie die Kaltwasserwaschungen der Batoro reinigt dieses Fasten Körper und Seele. Und es dient auch als ein Opfer Gott gegenüber – ein Dank für seine Segnung der Heirat.

»Ich gehöre meinem Geliebten,   Shendl Diamond
und meine Geliebte gehört mir.«

- Bedecken. Bevor das Paar unter dem Huppah zusammen-
  kommt, tanzen der Bräutigam und seine männlichen Begleiter
  zu der Braut, die auf einem Thron sitzt. Der Bräutigam bedeckt
  die Braut mit einem Schleier und sagt dabei:

  Du seiest unsere Schwester! Sei du Mutter von Tausenden von
  Millionen. (Genesis 24, 60)

  Dieser Glückwunsch läßt uns an die höchsten Gaben denken,
  mit denen Gott eine Heirat segnen kann: Eine Freundschaft

346

zwischen Mann und Frau, die so tief ist, daß die beiden einander
»Bruder« und »Schwester« nennen können, und eine Fruchtbarkeit, die für unzählige Generationen reicht. Der Schleier
erinnert an Bescheidenheit und Unberührtheit, die beiden ge-
ziemenden Eigenschaften einer Braut und zugleich zwei Juwelen im spirituellen Schatz eines jeden Menschen.

- Huppah. Das Huppah, der jüdische Heiratsbaldachin, besteht
aus einem bestickten oder einem einfachen Tuch, das – von vier
Pfählen gestützt – während der gesamten Zeremonie einen
Unterstand für Braut und Bräutigam bietet. Das Huppah steht
für die vollkommene Ehe der materiellen und der spirituellen
Welt, denn das Baumwolltuch – die profanste aller Substan-
zen – wird zu einer sakralen Laube; das erste Heim des verheirateten Paares, eine Wohnung, die Gott gesegnet hat.

- Das Umkreisen des Bräutigams. In diesem Brauch, der eine
auffallende Ähnlichkeit mit den »sieben Schritten« einer Hin-
du-Hochzeit aufweist, umkreist die Braut siebenmal den Bräutigam. Von nun an, so lehrt die jüdische Tradition, wird der
Bräutigam das Schwerkraftzentrum sein, um das die Braut
kreist, während ihre Liebe den Bräutigam umschließt. Einer
eher esoterischen Erklärung zufolge durchdringt eine Frau
durch diese siebenfache Umkreisung die sieben Sphären des
Seins ihres Mannes und gelangt an sein wahres Herz. Von nun
an kann nichts mehr zwischen Ehemann und Ehefrau stehen.

- Sheva Berakoth. Unter dem Huppah ruft der Rabbi die Sheva
Berakoth oder sieben Lobsprüche aus; vom ersten

*Gelobt seiest du, o Herr, unser Gott! König des Alls, der du die
Frucht des Weines geschaffen hast,*

bis zum letzten, einem verzückten Ausruf über die Segnungen
der Heirat:

Gelobt seiest du, o Herr, unser Gott! König des Alls, der du Freude und Frohsinn, Bräutigam und Braut, Entzücken und Gesang, Vergnügen und Ausgelassenheit, Liebe und Brüderlichkeit, Frieden und Freundschaft geschaffen hast; geschwind, o Herr, unser Gott! laß in den Städten Judas und in den Straßen Jerusalems die Stimme der Freude und die Stimme des Frohsinns erschallen, die Stimme des Bräutigams und die Stimme der Braut ... Gelobt seiest du, o Herr! der du die Freuden des Bräutigams mit der Braut erschaffen hast.

- Das Zerbrechen des Glases. Bei diesem bekannten Ritual wickelt der Bräutigam ein Glas in eine Serviette ein und stampft mit den Füßen darauf, während er schreit: »Mazel Tow!« Das zerbrechende Glas symbolisiert, ebenso wie die Waschung der Batoro oder die Ölung der !Kung, das Ende des alten und die Wiedergeburt in einem neuen Leben.

- Yihud. Am Ende der Heiratszeremonie ziehen Braut und Bräutigam sich für ein paar Augenblicke der ruhigen Sammlung in einen privaten Raum zurück (Yihud ist das hebräische Wort für »Abgeschiedenheit«). Hier beenden die Frischverheirateten ihr Fasten; die Fülle, die ein Kennzeichen des Ehelebens ist, hat begonnen.

- Das Erfreuen der Braut. Bei dieser hübschen Sitte tanzen die männlichen Gäste während der Heiratsfeier vor der Braut und preisen ihre Schönheit. Im traditionellen Judaismus ist das Erfreuen der Braut ein Mizwa, ein göttliches Gebot. Es erfüllt die Braut mit Freude, und es erinnert an die Simhat Thora, den letzten Tag des alljährlichen Sukkoth-Festes, wenn Juden in ausgelassener Freude um die Thora tanzen. Somit einigt es in den Herzen aller Gäste Heirat und Schrift, die beiden Pfeiler des traditionellen jüdischen Lebens.

348

Kerzen und Blumen:
Eine moderne japanische Hochzeit

Die moderne japanische Heirat ist eine Rokoko-Mischung aus schintoistischen, buddhistischen und christlichen Elementen. Manchmal scheint das Hauptgewicht darauf zu liegen, ein gigantisches Gelage zu veranstalten – in einer riesigen Festhalle, mit verschwenderischen Dekorationen, Tafeln, die sich unter der Last der Speisen biegen, endlosen Strömen Sake und Kostümen in Hülle und Fülle. Nun stechen in diesem Heiratsspektakel zwei Zeremonien durch ihre Schönheit, ihre Zartheit und Ruhe hervor:

- Die Kerzen-Zeremonie. Die Frischgetrauten betreten den Festsaal, und beide tragen eine nicht brennende Kerze bei sich. Der Bräutigam entzündet seine Kerze an einer Kerze auf dem Tisch seiner Eltern; die Braut zündet ihre Kerze an einer Kerze auf dem Tisch ihrer Eltern an. Braut und Bräutigam umkreisen dann den Saal und entzünden gemeinsam die Kerzen auf allen Tischen. Schließlich gelangen sie bei einer 60 Zentimeter hohen »Hochzeitskerze« auf ihrem eigenen Tisch an. Beide entzünden sie zugleich – die beiden Flammen verschmelzen zu einer einzigen, während der Zeremonienmeister diese anmutige Handlung als symbolisch für die neue Ehe preist: das Verschmelzen zweier Menschen zu einem einzigen.
- Die Blumen-Präsentation. Am Ende der Zeremonie stehen Braut und Bräutigam – mit riesigen Blumen-Bouquets bewaffnet – an einem Ende des Saales. Eine Stimme erfüllt die Halle; sie kündet von der überaus großen Liebe des Paares und von seiner Dankbarkeit für die Eltern, die so lange leiden mußten. Wenn das Resümee beendet ist, schreiten Braut und Bräutigam durch den Saal zu ihren Eltern, verbeugen sich tief und überreichen ihnen das blumige Dankeschön.

Werdet, was ihr seid:
Ein Gespräch mit Dr. Petroc Willey

Die Festhalle ist gesäubert, das Geschirr gespült, die Gäste sind nach Hause zurückgekehrt. Die Hochzeit ist vorüber. Wie geht es weiter?

Gemäß dem Standpunkt der meisten Traditionen ist die Heirat ein Sakrament, das ein Leben lang gültig ist. Der Zweck eines Sakraments besteht – wie schon das Wort besagt – darin, unsere Herzen zu heiligen, zu reinigen und sie Gott näherzubringen. Heirat bedeutet harte spirituelle Arbeit – ein lebenslanges Streben nach Heiligkeit im Zusammenhang mit dem häuslichen Leben.

Ein solches Verständnis der Heirat, so dachte ich, muß außerordentliche praktische Implikationen haben. Dr. Petroc Willey, ein englischer Pädagoge, der viel über die Spiritualität der Heirat geschrieben hat, stimmt mir zu. Er zitiert Papst Johannes Paul II.: »Verheiratete Paare, werdet, was ihr seid!« Nach Willey zielt diese Äußerung unmittelbar auf die wirkliche Aufgabe der Ehe hin, die seiner Meinung nach eng mit dem Verständnis eines Sakraments verbunden ist. »Ein Sakrament«, sagt er, »ist kein Ding, sondern eine Person. In der Ehe ist das Paar selbst das Sakrament. Jeder der beiden ist das Sakrament des anderen.« Diese Tatsache ist von außerordentlicher Bedeutung, sagt Willey, denn »Sakramente sind Zeichen für die Gegenwart und die Liebe Gottes. Die Erkenntnis, daß sie für andere Menschen ein Zeichen für die Präsenz Gottes sind, ist sehr bedeutsam. Im Eheleben übermitteln Mann und Frau einander das Gefühl für die Liebe Gottes.«

Das ist, bemerke ich, eine schwere Verantwortung. Wie können wir das schaffen? Willey erwidert, die erste Aufgabe in jeder Ehe sei es, nichts als gesichert zu nehmen. »In früheren Zeiten nannten wir ein Sakrament ein ›Geheimnis‹. Jeder Mensch ist ein Geheimnis. Der schlimmste Killer in jeder Ehe ist der Glaube, daß Sie jemanden kennen, wenn Sie ihn heiraten. Ihren Ehepartner als Geheimnis zu betrachten hilft Ihnen, Achtung und Ehrfurcht zu fühlen. Bei Rainer Maria Rilke findet sich eine wundervolle Zeile darüber. Sie lautet: ›Für mich besteht darin die höchste Aufgabe in einer Verbindung zwischen zwei Menschen: daß jeder von ihnen über der Einsamkeit des anderen wacht.‹«

Die Integrität des Ehegemahls zu achten hört sich im ersten Augenblick einfach an. Aber in den Stürmen der Ehe werden Grundsätze wie dieser leicht fortgeblasen. Willey glaubt, daß einige praktische Tätigkeiten viel dazu beitragen, die Heiligkeit der Ehe lebendig zu halten. Vor allem, so sagt er, sind wir zur Arbeit der Selbstbeobachtung und Selbstdisziplin aufgerufen. Er erwähnt die Wüstenväter – christliche Mönche, die im dritten und vierten Jahrhundert in die ägyptische Wüste flohen. Er sagt: »Sie wollten durch ein spirituelles Leben ihre Leidenschaften kontrollieren. Und darum geht es auch in der Ehe – um die Kontrolle der Leidenschaften.« In unserer vom Sexuellen durchtränkten Zivilisation ist »Leidenschaft« ein Synonym für sexuelle Lust, aber Willey benutzt das Wort in einem weiteren Sinn. »Um eine erfolgreiche Ehe zu führen, müssen wir lernen, unsere Emotionen in den Griff zu bekommen, wie auch immer sie aussehen mögen. Wir müssen lernen, unsere Herzen zu wappnen. Cassian (Johannes Cassianus, ein früher christlicher Mönch) sagte, wir müßten herausfinden, welche Leidenschaften uns plagen, und dann mit jemandem über das, was uns plagt, sprechen. Auf diese Weise können wir eine wunderbare Beziehung in der Ehe herstellen. Mann und Frau können miteinander sprechen, einander Hilfe und Rat anbieten und Seelenfreunde werden.«

Was für ein wundervolles Wort – »Seelenfreunde«. Gewiß ist es der Sinn der Ehe, eine intime Freundschaft zwischen Mann und Frau entstehen zu lassen. »Die Heirat ist eigentlich ein Ruf zur Einheit«, sagt Willey. »Aber das ist schwierig. Die meisten Menschen denken, daß sie sich eher selbst einen Weg zu Gott bahnen werden, als gemeinsam, als Paar, zu Gott zu gelangen. Aber im spirituellen

Leben der Ehe finden Mann und Frau gemeinsam ihren Weg zu Gott. Ich hänge von der Liebe Gottes ab, und in der Ehe bin ich davon abhängig, wie meine Gemahlin mir Gottes Liebe vermittelt. Die Ehe ist nichts, was ich tue – sie ist etwas, das ich als Geschenk annehme.«

Heirat und Familie:
Eine spirituelle Ernte

Der Eintritt in ein Märchen:
Die Spiritualität des Familienlebens

Als ich ein Junge war, kam mir meine Familie so
groß wie die Welt vor. Diese Welt fing mit meinem Haus an, meiner
Vorstadtstraße und dem ausgetretenen Pfad zu meiner Grundschule.
Jenseits dieses Viertels erstreckten sich die geheimnisvollen Fremd-
länder mit ihren Rittern und Räubern, Engeln und Drachen und all
den wunderbaren Geschöpfen, von denen ich in Andrew Langs
grünen und roten Märchenbüchern gelesen hatte. Auch meine Familie begann zu Hause – im Schutz der Wärme meiner Mutter, der
Strenge meines Vaters, der Gesellschaft von Bruder und Schwester.
Dahinter erstreckte sich eine unermeßliche und weitgehend unkar-
tographierte Welt mit Verwandten aller Couleur: Schauspieler und
Hausfrauen, Musiker und Soldaten, Mystiker und Magnaten.
Die Größe meiner Familie erstaunte mich: Meine Großmutter mütterlicherseits setzte neun Kinder in die Welt, bei meiner Großmutter
väterlicherseits waren es sechs. Diese Kinder vermehrten unsere
Herde um Ehemänner und Ehefrauen und haufenweise Kinder. Im
Verlauf der Jahre lernte ich, viele meiner Sippe wiederzuerkennen
und zu lieben, aber der größte Teil meiner Familie blieb ein Geheimnis. Immer wieder einmal traten bis dato unbekannte Verwandte
– Großtante Cha-Cha aus Warschau, Großonkel Sam von Malta –
wie Kometen für einen oder zwei aufregende Tage in mein Gesichtsfeld ein und brachten Süßigkeiten aus der alten Heimat und jenen
muffigen Geruch mit sich, wie er älteren Menschen zu eigen ist, um
dann wieder für immer im Nebel der weiteren Familie zu verschwinden. Aber der größte Teil des »Familien-Kontinents« blieb, wie
schon gesagt, Terra incognita. Noch heute kann ich viele meiner
Cousins und Cousinen – es müssen vierzig oder fünfzig sein – nicht

beim Namen nennen, und ich würde sie nicht erkennen, wenn sie zu einem überraschenden Wiedersehensbesuch vor meiner Haustür stünden. Aber wenn sie sich selbst als Verwandte vorstellten, würde ich vor Freude jubeln.

In dieser abwechslungsreichen Landschaft liegt, wie ich glaube, der wahre Wert einer Familie. Vor allem ist die Familie der Herd – die Wärme und Solidarität des Heimes. Was würden wir ohne die Intimität der Familie anfangen? Zu Hause können wir die Schuhe ausziehen, uns strecken und kuscheln – wir können wir selbst sein. Aber die Familie, das sind auch die exotischen Länder, wo Fremde ihr Wesen treiben und außergewöhnliche Sitten herrschen. Nach einer Beobachtung von G. K. Chesterton wählen wir unsere Freunde aus und sogar unsere Feinde – aber unsere Familien wählt Gott aus. Wir haben dabei keine Stimme, und genau aus diesem Grund können wir mehr von unseren Verwandten lernen als von unseren Freunden. Jesus gebot uns, unseren Nächsten zu lieben, aber die wichtigere Aufgabe ist es nicht, die charmante Frau zu lieben, die in der Wohnung links von unserer lebt, oder den hübschen Mann in der Wohnung rechts, sondern die mürrische Tante Grete mit ihren Warzen im Gesicht im Erdgeschoß. Dies kann, wie Chesterton sagte, unser größtes Abenteuer werden:

Wenn wir durch den Akt des Geborenwerdens in die Familie eintreten, betreten wir eine Welt, die nicht berechenbar ist; eine Welt, die ihre eigenen, seltsamen Gesetzmäßigkeiten aufweist; eine Welt, die ohne uns auskommen könnte; eine Welt, die wir nicht geschaffen haben. Mit anderen Worten, wenn wir in die Familie eintreten, treten wir in ein Märchen ein.13

Wie im Märchen wimmelt es in der Familie von Prüfungen und Geschenken: Prüfungen, weil das Schiff unserer Liebe an den Klippen der Familie scheitern kann, an ihren scharfen Kanten und harten Konfrontationen; Geschenken, weil wir in den Hafen der

354

familiären Liebe einlaufen können, indem wir Tag für Tag durch die Gischt der Streitigkeiten und Spannungen in der Familie gesteuert werden. Die Familie bietet, wie ein Märchen, Wärme und Klippen, Behaglichkeit und Herausforderungen. Wie das Märchen, so stirbt auch die Familie niemals, wenngleich sich ihre Bräuche von Epoche zu Epoche ändern. Wir können unsere Freunde zurückweisen, unsere Nachbarn verabscheuen, unsere Arbeit, unsere Ersparnisse, ja, sogar unseren Kopf verlieren – aber die Familie bleibt bestehen.

Die großen religiösen Traditionen haben nicht viel über die Familie zu sagen. Die Familie ist das Medium, in dem das Leben sich entfaltet, und wir nehmen sie als ebenso selbstverständlich hin wie die Luft, die wir atmen. Treten Unterweisungen im Umfeld des häuslichen Lebens auf, handelt es sich gewöhnlich um Ratschläge in bezug auf die Erziehung der Kinder (Näheres darüber siehe Kapitel 12, »Kindheit«).

Es gibt jedoch eine beachtenswerte Ausnahme in diesem weitverbreiteten Schweigen: Konfuzius betrachtete die Familie als Schlüssel zum religiösen Leben, und seine Lehren enthalten viele Ratschläge in bezug auf die Spiritualität der Familie. Ein Handbuch mit dem Titel »Anweisungen für die Familie« aus der Ming-Zeit enthält neben den üblichen Ratschlägen in bezug auf die Schulung der Kinder, die Verantwortung der Eltern, die täglichen Stundenpläne und dergleichen die beiden folgenden Juwelen:

- Familien sollten eine lebendige religiöse oder spirituelle Praxis pflegen. In der konfuzianischen Kultur bedeutet dies eine gewissenhafte Achtung des rituellen Lebens, darunter Mündigkeits- und Heiratszeremonien, Opfer für die Vorfahren und so weiter. Wir können diesen Rat auch allgemeiner verstehen. Die Familie könnte in ihrem Heim gemeinsam Gott danken, sich zu Morgen- und Abendgebeten zusammenfinden oder in schweigender Meditation zusammensitzen. Außerhalb des

Heims kann eine Familie gemeinsam an Gottesdiensten teilnehmen. Ein gemeinsamer wöchentlicher Besuch der Kirche, Moschee oder Synagoge bekräftigt nicht nur die Weihe der Familie gegenüber dem spirituellen Leben, er erinnert darüber hinaus sowohl die Eltern als auch die Kinder an ihre heilige Herkunft und Bestimmung.

- Zweimal im Monat sollte sich die ganze Familie versammeln. Das Handbuch aus der Ming-Zeit schlägt ein Treffen bei Sonnenuntergang vor, an dem alle teilnehmen sollen, »von den geehrten betagten Mitgliedern bis zu den Jüngsten«.14 Der Vorsitz bei den Treffen geht unter den Erwachsenen reihum. Bei diesen Versammlungen berichten alle Teilnehmer – die jungen wie die älteren – von ihren Erlebnissen in den vergangenen Wochen, beschreiben, was sie getan haben, um an sich selbst zu arbeiten, um Familienprobleme zu lösen, um die Familienharmonie zu stärken, und machen Vorschläge für die Zukunft. Andere bieten Hilfe und Beratung an. »Der Zweck dieser Versammlungen«, heißt es im Text, »ist es, einander in der Tugend zu ermutigen und auf Fehler hinzuweisen.«15

Solche Treffen in der oben beschriebenen oder in ähnlicher Form sind auch heute in vielen Familien selbstverständlich. Die Kinder lieben diese Versammlungen, weil sie dort wie Erwachsene handeln und ungescholten Ratschläge anbieten können. Das ist keine unwichtige Sache. Dank solcher Treffen lernen Kinder, der Familie und sich selbst zu helfen – und manchmal warten sie sogar mit wertvollen Ratschlägen auf. Auch Erwachsene profitieren von diesem Geben und Nehmen. Wenn eine regelmäßige religiöse Praxis der Herd ist, der die Familie wärmt, können regelmäßige Treffen der Mörtel sein, der den Kamin zusammenhält.

Kapitel 15
Altern

Weshalb bestimmte Dinge existieren, können wir uns nicht vorstellen. Wir alle haben eine Liste mit Dingen, deren Daseinsgrund wir persönlich nicht erkennen. Meine Liste beginnt mit Seifenopern, Moskitos und unten weit ausladenden Hosen. Aber das größte Geheimnis von allen ist – zumindest für einige Männer im mittleren Alter – der für Männer so typische Haarausfall. Merkwürdig genug, bereitet dieses Phänomen doch auch den Wissenschaftlern Probleme. Jeder Genetiker und jeder Hausarzt hat seine Lieblingstheorie, aber keiner von ihnen weiß genau, weshalb manche Männer – und andere nicht – unter einem Haarverlust der Art leiden, daß die Schädeldecke an einen Landeplatz für einen Miniatur-Helikopter erinnert. Unmißverständlich schreit eine innere Stimme: »Ich werde alt.« Die gute Nachricht lautet, daß die typische Männerglatze – zumindest in der Theorie – potentielle Lebensgefährtinnen anzieht, denn zu sagen, »ich werde alt«, heißt auch: »Ich habe die Riffe und Untiefen der Adoleszenz überstanden, und jetzt steuere ich durch die Fahrrinnen des Erwachsenenalters – ich bin stark und verläßlich.« Die schlechte Nachricht lautet, daß diese Theorie nicht allzu vielen Frauen bekannt ist oder einleuchtet. Sie bleiben bei ihrer Vorliebe für Haarschöpfe (und verabscheuen meistens noch mehr jene Haarfülle, die durch sorgfältig über die kahle Stelle arrangiertes, langes Seitenhaar vorgetäuscht wird, in dem Versuch, das genetische Defizit auszugleichen).

Diese Ausflucht erstreckt sich über die Kahlheit hinaus auf das umfassendere Phänomen des Alterns selbst. Um es freiheraus zu sagen: Das Altern ist sowohl ein Segen als auch ein Fluch. Die

Nachteile des Alterns liegen auf der Hand. Zu seinen wichtigsten Begleiterscheinungen gehört zunehmende Unattraktivität, denn die Jahre rauben der Schönheit die Blüte und dem Verstand die Schärfe. Alter heißt Schmerzen, Kummer, Verlust und bevorstehender Tod. In seinem Gedicht »Was heißt es, alt zu werden?« malt der viktorianische Poet und Kritiker Matthew Arnold ein Bild von einem düsteren und von Kälte beherrschten Alter – eine Art vorzeitige Beerdigung auf dem Friedhof der versagenden Kräfte:

Was heißt es, alt zu werden?

Es heißt, lange Tage zu verbringen
Und nicht einmal zu fühlen,
Daß wir jemals jung waren;
Es heißt, im hoffnungslosen Gefängnis der Gegenwart
Unter matter Pein Monat auf Monat zu häufen.

Es heißt, dies alles zu leiden,
Und zag und fiebrig zu fühlen, was wir fühlen.
Tief in unserem verborgenen Herzen
Nagt dumpf die Erinn'rung an etwas anderes,
Aber keine Emotion – keine.

Es heißt – im letzten Stadium –
Wenn wir im Innern gefroren und nur noch
Ein Phantom unserer selbst, zu hören,
Wie die Welt der hohlen Hülle applaudiert,
Die den lebenden Mann beschuldigte.

Hier erkennt man keinen Trost, keine Hoffnung auf Erlösung. Der Schmerz wächst, die Erinnerung verblaßt, der Groll triumphiert. Jeder alternde Mensch teilt – zumindest in gewissen Momenten –

358

Arnolds Verdruß und Verzweiflung. Aber diese düsteren Farben können nur einen Teil der Wahrheit wiedergeben. Das Alter sollte auch in hellen Tönen gemalt werden. Zumindest bringt es ein Gefühl des Triumphes mit sich. Die Alten sind Überlebende; Veteranen des seltsamen Gefühls, das halb Kummer und halb Freude ist – und das sich einstellt, wenn man Zeuge wird, wie Freunde und Bekannte vom großen Schnitter dahingemäht werden, während man selbst verschont bleibt. Aber das ist die geringste der Wohltaten des Alters. Es bringt auch Geschenke mit sich – vor allem Weisheit. Natürlich gibt es darauf keine Garantie; einige Seelen ziehen sich im Alter zu harten Knoten zusammen. Aber in den meisten Fällen bringt das Altern eine gewisse Reife mit sich – bei Menschen, wie auch bei Käse oder Wein –, eine erfreuliche Tiefe und Abgeklärtheit. Und es bringt eine große Dankbarkeit für das Geschenk des Lebens mit sich. Wo Arnold sich in erstarrtes Schweigen hüllt, dankt Whitman:

> Dank im hohen Alter – danke, bevor ich gehe,
> Für Gesundheit, für die mittägliche Sonne,
>   für die nicht greifbare Luft – fürs Leben,
> nur Leben,
> Für kostbare, immerwährende Erinnerungen
>   (an dich, meine liebe Mutter
> – dir, Vater – euch, Brüder, Schwestern,
>   Freunde),
> Für alle meine Tage – nicht nur die des Friedens –
> auch für die Tage des Krieges,
> Für sanfte Worte, Berührungen, Gaben aus
>   fernen Ländern,
> Für Unterkunft, Wein und Fleisch –
>   für süße Anerkennung ...
> Danke! – freudigen Dank! –
>   eines Soldaten, Reisenden Dank.

In diesen Zeilen spüren wir (wie immer bei Whitman) eine ursprüngliche Lebensfreude, die so stark ist, daß nichts – nicht einmal der Tod – sie niedertrampeln kann. Aber nur wenige von uns leben so kraftvoll wie Whitman. Vielleicht sind die folgenden berühmten Zeilen aus Robert Brownings Gedicht »Rabbi Ben Ezra« passender:

> *Werde alt mit mir!*
> *Das Beste liegt noch vor uns,*
> *Das Letzte im Leben, dafür das Erste*
> *geschaffen ward:*
> *Unser Leben liegt in Dessen Hand,*
> *Der da sagte: »Ich plante ein Ganzes,*
> *Jugend sieht nur die Hälfte; vertraue Gott;*
> *schaue alles und fürchte dich nicht!«*

Wie Sie bemerkt haben werden, macht Browning die Freuden, die uns im Alter erwarten, nicht namhaft. Er ist ganz Zuversicht und Offenheit; bereit, alles freudig anzunehmen, was sich da zeigen mag. Aber er zweifelt nie daran, daß das Alter großartig sein wird. Weshalb? Weil das Leben ein Ganzes ist, das Gott gebildet hat (»Ich plante ein Ganzes …«). Es würde Gottes Güte, Erbarmen und Intelligenz widersprechen, hätte er das Leben der Menschen derart entworfen, daß seinem Höhepunkt mit dreißig Jahren ein langes, langsames Gleiten ins Grab folgt. In Wirklichkeit, so betont Browning, übertrifft das Alter die Jugend, in derselben Weise, wie eine Statue ihren Sockel übertrifft. Unsere frühen Jahre sind nur eine Lehrlingszeit; das Alter ist die Zeit der Meisterschaft: »Das Beste … dafür das Erste geschaffen ward«. Gott, der vollkommene Künstler, bewahrt stets das Beste für die Dauer auf.

Bei Browning und bei Whitman finden wir spirituelle Ansätze für das Altern. Angesichts dieses verwirrenden, erschreckenden, aber auch anregenden Prozesses, der im gleichen Maß Falten wie Weisheit erzeugt, lautet die einzige vernünftige Antwort: absolutes, unverfälschtes Vertrauen. Alle Religionen sprechen in dieser Weise über das Alter. Sie lehren die Jungen, den Älteren zu vertrauen, und die Alten, Gott zu vertrauen.

Aber dieses Vertrauen bleibt weitgehend unausgesprochen. Nur wenige Religionen kennen Rituale, die speziell mit dem Altern zusammenhängen. Das liegt zu einem Teil daran, daß das hohe Alter ein modernes Phänomen unserer Zeit ist. Natürlich gab es auch in den frühen Kulturen alte Menschen: Abraham, Sokrates und Konfuzius und viele andere hatten weiße Haare und buschige Brauen. Aber daß jemand ein hohes Alter erreichte, war ein seltenes Ereignis – viel seltener als in der heutigen Welt mit ihren Herzverpflanzungen und künstlichen Kniegelenken. Vielleicht gab es einfach nicht genügend viele alte Menschen, um ein heiliges Ritual zu rechtfertigen. Nur wenige alte Kulturen trafen Vorkehrungen für die materielle Sicherheit der Betagten: Wer von den Alten nicht für sich selbst sorgen konnte, fiel bald dem Tod zum Opfer. Entweder man lebte ein produktives Leben, das mit Pflanzenbau oder Jagen, Kochen oder Unterrichten der Jungen ausgefüllt war – oder man starb. In einigen Kulturen wurden die Alten absichtlich ausgesetzt, in anderen konnten sie einfach nicht mehr mithalten. Das Ergebnis war das gleiche.

Dieselbe praktische Erwägung aber verlieh den Älteren eine besondere Würde und Bedeutung. Alte Menschen wurden nicht in Altenheime oder Krankenhäuser abgeschoben, wo sie ihre Tage mit dem Anschauen von Seifenopern oder dem Ausschneiden von Papierdeckchen verbrachten. Sie blieben aktive Mitglieder der Gesellschaft und hatten mehr Erfahrung im Bauch und Weisheit im Herzen als irgend jemand sonst. So entstand die traditionelle Rolle der Alten. In fast allen Gesellschaften berieten, belehrten und leiteten die Älteren die jüngere Generation. Nur wenige traditionelle Kulturen äußerten sich speziell über die Aufgaben der Älteren – sie waren derart in das Gefüge der Gesellschaft einbezogen, daß sich ein besonderer Kommentar erübrigte –, aber die Älteren erfreuten sich, wie wir sehen werden, eines gewaltigen Einflusses und Prestiges.

Das Altern ist demnach ein Studium in Widersprüchen. Es bringt Weisheit mit sich, begleitet von Kummer und Falten. Es bringt eine Schwächung durch die Last der Jahre mit sich, begleitet von der Erleichterung, von der Tyrannei der Hormone und der gesellschaftlichen Erwartungen befreit zu sein. Es bringt das Verlangen mit sich, andere zu lehren, begleitet von der Sorge um das eigene Schicksal. »Alle Wesen altern. Arbeite mit Eifer an deiner Erlösung«, sagte der Buddha. Lassen Sie uns jetzt sehen, wie sich die Religionen diesem merkwürdigen Zustand des körperlichen Verfalls und des spirituellen Wachstums annähern – und wie sie sein Verhältnis zu dem verstehen, was der Buddha »Erlösung« nennt.

Kontemplative Nahaufnahme:
Die letzte Befreiung

»Ein Mann mit Fünfzig ist für sein Gesicht verantwortlich«, lautet eine Redensart. Mit demselben Recht könnte man sagen, daß ein Mann mit Fünfzig für seine Seele verantwortlich ist. Man sollte nicht zuviel von den Jungen verlangen, die vielleicht zu sehr vom Getriebe der Welt benommen sind, um ihrer Innenwelt allzu große Aufmerksamkeit zollen zu können. Aber im mittleren Alter verlagert sich der Schwerpunkt allmählich; das Blut fließt weniger hitzig, und man beginnt zu hören, was in der Bibel die »feine, leise Stimme« des Geistes heißt.

Von allen Religionen betont vielleicht der Hinduismus am deutlichsten diese Wahrheit. Bestimmt betont er mehr als andere Religionen die spirituelle Rolle der Älteren oder zumindest der älteren Menschen, die ihre innere Suche bis ans Ende fortzusetzen wünschen. Der Hinduismus teilt, wie bereits angemerkt, den Lebenszyklus in vier Phasen oder Ashrama auf: Studierender, Haushälter, Eremit und Entsagender. Seit sich dieses System vor rund 2000 Jahren entwickelt hat, betreffen die letzten beiden Ashrama den älteren Menschen.

Ein klassisches Hindu-Leben verläuft streng nach dieser Regel. Ein Mann wird erst Student und dann ein Haushälter. Er wird Vater von Kindern, baut seinen Besitz auf, führt häusliche Rituale aus, genießt die Vergnügungen des Lebens. Nach einer Weile sehnt er sich vielleicht nach mehr. Sex, Essen und Geld befriedigen ihn nicht mehr. Er verwendet mehr Aufmerksamkeit auf seine täglichen Praktiken – meditiert eifrig, studiert die heiligen Texte und kämpft mit seinen Gelüsten. Das kann jahre- oder sogar jahrzehntelang so weitergehen. Dann gibt es eines Tages eine Zäsur durch ein besonderes Ereignis: eine Steifheit in den Knochen, die den Beginn des Alterns signalisiert; einen Todesfall in der Familie; einen geschäftlichen Zusammenbruch; oder die Art und Weise, wie eines schönen Frühlingsmorgens das Licht durchs Fenster fällt. Der Ruf ertönt, das Herz antwortet: Der Haushälter läßt von seinen Annehmlichkeiten und Sorgen, kleidet sich in eine Safran-Robe, nimmt Stab und Bettelschale an sich und ist bereit, den Rest seines Lebens ausschließlich im Streben nach Weisheit zu verbringen.

Die heiligen Schriften der Hindus erwähnen die richtige Zeit für diese persönliche Umwälzung, die das Leben eines Mannes zerbricht und eine unüberbrückbare Kluft zwischen all den Jahren seiner Vergangenheit und den wenigen auftut, die ihm noch verbleiben. Die Zeit ist gekommen, »wenn ein Haushälter (seine Haut) faltig, (sein Haar) weiß und die Söhne seiner Söhne sieht«1 – das heißt, wenn er Großvater ist. Der Mann beginnt ein neues Leben, indem er in das dritte Ashrama eintritt und ein Eremit wird. Die Schriften schildern dieses beschwerliche Leben:

Er möge alle durch Kultivierung gewonnene Nahrung und all seinen Besitz zurücklassen und sich in die Wälder begeben – und die Sorge

363

für seine Frau entweder seinen Kindern überlassen oder von ihr
begleitet werden …
Er möge ein Fell oder ein zerschlissenes Gewand tragen; er möge
am Abend oder am Morgen baden; und er möge (sein Haar) immer
(in) Flechten tragen; und das Haar an seinem Körper, sein Bart und
seine Nägel (mögen ungeschnitten bleiben).2

Manchmal nimmt die Askese heroische Ausmaße an. Die heiligen
Schriften verlangen, daß die Mahlzeiten »ausschließlich aus Blüten,
Wurzeln und Früchten« bestehen.3 Bei der Bekleidung scheint
Unbehaglichkeit an oberster Stelle zu stehen, denn der Eremit trägt
sommers wie winters unpassende Kleidung: »Im Sommer soll er
sich der Wärme von fünf Feuern aussetzen, in der Regenzeit unter
freiem Himmel leben und im Winter sich in feuchte Kleider hüllen.«4 Und womit beschäftigt er sich während seiner Zurückgezo-
genheit? Er betet, meditiert, gibt Almosen, führt Rituale aus. Und
wenn das alles nicht ausreicht, ist er aufgefordert, das letzte Opfer
zu bringen: »Er mag gehen, vollkommen entschlossen und unbeirrt
in nordöstliche Richtung, und sich von Wasser und Luft ernähren,
bis der Körper erschöpft niedersinkt.«5
Unglaublicherweise markiert diese Mühsal erst den Beginn des
Pfades. Sobald er ausreichend gereinigt ist, schreitet der Einsiedler
schließlich ins vierte Ashrama und wird ein Entsagender:

Er soll weder ein Feuer noch eine Ruhestätte besitzen … (er soll)
allem gegenüber gleichgültig (sein), fest nur in dem Entschluß, zu
meditieren (und) sein Denken auf das Brahman* zu richten.
Eine Tonscherbe als Almosenschale, Baumwurzeln (als Ruhela-
ger), rauhe, zerschlissene Gewänder, ein Leben in Einsamkeit und
Gleichgültigkeit allen Dingen gegenüber, das sind die Zeichen eines
(Menschen), der Befreiung erlangt hat.6

---

* Brahman: Das ewige Absolute, die nicht-duale Wirklichkeit, die in den Schlußbe-
  trachtungen der Veden offenbart wird. (Anm. d. Übers.)

Auf diese Weise erfüllt der Hindu sein letztes Schicksal: als besitz-
loser, heimatloser Bettler, der alles aufgegeben hat, um alles zu
erlangen. Heutzutage wird das dritte Ashrama meist ausgelassen,
und der fromme Hindu springt unmittelbar vom Haushälter in
das letzte Ashrama. Dieser Zeitpunkt wird durch eine dramatische
Zeremonie gefeiert: Der neue Sannyasin verabschiedet sich von
seiner Familie, verteilt seinen Besitz, und dann verläßt er sein Heim,
von seinem Sohn begleitet. Nachdem sie ein Stück weit gewandert
sind, halten Vater und Sohn inne und stellen sich Rücken an Rücken.
Dann geht der Sohn ins Dorf zurück, und der Vater – der seine
Familie niemals wiedersehen wird – strebt dem Unbekannten entgegen.

Was sollen wir von solchen Vorschriften und Sitten halten? Ich
vermute, die meisten Leser sind ebenso fasziniert wie distanziert;
von Bewunderung für die Menschen erfüllt, die auf der Suche nach
Weisheit solche Härten auf sich nehmen, und zugleich über das
Ausmaß der Leidensbereitschaft und den Verlust für die Familie
bestürzt. Wir Angehörigen einer modernen Zivilisation, mit Händen
und Füßen an die »Seidenschnur« des Komforts gebunden, können
uns solche Opfer kaum vorstellen, geschweige denn sie selbst auf
uns nehmen. Und doch haben in den vergangenen zwei Jahrtausenden viele Millionen Hindus den Pfad der Entsagung beschritten, und
viele ältere Männer betrachten ihn auch heute noch als erstrebenswert.

Lassen Sie uns zumindest anerkennen, was er uns lehren kann. Der
Entsagende befolgt einen strengen Moralkodex, der schon an sich
viel zur Förderung des inneren Lebens beiträgt:

*Möge er immer fleißig die Veden rezitieren; möge er geduldig sein
im Ertragen von Beschwerden, freundlich (gegenüber allen), gesammelten Geistes, stets großzügig und niemals Empfänger von
Gaben, und voller Mitgefühl allen Geschöpfen gegenüber.7*

Allein schon diese Gebote zu befolgen bedeutet einen großen Schritt nach vorn in der spirituellen Entwicklung. Der Weg des dritten und des vierten Ashrama – die Loslösung aus der gewohnten Kultur und schließlich ein Leben in vollständiger Einsamkeit – schüchtert ältere Inder sicherlich ebenso ein wie junge Amerikaner oder Europäer. Um verstehen zu können, weshalb so viele diese Bürde auf sich nahmen, muß man sich das Ziel vor Augen halten. Ich habe früher in diesem Buch über das schwierige spirituelle Terrain des Familienlebens gesprochen, wo so viele gute Absichten an der Skylla des Ehepartners oder an der Charybdis der Kinder zerschellen. Im indischen Ashrama-System nun finden wir eine radikale Lösung dieses Problems; eine Lösung, die den Sucher genau im geeigneten Moment seines Lebens in eine Situation versetzt, die günstige Bedingungen für einen raschen spirituellen Fortschritt bietet und in diesem oder einem der nächsten Leben zur endgültigen Befreiung führt.

Und dieses Ziel – Befreiung vom Rad der Wiedergeburten, Vereinigung mit dem unendlichen Geist, vollkommenes Wissen und uneingeschränkte Freiheit – ist vielleicht jedes Opfer wert. Zahlreiche Passagen in den Schriften, in denen der Entsagende als »frei von Kummer und Furcht«, »entzückt von allem, was die Seele betrifft«, »ruhend im Brahman allein« beschrieben wird, geben uns einen Vorgeschmack davon. Diese Aussagen erinnern mich an die Art und Weise, wie der heilige Antonius beschrieben wurde – einer der ersten großen christlichen Heiligen –, als er nach zwanzig Jahren Eremitendaseins aus der ägyptischen Wüste kam:

Seine Seele war im Zustand der Reinheit ... wenn er der Menge ansichtig wurde, war er ebensowenig verärgert, wie er begeistert gewesen wäre, hätten so viele Menschen ihn umarmt. Er behielt äußersten Gleichmut bei, wie einer, der sich von der Vernunft leiten läßt und in Einklang mit der Natur steht ... Er tröstete viele, die trauerten, und andere, die einander verfeindet waren, verband er aufs neue in Freundschaft.8

366

Die Gelassenheit in Haltung und Auftreten, die den Sannyasins Indiens und den Wüstenvätern Ägyptens zugesprochen wird, zeugt von einem hohen Grad an spiritueller Vollkommenheit. Wir ahnen, daß diese Männer ihr Leben gut genutzt haben; sie haben, in der allegorischen Sprache der biblischen Sprüche ausgedrückt, »die Krone der Weisheit« errungen.

Nun wollen wir tief einatmen, unsere Selbstzufriedenheit hinunterschlucken und diese Lebensweise mit der Art vergleichen, wie ältere Männer und Frauen in den modernen Industrienationen leben. Wie schon gesagt, das Alter bedeutet für viele Menschen, stundenlang in den Fernseher zu starren oder im Gemeinderaum der Kirche Bingo zu spielen oder eine Woche lang dem kurzen Besuch des Sozialarbeiters am Donnerstag entgegenzusehen. Es ist mehr als offensichtlich, daß solche Aktivitäten nicht viel dazu beitragen, das Herz zu erwärmen – geschweige denn der Seele Nahrung zu bieten.

Vielleicht müssen wir eine Lektion aus dem traditionellen Indien lernen. Im alten Hindu-System, das ich beschrieben habe, wird das Alter ernst genommen. Ältere Menschen werden respektiert. Der Hindu glaubt, daß Falten eine Straßenkarte zum Absoluten darstellen. Er glaubt, daß weiße Haare eher ein Signal zum Start als zur Beendigung der Suche nach Gott sind.

Das Ashrama-System wird in den heutigen Industriegesellschaften niemals heimisch werden. Es ist kulturspezifisch – eingebettet in die indische Tradition. Auf jeden Fall sind Bettler in unserer Gesellschaft nicht wohlgelitten. Aber Annäherungen sind möglich. Tatsächlich finden wir solche Adaptionen in Indien selbst.

Aus leichtverständlichen Gründen sind viele Hindus nicht bereit, die Früchte ihrer lebenslangen Arbeit zu opfern – ganz zu schweigen von der Liebe ihrer Familie –, um ein Sannyasin zu werden. Einige von ihnen schließen einen Kompromiß zwischen spirituellen Zielen und weltlichen Attraktionen, indem sie sich zeitweilig in eine Hütte in der Nähe des Familienheimes zurückziehen, wo sie ein halbes Einsiedlerleben führen. Andere setzen ihr Leben in der

Familie fort, ziehen sich aber aus der aktiven Arbeit zurück, um zu meditieren, Rituale auszuführen und die Schriften zu studieren. Das heißt, sie üben die tägliche Praxis des Entsagenden aus, ohne aber dessen Einsiedlerleben zu führen. Wieder andere leben nach dem Sannyasin-Ideal des unablässigen Wanderns, aber nicht, indem sie als Bettler von Dorf zu Dorf ziehen, sondern indem sie als Haushälter von einem heiligen Pilgerort zum nächsten reisen, wo sie Opfer bringen und Lob- und Dankgebete sprechen. Auch Frauen haben – obwohl seltener als Männer – diese Alternativen zum traditionellerweise nur Männern vorbehaltenen vierten Schritt der vollständigen Entsagung ausgeführt.

Das sind indische Lösungen der Frage, wie man die Essenz der Ashrama – die Suche nach dem Absoluten – am Leben erhält. Da jeder von uns – morgen oder in fünfzig Jahren – selbst alt sein wird, hängt die Frage über uns: Können wir dieses wunderbare Hindu-System nachahmen und in unserer eigenen Kultur einen Weg ausfindig machen, wie wir den Geist von der Geburt bis zum Tod lebendig halten? Können wir im Alter herausfinden, wie wir »entzückt von allem sein können, was die Seele betrifft«, wie es in den Veden steht?

Eine Möglichkeit sind Gemeinschaften der Älteren oder auch Altenwohnheime, die kontemplative Praktiken fördern und dazu ermutigen. Solche Heime – das Prinzip ließe sich vielleicht sogar auf Pflegeheime ausweiten – würden es den Alten gestatten, sich in ihren letzten Tagen ernsthaft mit ihrem inneren Leben zu befassen. Bestimmt kann auch auf individueller Basis vieles getan werden. Es gibt keinen vernünftigen Grund, weshalb Pensionäre in Toronto oder Tokio – wenn sie es wünschen – nicht ein Leben in Sannyasin-Manier führen könnten. Wem dieser Schritt zu radikal erscheint, könnte sich vielleicht, wenn er das Rentenalter erreicht hat, für ein Leben entscheiden, das der Pilgerschaft, dem Gebet und dem Studium der heiligen Texte gewidmet ist. Was in Neu-Delhi möglich ist, sollte auch in New York Realität sein können.

Diese Vorschläge hören sich vielleicht weltfremd an, aber das Problem bleibt bestehen: Die materialistische Zivilisation hat dem alten Menschen keine spirituelle Rolle anzubieten. Um auch nur anfangen zu können, diese Lage zu begreifen, und um einen Ausblick auf potentielle Lösungen zu erhaschen, müssen wir, wie ich glaube, über die Bedeutung der alten Menschen nachdenken. Die Gesellschaft muß sich fragen, was es bedeutet, viele alte Menschen zu haben – ein unermeßliches Reservoir an Wissen und Erfahrung, das zur Zeit weitgehend passiv bleibt. Und die Älteren selbst müssen sich die Frage stellen, wie sich dieser gewaltige Fundus an Wissen und Fertigkeiten für ihr eigenes sowie für das Leben der jüngeren Generation nutzen läßt.

Altern: Eine spirituelle Ernte

Die älteren Menschen

Gestern habe ich mir zum sechsten oder siebten Mal Frank Capras Lost Horizon (dt.: »Der verlorene Horizont«) angeschaut, einen magischen Film über ein magisches Königreich im Herzen des Himalaja. Es gibt viele Gründe, sich diesen Film anzuschauen: Ronald Colman als schneidiger britischer Diplomat, wundervolle neotibetische Szenen, spektakuläre Bergaufnahmen, die Wunder von Shangri-La selbst. Was aber am meisten mein Herz ergriff – und woran sich die meisten aus diesem Film erinnern –, ist Sam Jaffes erstaunliche Darstellung des 200 Jahre alten Paters Perrault. Seine sanfte Stimme, sein überragender Geist und sein würdiges Auftreten verkörpern alles, was man unter »Alter« versteht.

Der allgemeine Beifall für Jaffes Darstellung ist, wie ich glaube, ein gutes Indiz dafür, daß die Vorstellung, die man von alten Menschen hat, tief in unserer Psyche wurzelt. Wir benötigen alte Menschen verzweifelt – ihren Rat, ihre Hilfe. Wenn ein älterer Mensch mit einer echten spirituellen Kraft auftritt – Mutter Teresa ist ein gutes Beispiel dafür –, schreit die Welt vor Freude.

Allerdings haben wir nur wenige Menschen dieser Art. Unsere sogenannten »älteren Staatsmänner« sind gewöhnlich müde Politiker, zurückgetretene Generäle oder dergleichen. Meistens sind sie uns keine große Hilfe.

In vielen traditionellen Kulturen hingegen kommt älteren Männern und Frauen eine ehrenvolle Rolle zu. In den Augen der Tradition sind Alter und Weisheit fast Synonyme (»Kein weiser Mann hätte sich je gewünscht, jünger zu sein«, sagte Jonathan Swift). Die Älteren lehren die Jüngeren, heilen die Kranken, üben Gerechtigkeit, erklären Frieden oder Krieg und erzählen jene Geschichten, in denen sich der Sinn des Lebens verbirgt. Sie sorgen, allgemein gesagt, für das spirituelle Wohlergehen der Gemeinschaft. Lassen Sie uns ein paar dieser Aktivitäten genauer betrachten:

Lehren

Vielleicht erinnern Sie sich jener Szene in dem Film Independence Day, in der ein älterer, seinem Glauben schon seit langer Zeit entfremdeter jüdischer Mann seine Jarmulke aufsetzt, die Bibel zur Hand nimmt und die Kinder tröstet, die sich um ihn drängen, während Raumschiffe Außerirdischer die Erde angreifen. Wir wissen nicht, was er den Kindern vorliest, aber es könnte gut folgende Passage aus Psalm 92 gewesen sein: »Noch im Alter tragen sie Frucht, sind voll Saft und voll Leben.« Das ist die eigentliche Aufgabe der Älteren: Die Frucht der Weisheit hervorzubringen, damit die jüngere Generation sie verzehren kann – den Jüngeren beizustehen und sie zu belehren.

Bei den !Kung San sorgen die Großmütter für ihre Enkel, wenn die Mütter auf Nahrungssuche sind. Dieses Sorgen besteht nicht nur in den alltäglichen Pflichten wie Essen bereiten und ankleiden, sondern auch darin, den Kindern die grundlegenden !Kung-San-Tugen-

370

den Freundlichkeit, Fleiß und Demut einzupflanzen. In fast allen Kulturen übernehmen die Großeltern die Aufgabe, die moralischen und religiösen Grundsätze zu vermitteln, die das Rückgrat der Gesellschaft bilden. Bei den !Kung San und bei vielen anderen Völkern geschieht diese Erziehung durch Geschichtenerzählen – und geschickte Geschichtenerzähler erfreuen sich eines großen Respekts. Bei den Coast-Salish-Indianern im Staat Washington und in Britisch-Kolumbien sind fast alle Älteren dann und wann als Geschichtenerzähler tätig und übermitteln einer neuen Generation den kulturellen Schatz des Volkes. In der Tat bemerkt eine Gelehrte: »Der Archetypus der mitleiderregenden Gestalt in der Mythologie der Coast Salish ist das Kind ohne Großeltern, die es unterweisen könnten.«9

Heilen

Das Bild des vor Alter gebeugten Heilers – eine der profiliertesten Gestalten in der westlichen Pop-Kultur (von Marcus Welby bis Ruth Westheimer) – erweist sich als exakte Wiedergabe der Rolle der Älteren in vielen Kulturen. Mit den Lebensjahren sammelt sich auch das Wissen an, insbesondere das Wissen über Krankheiten und ihre Heilung. Bei den !Kung San werden ältere Männer und Frauen von den beschwerlichen Aufgaben des Jagens und Sammelns befreit und widmen einen Großteil ihrer Zeit der Vervollkommnung ihrer Heilkunst. Oft treten sie zu diesem Zweck in einen Trancezustand ein, um unmittelbar mit der geistigen Welt kommunizieren zu können. Bei den Kirgisen in Afghanistan hat niemand unter 30 Jahren den Einblick, um die Welt der Geister zu begreifen; deshalb fällt die Rolle des Bahkshi – der unter anderem durch böse Geister hervorgerufene Leiden kurieren muß – den älteren Stammesmitgliedern zu.

Führerschaft

Wenn wir alle Anführer der Welt – alle Präsidenten, Premierminister, Generalissimi, obersten Vorsitzenden, Könige und Königinnen – auf einer einzigen Bühne zusammenbringen könnten, würden wir neben all dem Zanken und Streiten, das unvermeidlich ist, wenn unterschiedliche Sprachen und Ideologien zusammentreffen, eines entdecken, das ihnen allen gemeinsam ist: Sie haben alle Falten. Indem sie ältere Menschen als Anführer wählt – wenn auch auf verschiedene Weisen –, versichert sich die moderne Welt der Weisheit der Traditionen.

Bei den Coast Salish blieben – wenigstens bis zu ihrem Kontakt mit Europäern – alle politischen und ökonomischen Führungsposten mit Ausnahme der Kriegskunst (die jungen Männern oblag) den Alten vorbehalten. Bei den Asmat in Neu-Guinea gehört die Macht den Tesmaypits, alten Männern, die sich in der Holzschnitzerei und anderen Künsten auszeichnen. Aber wir müssen uns nicht auf traditionelle Gesellschaften beschränken. Die fünf größeren Weltreligionen – Buddhismus, Christentum, Hinduismus, Islam und Judaismus – setzen ihr ganzes Vertrauen in die Älteren. Eine scheinbare Ausnahme erblicken wir im tibetischen Buddhismus, wo der derzeitige Dalai-Lama seinen Titel mit drei Jahren erhielt. Aber dieses extrem junge Alter ist irreführend, denn Tenzin Gyatso soll die Reinkarnation einer Seele sein, die bereits in einer langen Reihe von Dalai-Lamas inkarnierte – bis zurück ins sechste Jahrhundert – und über die angesammelte Weisheit dieser vielen Jahre verfügt. Auch hier finden wir also, daß Alter, Weisheit und Führerschaft zusammentreffen, wenn auch in verschleierter Form.

Was können wir aus dieser Art und Weise, wie alte Menschen in verschiedenen Religionen und Kulturen gesehen werden, schließen? Daß die Alten in vielen Bereichen – darunter Gesundheitswesen, Erziehung und Regierung – besondere Beiträge zu leisten haben; daß diese Beiträge genau mit denjenigen spirituellen Ressourcen zusammenhängen, über die ältere Menschen im Überfluß verfügen; und daß wir jämmerlich darin versagt haben, in unserer eigenen Kultur entsprechende Aufgaben für die Älteren zu finden. Eine große Ressource bleibt ungenutzt, und die Frage drängt, was wir im Hinblick darauf unternehmen werden.

Ein Besuch bei Ram Dass

Paul besucht Ram Dass und spricht mit ihm über das Altern.

Vor seinem Schlaganfall sah man Ram Dass häufig in seinem Vorkriegs-MG mit aufklappbarem Verdeck in San Anselmo, Kalifornien, wo er sein Haus hatte, umherfahren – sein weißes Haar im Fahrtwind wehend. Er trauerte dem Sterben des Lichts nicht nach. Aber diese scheinbar alterslose Persönlichkeit der Gegenkultur, der spirituelle Lehrer, war alt geworden – wie so viele andere. Obwohl er im Augenblick ein Buch über das Altern schrieb, dachte ich, daß er zu spät angefangen hatte, sich mit der älteren Generation zu identifizieren. Noch vor kurzem hatte er anläßlich eines Interviews mit einem britischen Fernsehsender das Pronomen sie benutzt, wenn er über ältere Menschen sprach. Ich bereitete mich darauf vor, ihn mit diesem Ausrutscher zu necken und ihn über dieses Thema, über das er viel nachgedacht hatte, sprechen zu hören. Er empfing mich in seinem viktorianischen Haus, schenkte mir Apfelsaft ein, und wir kamen gleich zum Thema.

»Wenn ich nach Indien komme«, begann er, »und in ein Dorf gehe und die Leute sagten, ›Ram Dass, du siehst viel älter aus‹, fühle ich mich instinktiv herabgesetzt. Aber dann lausche ich dem Ton ihrer Stimme, und ich höre, daß sie mich in Wahrheit ehren. Indien ist eine traditionelle Gesellschaft, in der Alter Weisheit und die Fortsetzung des Geschlechts bedeutet. Ich bin jetzt jemand, dem man Ehre erweist, statt über ihn zu verfügen. Also müssen wir – wenn wir Bewußtheit in unser Altern einbringen wollen – als erstes darüber meditieren, was unsere Kultur uns angetan hat.«

Die Angst vor dem Alter, vor dem Verlust unserer Kräfte, davor, beiseite geschoben und als altmodisch betrachtet zu werden, ist in unserer westlichen Kultur so tief verwurzelt, daß wir selbst dann, wenn wir ältere Menschen würdigen, dies tun, indem wir ihre unverwüstliche Jugend preisen: »He, habt ihr das von Linda gehört? – Sie ist Siebzig und hat sich einen neuen Liebhaber genommen!« Oder: »Mann! Ed ist schon 82 und klettert immer noch auf Berge!« Wir sind so versessen darauf, die Jugend und ihre besondere Energie zu feiern, sagt Ram Dass, »weil wir nicht wissen, was es sonst noch gibt«.

Um herauszufinden, was es sonst noch gibt, schlägt Ram Dass vor, daß wir damit beginnen, unsere Aufmerksamkeit mehr auf die Zeit zu lenken – und auf die Veränderung und die Möglichkeit, mehr in dieser seltsamen Zeitlosigkeit des gegenwärtigen Augenblicks zu leben. Wenn das Altern dazu führt, daß wir der Vergangenheit nachtrauern und uns wegen der Zukunft sorgen (von der die meisten von uns den Eindruck haben, daß sie rascher auf uns zukommt und weniger reizvoll ist), besteht die Lösung darin, daß wir mit unserem Bewußtsein im gegenwärtigen Augenblick verweilen.

»Unsere Egos lehren uns, Zeit-Binder zu sein«, bemerkt Ram Dass. »Schon als Kleinkinder richten wir unser Augenmerk in die Zukunft. Dann, wenn wir älter werden und die Zukunft uns weniger verlockend erscheint, begeben wir uns rasch in die Vergangenheit und schwelgen in Erinnerungen. Wir erkennen nicht, wo all diese Bewußtseinsmanipulationen stattfinden – nämlich in diesem Augenblick.«

Das Verweilen in der Vergangenheit, die Rückkehr zu einem vergangenen Augenblick, zerrt uns in den Bewußtseinszustand zurück, in dem wir uns damals befanden. Wir werden von Gefühlen überschwemmt, die wir damals hatten, obwohl wir längst nicht mehr dieselbe Person sind. Wir müssen unsere Erinnerungen in unser gegenwärtiges Bewußtsein bringen und sie im Licht unserer neuen Achtsamkeit betrachten. »Wenn Sie dies tun«, sagt Ram Dass, »verliert die Geschichte ihre Kontrolle über Sie.«

Ram Dass erinnert sich daran, sich sehr schuldig gefühlt zu haben, als seine Mutter starb, weil er nicht genug Zeit mit ihr verbracht und nicht genug für sie getan hatte. »Ich habe die Schuld mit mir herumgetragen, und wenn ich jetzt dorthin zurückgehe, in diese Erinnerungen, kommen wieder die alten Gefühle hoch – die Gefühle, die zu der Person gehören, die ich damals war. Aber wenn ich einfach über all das meditiere und es in den gegenwärtigen Augenblick bringe, geschieht etwas Interessantes. Ich fange an zu sehen, weshalb sie so war, wie sie war, und weshalb ich so war, wie ich war. Oder weshalb mein Vater tat, was er getan hat. Wenn ich achtsam über all das meditiere, entwickle ich Mitgefühl für die gesamte Situation. Die Bilder der Vergangenheit haben nicht mehr die Macht über mich, die sie vorher hatten, weil ich sie auf den Stand des gegenwärtigen Augenblicks gebracht habe in meinem jetzigen Bewußtsein.«

Wenn wir mit der vollständigen Vergangenheit in unserem gegenwärtigen Bewußtsein leben können, ist es uns auch möglich, unsere Gedanken über die Zukunft in die Gegenwart zu bringen und uns ihnen in einem entsprechenden Geist des Anerkennens und des Nicht-Urteilens zu widmen. Zukunft heißt für uns vor allem Angst vor künftigen Leiden – darunter die Furcht vor dem Verlust unserer körperlichen und geistigen Kräfte und die Angst vor dem Sterben. Ram Dass glaubt, daß unsere Befürchtungen, wenn wir sie in unser gegenwärtiges Bewußtsein einbringen und sie bewußt untersuchen – wenn wir über sie meditieren, statt sie zu scheuen –, weniger düster und bedrohlich werden. Auch wenn uns unsere Aussichten nicht gefallen – allein schon der Mut, uns ihnen nicht zu verschließen, ruft die Ressourcen unseres Geistes auf den Plan und befähigt uns, die Ursachen unseres Leidens gründlicher zu untersuchen. Wie begründet sind all unsere Ängste?

Obwohl unsere Spekulationen auf diesem Gebiet zu einem Reichtum an Metaphern geführt haben, wissen wir nicht wirklich, was uns nach dem Tod erwartet. Die Frage ist, wie wir mit Dingen umgehen, die wir nicht kennen. Wie bereitet man sich darauf vor, der letzten Ungewißheit mit einer gewissen Abenteuerlust und Freude entgegenzusehen? »Die beste Vorbereitung«, sagt Ram Dass, »ist, jeden Augenblick zu leben.«

Die letzten Tage

Früher oder später macht sich das hohe Alter bemerkbar. Elan und Schwung mögen mit Achtzig oder sogar mit Neunzig noch vorhanden sein, aber nur wenige Hundertjährige entkommen dem Rollstuhl oder dem Bett. Das meiste von dem, was ich über die älteren Menschen gesagt habe, trifft nur auf diejenigen zu, die körperlich und geistig fit sind, die fähig sind, die Verantwortungen zu tragen, die das Geschäft des Alterns mit sich bringt. Aber wie steht es mit denjenigen, deren Arme zu schwach zum Tragen geworden sind? Was ist mit jenen, die von Erschöpfung, Blindheit, Senilität oder einem der übrigen ungezählten Leiden des hohen Alters betroffen sind? Hier fängt eine neue Phase des Lebens an – eine Arbeit, die sich auf Mut und Hoffnung stützt.

John Neihardt, Poeta laureatus von Nebraska und Sekretär von Black Elk, erzählt von einem seiner Sioux-Freunde, der sich im hohen Alter eine Visionssuche ins Gedächtnis rief, die er Jahrzehnte zuvor ausgeführt hatte. Wie Neihardts Freund sich erinnerte, hatte er gebetet, gefastet und auf eine Vision gewartet, aber nichts geschah. Die Vorfreude machte der Verzweiflung Platz, und er dachte daran, vor Scham fortzulaufen. Auf dem Höhepunkt seiner Agonie, als alles ihm düster erschien, ertönte eine Stimme über seinem Kopf. Er schaute hoch und erblickte einen Adler, der im Wind segelte und sagte:

»Hoka-hey, Bruder – halte durch, halte durch; es erwartet dich noch etwas!«

Der alte Sioux, der sich an diesen Augenblick erinnerte, sagte zu Neihardt: »Als ich dies hörte, durchlief mich eine Kraft, die mich niemals verlassen hat, so alt ich auch bin. Oft, wenn es mir so schien, als wäre das Ende gekommen, habe ich den Ruf des Adlers gehört – halte durch, halte durch; es erwartet dich noch etwas ...!«10

Dieser Rat »durchzuhalten«, der von dem Adler kommt – und somit von Wakan Tanka oder Gott –, wird der Ruf aller alten Menschen, die ihre Kräfte in die undurchdringliche Nacht des Zerfalls und Todes dahinschwinden sehen. Das ist reiner Mut, reine Entschlossenheit – gestützt auf die Erfahrung eines ganzen Lebens, das immer lehrt, daß uns noch etwas erwartet. Wenn alles »stopp!« schreit, machen wir weiter. Während der Körper welkt, erblüht das Herz aufs neue. Es folgt eine Beschreibung des Chirurgen James Paget im Verfall seiner letzten Jahre, verfaßt von seinem Sohn:

Paget hatte auf alles verzichten müssen: die Gesellschaft seiner Frau und den Anblick seiner Freunde; die bloße Kraft zu stehen, seinen Namen zu schreiben oder lauter als im Flüsterton zu sprechen. Diese letzten beiden Jahre seines Lebens waren ein reines Wunder; sie lassen sich nicht einfach mit einer natürlichen Erklärung der Dinge in Einklang bringen ... Er gab alles auf, was an sein altes Leben erinnert hätte – mit einer gewissen höflichen, halb humorvollen Sanftheit. Solange er noch einen Ton von ihr hören konnte, genoß er die Musik; solange er noch ein Wort von ihnen erkennen konnte, las er in seinen Andachtsbüchern ... Je länger er lebte, desto abgeklärter wurde er.11

Pagets Ausharren im Lichte des fortschreitenden Sterbens all seiner Kräfte bewegt uns tief. Hier ist der Mut, wie Neihardts Freund ihn empfiehlt, aber ein Mut von besonderer Art – weder aggressiv noch ängstlich, sondern »mit einer gewissen höflichen, halb humorvollen

Sanftheit« im Herzen. Die einzig mögliche Antwort auf die Endzeit-Katastrophen des hohen Alters, so läßt Paget erkennen, ist die einer liebenden Unterwerfung, in dem Wissen, daß »uns noch etwas erwartet«.

Ich muß an dieser Stelle an eine alte Frau denken, die ich vor rund 20 Jahren gekannt habe. Sie litt an Krebs und mußte – wie Paget – hilflos zuschauen, wie das erbarmungslose Fortschreiten ihrer Krankheit sie all ihrer gewohnten Vergnügen beraubte. Sie konnte nicht länger durch das Boston Arboretum schlendern oder sich mit ihren Freundinnen in ihrem Lieblingscafé am Harvard Square zu Tee und Muffins treffen – oder auch nur ein Buch lesen. Nicht mehr lesen zu können war für sie ein letztes Opfer von unvergleichlicher Größe, da sie das geschriebene Wort – besonders die Lyrik – ihr ganzes Leben lang geliebt hatte. Während die Welt meiner Freundin sich allmählich auflöste, sah ich eine Veränderung über sie kommen – besonders in ihrem letzten Lebensjahr: Ihre Gesichtszüge wurden schärfer, ihre Augen heller, und ihre Haut wurde durchscheinend. Ihr Gesicht schien von innerem Licht zu erglühen. »All das«, sagte sie eines Tages, aufrecht im Bett sitzend, und deutete auf ein paar zerlesene Gedichtbände und dadurch indirekt auf Wälder und Wiesen, Freunde und gutes Essen, was ihr ebenfalls versagt war, »all das … vermisse ich schrecklich. Aber was spielt das für eine Rolle? Dahinter ist etwas anderes.«

Was ist dieses »noch etwas«, von dem der betagte Sioux sprach; dieses »etwas anderes«, in dem meine Freundin Trost fand? Niemand vermag es genau zu sagen, und vielleicht ist es bei jedem Menschen etwas anderes. Für viele gehört gewiß die Entdeckung von etwas im inneren Leben dazu, das von den Verheerungen des Alters ausgenommen zu sein scheint. Lesen Sie, was Reverend George Congreve, taub und schmerzgepeinigt, schrieb, als der Tod sich ihm nahte:

378

Wenn ich mein Heim nicht länger in dieser Welt finde, liegt das daran, daß Gott mich, meine Liebe, meine Habe, meine Erinnerungen, meine Hoffnungen, von einem Ort zurückruft, in dem der eisige Wind des Todes alles Kostbare anhaucht; wo nichts Gutes von Dauer sein kann, sondern Nacht anbricht und nur frostige Einsamkeit und Schweigen bleiben. Dies ist kein Heim, dies ist nichts als eine Unterkunft ... Ich muß anfangen, mich nach dem Heim zu sehnen. Ich scheine fast zu schlafen, aber mein Herz ist wach ... Das Gedächtnis schläft, das Tun schläft, das Denken schläft, aber die Liebe ist wach; sie hat sich von der Oberfläche des Lebens in die Mitte zurückgezogen.12

Auch Congreve sieht die vertrauten Merkmale des Lebens vor seinen Augen dahinschwinden. Auch er antwortet mit Annehmen, und er definiert für uns die wahre Natur der »höflichen, halb humorvollen Sanftheit« Pagets: Es ist Liebe. Die Liebe ist wach, wenn alles andere schläft; Liebe verleiht dem Alter mit all seinen Schrecken und Verlusten Bedeutung und Anmut. Diese Liebe liegt in der »Mitte«, sagt Congreve; es ist dieselbe Liebe, der wir bei unseren täglichen Gebeten und Meditationen begegnen; in unseren täglichen Bemühungen, an die Quelle des Seins zurückzukehren. Hier, im sehr hohen Alter, wird sie der Anker – nicht nur für den Alltag, sondern für das Leben selbst.

Achtsamkeits-Glocke, Upaya   Meridel Rubenstein

380

Kapitel 16
Sterben

Als wir letzten Sonntag zur Kirche fuhren, kamen meine Familie und ich an einem der Friedhöfe des Orts vorbei. Es ist ein klassischer englischer Gottesacker; ein Stück sandigen Bodens, das dreißig oder vierzig schiefe, von Flechten umrandete Grabsteine enthält, deren Inschriften Wind und saurer Regen beinahe unleserlich gemacht haben. Ich verlangsamte den Wagen, um nach meinem bevorzugten Grabmal Ausschau zu halten, einem geschwärzten Stein mit einem grinsenden Totenschädel, dem allgegenwärtigen puritanischen Symbol der Sterblichkeit. In diesem Augenblick meldete sich mein zehnjähriger Sohn John.

»Ich möchte neben Mo Vaughn beerdigt werden«, sagte er. Ich sollte vielleicht erklären, daß Mo Vaughn, ein Sportler von olympischer Kraft und Gewandtheit, die wichtigste Rolle bei den Boston Red Sox spielt.

»Warum?« fragte ich.

»Weil dann meine Seele mit ihm Baseball im Himmel spielen kann«, erwiderte er, »und mein Körper mit ihm Baseball unter der Erde spielen kann.«

Ich lachte und fragte mich: Geschieht es schon mit zehn Jahren? In diesem kindlichen Wunsch, der aus einer ganzen Reihe von Gründen wahrscheinlich unerfüllt bleiben wird, hatte mein Sohn das ganze gestörte Verhältnis unserer Spezies zum Tod zusammengefaßt. Auf der einen Seite war da die Angst, daß mit dem Tod alles vorbei sein könnte, daß unser Verlust endgültig ist (keine Ballspiele mehr!) – und damit verbunden der Wunsch, alles zu tun, was nötig ist, um alles in Ordnung zu bringen. Auf der anderen Seite gab es die Hoffnung: den Traum, daß wir unseren Tod überleben, daß wir in himmlischen Gefilden (und nach John auch vor den verblüfften Augen der Maulwürfe und Dachse unter der Erde) Ball spielen können.

Diese Ambivalenz bestimmt unsere gesamte Einstellung dem Tod gegenüber. Denken Sie nur an die Kryonik, jene Technik, die Verstorbenen in einem Bad aus flüssigem Wasserstoff einzufrieren und sie in das zu verwandeln, was die Science-fiction-Autoren »Korpsikel« nennen – in der verwegenen Hoffnung, daß eine künftige Generation sie auftauen, die Krankheit, an der sie gestorben sind, heilen und ihnen buchstäblich ein neues Leben schenken wird. Was halten Sie von dieser merkwürdigen Praxis, die im Grunde nichts weiter ist als eine technische Glosse auf die Mumifizierung? Nach meinen Erfahrungen macht es die meisten von uns nervös, daran zu denken. Wir kichern unbehaglich und machen Witzchen wie: »Viele sind kalt, aber nur wenige sind gefroren.« Wir finden es würdelos und höchstwahrscheinlich vergeblich, die Toten zu vereisen. Wir ahnen, daß der Tod Besseres verdient.

Die großen Religionen stimmen dem zu. Keine von ihnen behandelt den Tod verächtlich. Der Tod ist ein großes, wenn auch trauriges Ereignis – wie der Besuch eines grausamen Eroberers von jenseits des Meeres. Die Religionen stellen den Tod als gierigen Verschlinger, als bleiches Skelett oder als furchtbaren Sturmwind dar – aber sie geben ihm immer, was ihm zusteht. Und sie sind sich über eines einig: Daß der Tod nicht das Ende ist. Der Tod ist eine als Mauer verkleidete Tür.

Sogar jene nicht-religiösen Lehren, die ein Leben nach dem Tod verneinen, gestehen ein, daß der Tod dem Leben Bedeutung und Würze verleiht. »Ein freier Mann denkt an nichts weniger als an den Tod«, sagte Spinoza, »und seine Weisheit ist kein Nachdenken über den Tod, sondern über das Leben.« Chuang Tzu vertritt die stoische Haltung:

382

Leben ist der Begleiter des Todes, Tod ist der Beginn des Lebens.
Wer begreift den Zusammenhang? Das menschliche Leben ist an
den Atem gebunden. Kommt er, ist Leben; verstreut er sich, ist Tod.

Und doch ... wenn wir genau wüßten, daß die Kryonik funktioniert – wie viele Millionen würden zu den Kältetanks eilen – auch
dann, wenn der Preis 150.000 $ pro Korpsikel betrüge! »Ich möchte
nicht durch mein Werk Unsterblichkeit erlangen«, sagte Woody
Allen. »Ich möchte sie erlangen durch Nichtsterben.« Niemand hat
die Schrecken des Grabes lebendiger gezeichnet als Shakespeare:

> *Ach, zu sterben, und nicht zu wissen,*
> *   wohin wir gehen,*
> *Zu liegen in kalter Enge und zu faulen,*
> *Daß diese empfindsam-warme Bewegung*
> *Ein Lehmklumpen muß werden;*
> *   und die befreite Seele*
> *Muß baden in feurigen Fluten, oder hausen*
> *In schauerlichen Regionen dicken Eises;*
> *Gefangen im unsichtbaren Wind,*
> *Blasen mit ruheloser Hast rings um*
> *Die schwebende Welt ... es ist zu schrecklich!*
> *Das traurigste und verabscheuteste weltliche Leben,*
> *Das Alter, Schmerz, Armut und*
> *   Gefangenschaft*
> *Uns auferlegen kann, ist ein Paradies, verglichen*
> *Mit dem, was wir vom Tod befürchten.*

Shakespeare, so hat man beobachtet, besitzt keine charakteristische
Persönlichkeit. Sein Genius liegt in seiner kalten Objektivität; er ist,
wie Jorge Luis Borges es ausdrückt, »alle Menschen«. Er spricht für
alle – und nirgendwo mehr als hier. Selbst für Menschen, die an ein

383

ewiges Leben glauben, hat der Tod manchmal etwas Unheimliches. Traditionelle Geschichten über die Herkunft des Todes beschreiben ihn oft als einen Unfall, einen Irrtum oder die Folge einer Sünde. Die afrikanische Erzählung von den beiden Boten ist typisch dafür: Gott sendet zwei Tier-Boten auf die Erde – das Chamäleon, das den Menschen verkünden soll, daß sie ewig leben, und die Eidechse, die ankündigen soll, daß Menschen sterben. Das Chamäleon bummelt unterwegs, und die Eidechse kommt als erste an. Wegen dieser Saumseligkeit des Chamäleons sind wir zum Grab verdammt.

Die meiste Zeit über verbannen wir den Tod aus unserem Gesichtsfeld. Der Tod ist eine Illusion; der Tod ist etwas, das anderen widerfährt. Aber das ändert sich, wenn wir mit den Jahren grau werden, Falten bekommen und krumm werden. Eltern sterben, Kinder sterben, Freunde sterben. Wir stellen fest, daß wir vom Tod umgeben sind – nicht nur vom theoretischen Tod, vom Tod als Salz des Lebens, dem Tod als Guru in der spirituellen Praxis, sondern auch von der schlaffen Haut und dem rasselnden Atem des wirklichen Todes. Plötzlich erkennen wir, was der Buddha gemeint hat, als er sagte: »Für den Geborenen gibt es so etwas wie nicht sterben nicht.« Diese Erkenntnis kann ein ziemlicher Schock sein. Während meines ersten Studienjahres an der Wesleyan University machte mich mein Englisch-Professor – ein gelehrter Mann Ende Vierzig – sprachlos, als er mir beschrieb, wie er sich nach dem Tod seiner Mutter für mehrere Wochen in sein Bett geflüchtet hatte, als ihm dämmerte, daß auch er sterben würde. »Ich hatte es mir nicht klargemacht«, sagte er und schüttelte den Kopf. »Ich hatte es mir einfach nicht klargemacht …«

Irgendwann einmal klopft der Tod an unser Bewußtsein, und es wird zu einem Imperativ, daß wir ihm entgegensehen; daß wir uns – zumindest provisorisch – darauf vorbereiten, daß diejenigen, die wir lieben, und wir selbst sterben werden. »Zu lernen, dem Tod ins Angesicht zu schauen«, sagte einst eine ältere, spirituell sehr fortgeschrittene Frau zu mir, »ist die wichtigste Aufgabe von allen.«

Lassen Sie uns nun eine Reihe von Methoden – neuen und alten – kennenlernen, wie wir dieser unentrinnbaren Herausforderung begegnen können.

Kontemplative Nahaufnahme: Therese Schroeder-Sheker

Paul befaßt sich mit dem ungewöhnlichen Werk von Therese Schroeder-Sheker.

Das Chalice of Repose (Der Kelch der Gelassenheit)

Der Clark Fork River schlängelt sich durch das Bitterroot-Tal in Montana, das von den schroffen Gipfeln der Rocky Mountains flankiert wird. Der Tag neigte sich seinem Ende zu, und der bleigraue Himmel – schwanger vom ersten Schnee des Jahres – und das schwarze Wasser des Flusses trugen gemeinsam dazu bei, mich schmerzlich an meinen Verlust zu erinnern. Heute vor sechs Jahren war mein Vater in seinem Krankenhausbett gestorben. Max starb allein, irgendwann zwischen Mitternacht und Morgendämmerung. Seine Leiche, die ein Wärter entdeckt hatte, wurde in den Sack gehüllt und in die Lade geschoben, bevor ich das Krankenhaus in San Diego erreichen konnte. Die Ärzte hatten mir keinerlei Nachricht zukommen lassen, daß der Zustand meines Vaters kritisch war. Ganz im Gegenteil.

Meine Mutter war da, um sich um alles zu kümmern, deshalb kam mein Zorn über Unbeweglichkeit und kalte Unbeteiligtheit des medizinischen Establishments nicht zum Ausbruch. Aber manchmal kommt er an die Oberfläche, und ich breche in Tränen aus, wenn ich in meiner Phantasie am Krankenlager meines Vaters bin, während er stirbt. Ist er friedlich gestorben? War er bei Bewußtsein, und hatte er Angst? Hat er nach mir gerufen? Ich wäre zu ihm ins Bett geklettert und hätte ihn in meinen Armen gehalten, wie ich es getan hatte, wenn er krank war.

Ein sterbender Mensch sollte umarmt werden. Das ist das Bild aus den Filmen, die ich als Junge im Zweiten Weltkrieg sah. Der Held hält seinen sterbenden Kameraden in den Armen und tröstet ihn mit dem Versprechen, immer an ihn zu denken, und er stößt Racheschwüre hervor, als dem Sterbenden ein letzter rubinroter Blutstropfen aus dem Mundwinkel rinnt. Sogar auf dem chaotischen Schlachtfeld starb ein Mensch in der bedingungslos liebenden Gegenwart eines anderen.

Das ist es, woran ich mich erinnere.

Nur wenige Kilometer vom Clark Fork River entfernt, in der Universitätsstadt Missoula, lebt eine Frau, die den körperlichen und spirituellen Nöten Sterbender mit Hilfe von Musik entgegenkommt. Therese Schroeder-Sheker ist die Gründerin des Chalice of Repose Project (»Kelch-der-Gelassenheit«-Projekt), einer klinischen Praxis im St. Patrick Hospital von Missoula, die jedem Sterbenden eine liebevolle Betreuung bietet. In den letzten vier Jahren haben Chalice-Betreuer an mehr als 1300 Sterbebetten gewacht und die körperlichen und inneren Prozesse der Sterbenden mit musikalischer Hilfe gefördert. Wenn die Medizin nicht mehr helfen kann, wenden Ärzte am Krankenhaus sich an Chalices kontemplative Musiker, damit sie helfen, die körperlichen Schmerzen und seelischen Qualen des Sterbenden zu lindern.

Thereses Heim ist ein Blockhaus zwischen Tannen, Pappeln und Apfelbäumen. Hinter dem Haus stehen dichte Baumgruppen, davor steht eine verwitterte ehemalige Kirchenbank, von der man einen Ausblick auf die Ebene und – in der Ferne – die Berggipfel hat. Im Haus dringt Licht aus Fenstern herein, die sich auf die Wiese und das dahinterliegende Tal öffnen. Auf einem Fensterbrett thront eine Shruti, ein Blasebalg-Instrument aus Ostindien. Eine Viola da gamba ist an eine Wand gelehnt.

386

Therese stimmt ihre Harfe. Mit der linken Hand dreht sie die Stellschraube, während sie mit der Rechten gedankenvoll an den Saiten zupft. Ein Ohr an den Harfenkörper gedrückt, lauscht sie. »Ich bin sicher«, sagt sie, »daß nicht wir die Harfe auswählen, sondern daß sie uns ruft.

Meine Reaktion auf die Harfe war total und unbedingt – genauso, wie Menschen sich verlieben. Dann, als ich anfing, sie spielen und stimmen zu lernen, erkannte ich es: Mein Gott, dachte ich, dieses Ding hat mich gerufen, weil es eine vollständige Einführung in das innere Leben ist. Der Körper einer Harfe muß – ebenso wie ein Kelch (engl. chalice) – leer sein, damit wir ihm einen Ton entlocken können. Um das Stimmen zu erlernen, muß man täglich winzige Handgriffe üben – mehrmals täglich. Das Stimmen der Saiten ist eine Metapher für unser eigenes Seelenleben. Jeder von uns kann Gedächtnisstützen einstudieren, wie er im Einklang mit anderen und mit sich selbst sein kann. Stimmt mein Denken mit meinen Gefühlen überein? Stimmt mein Fühlen mit meinen Taten überein? Man erlernt all diese Beziehungen Schritt für Schritt, wenn man beständig die Saiten einer Harfe stimmen und nachstimmen muß.«

Vor 25 Jahren war Therese Musikstudentin und arbeitete als Schwesternhelferin in einem Altersheim in Colorado. Sie wurde angewiesen, jeden frisch Verstorbenen sofort in einen Leichensack zu legen, damit er ins Leichenschauhaus gebracht werden konnte. Erst dann wurden die Angehörigen telefonisch verständigt. Sie wurde angewiesen, das Sterbezimmer umgehend zu reinigen und zu desinfizieren, so daß das frei gewordene Bett sogleich neu belegt werden konnte. Die junge Therese hörte nie etwas über die psychologischen oder spirituellen Aspekte des Todes. Der Tod war ein rein ökonomisches Ereignis – ein leeres Bett bedeutete einen Verlust an Einnahmen.

Im Heim sah sie die Alten Tag für Tag, Stunde um Stunde herumsitzen, oft stark durch Tabletten betäubt. Viele von ihnen hatten ihre

Familie und ihre Freunde überlebt; oft starben sie allein, bei manchen lief der Fernseher. All das störte Therese, weil sie wußte, daß es bessere Möglichkeiten gab. Während ihrer Jugend war der Tod ein natürlicher Teil ihres Lebens gewesen – wenn jemand starb, trauerte man.

Als sie eines Abends ihren Dienst antrat, teilte man ihr mit, daß ein Patient wahrscheinlich während ihrer Schicht sterben würde. Es handelte sich um einen alten Mann mit fortgeschrittenem Lungenemphysem. Aus medizinischer Sicht konnte nichts mehr für ihn getan werden. Die Situation war noch komplizierter, weil er ein schwieriger Patient war – reizbar und aggressiv. Er stieß alle von sich.

»Als ich sein Zimmer betrat«, erinnert Therese sich, »wurde ich Zeugin eines entsetzlich lauten und erschreckenden Todeskampfes. Er warf sich von einer Seite auf die andere. Seine Lunge ging wie ein Blasebalg. Es wirkte, als würde er ertrinken. Ich schloß die Tür und ging an sein Bett. Er war stark abgemagert. Ich nahm seine Hand und nannte ihn beim Namen und sagte: ›Ich bin hier ... ich bin hier.‹ Er stieß mich nicht fort, und ich wußte, er wollte, daß ich blieb. Er erwiderte den Druck meiner Hand. Er wußte, daß er stirbt, und er hatte Angst. Ohne weiter nachzudenken, stieg ich in sein Bett und umarmte ihn. Ich lag hinter ihm, Kopf an Kopf und Herz an Herz, und ich hatte die Arme um ihn geschlungen und wiegte ihn sanft. Dann begann ich zu singen.

Ich sang die Messe der Engel, das Adoro te devote des Thomas von Aquin, das Ubi Caritas, das Salve Regina, die Messe der heiligen Jungfrau Maria – nur, weil sie schön waren und ich sie kannte und beherrschte und mühelos wiedergeben konnte. Ich wußte nichts über seinen religiösen Hintergrund – aber während ich sang, ging sein Atem leichter. Ich sang etwa zwanzig Minuten lang, und während ich sanft und leise in sein Ohr sang, wurde sein Atmen gleichmäßiger und synchron zu meinem Atmen. Er kam in der Musik zur Ruhe. Ich sang und umarmte ihn, und dann starb er. Ich lernte dort und in diesem Augenblick, daß Sterbende zu berühren und sich um sie kümmern, einfach dazusein und die letzte Meile gemeinsam mit ihnen zurückzulegen alles ist. Der körperliche Zustand Sterbender läßt sich nicht verändern, aber man kann ihnen helfen, ihre innere Verfassung zu verbessern. Die Sterbenden brauchen jemanden, der bei ihnen ist, ohne Bedingungen zu stellen, wenn sie loslassen und in Frieden sterben sollen. Das war der Anfang.«

Nach dem Tod dieses Mannes in dem Altenheim gewöhnte Therese sich an, bei Totenwachen in Krankenhäusern, Pflegeheimen und Privathaushalten in Denver zugegen zu sein – und zwar nicht als Mitglied des offiziellen medizinischen Pflegepersonals, sondern inoffiziell: Wenn Freunde anriefen und sie baten, beim Sterben eines Familienmitglieds dabeizusein. Therese sang und spielte ihre Harfe. Gleichzeitig verfolgte sie mit Aufnahmen und Darbietungen mittelalterlicher Musik ihre musikalische Karriere. Dann nahm sie an einer Konferenz über mittelalterliche Studien teil und hörte den Gelehrten Fred Paxton bei einer Vorlesung aus einer Arbeit über »Liturgie und Anthropologie«.

Paxtons Einsichten in die Sterberituale in Benediktinerklöstern veränderten Thereses Leben. Die Mönche versahen ihre intuitive Arbeit mit Sterbenden mit einem historischen Rahmen und stellten sie auf eine anthropologische Basis. Paxtons Gelehrsamkeit ließ sie die tiefe Beziehung zwischen dem Sterbenden und der Gesellschaft erkennen – die mysteriösen symbolischen Bindungen zwischen dem Individuum und der gesellschaftlichen Gruppe.

Paxton erforschte die Rituale, die im 11. Jahrhundert in der Benediktinerabtei von Cluny in Burgund festgelegt worden waren – Praktiken, die zugleich die Kraft wie die subtile Achtsamkeit eines kontemplativen Ansatzes zu den Fragen von Sein und Nichtsein erkennen ließen.1 Wenn ein Mönch fühlt, daß sein Tod nahe ist, teilt er dies der Gemeinschaft mit, die sich sofort um ihn versammelt. »Der Mönch stirbt nicht allein; er wird auf jedem Schritt seiner

Reise von den guten Wünschen, den Gebeten und der körperlichen Gegenwart seiner Mitmönche begleitet.«

Der sterbende Mönch ist von seinen Brüdern umringt, die an seinem Bett singen. Es ist »ein ernsthafter Versuch, dem Sterbenden Hilfe zu bringen – durch das Miteinander von Tat und Besinnung als Ausdruck des Glaubens. Im Idealfall wird das Credo genau im Augenblick des Todes gesungen, und dieser mächtige Ausdruck des Glaubens – der, falls möglich, nicht durch einen Zweifel des Sterbenden getrübt sein sollte – schützt die Seele, wenn sie den Körper verläßt.«2 Die Musik einzusetzen, um Sterbenden zu helfen, den Körper loszulassen, sie von Schmerzen zu befreien und in Frieden sterben zu lassen, bleibt der eigentliche Sinn und Zweck der zeitgenössischen Musik-Thanatologie und von Praktikern wie Therese Schroeder-Sheker.

Die Beschriftungen im Flur des Hospitals in Missoula sind funktionell und allgemein gehalten – RADIOLOGIE, VERWALTUNG, CHIRURGIE –, und abgesehen von einer oder zwei strategisch plazierten Heiligenstatuen entspricht das Ambiente genau dem, was man in einer modernen medizinischen Einrichtung erwartet. Aber ein paar Schritte vor dem Wartezimmer des International Heart Institute steht an einer Tür »Harfenraum«, und man sieht Frauen, die sperrige Musikinstrumente den Flur entlangschleppen.

In Missoula hat sich eine Art spiritueller Pragmatismus entwickelt. Der Chirurg und die Musik-Thanatologin – die Person, die das Skalpell schwingt, und diejenige, die Harfe spielt – treffen sich dort, wo Wissenschaft und Humanität dem Großen Mysterium gegenüberstehen. Wenn Familien den Arzt bedrängen und sagen: »Tun Sie doch was! Das ist meine Frau«, oder »das ist mein Mann« oder »es ist mein Kind«, kann der Arzt jetzt sagen: »Es gibt etwas, das wir für Sie tun können.« – »Wenn wir an das Bett treten«, fährt Therese fort, »geschieht ein sehr deutlich erkennbares Umschalten von praktischem Handeln zu einer innerlichen, kontemplativen Vorgehensweise.«

390

Wenn sie Dienst haben, sind die Chalice-Arbeiter stets mit Beepern (speziellen Piepsern) ausgestattet und müssen dort zur Stelle sein, wo der Tod unmittelbar bevorsteht – in einem Krankenzimmer, in der Kardiologie oder auf der Intensivstation –, emotionell und spirituell vorbereitet. Man muß – in Thereses Worten – »als offenes Gefäß« zu den Sterbenden kommen, bereit und fähig, vollständig präsent und für die Qual des Sterbenden offen zu sein. Diese Stufe des Vorbereitetseins erfordert eine ganztägige reflexive Praxis – eine innere Tätigkeit wie Beten, Meditieren und innere Stille, die dem Chalice-Betreuer hilft, für den Schmerz anderer offen zu sein. Das Chalice – der Kelch mit seinem hohlen Inneren und seiner festen Gründung, mit seiner Kapazität, sowohl zu empfangen als auch zu geben – ist Modell und Metapher für das Wirken der kontemplativen Musiker, deren tägliche Arbeit darin besteht, sich zu leeren, um Fülle empfangen zu können. Es ist ein Zustand der inneren Bereitschaft.

Chalice-Betreuer treten zu zweit oder zu dritt an das Bett des Sterbenden. Die Harfenisten sitzen zu beiden Seiten des Betts, so daß die Musik den Patienten vollständig einhüllt. Eine typische Wache dauert vielleicht eine Stunde; im Idealfall sind die Musiker im Augenblick des Todes präsent. Wenn der Tod kommt, während sie spielen, setzen sie ihr Spiel fort, solange die Familie des Toten oder seine Freunde es wünschen.

Die Musik ist auf den Sterbenden zugeschnitten, um seinen persönlichen Bedürfnissen zu genügen. Jede Wache beginnt damit, daß man die Lebenszeichen überprüft und sich das Atmungsmuster anschaut. Fünf Personen mit Lungenkrebs, bei denen die Diagnose gleich lautet oder ähnlich ist, bekommen unterschiedliche Arten von Musik zu hören, und sie erhalten unterschiedliche Erleichterungen. Diese individuelle »Rezeptur« der Musik ist die Antwort auf eine Analyse der Körpersysteme, die eine unmittelbare Beziehung zwischen der Melodie der Musik und dem Nervensystem der betreffenden Person herstellt – zwischen dem harmonischen Gehalt der

Musik und dem Zustand des Atmungs- und Kreislaufsystems beim Patienten. Die Rhythmen der Musik erfassen die ganze Person; sie berühren Denken und Fühlen, Stoffwechsel und Willen.

Therese beschreibt den Ablauf: »Zu Beginn stimmen wir uns schweigend ein. Wir lauschen achtsam auf das Atmungsmuster, beobachten das Heben und Senken der Brust. Es erfordert viel Fingerspitzengefühl. Dann fangen wir an zu spielen. Wir synchronisieren die Phrasierung und die Kadenzen der Musik mit der Atmung des Sterbenden. Dann werden wir allmählich langsamer. Wir wiederholen vielleicht eine Tonfolge zehnmal, setzen die harmonischen Strukturen sparsam ein, und je näher der Tod kommt, desto offener und weitläufiger wird unser Spiel.«

Therese erinnert sich an ihre erste Wache in Missoula: »Der Sterbende war Anfang Vierzig. Er hatte eine Frau und zwei kleine Söhne, und unter normalen Umständen hätte er noch lange Jahre leben können, aber er hatte Leberkrebs im fortgeschrittenen Stadium.

Er litt unter schrecklichen Schmerzen, die mit Morphium nicht mehr zu betäuben waren. Als ich in sein Zimmer kam, schluchzte seine Frau und rief ihn beim Namen. ›Du hast gesagt, du würdest uns niemals verlassen. Du hast gesagt, du würdest immer bei uns sein. Du hast den Jungen gesagt, du würdest sie nie verlassen.‹ Als ich zu spielen anfing, konnte ich nur mit Mühe verhindern, daß sich in meiner Kehle ein Kloß bildete, weil der Kummer der Frau so groß war. Er hatte das Bewußtsein verloren, und sie hörte nicht auf, ihn anzuflehen, daß er bleiben solle. ›Du hast gesagt, du würdest uns niemals verlassen.‹ Ich spielte weiter, und endlich fiel sie auf den Boden, schluchzend und erschöpft. Nach einer Weile hob sie den Kopf. Ich spielte immer noch, die Augen auf ihn gerichtet. Er hatte bisher ganz ausgestreckt auf dem Bett gelegen. Plötzlich hob er ein wenig den Oberkörper an, als erblicke er etwas, was wir nicht wahrnehmen konnten. Als sie dies bemerkte, veränderte sich ihr Verhalten. Sie sagte: ›In Ordnung, es ist in Ordnung.

Du kannst gehen.‹ Ich spielte weiter, und wenige Augenblicke später streckte er sich wieder auf dem Bett aus und tat seinen letzten Atemzug.«

Viele Menschen sterben fernab von der beschützenden Gemeinschaft und ohne eine bedingungslos liebende Person an ihrer Seite. So war ironischerweise auch das unvorhergesehene Schicksal meines Vaters – eines Mannes, der sein ganzes Leben der Gemeinschaft gewidmet hatte. Seit kurzem habe ich folgende Phantasie: Vielleicht ist mein Vater gar nicht kalt und einsam in einem Krankenhausbett gestorben. Vielleicht sah er die strahlenden Gesichter wohlmeinender Menschen um sich versammelt. Und ihre Stimmen haben Max getröstet und ihm gesagt, daß es an der Zeit sei und daß es in Ordnung sei. Sie alle waren dort. Jungen aus den Slums der dreißiger Jahre und die Flüchtlinge, um die er sich in Europa am Ende des Zweiten Weltkrieges gekümmert hat. All die Menschen, denen er in seinem Leben geholfen hatte. Es war eine illustre Gesellschaft, und sie umarmten ihn und hießen ihn zu Hause willkommen.

Sterben: Eine spirituelle Ernte

Dem Tod ins Angesicht schauen

Wie viele Millionen andere amerikanische Schulkinder mußte auch ich in meinen High-School-Jahren Charles Dickens' Eine Geschichte zweier Städte lesen. Ich erschrak, als ich davon hörte, denn ich arbeitete stundenweise in der Stadtbücherei und wußte, wie voluminös und schwer die Romane von Dickens waren – mit ihren 800 Seiten oder mehr in dichter Prosa glichen sie eher Ziegelsteinen als Büchern. Als sich die Geschichte zweier Städte als schmales Bändchen entpuppte, das zudem spannend zu lesen war – es handelte von einer Revolution! –, war ich erleichtert.

Ich erinnere mich nicht mehr an viele Einzelheiten der Geschichte: nur an keifende Schlampen, die Leichentücher strickten; an das Rumpeln der Guillotine, wenn sie zahllosen Opfern die Hälse durchtrennte – und an die wundervolle Schlußszene, die sich für alle Zeiten meinem Herzen eingeprägt hat, als Sydney Carton durch den rasenden Mob zu seiner Exekution schritt und seine letzten, feinsinnigen Worte äußerte: »Was ich tue, ist weit, weit besser als alles, was ich jemals getan habe; es ist eine weit, weit bessere Ruhe, der ich entgegengehe, als ich sie jemals kannte.« In Cartons Leiden, in seinem letzten Gang und in seinen Worten bin ich zum ersten Mal der Idee eines bewußten Sterbens begegnet.

Einen Tod bei innerer Sammlung zu sterben, dieser Welt mit Würde, Großmut und sogar einem Anflug von Humor Lebewohl zu sagen, das Leben nach dem Tod als Freund statt als Feind zu begrüßen – das ist die Absicht des bewußten Sterbens in den religiösen Traditionen. Es ist nicht leicht, und Geschichten über sterbende Meister werden immer wieder erzählt – als Beispiel für die Lebenden. So beschreibt Gregor der Große in seinem Leben Benedikts die letzten Augenblicke des Heiligen: »Während seine Schüler seine schwachen Glieder stützten, stand er mit zum Himmel erhobenen Händen und stieß seinen letzten Atem im Gebet aus.«3 Eine jüdische Sammlung, das Histalkut Hanefesh, berichtet vom Sterben chassidischer Meister. Als der Baal Schem Tov sich auf den Tod vorbereitete, befahl er seinen Anhängern, wie sie für seinen Leichnam sorgen sollten, rezitierte die Thora, meditierte für sich allein, und dann betete er, »bis man die Silben seiner Wörter nicht mehr unterscheiden konnte«.4 Rabbi Nachman aus Breslau, »der bereits eine so hohe Stufe erreicht hatte, daß es unmöglich schien, höher zu gelangen, solange man im Fleische ist«, verbrachte seine letzten Stunden auf ähnliche Weise, im Gebet und im Nachsinnen über »tiefe und höchst wunderbare Dinge«.5

Wir fragen uns, wie es möglich ist, daß jemand mit solcher Gelassenheit stirbt. Eine andere chassidische Erzählung gibt uns eine

Antwort darauf: Als Rabbi Simhah Bunam aus Psyshcha auf dem
Sterbebett lag, sah er, daß seine Frau in Tränen aufgelöst war, und
sagte zu ihr: »Sei still – weshalb weinst du? Mein ganzes Leben
diente nur dazu, daß ich lernte zu sterben.«6 Ein Leben des Betens, der Hingabe, der Opfer, des Fastens, des Thora-Studiums, der
Nachtwachen und des Lehrens hatte den Rabbi auf diesen »Höhepunkt« vorbereitet. Wie die folgende alte christliche Hymne vermuten läßt, führt die Gegenwart Gottes in jedem Aspekt des täglichen Lebens dazu, daß er auch im Augenblick des Todes gegenwärtig ist:

God be in my hede
     And in my understandyng,
God be in myne eyes
     And in my lokyng,
God be in my mouth
     And in my speakyng,
God be in my harte
     And in my thynkyng,
God be in mine ende
     And at my departyng.

(Gott sei in meinem Kopf
     Und in meinem Verstehen,
Gott sei in meinen Augen
     Und in meinem Schauen,
Gott sei in meinem Mund
     Und in meinem Sprechen,
Gott sei in meinem Herzen
     Und in meinem Denken,
Gott sei in meinem Ende
     Und bei meinem Scheiden.)

Demnach schaut der Tod sowohl nach vorn als auch rückwärts. Er spiegelt das Leben wider, das ihm vorausgegangen ist, und komprimiert die Ereignisse eines ganzen Lebens zu einem einzigen kulminierenden Augenblick. Und er schaut einer neuen Welt entgegen – einer neuen Art zu sein: »Ich bin meinetwegen nicht betrübt, denn ich weiß bestimmt, daß ich durch diese Tür gehen und sofort darauf in eine andere Tür eintreten werde«, sagte der Baal Schem Tov am Rande seines Todes.7

Der Tod ist der Dreh- und Angelpunkt zwischen zwei Welten, und als Folge davon trägt alles, was mit dem Augenblick des Todes zusammenhängt, den Stempel des Heiligen und erregt unser Interesse. Die Bekenntnisse Sterbender haben vor Gericht ein besonderes Gewicht – nicht nur weil man davon ausgeht, daß ein Sterbender keinen Grund mehr zum Lügen hat, sondern auch – wichtiger noch – weil ein numinoser Glanz von jedem Wort ausgeht, das auf dem Sterbelager gesprochen wird. Es gibt ungezählte Sammlungen letzter Worte. Wir genießen nicht nur letzte Worte, die ein unenthülltes Geheimnis andeuten, wie Aldous Huxleys »Das habe ich mir gedacht!«, und jene, die den Mut des Sterbenden erkennen lassen, wie Oscar Wildes »Entweder geht diese Tapete, oder ich gehe«. Was wir in letzten Worten suchen, ist eine Mischung aus Mut, Integrität und Witz: das Kennzeichen eines gesammelten Sterbens.

Aber wenn der Tod unser Leben zusammenfaßt, müssen dann jene, die ein eigenwilliges oder unfruchtbares Leben geführt haben, einen vergeblichen, sinnlosen Tod sterben? – Nein, denn der Tod schaut auch vorwärts, in eine neue Welt, eine neue Art zu sein. Und in dieser Wiedergeburt ist eine Veränderung immer möglich. Das erklärt das Phänomen der Bekehrung auf dem Totenbett: Es handelt sich nicht sosehr um einen billigen Versuch »auf den letzten Drücker« als vielmehr um das Gefühl, jetzt endlich den Versuch zu machen, meinen Stolz und meinen Starrsinn überwinden, mein Leben ändern zu können – solange ich noch ein Leben habe, das ich ändern kann. In allen Religionen besteht die Gelegenheit zu einer besonderen Anstrengung zur Zeit des Todes. Hier ein paar Beispiele:

Ars moriendi:
Die christliche Kunst zu sterben

Im ausgehenden Mittelalter verschmolzen die christlichen Sterbebett-Praktiken mit der Ars moriendi, der »Kunst-des-Sterbens«-Literatur. Ursprünglich in schmucklosen Bänden mit zahlreichen derben Holzschnitten präsentiert, erreichte die christliche Sterbekunst-Literatur ihren Zenit in Holy Dying, dem Meisterwerk des englischen Calvinisten Jeremy Taylor im 17. Jahrhundert. Obwohl heute so gut wie vergessen, ergibt das Ars-moriendi-Material einen kompletten Führer zur Stunde des Todes – mit präzisen Anweisungen, wie die Seele gesammelt und Nah-Todes-Gefahren begegnet werden kann, außerdem, wie die Familie und Freunde dem Sterbenden helfen können, einen erfolgreichen Übergang in das Leben danach zu vollbringen. Zu diesen Anweisungen gehören:

- Unterrichtung. Der Sterbende wird über die Gefahren nach dem Sterben belehrt. Gemäß den frühesten Texten, die von einer archetypischen Bilderwelt durchdrungen sind, wird er furchterregende Dämonenscharen erblicken, die auf seine Sünden hinweisen und versuchen, ihn in die Hölle zu schleppen. Der Macht dieser Feinde stellen sich die heilige Jungfrau Maria und die Heiligen entgegen, die sich vor Gott für seine Errettung verwenden.
  Wir können diese Beschreibung eines Nah-Todeskampfes buchstäblich oder auch symbolisch verstehen. In beiden Fällen bereitet sich der Sterbende – der jetzt über die zu erwartende Schlacht um seine Seele in Kenntnis gesetzt ist – entsprechend vor. Hierbei geht es weniger darum, daß er sich für den Kampf stählt, sondern vielmehr darum, daß er sich zu einem Apostel

des Friedens macht und seine Seele aus den Banden der Selbst-
liebe und Sünde befreit, solange er noch am Leben ist. Er kann
Zuflucht zu der mitleidsvollen Fürsprache der heiligen Jungfrau
nehmen. Er kann fromme Bilder anschauen, mit Weihwasser
besprengt werden oder beim Licht besonders geweihter Bienen-
wachskerzen aus der Welt scheiden. Eine wichtige Stufe der
Vorbereitung ist die

- Prüfung des Gewissens. Der Sterbende wird angehalten, sich
  selbst anzuschauen, ohne zurückzuschrecken, um sich mit dem
  Zustand seiner Seele vertraut zu machen. Im Idealfall, schreibt
  Taylor, sollte man diese Übung das ganze Leben hindurch
  ausführen, als Absicherung gegen die Gewohnheit, denn
  »durch tägliche Überprüfung all unserer Handlungen treiben
  wir um so leichter eine große Sünde aus und verhindern, daß
  sie zur Gewohnheit wird«. Eine solche Prüfung macht zudem
  unseren »Geist empfindsam und für religiöse Eindrücke aufgeschlossen« und hilft uns auf diese Weise bei unserer Suche nach
  Weisheit und Güte.

- Reue und Gebet. Zur Prüfung des Gewissens sollte, um vollständig zu sein, eine Erklärung gehören, daß wir unsere Sünden
  bereuen – eine Reue, die, wie es heißt, ein Mensch am Rande
  des Todes mit unerträglicher Intensität fühlt. Wer mit dem
  Zwölf-Schritte-Programm der Anonymen Alkoholiker vertraut
  ist, kann in dieser Abfolge von Selbstprüfung und Reue die
  Schritte vier bis sieben erkennen:

4. Wir machten eine gründliche und furchtlose Inventur in
   unserem Inneren.
5. Wir gaben Gott, uns selbst und einem anderen Menschen
   gegenüber unverhüllt unsere Fehler zu.
6. Wir waren völlig bereit, all diese Charakterfehler von Gott
   beseitigen zu lassen.
7. Demütig baten wir ihn, unsere Mängel von uns zu nehmen.[8]

Reue kann in Form der sakramentalen Beichte und Absolution geschehen, oder sie wird im Gebet ausgedrückt. Ein schönes Beispiel eines Beichtverses – verfaßt von Taylor – lautet wie folgt:

Steh mir bei mit deiner Gnade, stärke mich mit deinem Geist, besänftige mein Herz mit dem Feuer deiner Liebe und dem Tau des Himmels, mit Wogen der Buße; laß mich klug vorsorgen und die Tage, die mir noch verbleiben, wie ständige Nachtwachen, voll Vorsicht und Achtsamkeit verbringen, stark und entschlossen, geduldig und streng. Ich weiß, o Herr, daß ich gesündigt habe, mit Gier und Leidenschaft ... laß meinen Haß auf die Sünde so groß sein wie die Liebe zu dir, und beide so nahe an der Unendlichkeit, wie es mir möglich ist.

Und wie steht es mit denjenigen, die sich um das Sterbelager versammeln, eifrig darauf bedacht zu helfen, wie immer sie es vermögen? Taylor schlägt Gebete vor, die von Begleitern des Sterbenden gesprochen werden können. Hier ein Beispiel:

Gib deinem Diener Geduld in seinen Leiden, Trost in seiner Krankheit, und laß ihn wieder gesund werden, wenn es dir richtig erscheint ... mach seine Reue vollkommen, seinen Übergang leicht, seinen Glauben stark und seine Hoffnung bescheiden und zuversichtlich; auf daß – wenn du seine Seele aus dem Gefängnis des Körpers rufst – sie in die Sicherheit und Ruhe der Söhne Gottes eintreten mag, in den Busen der Heiligkeit und in die Obhut Jesu. Amen.

Das Bardo Thödol:
Das tibetische Totenbuch

Der berühmteste aller tibetischen Texte, das üblicherweise Padmasambhava, einem indischen buddhistischen Meister des 8. Jahrhunderts, zugeschriebene tibetische Buch der Toten, das Bardo Thödol, erinnert stark an die christliche Ars-moriendi-Literatur. Auch dieser Text bereitet den Sterbenden darauf vor, daß er seinem Schicksal gegenübertreten wird, macht ihn mit einer Fülle von Sterbebett-Übungen vertraut und schildert die Periode unmittelbar nach Eintritt des Todes – eine Zeit gefährlicher Prüfungen, deren Ausgang allein vom Verhalten des Verstorbenen abhängig ist.

Das Bardo Thödol beschreibt die Welt der Toten mit einer Lebendigkeit, die in der Literatur anderer Religionen ihresgleichen sucht. Es ist fast so etwas wie ein »Baedeker« des Todes, mit detaillierten Schilderungen der drei Zustände, Bardos, durch die jeder hindurchgehen wird: der Chikai Bardo, der Augenblick des Todes selbst, mit seinem Anblick des Klaren Lichts, das die letzte Realität »badet«; der Chonyid Bardo, das Zwischenstadium mit seinen Enthüllungen friedvoller und zorniger Buddhas; und der Sipai Bardo, das Wiedergeburtsstadium, in dem die Toten sich darauf vorbereiten, sich wieder den Lebenden zuzugesellen.

Der wichtigste Augenblick des Todes ist laut dem Bardo Thödol der Moment, in dem das Klare Licht enthüllt wird. Wenn der Verstorbene in diesem Augenblick Bewußtsein in das Klare Licht hineinbringen kann, dann wird eine vorteilhafte Wiedergeburt – oder sogar die letzte Befreiung – erlangt.

Diese Bewußtseins-Übertragung verlangt eine Vorbereitung. Der erste Dalai-Lama (1391–1471) riet zu einem wenigstens sechsmonatigen Training, und er warnte vor den schrecklichen Gefahren, die den Unerfahrenen erwarten. Wie Sogyal Rinpoche – ein zeitgenössischer tibetischer Lehrer und Autor des Buchs The Tibetan Book of Living and Dying (dt.: »Das Tibetische Buch vom Leben und vom Sterben«) sagt, müssen Übungen zur Übertragung des Bewußtseins »immer und unter allen Umständen unter der Anleitung eines qualifizierten Meisters« ausgeführt werden.9

Aus diesem Grund verzichte ich auf eine vollständige Beschreibung dieser Techniken. Aber ich glaube, daß es zulässig ist, eine Variante der Übung vorzustellen, die aufs Wesentliche reduziert und von ihrem esoterischen Gehalt befreit wurde. Sie besteht aus drei Grundstufen:

1. Meditieren und beten Sie, bis Sie einen Zustand der Ruhe und Sammlung erlangt haben.
2. Stellen Sie sich vor, daß der Buddha vor Ihnen steht und Mitgefühl und Erhabenheit ausstrahlt. Baden Sie in seiner herrlichen Präsenz.
3. Vereinigen Sie Ihr Bewußtsein mit demjenigen des Buddha.

Ob Sie die Praktiken des Bardo Thödol eingehender studieren möchten oder nicht – eine Lektion ist vor allem wichtig: Man muß im Angesicht des Todes gleichmütig sein. Der 14. Dalai-Lama sagte, als er über die komplexen Meditationsübungen zur Vorbereitung auf den Tod sprach:»Das größte Hindernis von allen ist mentale Erregung.«10 Die Ars-moriendi-Literatur und auch das Bardo Thödol lehren, daß Gelassenheit unser Schutzschild vor den Gefahren des Todes ist, innere Sammlung unsere Rüstung und Freundlichkeit unser Banner.

Moralische Testamente: Eine jüdische Vorbereitung auf den Tod

Wir können uns leicht vorstellen, wie wir unmittelbar vor dem Abgrund des Todes stehen und Gott um nur noch eine einzige Stunde, um eine Minute bitten, auf daß wir denen, die wir lieben, noch sagen können, was gesagt werden muß. Meistens bitten wir vergebens, und das Leichentuch senkt sich für immer über unseren im Herzen gefühlten, ungehörten Rat.
Angesichts dieses Dilemmas hat die jüdische Tradition die schöne Praxis entwickelt, ein moralisches Testament zu schreiben. Dieses Dokument, das mehrere Jahre bis zu einem Tag vor dem Tod verfaßt wird, weist in den meisten Fällen die Form eines persönlichen

Briefes an den Ehepartner, die Kinder, die ganze Familie oder die Welt auf. Ebenso wie das rechtliche Testament wird es nach dem Tod seines Verfassers gelesen. Es mag detaillierte Anweisungen in bezug auf das Begräbnis enthalten – aber vor allem geht es, wie der Name schon besagt, um das Verhalten. Der Autor kann der Nachwelt Maximen, Erinnerungen, Segnungen oder Warnungen hinterlassen – oder was auch immer er an Weisheiten den Hinterbliebenen mitzuteilen wünscht.

Das Aufsetzen eines moralischen Testaments wirft eine Reihe schwieriger Fragen auf: Wie kann ich meine Lebensauffassung in ein paar kurzen Absätzen oder Seiten übermitteln? Wie kann ich nützliche Ratschläge erteilen, ohne Zwang oder Druck auszuüben? Soll ich ausführlich oder knapp schreiben, jovial oder feierlich? Sollte ich über mich selbst reden oder über meine Familie? Gibt es etwas, das besser ungesagt bleibt? Was will ich wirklich sagen?

Diese Fragen erweisen sich als Geschenk des Himmels. »Verlassen Sie sich darauf, Sir, wenn ein Mann weiß, daß er in zwei Wochen gehängt wird, hilft ihm das auf wunderbare Weise, sich zu konzentrieren«, sagte Samuel Johnson. Da ein moralisches Testament uns zwingt, an unseren Tod – und an unser Erbe – zu denken, hat es einen ähnlichen Effekt. Es kann den Autor ebenso wie auch den Leser einiges darüber lehren, wie man leben sollte.

Upaya und die Meditation über den Tod

Paul schreibt über seine Mutter, die Leiden von Helfern und die buddhistische Antwort auf den Tod.

»Ich bin nicht ich.« Es war das erste, was meine Mutter nach langer Zeit sagte. Ich fuhr sie zu einem Wochenendurlaub von dem Alzheimer-Pflegeheim, wo sie lebte, nach Encinitas. Wir fuhren über den California-Highway 101 zu einer Anlage, die in den dreißiger

Jahren von Paramahansa Yogananda geschaffen worden war. Der für Publikum geöffnete Meditationsgarten bildet eine Oase der Ruhe in diesem Land der barocken und überdimensionierten Ketten-Restaurants und stark befahrenen Highways. Frei zu sein von Dämonen war das, was meine Mutter brauchte.

Ein steiler Pfad führte zwischen terrassierten Gärten und Teichen voll wohlgenährter Karpfen aufwärts zu einem vorspringenden Felsen, von dem aus man einen schönen Ausblick auf den Pazifik hatte. Noch bis vor kurzem hatte meine Mutter den Pfad gehen können, aber diesmal fuhr ich sie bis fast ganz nach oben, von wo aus sie nur noch einen kurzen, ebenen Weg zu der Steinbank mit dem Panoramablick gehen mußte. Am Ufer des Ozeans unter uns hockten ein halbes Dutzend Surfer in schimmernden Neopren-Anzügen auf ihren Brettern und warteten auf die nächste Welle. Sie strahlten die typische Beachboy-Unbekümmertheit aus – ohne zu wissen, daß hoch über ihnen meine Mutter ebenfalls wartete. Julia war 90 Jahre alt. Sie saß neben mir auf der Bank und hatte die Augen geschlossen. Ich schloß meine Augen ebenfalls, und Gedanken über sie und Wünsche für sie durchströmten mich. Sie wußte, daß sie ihren Verstand verloren hatte. Ich wünschte mir nichts weiter als Frieden für sie.

Meine Eltern und ihre nicht mehr jungen Nachbarn hatten ehrliche Anstrengungen unternommen, Dämme gegen die dunklen Fluten zu errichten, die – wie sie wußten – sie letzten Endes umschließen würden. Und doch schienen die häufigen Arztbesuche und die täglichen Kämpfe mit den metallischen Ungeheuern im Fitneßcenter im selben Maß, wie sie das körperliche Leben kräftigten, sie von den Ressourcen des inneren Lebens fernzuhalten. Sie sprachen untereinander von Krankheit und Behinderungen, aber über den Sinn und die tiefere Bedeutung des Todes wurde kaum geredet. Und doch ist der Tod (wie die Geburt) ein intimer Augenblick mit in hohem Maß gesellschaftlichen Folgen – er ist in ein privates Geheimnis gehüllt und mit kulturellen Symbolen behangen. Er kann uns dazu verführen, das Leben bewußter zu genießen, mit weniger Vorurteilen und mit größerer Geduld. Die Meditation über den Tod sollte uns helfen, unter den Lebenden aufzuwachen.

Ich bin nach Upaya gefahren, einem buddhistischen Zentrum in New Mexico, um mich in einem Gespräch mit Joan Halifax, der Gründerin, über Möglichkeiten zu informieren, wie man heutzutage mit dem Tod umgehen sollte. Und vielleicht auch, um einen Anfang zu machen, eine alte Wunde zu heilen. Upaya, in der unmittelbaren Nachbarschaft von Santa Fé gelegen, ist eine Ansammlung flacher Bauten im Southwest-Stil mit abgerundeten Formen, zu denen ein Haupthaus und ein Zendo gehören, wo Joan noch heute nachmittag ein junges Paar trauen wird.

Joan hat 30 Jahre lang als Anthropologin mit Toten und Sterbenden gelebt und ist seit kurzem Priesterin des Tiep-Hien-Ordens. Sie betrachtet den Tod mit seinem Geheimnis und seiner Unentrinnbarkeit als eine Gelegenheit zu innerem Wachstum und Erleuchtung. Sie teilt den Glauben Rilkes, daß der Tod ein großes Geschenk ist, das ungeöffnet überreicht wird. »Sterben«, sagt Joan, »ruft uns auf einer viel tieferen Ebene zur Wahrheit als jede andere Erfahrung, die wir als Menschen machen können. Die Frage ist, wie können wir dazu beitragen, daß die Wahrheit hochkommt?«

Im Upaya Project on Being with Dying versammeln sich Todkranke und ihre Helfer zu wöchentlichen Treffen. Joan erzählt mir von einer Frau namens Jessica, die noch wenige Tage vor ihrem Tod an einem solchen Treffen teilnahm. Sie hatte Verbrennungen am Hals von einer Strahlenbehandlung. »Dort saß sie also«, erinnert Joan sich, »beim freitäglichen Ganztags-Treffen, und am folgenden Dienstag sollte sie sterben. Sie wirkte so, als könne man durch sie hindurchblicken, aber sie war dort, weil sie es so wollte. Einmal wandte Jessica sich an Sandra, eine der anderen Helferinnen, und sagte: ›Sie haben mich aufrecht gehalten. Sie haben mich gelehrt, angesichts des Todes aufrecht zu bleiben.‹«

Angesichts des Todes aufrecht zu bleiben bedeutet, zu einem sublimeren Verständnis des Todes zu gelangen. Das Verständnis, mit seinem Potential den Sterbenden von seinen schlimmsten Ängsten zu befreien und sein Leiden zu lindern, ergibt sich aus zwei komplementären Übungsformen.

Die erste ist die Praxis der Güte (Metta), die unser Mitgefühl uns selbst, anderen und später der ganzen Welt gegenüber fördert. »Sie möchten dem Tod heiter gegenübertreten«, sagt Joan mit einem leisen Lächeln. »Diese Heiterkeit erfordert diese Übung, das Herz mit Liebe zu erfüllen.«

Eine zweite Praxis dehnt unsere Achtsamkeit auf den Tod selbst aus. Der Tod ist unentrinnbar, und doch wissen wir nicht, wann er kommt. Die Unbeständigkeit aller Dinge mag uns wie eine Abstraktion erscheinen, aber ihre Wahrheit wird uns in einem Augenblick des Schmerzes und Leidens lebendig vor Augen geführt. Dieser Augenblick geht unweigerlich in einen anderen Augenblick über, und währenddessen verändert sich der Schmerz. »Der Tod«, sagt Joan, »wird zu einem Tor, an dem Sie erkennen, daß wir in unserem Leben buchstäblich auf den Wellen der Geburt und des Todes reiten. Von der tiefsten Ebene aus betrachtet, gibt es weder Geburt noch Tod.«

Die Arbeit in Upaya zielt darauf ab, unsere geistige Verfassung gefestigter zu machen und uns zu helfen, ein offenes Herz uns selbst und anderen gegenüber zu entwickeln. Die Grundbedingung dafür ist Achtsamkeit und daß wir unsere Fähigkeit fördern, anderen aufmerksam und nachdenklich zuzuhören.

»Um auf diese Art zuhören zu können«, sagt Joan, »muß unsere geistige Verfassung so sehr gefestigt sein, daß der Sprechende sich tatsächlich durch unsere Stille hindurch selbst sprechen hört. Es ist eine Qualität des strahlenden Zuhörens, des leuchtenden Zuhörens, des dynamischen Zuhörens, aber es ist sehr still. Es ist ein aufmerksames Zuhören, mit offenem Herzen, ohne Vorurteile. Die Qualität der Aufmerksamkeit, die wir aufzubringen eingeladen sind, ist derart, als würde der Sprechende schon am nächsten Tag nicht mehr

leben – als würde er seine letzten Worte sprechen. Wir hören mit
unserem ganzen Sein. Wir bieten unseren ganzen zuhörenden Körper an.«

Ich erzähle Joan die Geschichte mit meiner Mutter. Als ich sie in
ein Pflegeheim brachte, wo sie der Familie näher war, hatte ich
erwartet (oder gehofft), daß sie erfreut gewesen wäre. Aber sie warf
nur einen einzigen Blick auf ihre neue Umgebung und ihre Zim-
mergenossinnen und bekam einen Wutanfall. Ich hatte zwar mit
ihrer Demenz gerechnet, aber das Ausmaß ihrer Wut traf mich
dennoch unerwartet, und ihre verbale Attacke machte mich sprachlos.

Joan beschreibt eine Übung für Helfer, die dieses Problem mit der
Verzweiflung und Raserei eines geliebten Mitmenschen haben. Der
Text stammt von Sharon Salzberg, Thich Nhat Hanh und Joan
Halifax.

Zunächst setze oder lege dich so bequem hin wie möglich.

Atme mehrere Male tief und ruhig ein und aus, während du deinen
Körper zur Ruhe kommen läßt. Lenke deine Aufmerksamkeit auf
deine Atmung, und sprich das, was du in deinem Inneren lernen
willst, derart aus, daß es synchron mit deinem Einatmen und
Ausatmen ist:

»Möge ich meine Pflege und meine Gegenwart bedingungslos
anbieten, in dem Wissen, daß man beidem mit Dankbarkeit oder
auch mit Zorn begegnen wird.

Möge ich die innere Kraft finden, wahrhaft geben zu können.

Möge ich Liebe anbieten, in dem Wissen, daß ich weder den Lauf
des Lebens noch das Leiden oder den Tod kontrollieren kann.

Möge ich im Frieden bleiben und meine Erwartungen loslassen.

Möge diese Erfahrung ein himmlischer Bote sein, der mir hilft, mich
in allem der Natur des Lebens zu öffnen.

Möge ich voll Mitgefühl meine Grenzen erkennen – genauso, wie
ich das Leiden anderer sehe.«

Ich frage Joan, was ihrer Meinung nach geschieht, wenn jemand stirbt, dessen begriffliches, bewußtes Denken bereits durch eine Krankheit zerstört wurde. »Mein Gefühl ist«, erwidert sie, »daß die Ebene des Geistes, die wir ansprechen, tiefer reicht als die begriffliche Ebene. Und vielleicht ist ›Nicht-Ich-Sein‹ – keine Ego-Fixierungen zu haben, die eine separate Identität vorspiegeln – in Wirklichkeit eine Art Geschenk, weil wir uns tatsächlich wünschen, diese heftige Identität zu verlieren, wenn wir sterben.« Daß der begreifende Verstand meiner Mutter durch die Alzheimer-Krankheit zerstört war, bedeutete demnach nicht, daß ihr innerstes Wesen – ihre Buddha-Natur sozusagen – beeinträchtigt war. Was auch immer in den letzten Tagen unseres Lebens geschieht, welche körperlichen und geistigen Schäden wir auch davontragen – in uns gibt es Befreiung.

Der Himmel ist blau, und die Schneefelder auf den fernen Bergen reflektieren das nachmittägliche Sonnenlicht. Und – o ja, Joan hat die Hochzeitszeremonie durchgeführt, und die kleine Gruppe der Gäste hat das Zendo verlassen. Während das Paar für die Kameras posiert, kreisen meine Gedanken immer noch um Tod und Vergänglichkeit. Ich frage mich, wie es mit dem Paar weitergeht, wenn es von hier fortgeht. Ich hoffe, daß die beiden einander liebevoll behandeln, und bete, daß sie in Freude und Leid füreinander da sind.

Ich bin wieder in Nordkalifornien. Ich wohne an einer Bucht, wo von Zeit zu Zeit heftige Stürme das Nasser aufwühlen und Bäume entwurzeln. Diese Stürme können wirklich furchterregend sein. Aber wir wissen, daß Stürme nicht die einzige Realität sind. Über den Sturmtiefs ist der Himmel kristallklar und erstreckt sich bis in die Unendlichkeit.

Nach dem Tod

Und was geschieht nach dem Tod? Alle Religionen – und alle Geschichten, die in den natürlichen Rhythmen des Lebens gründen – versichern dasselbe: Dem Tod entspringt neues Leben. Vielleicht haben Sie Bambi gesehen, den gefeiertsten Zeichentrickfilm von Walt Disney, und waren – wie alle Zuschauer – erschrocken, als die Mutter des kleinen Rehs von Jägern erschossen wurde. Was, um Himmels willen, fragen Sie sich, während Sie aufstehen, um den Fernseher auszuschalten, hat dieser brutale Tötungsakt in einem Trickfilm für Kinder zu suchen? Aber schon etwas später hat sich alles verändert: Bambi kauert auf einer eingeschneiten Lichtung und wimmert vor Angst, und im nächsten Augenblick ist der Frühling eingekehrt, Rotkehlchen flattern umher, Häschen hoppeln durchs Gras und Bambi – inzwischen ein Geweih tragender Bock – verliebt sich in einen hübschen Faun. Dem Tod entspringt neues Leben.

Ich schreibe diese Worte am Jahrestag des Todes meines Vaters. Er starb zu Hause in New York City an einem kalten Nachmittag im Februar 1991. Ich bin soeben von einer Wochentagsmesse zurückgekehrt, wo ich für die Ruhe seiner Seele gebetet habe. Dem Tod entspringt neues Leben. Meines Vaters Tod hat mir wie kein zweites Ereignis die Realität des Geistes nahegebracht und mich zu einem Leben mit der Tradition zurückgeführt. In den Tagen nach seinem Ableben haben zahlreiche Freunde unterschiedlichen Glaubens – buddhistisch, methodistisch, navajo, muslimisch – für seine Seele gebetet, damit sie ihren Weg zurück zu Gott finden möge. Jeder von ihnen betete auf andere Art und sprach den Tod meines Vaters in derjenigen symbolischen Sprache an, die für seine Religion typisch war. Ich dankte ihnen allen. Ich dankte ihnen für ihre Hilfe und ihre Freundlichkeit – aber das war noch das Geringste. Ich dankte ihnen für ihre Gebete, denn ich war davon überzeugt – und bin es bis heute –, daß all diese Bitten, in welcher Form auch immer sie vorgetragen wurden, meinem Vater halfen und noch immer helfen. Der Tod, so erfuhr ich in jenen bitteren Wochen, bringt alle Religionen im Gebet und in der Gottesverehrung zusammen, so, wie er die Menschen in der Trauer und in der Hoffnung zusammenbringt. Der Tod, der Familien auseinanderreißt, Kleinkinder von ihren Müttern und die Schwester vom Bruder trennt, der Wunden schlägt, die ein ganzes Leben brauchen, um zu heilen, der »alte Mann« Tod mit seiner blitzenden Sense und seinem schimmernden Schädel, bindet uns auch mit Schnüren der Liebe zusammen, die von der Religion gewoben und vom Glauben geknüpft wurden.

Schlußbetrachtung

Dieses Buch begann mit der abenteuerlichen Reise Marco Polos, die die kulturelle Geschichte sowohl des Ostens wie auch des Westens so tiefgreifend verändert hat. Versetzen wir uns in die Zeit, als Marco Polo im Jahr 1295 nach zwanzigjähriger Abwesenheit nach Venedig zurückkehrte – seine Schiffe mit dem Staub Afghanistans, Persiens, Indiens, Burmas und Chinas bedeckt. Sein Denken war von Erinnerungen an den kaiserlichen Hof Kublai Khans, an die grünen Wasser des Südchinesischen Meeres, an die schmutzigen Straßen Tu-Tus (heute Peking), an Höflinge und Weise, Gelehrte und Sklaven geprägt. Stellen Sie sich Marco Polo im Haus seiner Vorfahren vor – die Erinnerungsstücke an seine Reisen um sich ausgebreitet. Vielleicht streicht er über einen dicken Ballen chinesischer Seide, oder er betrachtet ehrfürchtig eine Lackdose voller Gewürze. Sie sind so exotisch, daß es in den Sprachen des Westens keine Namen für sie gibt. Oder er studiert einen Augenblick lang ein nicht entziffertes Stück Pergament mit chinesischen Schriftzeichen. Was, so mag er sich fragen, soll er mit all diesen Dingen und Erinnerungen anfangen? Sollte er sie für sich selbst behalten oder der Allgemeinheit zur Verfügung stellen? Und falls er sich für das letztere entschied – wie sollte er es anfangen? Wie sollte er seinen Nachbarn, seiner Stadt, den Staaten Europas von seinen Entdeckungen berichten, und wie sollte er am besten mit all diesen mannigfaltigen Reichtümern umgehen, die ihm zugefallen waren?

Marco Polos Erwägungen sind unseren eigenen durchaus ähnlich. Jeder von uns verfügt über einen Schatz an Weisheiten aus allen

Zeiten, der uns als spirituelles Erbe anvertraut wurde. Werden wir ihn hüten wie ein Drache, der einen Schatz bewacht? Oder werden wir ihn sich vermehren lassen wie jener Knecht in dem biblischen Gleichnis, der von seinem Herrn fünf Talente anvertraut erhielt, weitere fünf Talente hinzugewann und »in die Freude seines Herrn einging«? (Matth. 25, 14–30)

Unsere erste Aufgabe besteht darin, diese Lehren in unser Gedächtnis und unser Herz einzupflanzen. Dies war der Zweck des Buchs: Die Tiefe und Vielfalt des spirituellen Wissens aufzuzeigen, das uns heute zur Verfügung steht, und Möglichkeiten vorzuschlagen, sie in unser Alltagsleben einfließen zu lassen. Aber die private Arbeit ist nur ein Anfang. Wissen, das wir für uns selbst behalten, gleicht einem Feuer in einem geschlossenen Kasten – es brennt einen Augenblick lang, dann erlischt es aus Mangel an Sauerstoff. Wissen, das ausgebreitet wird, kann dagegen die ganze Welt erwärmen. Man kann es auch so ausdrücken, daß jeder Mensch zwei Rollen zu erfüllen hat – nämlich die eines Schülers, aber auch die eines Lehrers.

Mehr als zwei Jahrzehnte verbrachte Marco Polo im Fernen Osten – tauchte in seine Geheimnisse ein, nahm sein Wissen auf, beobachtete und studierte seine Lebensweise. Sobald er wieder zu Hause war, gab er sein Wissen weiter. Er erzählte ausführlich von seinen Abenteuern und schrieb ein Buch über seine Reisen. Wir müssen es ihm gleichtun und andere an der Fülle teilhaben lassen, die uns überliefert wurde. Es ist die natürlichste Sache der Welt, daß wir unserer Familie und unseren Freunden von unseren Entdeckungen berichten und sie mit unserer Begeisterung anstecken. Wenn die Zeit reif ist, können wir darüber hinaus systematischer erforschen, wie wir kontemplative Praktiken in unser tägliches Leben einbringen können (siehe auch die folgenden Beiträge von Jon Kabat-Zinn und Robert Thurman).

Wie auch immer wir uns engagieren, privat oder öffentlich, in großem oder in kleinem Umfang, als Lehrer oder Schüler, als

412

Elternteil oder Liebhaber, durch Gebet oder Meditation, Arbeit oder Spiel – eine Wahrheit gilt in allen Fällen: Das Leben des Geistes, das wir das kontemplative Leben genannt haben, steht allen offen, die nach ihm verlangen. Niemand fleht den Himmel vergebens um Hilfe an. Aber es kommt sehr darauf an, wie wir anklopfen. Wenn wir laut und gebieterisch anklopfen, übertönen wir vielleicht die leise göttliche Stimme und hören nur den Laut unseres egoistischen Verlangens. Dies verbirgt sich, wie ich vermute, hinter so vielen traurigen Geschichten über religiösen Wahnsinn und gewalttätige und fanatische Kulte, von denen heutige Zeitungen und die Seiten der Geschichtsbücher so voll sind. Lassen Sie uns immer an die Erzählung von Elijah denken, die uns daran erinnert, daß Gott mit leiser Stimme spricht. Das ist der kontemplative Weg – der Weg der Stille, des Schweigens, der Einfachheit, der Unterwerfung unter den Augenblick. Im kontemplativen Leben lehnen wir Zorn, Angst und Eigenliebe ab. Wir schätzen Klarheit, Sammlung und den Dienst am Nächsten. Wir sagen nein zur Hast, ja zur Gelassenheit; nein zum Stolz, ja zur Demut; nein zum Nehmen, ja zum Geben; nein zur Finsternis, ja zum Licht. »Mehr Licht!« rief Goethe auf seinem Sterbelager, als er eine neue Welt erblickte. Lassen Sie diesen Ruf ständig auf unseren Lippen klingen, während wir nach den Gaben des Spirituellen suchen, und die neue Welt wird uns mehr Licht bringen!

Anhang

Den Schritt ins nächste Jahrtausend betrachten wir als Herausforderung, kontemplative Werte und Praktiken in unser Alltagsleben einzubringen. Hier präsentieren Jon Kabat-Zinn und Robert A. F. Thurman ihre Gedanken zur Zukunft der Kontemplation.

Auf dem Weg zu einer kontemplativen Gesellschaft

Von Jon Kabat-Zinn

Es ist an der Zeit, daß die Gesellschaft ihre Aufmerksamkeit der Entwicklung dessen zuwendet, was wir »innere Techniken« nennen könnten. Das ungenutzte Potential des menschlichen Geistes zu individueller und kollektiver Kreativität und Weisheit muß in unserem Inneren kultiviert werden.
Eine »innere Technik« mit der Meditation im weitesten Sinn und zugleich in ihrer fundamentalsten Form (der Achtsamkeit) als wichtigstem Element besitzt die Fähigkeit, unser Bewußtsein über die Herausforderungen unserer technischen Fortschritte hinaus zu erheben und diese zugleich mit der Kraft des Geistes zum größeren Nutzen und zur Harmonisierung aller Menschen und des Planeten zu verwenden. Diese Kapazität ist in eine universale Grammatik der Humanpsychologie eingebaut, wie ich glaube, in gleicher Weise, wie unsere Sprachkapazität durch einen universalen Sprachinstinkt

415

in die Struktur unseres Gehirns eingebaut ist. Und wie zur Entwicklung der Sprache sind auch hier Anwendung und ein gewisses Training nötig, um diese Kapazität im vollen Ausmaß zu entwickeln. Dazu gehören vor allem eine tiefe Vertrautheit mit den Aktivitäten und Reaktionen des eigenen Verstandes und ein gewisses Geschick, mit Gleichmut, Klarheit und Hingabe den Neigungen und Emotionen unseres Verstandes entgegenzusteuern.

Seit ich vor 15 Jahren mit meiner Arbeit auf diesem Gebiet anfing, habe ich immer mehr und mehr Menschen zur Praxis der Meditation zurückkehren oder sie neu aufnehmen sehen. Auf zwanglose Weise wurde die Meditation so zu einem Teil des Alltagslebens.

… Man muß unbedingt darauf hinweisen, daß es keine vorgefertigte Form gibt – und geben darf –, wie man dies erreicht. Meditative Anleitungen, Lehrer und Programme kann man nicht klonen, wenngleich sich wirksame Modelle adaptieren und modifizieren lassen, wie es bereits in medizinischen und pädagogischen, auf Achtsamkeit basierenden Programmen zur Streßreduzierung gemacht wurde. Passende Formen und Ausdrucksmittel müssen aus persönlichen kontemplativen Erfahrungen sowie meditativen Praktiken und Visionen von Leuten entwickelt werden, die fähig sind, die kontemplative Dimension in die Mainstream-Gesellschaft einzubringen. Diese Formen müssen in geeigneter Weise mit dem sozialen Umfeld interagieren und für professionelle, institutionelle und ethnische Kulturen und deren Werte sensibel sein.[1]

Jon Kabat-Zinn ist Bestseller-Autor und Direktor der Stress Reduction Clinic an der University of Massachusetts Medical School.

Gedanken zur Kontemplation und ihrem Stellenwert in der modernen Kultur

Von Robert A. F. Thurman

Meiner Ansicht nach ist es ein wenig irreführend zu sagen, daß unserer Kultur der Sinn für Kontemplation fehlt. Wenn wir so argumentieren, übersehen wir eigentlich die nicht wünschenswerten kontemplativen Zustände, von denen unser Denken absorbiert wird. Das Denken der Menschen wird von ständiger Träumerei aufgesogen. Wenn sie schlafen, erleben sie einen Rückzug von den sensorischen Reizen, obschon sie das als unbewußten Zustand identifizieren. In allen Kulturen baut die Erziehung ein Weltbild auf, das ein Leben lang ständig durch Symbole und Bilder bestärkt und kompliert wird. Das Fernsehen – dieser spezielle kontemplative Schrein der modernen Kultur – bietet Millionen von Menschen Tag für Tag, jahrein, jahraus stundenlang eine kontemplative Trance. Unglücklicherweise handelt es sich um eine Trance, in der gefühlsmäßige Unzufriedenheit ständig verstärkt, Zorn und Gewalt aufgeprägt und Verwirrung sowie die Verblendung des Materialismus errichtet und aufrechterhalten werden.

Wenn wir also über den Versuch sprechen, den Sinn für Kontemplation in unserer Kultur zu fördern und zu stärken, sprechen wir eigentlich eher über Methoden, kontemplative Energien von einem Fokus zu einem anderen zu schaffen. Wir wollen, daß die Menschen über Gespaltenheit, emotionelle Distanz und Selbstzufriedenheit nachsinnen; daß sie sich selbst aufheitern, indem sie weniger gierig und bedürftig werden. Wir wollen, daß sie Toleranz, Geduld, Gewaltlosigkeit und Mitleid kontemplieren; daß sie sich entspannen, indem sie weniger zornig, irritiert und paranoid sind. Wir wollen, daß sie mehr Weisheit, mehr Freiheit, mehr Bereitschaft zu Verantwortlichkeit und Kreativität entwickeln, indem sie die aufgezwun-

417

genen Realitäten durchschauen, in die die materialistische Kultur uns verstrickt hat. Wir müssen den Wertewandel erkennen, der in unserer Hervorhebung der Kontemplation enthalten ist. Nur dadurch können wir auch die Opposition verstehen, mit der wir es zu tun haben …

Es gibt viele Möglichkeiten, wie wir unsere Gesellschaft nachdenklicher, kontemplativer machen können. Joyce schrieb Finnegans Wake, um ein gedankenloses Eingebettetsein in Worte schwieriger zu gestalten. Maharishi Mahesh Yogi, der Begründer der Transzendentalen Meditation, hat sich bemüht, kontemplative SWAT-Teams zu organisieren, die zu Krisenherden reisen und Massenmeditationswellen aussenden sollen, um die im Flammenmeer von Wut und Gewalt stehenden Gruppen zu beruhigen. Kontemplation wird in blühenden, östlich orientierten Zentren gelehrt, in Zisterzienserklöstern und Krankenhäusern, und sie sollte durch jedes verfügbare Medium weiterverbreitet werden.2

Robert A. F. Thurman ist Professor für indo-tibetische Studien im Fachbereich Religionswissenschaft an der Columbia University.

Quellen

Einleitung

1 Josef Pieper, A Brief Reader on the Virtues of the Human Heart, San Francisco: Ignatius Press, 1991, S. 21; dt.: Kleines Lesebuch von den Tugenden des menschlichen Herzens, Stuttgart: Schwaben-Verlag, 1988
2 Simone Weil, Waiting on God, London: Fontana Books, 1959, S. 72
3 Zit. in Richard Siegel, The Jewish Catalog, R. Siegel, M. und S. Strassfeld (Hrsg.), Philadelphia: Jewish Publication Society of America, 1973, S. 150
4 Zit. in Frithjof Schuon, The Feathered Sun: Plains Indians in Art and Philosophy, Bloomington: World Wisdom Books, 1990, S. 51
5 Simone Weil, Waiting on God, a. a. O., S. 67

Teil I: Tag

Kapitel I:
Einführung: Leben an einem Tag

1 Zit. in James G. Needham, The Biology of Mayflies, Ithaca: Comstock Publishing Company, 1935, S. XV
2 The Oxford Book of Prayer, George Appleton (Hrsg.), Oxford und New York: Oxford University Press, 1985, S. 185
3 Thomas Kelly, A Testament of Devotion, New York: Harper and Brothers, 1941, S. 89 ff.
4 Edward Conze, Buddhist Texts Through the Ages, New York und Evanston: Harper & Row, 1964, S. 56
5 Glenn H. Mullin, Death and Dying: The Tibetan Tradition, Boston, London und Henley: Arkana, 1986, S. 6; dt.: Die Schwelle zum Tod und Leben nach tibetischem Glauben, München: Diederichs, 1987
6 Zit. in Carol Zaleski, The Life of the World to Come: Near-Death Experience and Christian Hope, New York und Oxford: Oxford University Press, 1996, S. 16

7 Al-Ghazali, The Remembrance of Death and the Afterlife, Cambridge: Islamic Texts Society, 1989, S. 10

8 D. S. Roberts, Islam: A Concise Introduction, San Francisco: Harper & Row, 1981, S. 37

Kapitel 2: Aufwachen

1 Das Material zu dieser Morgenmeditation stammt aus Philip Zaleski, The Recollected Heart, San Francisco: Harper & Row, 1995

2 St. Benedict, RB 80, Collegeville: The Liturgical Press, 1981, S. 15 f.; dt.: Benediktiner-Regel, Auszüge: St. Ottilien: Eos Verlag, 1977

3 Ebd., S. 95

4 Ebd., S. 47

5 The Sixth Grandfather, Raymond DeMallie (Hrsg.), Lincoln und London: University of Nebraska Press, 1984, S. 226

6 Ebd., S. 28

7 Sacred Books of The East, Bd. XXXI, »The Zend-Avesta«, Oxford: Oxford University Press, 1887, S. 292

8 John S. Mbiti, African Religions and Philosophy, Oxford und Portsmouth, N. H.: Heinemann, 1990, S. 62; dt.: Afrikanische Religion und Weltanschauung, Berlin: De Gruyter, 1974

9 Sacred Books of The East, Bd. XLIX, »The Larger Sukhavati-vyuha«, Oxford: Oxford University Press, 1894, S. 55

10 Eshin Nishimura, Unsui: A Diary of Zen Monastic Life, Honolulu: University of Hawaii Press, 1973, Eintrag 12

11 Jiyu Kennett, Selling Water by the River: A Manual of Zen Training, New York: Pantheon Books, 1972, S. 239

12 Zit. in D. S. Roberts, Islam: A Concise Introduction, San Francisco: Harper & Row, 1981, S. 102

13 Kennett, a. a. O., S. 238

14 Mrs. Sinclair Stevenson, The Rites of the Twice-Born, London: Oxford University Press, 1920, S. 227

Kapitel 3: Essen

1 John Lame Deer und Richard Erdoes, Lame Deer: Seeker of Visions, New York: Simon & Schuster, 1972

2 Shunryu Suzuki, Zen Mind, Beginner's Mind, New York und Tokio: Weatherhill, 1970, S. 115; dt.: Zen-Geist, Anfänger-Geist, Berlin: Theseus, 1983

3 David Scott und Tony Doubleday, The Elements of Zen, Rockport, MA: 1992, S. 82

4 Daisetz T. Suzuki, The Training of the Zen Buddhist Monk, New York: University Books, 1959, S. 147

5 Mrs. Sinclair Stevenson, The Rites of the Twice-Born, London: Oxford University Press, 1920, S. 242 ff.

6 Zen Master Dogen und Kosho Uchiyama, From the Zen Kitchen to Enlightenment, New York: Weatherhill, 1983, S. 7 f.

7 Mohammed Marmaduke Pickthall, The Meaning of the Glorious Koran, New York: New American Library, 1963, S. 49

Kapitel 4: Arbeiten

1 Simone Weil, Waiting on God, London: Fontana Books, 1959, S. 125

2 Zit. in Richard M. Hogan und John M. LeVoir, Covenant of Love: Pope John Paul II on Sexuality, Marriage, and Family in the Modern World, San Francisco: Ignatius Press, 1992

3 Simone Weil, Waiting on God, a. a. O., S. 75 f.

4 A Crafts Anthology, James T. Baily (Hrsg.), London: Cassell & Company, 1953, S. 17

5 Ebd., 1 f.

6 M. K. Gandhi, Man v. Machine, Bombay: Bharatiya Vidya Bhavan, 1966, S. 36 f.

7 Zit. in Mark Holloway, Heavens on Earth: Utopian Communities in America 1680–1880, New York: Dover Publications, 1966, S. 70

8 Zit. in Edward Deming Andrews, The People Called Shakers, New York: Dover Publications, 1963, S. 104

9 The Mind of Mahatma Gandhi, R. K. Prahbhu und U. R. Rao (Hrsg.), London: Oxford University Press, 1945, S. 132

10 Ebd. S. 136

11 The Bhagavad Gita Or the Lord's Lay, Boston: Houghton Mifflin Co., 1887, S. 64

12 Ebd., S. 66 ff.

13 Warrior of Zen: The Diamond-hard Wisdom of Suzuki Shosan, Arthur Braverman (Hrsg.), o. O., o.V., S. 59

14 Gene Logsdon, »The Barn Raising«, in: John A. Hostetler, Amish Roots: A Treasury of History, Wisdom, and Lore, Baltimore: The Johns Hopkins University Press, 1989, S. 78

15 Brother Lawrence of the Resurrection OCD, Writings and Conversations on the Practice of the Presence of God, Washington, DC: ICS Publications, 1994, S. 12 f.

Kapitel 5: Einfache Vergnügen

1 Zit. aus: Lau Dse, Dau Dö Djing, Bremen: Carl Schünemann Verlag (Slg. Dieterich Bd. 242), 1962, Kapitel 43, S. 147; zahlreiche weitere Ausgaben
2 Bede Griffiths, The Golden String, Springfield, IL: Templegate Publishers, 1980, S. 9

Kapitel 6: Zusammensein mit anderen

1 Zit. in Sophy Burnham, A Book of Angels, New York: Ballantine Books, 1990; dt.: Engel: Erfahrungen und Reflexionen, Olten und Freiburg i. Br.: Walter, 1992, S. 51
2 C. S. Lewis, The Lion, the Witch, and the Wardrobe, Harmondsworth: Penguin Books, 1959, S. 19
3 Zit. in D. S. Roberts, Islam: A Concise Introduction, San Francisco: Harper & Row, 1981, S. 101
4 Alois Musil, The Manners and Customs of the Rwala Bedouin, New York: American Geographical Society Oriental Explorations and Studies No. 6, 1928, S. 459
5 H. R. P. Dickson, The Arab of the Desert, London: George Allen & Unwin Ltd., 1949, S. 118
6 Joseph Chelhod, »Islands of Welcome in a Sea of Sand«, The Unesco Courier, Februar 1990, S. 13
7 Zit. in The Encyclopedia of Hasidism, Tzvi Rabinowicz (Hrsg.), Northvale, N. J.: Jason Aronson, 1996, S. 225
8 Mother Teresa, My Life for the Poor, Jose Luis Gonzales-Balado und Janet N. Playfoot (Hrsg.), New York: Harper & Row, 1985, S. 95
9 Ebd. S. 97 ff.
10 Mother Teresa, »The Nobel Price Speech«, in: Robert Serrou, Teresa of Calcutta, New York: McGraw Hill Book Company, 1980, S. 109
11 Zit. in The Encyclopedia of Hasidism, a. a. O., S. 65
12 Cicero, »De Amicitia«, in: Other Selves: Philosophers on Friendship, Michael Pakaluk (Hrsg.), Indianapolis: Hackett Publishing Company, 1991, S. 87; dt.: u. a. Über die Freundschaft, München und Zürich: Artemis Verlag, 1988
13 The Sacred Pipe: Black Elk's Account of the Seven Rites of the Oglala Sioux, Joseph Epes Brown (Hrsg.), Harmondsworth: Penguin Books, 1971, S. xiv
14 Joseph Epes Brown, The Spiritual Legacy of the American Indian, New York: The Crossroad Publishing Company, 1982, S. 17
15 Ebd., S. 44

Kapitel 7: Worte

1 Zit. in Parabola, VIII: 3, S. 68

2 N. Scott Momaday, »The Man Made of Words«, in: Indian Voices: The First Convocation of American Indian Scholars, San Francisco: The Indian Historian Press, 1970, S. 49

3 Knud Rasmussen, The Netsilik Eskimos: Social Life and Spiritual Cultures, Report of the Fifth Thule Expedition, 1921–1924, Bd. 8, Kopenhagen: Gyldendalske Boghandel, 1931, S. 16, 321

4 Lewis I. Newman, The Hasidic Anthology: Tales and Teachings of the Hasidim, New York: Schocken Books, 1963, S. 509

5 Ebd., S. 511

6 »Mani-bhak-hbum«, zit. in Edward Rice, Eastern Definitions, New York: Anchor Books, 1980, S. 279

7 Mohammed Marmaduke Pickthall, The Meaning of the Glorious Koran, New York: New American Library, 1963, S. 185

8 Ebd., a.a.O., S. 211

9 Anonym, The Way of a Pilgrim, New York: Harper, 1954, Repr. 1991, S. 38

10 Dieser Text erschien ursprünglich im Praying Magazine und wurde hier mit Erlaubnis von David Steindl-Rast OSB abgedruckt

11 Zit. in Ruth Tooze, Storytelling, Englewood Cliffs, N. J.: Prentice-Hall, 1959, S. XV

12 N. Scott Momaday, »The Man Made of Words«, a. a. O.

13 Chu Hsi, Learning to Be A Sage: Selections from the Conversations of Master Chu, Arranged Topically, Berkeley: University of California Press, 1990, S. 146

14 Ebd., S. 129

15 Ebd., S. 135

16 Ebd., S. 135

17 Ebd., S. 132

18 Ebd., S. 147

19 Jean Leclercq, The Love of Learning and the Desire for God, New York: Mentor Omega Books, 1962, S. 24

20 The Rule of St. Benedict, Anthony C. Meisel und M. L. del Mastro (Hrsg.), Garden City: Image Books, 1975, S. 87

21 Zit. in Maurus Wolter OSB, The Principles of Monasticism, St. Louis: B. Herder Book Company, 1962, S. 215

22 Jonathan Omer-Man, »Study of the Thorah as Awakening«, Parabola VII: 1 (Sleep), S. 58

23 George Steiner, »The Retreat from the World«, in: Language and Silence:

Essays on Language, Literature, and the Inhuman, New York: Atheneum, 1967

24 Mother Teresa, A Gift for God: Prayers and Meditations, San Francisco: Harper & Row, 1975, S. 68 f.

25 John Climacus, The Ladder of Divine Ascent, New York: Paulist Press, 1982, S. 158

26 Zit. in Elizabeth McCumsey, »Silence«, in: The Encyclopedia of Religion, Mircea Eliade (Hrsg.), Bd. XIII, New York: Macmillan, 1987, S. 323

27 John Climacus, a. a. O., S. 159

Kapiel 8: Bewegung

1 [Thomas Merton], The Asian Journal of Thomas Merton, Naomi Burton Stone, Patrick Hart und James Laughlin (Hrsg.), New York: New Directions, 1973, S. 233, 235 f.

Kapitel 9: Schlafen gehen

1 Lewis I. Newman, The Hasidic Anthology: Tales and Teachings of the Hasidim, New York: Schocken Books, 1963, S. 447

2 Daisetz T. Suzuki, The Training of the Zen Buddhist Monk, New York: University Books, 1959, S. 95

3 Zit. in Annemarie Schimmel, Mystische Dimensionen des Islam, Köln: Eugen Diederichs, 1985, S. 170

4 Ebd., S. 170

5 The Rule of St. Benedict, Anthony C. Meisel und M. L. del Mastro (Hrsg.), Garden City: Image Books, 1975, S. 69

6 Ebd., S. 82

7 W. Montgomery Watt, The Faith and Practice of Al-Ghazali, London: George Allen and Unwin Ltd., 1953, S. 118

8 Modifiziert nach The Book of Daily Prayers, Isaac Lesser (Hrsg.), Philadelphia, 1848, S. 221

9 Patricia Garfield, Creative Dreaming, New York: Ballantine Books, 1974, S. 80

10 »Beaver Dreaming and Singing«, in: »Pilot Not Commander: Essays in Memory of Diamond Jenness«, Pat und Jim Lotz (Hrsg.) Anthropologica, Special Issue n. s. #1 und 2, 1971

Teil II: Leben

Kapitel 10: Einführung:
Übergänge im Lebenszyklus

1 »Pirke Aboth« V: 24, in: The Ethics of the Talmud: Sayings of the Fathers, R. Travers Herford (Hrsg.), New York: Schocken Books, 1962, S. 144

2 Twelve Steps and Twelve Traditions, New York: Alcoholics Anonymous World Services, Inc.; dt.: Zwölf Schritte und zwölf Traditionen, Anonyme Alkoholiker deutscher Sprache (Hrsg.), 61991, S. 3 und 4

Kapitel 11: Geburt

1 »Buddhacarita«, in: Buddhist Scriptures, Edward Conze (Hrsg.), Harmondsworth: Penguin Books, 1959, S. 36

2 Grantly Dick Read, M. D., Childbirth without Fear, New York: Harper & Row, 1985, S. 247 ff.

3 Everard im Thrun, »Indians of Guiana«, S. 217, zit. in James Hastings, Encyclopedia of Religion and Ethics, Edinburgh: T. & T. Clark, 1928, Bd. II, S. 635

4 N. Scott Momaday, The Names: A Memoir, New York: Harper & Row, 1976

Kapitel 12: Kindheit

1 John Stratton Hawley, »The Thief In Krishna«, Parabola, IX: 2, »Theft«, S. 11 f.

2 Simone Weil, Waiting on God, London: Fontana Books, 1959, S. 75

3 Eberhard Arnold, in: Children in Community, Woodcrest, N. Y.: The Plough Publishing House, 1963, S. 3

4 Ebd., S. 3

5 Ebd., S. 4

6 Ebd., S. 4

7 Heidi Arnold, »Thoughts taken from Eberhard Arnold«, in: Children in Community, a. a. O., S. 6

8 Zit. in Walter Joseph Homan, Children and Quakerism, Berkeley: Gillick Press, 1939, S. 23

9 Ebd., S. 31

10 Ebd., S. 32

11 Zit. in Thomas Buckley, »Doing Your Thinking«, Parabola IV:4, »Storytelling and Edcation«, S. 32

12 Ebd., S. 35

13 Aus Hayim Halevy Donin, To Be a Jew: A Guide to Jewish Observance in Contemporary Life, New York: Basic Books, 1972, S. 130

14 Ebd., S. 113

15 »Pirke Aboth« V: 24, in: The Ethics of the Talmud: Sayings of the Fathers, R. Travers Herford (Hrsg.), New York: Schocken Books, 1962, S. 45 f.

16 »The Classic of Filial Piety«, in: Chinese Civilization: A Sourcebook, Patricia Ebrey (Hrsg.), New York: The Free Press, 1993, S. 64

17 Ebd., S. 65

18 Cheng Duanli, »A Schedule for Learning«, in: Chinese Civilization, a. a. O., S. 197

19 Ebd., S. 197

20 »The Li Ki«, in: Sacred Books of the East: The Texts of Confucianism, Bd. XXVIII, Oxford: Oxford University Press, 1885, S. 425

21 Ebd., S. 82

22 Cheng Duanli, a. a. O., S. 198

23 »Disobedient Children«, in: Amish Roots: A Treasury of History, Wisdom, and Lore, John A. Hostetler (Hrsg.), Baltimore: The Johns Hopkins University Press, 1989, S. 111 f.

24 Aleksandr Elchaninov, The Diary of a Russian Priest, London: Faber, 1957

Kapitel 13: Mündig werden

1 Arthur Amiotte, »Eagles Fly Over«, Parabola I: 3, S. 29

2 The Sacred Pipe: Black Elk's Account of the Seven Rites of the Oglala Sioux, Joseph Epes Brown (Hrsg.), Harmondsworth: Penguin Books, 1971, S. 47

3 Ebd., S. 57

4 Ebd., S. 58

5 Ebd., S. 66

6 Zit. in Charlotte Frisbie, Kinaalda: A Study of the Navajo Girl's Puberty Ceremony, Middlewown, CT: Wesleyan University Press, 1967, S. 11

7 Ebd., S. 12

8 Dieses Muster ergibt sich aus der Feldarbeit von Charlotte Frisbie, wie beschrieben in Kinaalda, a. a. O.

Kapitel 14: Heirat und Familie

1 »Orangutan Love«, CNN Interactive Website, 8. Nov. 1996
2 »Married Orangutang Couple Takes Next Step«, CNN Interactive Website, 23. Jan. 1997
3 Ebd.
4 Vgl. Alan Unterman, »Judaism«, in: Rites of Passage, Jean Holm (Hrsg.), London: Pinter Publishers, 1994, S. 127
5 Zit. in John Meyendorff, Marriage: An Orthodox Perspective, St. Vladimirs's Seminary Press, 1975, S. 109
6 Ebd., S. 111
7 Ebd., S. 113
8 Clifford Geertz, The Religions of Java, Glencoe, IL: The Free Press, 1960, S. 55
9 Mrs. Sinclair Stevenson, The Rites of the Twice-Born, London: Oxford University Press, 1920, S. 90
10 Ebd., S. 91
11 John S. Mbiti, African Religions and Philosophy, Oxford: Heinemann, 1969, S. 131
12 Zohar 1: 89a, in: The Talmudic Anthology, Lewis I. Newman und Samuel Spitz (Hrsg.), New York: Behrman House, 1945, S. 271 f.
13 G. K. Chesterton, Heretics, New York: John Lane, 1906, S. 191 f.
14 »Family Instructions«, in: Chinese Civilization: A Sourcebook, Patricia Ebrey (Hrsg.), New York: The Free Press, 1993, S. 243
15 Ebd., S. 243

Kapitel 15: Altern

1 »The Laws of Manu«, in: The Sacred Books of The East, Bd. XXV, London: Oxford University Press, 1888, S. 198
2 Ebd., S. 199
3 Ebd., S. 202
4 Ebd., S. 202
5 Ebd., S. 204
6 Ebd., S. 206
7 Ebd., S. 199 f., 207
8 Athanasius, The Life of Antony, New York: Paulist Press, 1980, S. 42
9 Pamela T. Amoss, »Coast Salish Elders«, in: Other Ways of Growing Old, Pamela T. Amoss und Steven Harrell (Hrsg.), Stanford: Stanford University Press, 1981, S. 232
10 John Neihardt, »All Is But a Beginning«, zit. in Songs of Experience,

Margaret Fowler und Priscilla McCutcheon (Hrsg.), New York: Ballantine Books, 1991, S. 56

11 Zit. in Ronald Blythe, The View in Winter, New York: Harcourt Brace Jovanovich, 1979, S. 243

12 George Congreve, »Treasure of Hope for the Evening of Life«, zit. in Blythe, The View in Winter, a. a. O., S. 239

Kapitel 16: Sterben

1 Frederick S. Paxton, A Medieval Latin Death Ritual: The Monastic Customaries of Bernard and Ulrich of Cluny, Missoula: St. Dunstan's Press, 1993, S. 20

2 Ebd., S. 20

3 Gregory the Great, Dialogues, Book II: Saint Benedict, Indianapolis: The Library of Liberal Arts, 1967, S. 47

4 »The Deaths of the Hasidic Masters«, in: Jewish Reflections on Death, Jack Riemer (Hrsg.), New York: Schocken Books, 1976, S. 27

5 Ebd., S. 29f.

6 Ebd., S. 24

7 Ebd., S. 27

8 Twelve Steps and Twelve Traditions, New York: Alcoholics Anonymous World Services, Inc.; dt.: Zwölf Schritte und zwölf Traditionen, Anonyme Alkoholiker deutscher Sprache (Hrsg.), 61991, S. 4 und 5

9 Sogyal Rinpoche, The Tibetan Book of Living and Dying, San Francisco: Harper San Francisco, 1992, S. 233; dt.: Das tibetische Buch vom Leben und Sterben, München: O. W. Barth Verlag, 1993

10 Tenzin Gyatso, The World of Tibetan Buddhism: An Overview of Its Philosophy and Practice, Geshe Thupten Jinpa (Hrsg.), Boston: Wisdom Publications, 1995, S. 138

Schlußbetrachtung

1 Aus Jon Kabat-Zinn, »Catalyzing Movement Toward a More Contemplative/Sacred-Appreciating/Non-Dualistic Society«, The Contemplative Mind in Society, 1996. Abdruck mit freundlicher Genehmigung.

2 Aus Robert A. F. Thurman, »Meditation and Education: Buddhist India, Tibet and Modern America«, The Contemplative Mind in Society, 1996. Abdruck mit freundlicher Genehmigung.

Danksagung

Wir danken Charles Halpern von der National Cummings Foundation und Rob Lehman vom Fetzer Institute für ihre wertvollen Hinweise auf kontemplative Praktiken im Alltag.

Weiterhin danken wir folgenden Personen für ihre vielen Beiträge zu diesem Buch: Bill Aron, Rev. Dom Anselm Atkinson, O. S. B., Nora Bateson, Tara Bennett-Goleman, Linda Blachman, Richard Blair, Paul Blankenheim, Elizabeth Block, Norman Boucher, Jeffrey Brooks, Edward Espe Brown, Joseph Bruchac, Shira Burstein, Mirabai Bush, Robert Bussewitz, Leonie Caldecott, Stratford Caldecott, Priscilla Carrasco, Tracy Cochran, Anders Cole, Max Cole, John und Mary Collier, Linda Connor, Sr. Scholastica Crilly, O. S. B., Andrew DeLisle, Susan DeLisle, Shendl Diamond, Lois Dubin, Daniel Gardner, Rt. Rev. Dom Hugh Gilbert, O. S. B., Daniel Goleman, Nancy Graeff, Philip L. Greene, Barbara F. Gundle, Joan Halifax, Kabir Helminski, Linda Hess, Jamie Hubbard, Lawrence Hudetz, Lynn Johnson, William Johnston, Jon Kabat-Zinn, Jennifer Kaufman, Rev. Dom Bede Kierney, O. S. B., Sr. Mary Elizabeth Kloss, O. S. B., Marty Knapp, Christine Knodt, Miles Krassen, Dechen Latshang, Eileen Latshang, George Leonard, Barbara Leslie, Richard Lewis, Parvati Markus, Rohana McLaughlin, Richard Millington, John Ockenga, Rabbi Jonathan Omer-Man, Ram Dass, Dr. Dean Ornish, Claire Renkin, Meridel Rubenstein, Therese Schroeder-Sheker, Rabia Seidel, Vera Shevzov, Br. David Steindl-Rast, O. S. B., Brian Stock, Jean Sulzberger, Kazuaki Tanahashi, Robert A. F. Thurman, Taitetsu Unno, Very Rev. Mother Mary

Clare Vincent, O. S. B., Frank Ward, Jan Watson, Lewis Watts, Petroc Willey, Sr. Mary Frances Wynn, O. S. B., Jeff Zaleski.

Vielen Dank auch an unsere Agenten Barbara Lowenstein und Eileen Cope für ihre Bemühungen in unserem Interesse, und unserem Herausgeber John Loudon sowie seiner Assistentin Karen Levine für unschätzbaren Rat und Unterstützung.

Schließlich danken wir besonders Libby Colman für ihre redaktionellen Beiträge zum Thema Kindergeburt und ihre unerschöpfliche Geduld, Carol Zaleski für ihre Ideen und ihre zahllosen redaktionellen Verbesserungen; und Carol, Kriston, John und Andy danken wir dafür, daß sie so hervorragende Helfer bei der spirituellen Ernte waren.

430